D1002628

l'impressionnisme
et la peinture de plein air
1860-1914

ESSENTIELS

l'impressionnisme
et la peinture de plein air
1860-1914

dictionnaire
histoire et sources
épanouissement, prolongements

Larousse

17 RUE DU MONTPARNASSE 75298 PARIS CEDEX 06

Direction éditoriale
conception, réalisation et sélection iconographique
JEAN-PHILIPPE BREUILLE

Secrétariat d'édition
MICHEL GUILLEMOT

Correction-révision
BERNARD DAUPHIN
CLAUDE DHORBAIS
RENÉ LOUIS

Fabrication
MICHEL PARÉ

ISBN 2-03-740068-3

LES ARRANGEMENTS ET LES HARMONIES DE LA NATURE

Éditer un ouvrage sur *l'Impressionnisme et la peinture de plein air* n'est certes pas original, la bibliographie sur ce courant révolutionnaire en son temps – dialectique de l'écart mais aussi continuité cependant – est considérable. Dans l'esprit de la collection où paraît ce volume, nous avons voulu offrir au lecteur curieux un ensemble cohérent, rigoureux autant qu'on peut l'être, de ce moment où la peinture, non seulement en France, mais aussi plus tard à l'étranger, s'engage dans des voies novatrices sur le plan technique, renouvelle le *sujet* en refusant le « grand genre », disons pour simplifier la peinture d'histoire, et offre une vision qui fut aussi, voici plus d'un siècle, cause de scandale : il suffit de rappeler celui suscité par *le Déjeuner sur l'herbe* de Manet au Salon des refusés en 1863 ou de l'*Olympia* du même artiste, peinte la même année, présentée plus tard au Salon de 1865 et défendue par Zola.

Pourtant, Manet, vers qui iront les sympathies des adeptes de l'atelier du maître tolérant que fut Gleyre (Monet, Sisley, Renoir, Bazille), instaure par ces deux œuvres un ordre pictural singulier en *détournant* des thèmes qui appartiennent à la mémoire du passé incarnée par l'évocation de Giorgione et de Titien.

La nouveauté qui effraie ou suscite sarcasmes et quolibets avant d'être assimilée et glorifiée est un phénomène suffisamment répandu en tous domaines et les exemples sont légion. Rappelons seulement à titre de comparaison que c'est aussi en 1863 qu'est montrée au Salon la *Naissance de Vénus* d'Alexandre Cabanel (ami de Gérôme et de Bouguereau), achetée par Napoléon III pour sa collection personnelle. Les apôtres de l'art officiel ne sont pas tendres avec les nouveaux venus. Et Gérôme, qui conseilla à Maillol de vendre des saucissons, disait peu avant sa mort que les impressionnistes étaient « le déshonneur de l'art français ».

Deux spécialistes éminents, Bernard Dorival et Sophie Monneret, brossent un « historique » du mouvement et s'attachent à montrer en quoi fut singulière, audacieuse la démarche des adeptes de la peinture sur le motif telle que la concevait, par exemple, Boudin, pour lequel « trois coups de pinceau d'après nature valent mieux que deux jours de travail au chevalet ». La genèse, le développement de l'Impressionnisme sont inscrits dans le cadre culturel, littéraire, politique, social d'une période grosso modo comprise entre 1860 et 1914 et ses développements et prolongements étudiés à travers le monde. Ces deux textes sont suivis d'un dictionnaire alphabétique où figurent non seulement ceux qui manient le pinceau, mais aussi les collectionneurs, marchands, les courants voisins dans le temps des impressionnistes, des Macchiaioli en Italie au groupe des XX en Belgique. Des notices succinctes mentionnent aussi les sites privilégiés par les peintres en France, de Barbizon à Giverny ; on ne s'étonnera pas de rencontrer certains artistes précurseurs d'un regard qui fit fortune (Delacroix en France et la technique du flochetage ou Turner en Grande-Bretagne) et l'on a fait place à nombre de praticiens qui, des États-Unis à la Scandinavie, ont privilégié une manière qui était sans doute dans l'air du temps et dont les Fauves allaient offrir, au début de ce siècle, une traduction colorée, sensuelle, souvent plus urbaine et qui trouvera dans « Die Brücke » à Dresde un large écho. Précisons que ce dictionnaire ne prétend pas rivaliser avec la *somme* de Sophie Monneret, *l'Impressionnisme et son époque*.

Tableaux chronologiques et bibliographie complètent *l'Impressionnisme et la peinture de plein air*. Si l'iconographie de l'ouvrage contribue à remettre en mémoire des œuvres qui font aujourd'hui largement partie de la culture visuelle, des *Raboteurs de parquet* de Caillebotte aux *Coquelicots* de Monet, on découvrira peut-être certains tableaux qui ont moins la faveur du public, ceux de Marie Bracquemond, O'Conor ou Heymans par exemple.

Enfin, que ce petit volume aide, selon le souhait de Signac, le lecteur à comprendre les desseins de l'artiste, « à saisir les arrangements et les harmonies de la nature... ».

Jean-Philippe Breuille

Collaborateurs

Une partie des notices de cet ouvrage est extraite du *Petit Larousse de la peinture* publié sous la direction de MICHEL LACLOTTE, directeur du musée du Louvre.

HÉLÈNE ADHÉMAR, conservateur en chef des galeries de l'Orangerie et du Jeu de paume.

KATARINA AMBROZIC, conservateur du Musée national de Belgrade.

LUCIE AUERBACHER-WEI, diplômée de l'École du Louvre.

ROSELINE BACOU, conservateur en chef au cabinet des Dessins du musée du Louvre.

SOPHIE BAJARD, diplômée de l'École des hautes études en sciences sociales.

NICOLE BARBIER, conservateur au musée national d'Art moderne, Paris.

MADELEINE H. BARBIN, conservateur au cabinet des Estampes de la Bibliothèque nationale, Paris.

GERMAINE BARNAUD, chargée de mission à la direction des Musées de France.

ANNIE BAUDUIN, assistante à l'université de Lille-III.

HELMUT BÖRSCH-SUPAN, Museumsdirektor und Professor, Verwaltung der Staatlichen Schlösser und Gärten, Berlin.

ALAN BOWNESS, directeur de la Tate Gallery. Londres.

HENRIK BRAMSEN, conservateur en chef honoraire de l'académie royale des Beaux-Arts de Copenhague.

THÉRÈSE BUROLLET, conservateur en chef du musée du Petit Palais, inspecteur général des musées, Paris.

FRANÇOISE CACHIN, directeur du musée d'Orsay, Paris.

MARIE CERCIELLO, diplômée d'études supérieures d'histoire de l'art, université de Paris-X (Nanterre).

THÉRÈSE CHARPENTIER, conservateur du musée de l'École de Nancy ; chargée d'enseignement à l'université de Nancy.

ISABELLE COMPIN, attachée au département des Peintures du musée du Louvre.

SABINE COTTÉ, conservateur des Musées nationaux.

BERNARD CROCHET, diplômé de l'École du Louvre.

SYLVIE DESWARTE, docteur de 3e cycle en histoire de l'art.

ANNIE DISTEL, conservateur au musée d'Orsay.

† CHARLES DURAND-RUEL, directeur de galeries d'art.

† ANDRÉ FERMIGIER, agrégé de l'Université, maître de conférences à l'université de Paris-Sorbonne (Paris-IV), critique d'art.

MARIE-THÉRÈSE DE FORGES, conservateur honoraire des Musées nationaux.

ÉLIZABETH GARDNER, conservateur au Metropolitan Museum de New York.

† MAXIMILIEN GAUTIER, critique d'art.

LAURENCE GÉRARD-MARCHANT, docteur de l'université de Paris I (Panthéon-Sorbonne).

CHARLES GOERG, conservateur du cabinet des Estampes et de la bibliothèque d'Art et d'Archéologie, musée d'Art et d'Histoire, Genève.

† PAUL GUINARD, professeur honoraire à l'université de Toulouse.

ANGÉLIQUE HÉRON DE VILLEFOSSE, diplômée d'études supérieures de l'université de Paris-Sorbonne (Paris-IV).

WLADYSLAWA JAWORSKA, professeur à l'Institut d'art de l'Académie polonaise des sciences, Varsovie.

IONEL JIANOU, professeur honoraire à l'École supérieure des Beaux-Arts de Bucarest.

IVAN JIROUS ET VERA JIROUSOVA, historiens d'art, Prague.

BARTHÉLÉMY JOBERT, pensionnaire au département des Estampes, Bibliothèque nationale (Paris) : assistant à l'université de Paris-IV (Paris-Sorbonne).

GUSTAV [†] ET VITA MARIA KÜNSTLER, historiens d'art, Vienne.

GENEVIÈVE LACAMBRE, conservateur en chef au musée d'Orsay.

JEAN LACAMBRE, conservateur des Musées nationaux.

† JACQUES LASSAIGNE, conservateur en chef honoraire du musée d'Art moderne de la Ville de Paris.

8

Iconographie complémentaire

Les noms des artistes et les œuvres qui illustrent les deux textes historiques ainsi que les notices autres que celles les concernant directement (écoles, courants picturaux, mouvements) sont mentionnés ci-après.

Giacomo Balla, *les Adieux dans l'escalier*, 1905, **95**
Frédéric Bazille, *la Toilette*, 1870, **54**
Karl Blechen, *Vue sur des maisons et des jardins*, 1828, **42**
Pierre Bonnard, *Affiche pour la « Revue blanche »*, 1894, **84**
Eugène Boudin, *les Falaises de Dieppe et du Petit Paris*, **220**
Gustave Caillebotte, *Raboteurs de parquet*, 1875, **15**
Paul Cézanne, *Pont de Maincy, près de Melun*, v. 1879, **27**
la Maison du pendu, Auvers-sur-Oise, 1873, **69**
les Grandes Baigneuses, 1898-1905, **71**
Edgar Degas, *la Classe de danse*, v. 1871-1874, **23**
Portrait de famille, dit la Famille Bellelli, v. 1858-1867, **47**
Eugène Delacroix, *Lutte de Jacob avec l'ange*, 1861, **39**
André Derain, *les deux Péniches*, 1906, **193**
Giovanni Fattori, *Madame Martelli à Castiglioncello*, 1867-1870, **251**
Paul Gauguin, *la Vision après le sermon*, 1888, **81**
Maître du Roi René, *À la fontaine de Fortune*, v. 1455, **32**
Édouard Manet, *Clair de lune sur le port de Boulogne*, 1869, **53**
Un bar aux Folies-Bergère, 1883, **64**
Claude Monet, *Coquelicots*, 1873, **21**
Femmes au jardin, 1866-1867, **47**
Impression, Soleil levant, 1872, **59**
Nymphéas bleus, **77**
James Wilson Morrice, *Paysage, Trinidad*, **90**
Camille Pissarro, *les Toits rouges*, 1877, **24**
Auguste Renoir, *le Grenouillère*, 1869, **28**
Portrait de Paul Durand-Ruel, 1910, **57**
le Déjeuner des canotiers, 1880-1881, **62**
Baigneuse s'essuyant la jambe, v. 1910, **74**
Théodore Rousseau, *Groupe de chênes, Apremont*, **110**
Théodore Van Rysselberghe, *la Lecture*, 1903, **93**
Paul Sérusier, *le Talisman*, 1888, **298**
Georges Seurat, *Un dimanche à la Grande Jatte*, 1884-1886, **65**
Poseuse de dos, 1886, **78**
Poseuses, 1888, **284**
Alfred Sisley, *la Neige à Louveciennes*, 1878, **13**
Louis Comfort Tiffany, *Au nouveau cirque, Papa chrysanthème*, **104**
Joseph Turner, *l'Incendie du Parlement*, 1835, **37**
Maurice de Vlaminck, *le Pont de Chatou*, 1905, **147**
Vincent Van Gogh, *les Alyscamps*, 1888, **87**
l'Église d'Auvers-sur-Oise, 1890, **106**
le Pont sous la pluie, d'après Hiroshige, **227**
la Route aux cyprès, 1890, **233**
James Whistler, *Nocturne en bleu et or*, v. 1870-1875, **89**

Les dimensions des œuvres sont exprimées en centimètres ;
la hauteur précède la largeur.

Abréviations usuelles

Acad., Accad. Akad. : académie, accademia, Akademie, akademije
A.R.A. : associated member of the royal Academy of Arts (membre associé de la Royal Academy)
auj. : aujourd'hui
autref. : autrefois
bibl. : bibliothèque
B.N. : Bibliothèque nationale
coll. part. : collection particulière
env. : environ
G. ou Gal. : galerie, gallery, galleria, gallerija
G.A.M. : galerie d'art moderne
Gg : Gemäldegalerie
Id. : idem
Inst. : Institut, Institute, Instituto
K.M. : Kunstmuseum, Kunsthistorisches Museum
M.A.A. : musée d'art ancien, museu de arte antiga

M.A.C. : musée d'art contemporain
M.A.M., M.N.A.M. : musée d'Art moderne, musée national d'Art moderne
M.F.A. : Museum of Fine Arts
M.N. : musée national, museo nazionale
N. : nasjonal, national, nazionale, nacional, národní
N.G. : National Gallery, Nationalgalerie
Nm : Nationalmuseum
N.P.G. : National Portrait gallery
Pin. : pinacoteca, Pinakothek
P.N. : pinacoteca nazionale
R.A. : member of the Royal Academy (membre de la Royal Academy)
S. : San, Santo, Santa, Santi
s. : siècle
v. : vers

Abréviations des musées

Accademia : Galleria dell'Accademia
Albertina : Vienne, Graphische Sammlung Albertina
Baltimore, W.A.G. : Baltimore, Walters Art Gallery
Barcelone, M.A.C. : Barcelone, Museo de Bellas Artes de Cataluña
Berlin, N.G. : Berlin, Staatliche Museen-Preussischer Kulturbesitz, Gemäldegalerie
Brera : Milan, Pinacoteca di Brera
British Museum : Londres, British Museum
Bruxelles, M.R.B.A. : Bruxelles, Musées royaux des Beaux-Arts
Budapest, G.N.H. : Budapest, Galerie nationale hongroise
Cologne, W.R.M. : Cologne, Wallraf-Richartz Museum
Copenhague, N.C.G. : Copenhague, Ny Carlsberg Glyptotek
Copenhague, S.M.f.K. : Copenhague, Statens Museum for Kunst
Dresde, Gg : Dresde, Staatliche Kunstsammlungen, Gemäldegalerie
Düsseldorf, K.N.W. : Düsseldorf, Kunstsammlung Nordrhein-Westfalen
Ermitage : Leningrad, musée de l'Ermitage
Francfort, Städel, Inst. : Francfort, Städelsches Kunstinstitut und Städtische Galerie
Guggenheim Museum : New York, The Solomon R. Guggenheim Museum

Londres, V.A.M. : Londres, Victoria and Albert Museum
Louvre : Paris, musée du Louvre
Mauritshuis : La Haye, Mauritshuis
Metropolitan Museum : New York, Metropolitan Museum of Art
Munich, Alte Pin., Neue Pin. : Munich, Bayerische Staatsgemäldesammlungen, Alte Pinakothek, Neue Pinakothek
New York, M.O.M.A. : New York, Museum of Modern Art
Offices : Florence, Galleria degli Uffizi
Paris, E.N.S.B.A. : Paris, École nationale supérieure des Beaux-Arts
Paris, M.N.A.M. : Paris, musée national d'Art moderne, Centre national d'Art et de Culture Georges-Pompidou (C.N.A.C.)
Paris, Orangerie : Paris, musée de l'Orangerie
Paris, Orsay : Paris, musée d'Orsay
Prado : Madrid, Museo national del Prado
Rijksmuseum : Amsterdam, Rijksmuseum
Rotterdam, B.V.B. : Rotterdam, Museum Boymans Van Beuningen
Versailles : Versailles, musée national du château de Versailles
Vienne, Akademie : Vienne, Gemäldegalerie der Akademie der bildenden Künste
Vienne, Osterr. Gal. : Vienne Osterreichische Galerie

L'IMPRESSIONNISME À VOL D'OISEAU

La peinture pratiquée par Claude Monet, Camille Pissarro, Alfred Sisley, Auguste Renoir, Paul Cézanne, Frédéric Bazille, Berthe Morisot[1] ainsi que par quelques autres artistes de moindre envergure – tels que Gustave Caillebotte, Armand Guillaumin, Albert Lebourg, Mary Cassatt, Victor Vignon, etc. – et que l'on connaît aujourd'hui sous le nom d'Impressionnisme apparaît aux yeux de l'histoire comme le point de convergence de la plupart des mouvements picturaux et des forces intellectuelles qui ont animé antérieurement la France et l'Europe du XIXe siècle.

Aboutissement des tendances artistiques que l'art français avait connues depuis la mort du Néo-Classicisme, l'Impressionnisme l'est tout à la fois par ses sujets, par son esprit et par sa technique.

Cultivant principalement le tableau de chevalet, mode d'expression par excellence des peintres du XIXe siècle, les Impressionnistes consacrent surtout leurs pinceaux à représenter le paysage, thème qui permet d'exprimer ce « sentiment de la nature » si spécifique du Romantisme et des mouvements qui le suivent. Que ce genre ait exercé une séduction particulière sur le XIXe siècle, on en trouve la preuve dans des textes tels que celui qu'on lit sous la plume de Paul Mantz, dans *la Gazette des beaux-arts* de 1863 : « Le critique éprouve une joie pareille et le même rafraîchissement de cœur lorsque, après avoir examiné, avec un soin qui n'a pas toujours été payé de sa peine, les tableaux d'histoire, les mythologies, les scènes sentimentales, les portraits, il aperçoit, au milieu de son voyage à l'exposition, ces vertes prairies, ces bois profonds, ces vallées solitaires où les paysagistes lui permettent de se promener et de respirer à l'aise. [...] Tous ceux qui se sont essayés à ce dur labeur qui s'appelle le compte rendu du Salon savent quel plaisir on éprouve à se trouver face à face sinon avec la nature, du moins avec une école de

---

1. Ainsi qu'un court moment (1874-1876 environ) par Manet, qu'on ne saurait ranger, non plus que Degas, parmi les impressionnistes, bien que ce dernier ait été un de leurs camarades de combat et même souvent le chef de leur bataille. Pour cette raison, nous nous permettrons d'évoquer parfois ses ouvrages.

paysagistes qui en suit tous les chemins. » De cette prédilection pour le paysage, on découvre aussi le signe dans l'existence d'une pléiade de paysagistes, répandus à Paris, à Lyon, en Provence, en Normandie et parfois groupés en écoles comme celle de Barbizon – ce Barbizon dont le prestige était assez grand auprès des futurs impressionnistes pour que Claude Monet eût été peindre dans le village de Chailly-en-Bière en 1863 et 1865, tandis que Bazille le faisait en 1863, 1865, 1866 et Renoir en 1863 et 1866. Sisley hanta, quant à lui, le petit bourg voisin de Marlotte en 1866. Comme Théodore Rousseau, Jules Dupré et Diaz de la Peña, les jeunes impressionnistes ont aimé la forêt de Fontainebleau, ses futaies et ses allées, où, à la même époque (1869), le Frédéric Moreau et la Rosanette de *l'Éducation sentimentale* promenaient leurs décevantes amours.

Si nos peintres n'ont cependant pas d'yeux pour les landes, les rochers, les gorges de la célèbre forêt, c'est que, aux spectacles grandioses de la nature appréciés par les romantiques, ils préfèrent ses aspects moins spectaculaires. C'est pour la même raison que, plutôt que dans l'Espagne chère à Dauzats et à Déhodencq, dans l'Orient peint par Decamps et Marilhat, dans le Maghreb chanté par Delacroix et Fromentin[2], dans tout cet « ailleurs » lointain où les hommes de 1830 abritèrent leur désenchantement, ils trouvent quant à eux, tout bonnement, leur bien dans la France familière et, principalement, dans ses paysages les plus modestes, ceux dont Corot essentiellement avait révélé la beauté quotidienne, suivi par des paysagistes tels que Chintreuil et Hervier. Un chemin bordé d'arbres fuyant vers l'horizon, un hameau parmi les champs ou les vergers, une ligne d'arbres tremblant sur le ciel, la campagne la plus banale sont pour les impressionnistes une source intarissable d'émerveillement et d'inspiration. C'est dire qu'ils ont entendu le conseil que les Goncourt donnaient aux peintres dans leur *Salon de 1852* : « Défaites vos malles et faites vos sacs de nuit. La Seine, la Marne, le Morin sont là[3]. » Avec eux, l'Île-de-France et la Normandie deviennent les hauts lieux du paysage français,

2. On remarquera à ce propos que Claude Monet, qui connaissait bien l'Algérie pour y avoir fait son service militaire, n'en a jamais peint ni les sites ni les hommes. Si Lebourg, professeur de dessin à Alger de 1872 à 1877, s'y est fait dès cette époque l'historiographe des heures en notant les jeux de la lumière sur les murs de telle mosquée, trente ans avant que Monet ne le fasse sur la façade de la cathédrale de Rouen, il a dépouillé de tout pittoresque exotique ce thème qu'il a traité comme celui qu'aurait pu lui offrir n'importe quelle ville française. Il faudra attendre une date assez tardive pour que Renoir aille en Algérie et en Italie, Monet en Italie et en Norvège, etc. Les impressionnistes ne sont pas les peintres de l'ailleurs.

3. Cité par Louis Hautecœur, *Littérature et peinture en France du XVIIe au XXe siècle*, Paris, 1942, p. 137.

Alfred Sisley
La Neige à Louveciennes, 1878
61 × 50 cm
Paris, musée d'Orsay

avant que ce privilège ne passe à la Bretagne, puis à la Provence et au Roussillon. Ainsi le paysage français s'adaptait-il à la longueur de notre réseau ferroviaire et à la vitesse de nos trains. C'est que le sujet de prédilection des impressionnistes, ce sont ces plans d'eau calme qui ont déjà séduit Daubigny. Avant que Monet n'installât son atelier dans ce bateau mouillé à Argenteuil que Manet a immortalisé, Daubigny suivait dans son « Bottin » le cours paisible des rivières françaises, revenant régulièrement dans ce village d'Auvers-sur-Oise découvert par Dupré et aimé désormais par tous les paysagistes. Plus encore que les fleuves, la mer fascine les impressionnistes, et, plus précisément, cette Manche normande que Paul Huet, Isabey, Gudin ont fait entrer pour ainsi dire dans le domaine de la peinture avant que Courbet et Whistler n'y trouvent quelques-unes de leurs meilleures inspirations. Mais les peintres qui à cet égard ont montré surtout la voie aux impressionnistes, ce sont Cals, Lépine, Jongkind et, davantage encore, Boudin, dont l'action sur Monet fut, on le sait, déterminante. Précédant les impressionnistes, le groupe qui se réunissait à Honfleur chez la mère Toutain dans la ferme de Saint-Siméon leur a ouvert les yeux sur la beauté, insoupçonnée jusqu'alors, de cet estuaire de la Seine béant sur le large, immense étendue d'eau changeante où se mire l'infini d'un ciel en perpétuelle transformation.

Comme l'eau, la neige est une sorte de miroir où se reflète le soleil. De là, chez eux, une prédilection pour un thème que l'Occident n'avait guère peint depuis Bruegel et les Hollandais du XVIIᵉ siècle. L'occasion était belle de faire chatoyer sur sa blancheur toutes les nuances du prisme et de créer ainsi des chefs-d'œuvre, dont les plus remarquables sont, au musée d'Orsay, *la Pie* de Claude Monet (1868-69) et *la Neige à Louveciennes* de Sisley (1878). Neiges, fleuves et mers ne parlent autant au cœur des impressionnistes que parce qu'ils sont le miroir de ce qu'ils aiment par-dessus tout dans la nature : le ciel, le ciel que mers, neiges et fleuves multiplient en offrant leur miroir à son visage mobile. C'est de Corot encore et, à travers lui, du Valenciennes des esquisses léguées au Louvre par la princesse de Croÿ, du Joseph Vernet du *Ponte Rotto* et, en dernière analyse, de Claude Lorrain qu'ils ont appris que, dans la nature, l'essentiel, c'est la lumière. Capable de transfigurer les aspects les plus quelconques du monde, elle fait tout vivre d'une vie perpétuellement renouvelée. Aux paysagistes, donc, de fixer sur leurs toiles cette image changeante et d'y noter la présence – autour des arbres, des coteaux, des haies – de cet air lumineux qui les recrée à chaque instant, de cette atmosphère plus ou moins ensoleillée qui en estompe les formes, dans le même temps qu'elle les pare de ses prestiges chatoyants.

Il en va de même des maisons. Villages, bourgs et villes ne sont ainsi pas moins dignes que la campagne de tenter les pinceaux des peintres. Aussi les paysages urbains sont-ils fort abondants sous ceux des impressionnistes, héritiers, à cet égard encore, d'une tradition fort riche. Sans remonter jusqu'aux vues de cités chères aux Hollandais du XVIIᵉ siècle, comment ne pas rappeler que le XIXᵉ siècle avait aimé peindre ou graver la ville ? Plus que Bonington et Corot, c'est Jongkind, semble-t-il, qui leur a proposé l'exemple déterminant. Peignant inlassablement Paris, cet Hollandais n'en dit pas seulement les monuments historiques et les anciens quartiers (au moment où, précisément, Haussmann les saccage). Autant que leur pittoresque, cher également à Meryon, il aime les faubourgs, dont il est le premier sans doute – plus d'un demi-siècle avant Utrillo – à avoir senti la poésie étrange. À la suite du Balzac des *Scènes de la vie parisienne*, au même moment que le Baudelaire des *Tableaux parisiens*, il découvre dans les quartiers banals, dans les banlieues maussades une beauté que les impressionnistes ne percevront peut-être pas d'une façon aussi aiguë que lui. Tous n'en célébrèrent pas moins Paris et ses faubourgs, le Monet du *Saint-Germain-l'Auxerrois* de 1866 comme le Pissarro de l'*Avenue de l'Opéra* de 1898, le Sisley du *Canal Saint-Martin* de 1869 comme le Renoir des *Grands Boulevards* de 1873, le Cézanne de la *Halle aux vins* de 1872, comme le Guillaumin de la *Seine à Bercy* de 1871. Et, si Paris leur fournit leur paysage urbain de prédilection, d'autres villes tentent aussi

Gustave Caillebotte
Raboteurs de parquet, 1875
102 × 146,5 cm
Paris, musée d'Orsay

leurs pinceaux : ainsi, Londres, ceux de Pissarro en 1871, ceux de Monet en 1871 et 1900-1901 ou encore Rouen, ceux de Pissarro en 1896.

C'est que la ville est vie, même et peut-être surtout dans ses quartiers modernes, et que la vie moderne fascine les impressionnistes comme elle fascine, à la même époque, Baudelaire et les Goncourt, le Zola d'*Au bonheur des dames* (1883), le Daudet de *Fromont jeune et Risler aîné* (1874) et le Becque de *la Parisienne* (1885). Rien de plus significatif à cet égard que le texte célèbre que Baudelaire publia sur Guys dans *le Figaro* des 26, 29 novembre et 3 décembre 1863 et où il le sacrait peintre de la modernité, c'est-à-dire, pour reprendre la définition célèbre du poète des *Fleurs du mal* : « Le transitoire, le fugitif, le contingent, la moitié de l'art, dont l'autre moitié est l'éternel et l'immuable. »

Bien loin de bouder leur époque, comme les romantiques, de n'y voir que laideur et ridicule, comme Daumier, les hommes du second Empire, à la suite de ceux du XVIIIᵉ siècle, qu'ils admirent tant, y découvrent un pittoresque et une beauté dont ils s'enchantent et s'amusent. C'est ainsi qu'un des personnages de la *Manette Salomon* des Goncourt s'écrie en 1864 : « Le costume, l'habit noir... On nous jette toujours ça au nez, l'habit noir, mais s'il y avait un Bronzino dans notre école, je réponds qu'il trouverait un pur style dans un Elbœuf [4]. » De fait, à la suite de Guys – qui se rattachait beaucoup plus à cet égard à Gavarni et à Lami qu'à Courbet –, Manet et Degas avaient dès 1860 exprimé la poésie de cette existence moderne dans ce qu'elle avait de plus spécifique, de plus éphémère, de plus vain : la mode, les jeux, les distractions, les sports. Voici donc Monet et Renoir qui précèdent Maupassant

---

4. Cité par Louis Hautecœur, *op. cit.,* p. 133.

à la Grenouillère (1869), avant que le second n'illustre le *Moulin de la Galette* (1876) et le *Déjeuner des Canotiers* (1881). Si le même Renoir, habitué des théâtres, peint la *Loge* (1874), la *Première Sortie* (1876), la *Sortie du Conservatoire* (1877), Sisley représente, lui, *les Régates à Hensley* (1874), Berthe Morisot la *Cueillette des cerises* et Caillebotte un *Café* ou des *Raboteurs de parquet* (1875). Tel est même le goût des impressionnistes pour la vie moderne et ses inventions qu'il leur plaît de représenter quelques-unes d'entre elles : les trains ne tentent pas seulement les pinceaux de Claude Monet lorsqu'il peint en 1877 son *Pont de l'Europe*, dans le même temps que Caillebotte traite le même sujet ; il les introduit même dans ses vues du *Pont d'Argenteuil* (1874), après que Pissarro l'eût fait, trois ans plus tôt, dans divers paysages des environs de Londres. Et les gares parisiennes sollicitent le premier en cette même année de 1877, dix-sept ans après que Labiche s'est diverti à y promener son M. Perrichon en quête de voyage et que, dix années plus tôt, Offenbach a conduit dans la gare Saint-Lazare les personnages de sa *Vie parisienne* (1867). La gare est devenue ainsi un haut lieu de la vie moderne, comme le bateau à vapeur, motif et objet de rêve pour Baudelaire, décor et sujet pour tels écrits de Maupassant (*Sur l'eau*, 1888) et objet privilégié, enfin, du *Bassin d'Argenteuil* de Monet (1872), des *Chalands* de Renoir (1869), de la *Vue de Saint-Mammès* de Sisley (1885). Il n'est pas jusqu'aux cheminées d'usine qui ne conquièrent droit de cité dans la peinture grâce aux impressionnistes : elles se profilent à l'horizon de la *Seine à Bercy* de Guillaumin (1871) et de l'*Impression, soleil levant* de Claude Monet (1872), avant de constituer l'axe de telles *Vues de l'Estaque* de Cézanne, celles principalement du Metropolitan Museum de New York et de l'Art Institute de Chicago. C'est toute la réalité contemporaine qui sollicite ainsi les impressionnistes, heureux d'introduire en outre dans leurs paysages des élégantes en « tournure » avec ombrelles ou parapluies : ainsi Claude Monet dans l'admirable *Été* (1874, Berlin, N.G.).

Ne parlons pas cependant à ce propos de Courbet et des réalistes de 1848. Si, à certains égards, la dette est grande envers lui du Monet de *Camille* et du *Déjeuner sur l'herbe*, ainsi que du Renoir de *Lise* et du *Cabaret de la Mère Anthony*, sans oublier le Cézanne de l'*Idylle*, le sentiment que les impressionnistes ont de la vie moderne ne doit rien à celui qu'en avait le peintre d'Ornans, de même que ses contemporains, Millet en particulier. Ils l'éprouvaient grandiose, épique même – la taille de l'*Enterrement à Ornans*, de l'*Atelier* et des *Pompiers courant à l'incendie* du premier en est à elle seule la preuve – et la sentaient comme une permanence qui les poussait à susciter un univers plastique généralement immobile. Pour les impressionnistes, au contraire, dépourvue de tout héroïsme, l'existence moderne est divertissement (dans tous les sens du mot) et est aussi trépidation : ils ne sont pas loin à cet égard de

Carpeaux, d'Offenbach et du Daudet du *Nabab* (1877), voire de Maupassant et de son *Bel-Ami* (1886), sans oublier les Meilhac et Halévy de *Froufrou* (1863) et le *Monde où l'on s'ennuie* de Pailleron (1881).

En second lieu, le Courbet des *Casseurs de pierres*, des *Cribleuses de blé*, de l'*Aumône du mendiant* mais, plus encore, Millet faisaient dans leur peinture la place belle à une humanité laborieuse dont les impressionnistes ne se soucient guère. Sans doute est-il arrivé à Pissarro (assez tardivement) de peindre des paysans, à la suite et à l'imitation de ce maître, dont il avait admiré les expositions posthumes de 1875 et 1887, et à Cézanne de représenter parfois de petites gens : ainsi ses *Joueurs de cartes* de 1890-1892. Mais, le plus souvent, l'humanité des impressionnistes est, comme celle de Manet, plus que celle de Degas, une humanité riche, élégante, oisive, l'humanité essentiellement bourgeoise de Flaubert et du Maupassant de *Mont-Oriol* (1887) et de *Fort comme la mort* (1889), ainsi que celle du théâtre d'Émile Augier et de Dumas fils, voire celle du théâtre de Labiche et de Victorien Sardou (*Nos intimes*, 1861). Et gardons-nous d'oublier l'univers, aristocratique, lui, de la comtesse de Ségur.

Lumière changeante, vie trépidante, les impressionnistes sont, quand ils les peignent, en accord – à leur insu, bien sûr – avec deux des idées-forces les plus spécifiques du xixe siècle. L'une est cette philosophie du *Werden* que Hegel avait substituée à celle de l'Être cartésien et qui avait marqué toute la pensée en Allemagne, à commencer par celle de Marx. L'obsession du permanent avait défini tout le Classicisme et, au premier chef, celui de Poussin. Ce qui intéressa le Romantisme et les mouvements qui le suivirent, c'est ce qui est en devenir, d'autant que, à l'appréhender, ils appréhendaient aussi l'éphémère. À l'invocation de Lamartine dans son *Lac* – « ô temps suspends ton vol » – répond le conseil que Vigny donne dans la *Maison du berger* : « Aimez ce que jamais on ne verra deux fois. » À l'immuable, à l'inchangé, à l'éternel, chers au siècle de Louis XIV et, après lui, au Néo-Classicisme davidien, s'oppose cette aspiration à saisir au vol le fugace, à dire l'instant, à soumettre le temps en obéissant à ses lois. Sont hégéliens et héritiers du Romantisme, sans qu'ils s'en doutent évidemment et pour la simple raison qu'ils vivent leur époque, le Monet des *Femmes au jardin* (1866), le Renoir des *Cavaliers au bois de Boulogne* (1874), le Cézanne du *Grog au vin* et de la *Moderne Olympia* (1873), pour ne rien dire du Sisley des *Régates à Hensley* (1874), du Pissarro de la série des *Vues de l'avenue de l'Opéra* (1897) ni du Degas épris de courses et de ballets.

Suivant, à cet égard, les peintres de la modernité, les impressionnistes le font aussi lorsqu'à leur exemple, et au contraire des hommes de 1848, ils adhèrent, au moins tacitement, à l'idée de l'art pour l'art. Rien ne leur est plus étranger que le concept selon lequel la peinture devrait prêcher et travailler à réformer l'humanité. Cet idéal d'art social, ils l'abandonnent aux peintres académiques – et officiels – de leur temps. Libre aux tenants de ce que l'on pourrait appeler le « réalisme radical-socialiste » de la IIIᵉ République – aux Gervex, aux Roll, aux Gœneutte, aux Jules Breton, aux Lhermitte – de célébrer les travailleurs, leurs peines, leurs grèves, leurs revendications et de mettre au service de ces aspirations révolutionnaires le métier le plus conservateur, les impressionnistes – à la suite de Manet et de Degas – pensent qu'ils ont, quant à eux, mieux à faire : élaborer une peinture neuve.

Neuve, cette peinture l'est d'abord par leur façon de travailler. Au lieu de s'enfermer dans leur atelier pour créer leurs tableaux, ils les peignent en plein air, « sur le motif » comme disait Cézanne, quelles que soient les difficultés qu'ils rencontrent à œuvrer de la sorte. On sait comment Claude Monet, pour exécuter dans un jardin de Ville-d'Avray ses *Femmes au jardin* de 1867, avait dû y creuser une tranchée dans laquelle, grâce à un treuil, une poutre et des cordes, il faisait monter ou descendre sa toile (qui ne mesurait pas moins de 2,25 sur 2,05 m) de façon à être à la hauteur du morceau qu'il voulait brosser. Par cette besogne en plein air, qui leur permettait d'observer plus constamment les jeux de la lumière sur les êtres et sur les choses, ils pensaient atteindre à cette luminosité, à cet éclat coloré, à cette vérité d'atmosphère par lesquels ils souhaitaient faire passer dans l'art de peindre un grand souffle d'air frais propre à le rajeunir.

Travaillant loin de leur atelier, ils sont amenés à travailler vite et à laisser ainsi à leurs productions cette apparence d'ébauche inachevée, mais frémissante de vie, qui semblait jusqu'à eux réservée aux esquisses. Même Delacroix s'était cru obligé d'éliminer de ses envois aux Salons cette fougue, cette spontanéité qui éclatent dans leurs études préparatoires. Les impression-nistes n'auraient pas ainsi de prédécesseurs dans cette voie si Manet, avant eux, n'avait eu à cœur – à la suite de Velázquez et de Goya – de conserver à l'œuvre aboutie la largeur de facture et l'apparent inachèvement qui sont les meilleurs moyens de la rendre vivante, palpitante, efficace. La leçon de l'*Olympia* (1865), du *Fifre* (1866), de *l'Exécution de Maximilien* (1867) et de tant d'autres chefs-d'œuvre du maître n'a ainsi pas été perdue pour ses jeunes confrères qui fréquentaient son atelier des Batignolles, immortalisé par Fantin-Latour, ou qui le rencontraient au café Guerbois, place Clichy. Mais une page ainsi se tournait dans l'histoire de la peinture : au goût pour des tableaux finis, peints avec application, où tout attestait l'action de la réflexion et de la volonté, succédait le goût pour un art apparemment plus direct, exprimant moins la raison de son auteur que le jaillissement de son émotion et conférant au geste immédiat la valeur réservée jusqu'alors à celui que commandait l'intelligence : par là, les impressionnistes étaient bien les enfants de leur temps, ce temps qui, à la suite des *Mémoires d'outre-tombe*, chef-d'œuvre inégalé du genre, s'était complu à dire les confidences, les aveux, les autobiographies, les journaux intimes, les correspondances privées : pensons à *la Confession d'un enfant du siècle* de Musset, à *Mon cœur mis à nu* de Baudelaire, à l'*Histoire de ma vie* de George Sand, au *Journal* des Goncourt, à la *Correspondance* de Flaubert, tous chemins permettant de pénétrer au cœur le plus secret des auteurs, ce cœur que les impressionnistes livrent également dans leurs tableaux spontanés ou apparemment spontanés. Ils relevaient bien, à cet égard, des maîtres du Romantisme, Delacroix et Corot en particulier, pour lesquels ils avaient toujours professé bien haut leur admiration.

Mais c'est l'exemple de Manet qui les amena, d'une part, à modeler d'une façon nouvelle les formes et, de l'autre, à installer sur une base neuve leur chromatisme. « C'est plat, s'écriait Courbet devant *Olympia*, ce n'est pas modelé, on dirait une dame de pique d'un jeu de cartes sortant du bain[5]. » On ne saurait mieux dire. Manet répudie en effet le modelé traditionnel par les valeurs et lui substitue un modelé par contraste de tons d'une telle audace et d'une telle nouveauté qu'il faudra attendre les Fauves pour que sa leçon à cet égard soit vraiment comprise. Ce que les impressionnistes en retirèrent, Cézanne l'a exprimé dans une lettre à Pissarro où il écrit : « Vous remplacez par l'étude des tons le modelé. » C'était mettre le doigt sur une des pratiques nouvelles essentielles des impressionnistes, que Cézanne, précisément, allait porter à sa perfection, ce qui lui permettra d'écrire que, « quand la couleur est à son éclat, la forme est à sa plénitude ».

En modelant par la couleur, ils assurent à leurs toiles une richesse colorée plus grande que ne l'avaient fait leurs prédécesseurs. Cette richesse, ils l'augmentent encore parce que, à l'instar du même Manet, ils pratiquent résolument une peinture claire. Rompant avec l'habitude qui, depuis Vinci, voulait que l'échelle chromatique d'un tableau fût établie à partir du noir, et profitant également de l'exemple des aquarellistes, Jongkind en particulier, qui étaient contraints par leur technique de l'établir à partir du blanc du papier, c'est sur le blanc aussi qu'ils fondent leur gamme chromatique. Ils apportent de la sorte à la palette des peintres un éclaircissement dont toute la postérité fera son bénéfice. Avec eux, une page se tourne dans l'histoire, pour ainsi dire, de la couleur, qui gagne définitivement en clarté.

Elle gagne de même en somptuosité, et la raison en est que les impressionnistes colorent ces ombres que notre cécité nous fait croire noires ou grises, et que l'acuité de leur vision leur montre bleues, mauves, violettes,

---

5. Cité par M. Sérullaz, *les Peintres impressionnistes,* Paris, 1959, p. 47.

vertes ou roses. Le noir, professent-ils, ne se rencontre pas dans la nature, non plus que le gris ni que les teintes neutres. Tout y est coloré, et le peintre doit d'autant moins hésiter devant cette vérité que la science confirme ce que son expérience individuelle lui a appris. Enfants d'un siècle d'individualisme pour lequel seul est vrai ce que je reconnais comme tel, ils sont les fils aussi d'une époque qui a porté à la science une idolâtrie sans réserve. Fort des travaux de Chevreul sur la couleur – qui avaient déjà intéressé Delacroix et qui allaient passionner Seurat –, Monet n'a pas plus de scrupule en 1866 à peindre vertes les ombres qui jouent sur les robes blanches de ses *Femmes au jardin* que Renoir n'en aura dix ans plus tard à les montrer bleues sur le sol et sur les personnages de son *Moulin de la Galette* et de sa *Balançoire* (1876).

Recevant de cette pratique une plus grande puissance chromatique, le tableau voit cette puissance encore multipliée par l'utilisation systématique (et parfois un peu lassante) que font les impressionnistes de l'opposition des complémentaires. Ici encore, Delacroix leur avait montré la voie, qui – Baudelaire l'a bien souligné dans ses *Phares* – aimait à exaspérer les rouges par les verts. Voilà donc Renoir qui exalte par le rouge d'une ombrelle et des fleurs les verts de la prairie de son *Chemin montant dans les hautes herbes*, tandis que Monet fait chanter la verdure d'un champ par des coquelicots dans son tableau connu précisément sous le nom de *Coquelicots*. De même, dans ses deux *Femmes à l'ombrelle*, rose et vert de l'ombrelle, roses et verts de l'herbe, visage rose et écharpe verte du modèle se font mutuellement valoir, et il serait facile de multiplier les exemples de ce recours constant au rôle des complémentaires.

Mais le moyen que les impressionnistes ont employé le plus efficacement pour satisfaire leur passion de la couleur, c'est le « mélange optique », qu'avait préparé le « flochetage » de Delacroix. Ce pommier en fleur dans un champ que dore le soleil couchant, ils savent qu'ils n'en traduiront pas la splendeur colorée en mélangeant du blanc, du jaune et du vert sur leur palette et en appliquant ce mélange sur leur toile : pareil mélange – dit « mélange pigmentaire » – ne donne qu'une teinte neutre, une sorte de brun sale. Pour exprimer le blanc du pommier – ton local –, le jaune doré de la lumière crépusculaire – ton lumière – et les reflets verts de la prairie sur l'arbre, il faut enchevêtrer de petites touches de blanc, de jaune et de vert, judicieusement dosés, en laissant à l'œil du spectateur le soin d'opérer le mélange – le « mélange optique » de ces tons – de sorte qu'il reçoive de l'image peinte une sensation aussi colorée que du spectacle naturel. Seul ce « mélange optique » permet au peintre d'égaler l'éclat coloré de la nature dans la traduction qu'il en donne.

Claude Monet, *Coquelicots, 1873*
50 × 65 cm. Paris, musée d'Orsay

Mais il l'oblige aussi à une technique assez particulière, la division de la touche. L'impressionniste peint par coups de pinceau menus, courts et indépendants, chacun disposant sur la toile une petite virgule de matière colorée d'un autre ton que les virgules voisines. Pareille facture ne contribue pas seulement à la magnificence du chromatisme, elle renforce aussi le caractère d'inachèvement et l'allure vibrante convoités par nos artistes, dans le même temps qu'elle satisfait leur réalisme : ne confère-t-elle pas au tableau ce frémissement qui est celui de la nature lorsque, par une belle journée d'été, l'air paraît une onde tremblante et que la brise fait frémir herbes et frondaisons ?

Cet amour de la réalité, et de la réalité telle que l'appréhende la sensation, devait les conduire à donner de la profondeur une expression autre que celle, si fortement intellectuelle, qui résultait de l'usage de la perspective linéaire. Ils n'y renoncent pas absolument – que de fois ont-ils choisi comme thème les routes et les fleuves fuyant vers le fond de la toile ! Ainsi dans la *Route sous la neige à Honfleur* de Monet (1865), la *Route de Louveciennes* de Pissarro

(1870), le *Chemin de Sèvres* de Sisley (1873). Mais, plus fréquemment aussi, ils préfèrent à cette traduction traditionnelle de l'espace celles que donnent la couleur ou l'usage des diagonales contrariées emprunté à l'Extrême-Orient. Dans maints tableaux impressionnistes – qui se feront de plus en plus nombreux sous les pinceaux de Monet, surtout, au fur et à mesure que passeront les années, l'espace n'est pas rendu par la convergence traditionnelle des lignes vers un point de fuite situé au centre du tableau. Considéré comme un milieu empli par une atmosphère colorée, il est traité comme un volume lumineux dont l'unité de tons ne contredit pas le jeu des nuances subtiles qui ne se conforment pas au dégradé de la perspective ancienne systématisé par les Flamands du XVIᵉ siècle. *Le Brouillard* de Sisley (1874), *le Givre* de Monet (1880) comptent, au musée d'Orsay, parmi les spécimens les plus caractéristiques de ce traitement de l'espace, dont les exemples les plus éloquents seront, dans la vieillesse de Monet, ses *Ponts de Londres* de 1900 et 1901 et ses *Nymphéas* postérieurs à 1908.

Développé à partir de certaines indications fournies par telles toiles peintes par Corot principalement à Ville-d'Avray, ce traitement de l'espace chez les impressionnistes coexiste souvent dans leur production avec une expression de l'espace apprise des Japonais. Ce n'est pas le lieu de rappeler ici comment, à partir de 1860 environ, l'estampe japonaise fut découverte par les peintres français et leur dispensa son enseignement. Limitons-nous à relever d'abord que, doué d'une intelligence singulièrement avertie, Degas fut sans doute le premier à remarquer que les graveurs de l'ukiyo-e, continuant une tradition sino-japonaise séculaire, suggéraient la troisième dimension en opposant deux directions obliques qui se coupaient à angle droit. Mettant en œuvre ce parti dans de nombreux tableaux, dont le plus typique est sans doute l'*Absinthe* (v. 1876), il fournit des modèles dont les impressionnistes ne laissèrent pas de tirer profit. Même Renoir, assez rebelle pourtant à la mode japoniste, rendit par ce moyen l'espace dans tels de ses paysages comme les *Chalands sur la Seine* (v. 1869), les *Bords de Seine à Champrosay* (1876) et la *Fête musulmane à Alger* (1881) pour ne prendre nos exemples qu'au seul musée d'Orsay. L'art occidental de peindre s'enrichissait ainsi d'une ressource nouvelle, dont, pendant un demi-siècle, il allait, jusqu'au Cubisme, se garder de faire fi.

Simultanément, il prenait conscience, à regarder les gravures nipponnes, de la caducité de conventions comme celles qui obligeaient le peintre à donner au personnage humain une place plus en vue qu'aux objets qui l'accompagnaient, à occuper le centre de sa toile de formes que flanquent à droite et à gauche des vides, à regarder le spectacle qu'il peint de la hauteur d'un homme assis. C'est encore Degas qui donne l'exemple. Dès 1865, dans sa *Femme aux chrysanthèmes*, le milieu de la composition est occupé par un

Edgar Degas, *La Classe de danse, v. 1871-1874*
85 × 75 cm. Paris, musée d'Orsay

bouquet immense tandis que le personnage est relégué dans la partie droite.
Tout de même, dans ses *Femmes au café, boulevard Montmartre,* la scène
représentée est coupée en deux par une colonne médiane. Dans la *Capeline
rose* de Monet, la figure apparaît derrière les carreaux d'une porte-fenêtre,
tandis que, dans la *Femme au bord de l'eau à Bonnecourt* (1868), la jeune femme

Camille Pissarro
Les Toits rouges, 1877
54 × 65 cm
Paris, musée d'Orsay

assise sur la berge est non seulement décentrée, mais montrée en outre de
dos. On pourrait multiplier les exemples de cette irrévérence à l'égard du
personnage humain, moins provocante, toutefois, que le parti, si souvent
adopté par Degas, de le couper par le bord supérieur, inférieur ou latéral
du châssis (les *Musiciens de l'orchestre,* v. 1868) ou par un élément du tableau
(le *Baisser de rideau,* 1880). C'était oser de la sorte des ordonnances incongrues
où le centre souvent est occupé par un grand vide (le *Foyer de la danse à
l'Opéra de la rue Le Pelletier,* 1872) ou bien, où rien à droite n'équilibre les
formes pressées sur la gauche (la *Classe de danse,* 1874). Profitant à cet égard
de ces audaces, Renoir les introduisit parfois – avec mesure – dans des
tableaux tels que la *Fin du déjeuner* (1879) du Städelsches Institut de
Francfort-sur-le-Main, avant que, beaucoup plus téméraire, le Monet des
Canotiers sur l'Epte (v. 1887) n'en arrive à risquer des tableaux qui semblent
se prolonger à droite et à gauche, au-dessus et au-dessous des bords de leur
châssis et, donnant l'impression d'être comme en expansion, outrepassent
leurs limites et semblent tendre à l'infini. À cet égard, Pollock et la peinture
américaine des années 1950 mettront à profit l'enseignement de ses *Nymphéas.*
   Ces ordonnances nouvelles dans l'art occidental vont fréquemment de pair
chez les impressionnistes avec le choix de points de vue inédits pour
représenter leurs motifs. Devançant le cinéma, Degas s'amuse souvent à
représenter ses figures en gros plan : ainsi la *Chanteuse au gant* de l'Art Institute
de Chicago. Se divertissant également à les présenter à contre-jour en ombres

chinoises (et il serait plus exact d'écrire : en ombres japonaises), il se délecte aussi à rompre en visière aux usages et à les montrer de dos, même s'il s'agit de modèles de portraits, ainsi *Mary Cassatt visitant le musée du Louvre*. Surtout, il se complaît tantôt à jeter sur elles un regard plongeant, par exemple sur Diego Martelli ou sur la femme du *Tub* du musée d'Orsay, et tantôt à les regarder de dessous : ainsi *Miss Lala au cirque Fernando*. Tout de même, Pissarro s'installera, lui, au premier étage de l'hôtel du Louvre pour peindre l'avenue de l'Opéra, et Monet choisira un point haut placé pour contempler l'Océan à Belle-Île, ainsi que l'Epte et l'étang couvert de nénuphars de son jardin de Giverny. Il en résulte parfois une disparition du ciel, à laquelle la peinture occidentale n'était pas habituée, et une réorganisation des formes de la toile en fonction de cette absence, qui était également chose neuve en Occident.

À ces innovations, les impressionnistes consentaient d'autant plus facilement qu'ils se souciaient fort peu de composer leurs tableaux. En bons contemporains de Becque et des auteurs du Théâtre-Libre qui voulaient servir au public des « tranches de vie », les impressionnistes se proposent de mettre sous ses yeux des « tranches de paysage ». Monet ne se vantait-il pas « d'ouvrir une fenêtre sur la nature » ? De fait, nombre de ses tableaux, de même que *le Champ de blé* de Berthe Morisot (1875) ou *les Toits rouges* de Pissarro (1877) du musée d'Orsay, sont des « morceaux » de campagne, habilement découpés d'ailleurs, mais dont les éléments ne sont pas organisés entre eux – et aussi bien ne veulent pas l'être – par un esprit soucieux d'imposer au désordre de la nature l'ordre de l'intelligence humaine.

À cette évacuation de l'intelligence s'en ajoutent d'autres, et d'abord celle de la ligne. C'est un fait significatif que ni Monet ni Pissarro ni Sisley n'aient été de grands dessinateurs et que, si Degas en fut un, c'était parce que justement il n'était pas impressionniste. Ne voyant pas la forme définie par le contour, les peintres impressionnistes s'occupent peu d'une ligne que la lumière nie. Mais cette forme elle-même, la lumière la détruit, et l'on a bien souvent remarqué que, dans leur monde, tout se liquéfie, voire se gazéifie. Les locomotives, dans les *Gares Saint-Lazare* de Monet, ne présentent pas plus de consistance que la fumée qu'elles crachent et, dans ses *Vues de Londres*, le Parlement est un fantôme au même titre que les brumes qui l'enveloppent.

C'est que, pour ce maître et ses pairs, l'univers entier n'est que phénomène et devenir, phénomènes que la lumière modifie à chaque instant, devenir que le temps crée et détruit perpétuellement. Pas de structures, pas de permanence. La cathédrale de Rouen est moins vraie que les heures dont Monet écrit avec passion l'histoire appréhendée sur sa façade. De même, dans ses autres séries, *Meules* de 1891, *Peupliers* de 1892, *Ponts de Londres* de 1900-1901, *Nymphéas* surtout peints inlassablement de 1894 à sa mort, ce ne sont pas des meules, des peupliers, des ponts, des nénuphars qu'il peint, mais les avatars que l'instant leur impose.

Enfants, nous l'avons dit, d'un siècle hégélien, les impressionnistes le sont aussi d'un temps qui découvrit la pensée de l'Inde. Ils sont les contemporains d'un Leconte de Lisle, dont les poèmes « hindouistes », *Bhagavat*, la *Vision de Brahma*, la *Mort de Valmaki*, s'égrènent de 1852 à 1874, familiarisant l'Occident à l'idée que rien n'est persistant, immodifié, immodifiable, réel.

L'attitude du Monet vieux, du Monet des *Nymphéas*, n'est pas éloignée de celle du bouddhisme. Ainsi, et à la suite de beaucoup d'autres phénomènes convergents qu'il serait trop long de rappeler ici, une lézarde se dessinait-elle, du fait des impressionnistes, dans l'orgueilleux monument que la Renaissance avait dressé à la gloire de l'Homme, « centre et mesure de toute chose ». Il n'est plus, chez eux, qu'un élément de l'Univers, et d'un Univers auquel la raison n'impose plus son magistère. À cet égard, ils sont bien, si paradoxal qu'en puisse paraître le rapprochement, les contemporains de Lautréamont (*les Chants de Maldoror*, 1868) et de Rimbaud (*les Illuminations*, 1886), voire de Barbey d'Aurevilly (*les Diaboliques*, 1874) et de Villiers de l'Isle Adam (*Contes cruels*, 1883). Tous concourent, avec et avant beaucoup d'autres[6], à la ruine du vieil humanisme rationaliste et anthropocentrique, dont ils ont, parmi les premiers, ébranlé le fondement quatre fois séculaire.

C'est qu'essences, permanences, forme, dessin, composition, toutes créations de l'intelligence, ils ne pouvaient en tenir compte quand leur art se fondait et entendait bien se fonder uniquement sur la sensation. Proust l'a vu lucidement, qui, peignant – en partie du moins – Monet sous les traits d'Elstir, écrivait de lui : « Elstir s'efforce d'arracher à ce qu'il venait de sentir ce qu'il savait. Son effort avait été de détruire cet agrégat de raisonnements que nous appelons visions. » C'était jeter la lumière sur le recto, pour ainsi dire, d'un art dont le verso avait été caractérisé avec non moins de bonheur par Gauguin, quand il en avait dit : « La pensée n'y réside pas. » Négligeant en effet l'intelligence et même certaines zones de la sensibilité, les zones les plus profondes, les plus intéressantes, l'Impressionnisme ne mériterait-il pas ainsi, pour une bonne part, le reproche que lui adressait Odilon Redon d'être « un peu bas de plafond » ?

Ce défaut, il fallait son intelligence pénétrante pour le déceler. La plupart des contemporains accusèrent plutôt cet art d'être trop neuf, trop révolution-naire : « C'est la honte de l'art français », s'écriait à son propos le peintre-lauréat Gérôme, tandis que, plus opportunistes que lui, d'autres peintres officiels

---

6. Ainsi, pour nous en tenir seulement à la peinture, Redon, Gauguin, Van Gogh, Munch, Ensor, etc.

Paul Cézanne, *Pont de Maincy, près de Melun,* dit autrefois *Pont de Mennecy, v. 1879*
58,5 × 72,5 cm. Paris, musée d'Orsay

formaient une sorte de tiers parti habile à injecter un peu d'impressionnisme
à leur académisme. Ainsi, le critique Castagnary n'avait pas tort d'écrire en
1876 que « ce qui caractérise le Salon actuel, c'est un immense effort vers
la lumière et vers la vérité. [...] Les impressionnistes ont eu une part dans
ce mouvement ». Bastien-Lepage, Alfred Roll, Friant, Gervex, Raphaël Collin,
Albert Besnard, « le pompier qui prend feu » au dire de Degas, sont les artistes,
en France, les plus représentatifs de cette tendance médiane.

Médiocre, elle ne saurait être passée cependant sous silence parce que c'est
elle qui, plus que l'Impressionnisme, a agi à l'étranger. L'Allemand
Liebermann avait beau admirer les champions de l'Impressionnisme, dont
il collectionnait les œuvres, il se révèle dans sa peinture plus éloigné de Monet
que de Bastien-Lepage, victime qu'il était, de même que Leibl, Trübner, Hans
Thoma, Karl Haider, Fritz von Uhde, de l'héritage incontournable d'un

Auguste Renoir, *La Grenouillère, 1869*, 66 × 86 cm. Winterthur, fondation O. Reinhart

académisme qui avait, en Allemagne, régné encore plus absolument qu'en France. Malgré les tentatives sympathiques des Macchiaioli et de Fontanesi, il l'avait fait aussi en Italie. Comment s'étonner, dès lors, que, en dépit de ses bonnes intentions et de son cœur sur la main, Segantini n'ait pas réussi à élever ses tableaux ambitieux à la hauteur de l'Engadine, où il aimait se retirer ? On pense plus en face d'eux à Lhermitte qu'à Cézanne. En Espagne, de même, Sorolla évoque moins Renoir que Besnard, ce que fait aussi l'Anglais Brangwyn. On pourrait multiplier les exemples de l'académisation de l'art de Manet par Slevogt, Sargent, Zorn, Laszlo et Boldini, de celui de Degas par Sickert et Steer, de celui de Monet par le Catalan Rusiñol et par le Belge Émile Claus : tous virtuoses favorisés par le succès, auxquels on préférera des artistes plus discrets, mais plus authentiques, comme en Belgique Finch, Pantazis, Carlos de Haes et Guillaume Vogels, en Hollande Breitner, en Espagne Beruete et Regoyos. Mais on ne laissera pas de se demander pourquoi l'Impressionnisme eut, somme toute, à l'étranger, une audience si réduite.

À cette question, on peut donner – et peut-être doit-on donner – plusieurs réponses. La première, c'est que, combattu dans sa patrie même, l'Impressionnisme fut peu et mal « exporté », si l'on peut dire. Les Japonais par exemple – qui, pendant l'époque Meiji, affluent nombreux à Paris – non seulement ne l'ont pas connu dans leur pays, mais n'ont guère eu d'occasion d'en voir des témoignages en France. Comment s'étonner, dès lors, qu'ils aient préféré s'inscrire dans l'atelier du peintre à succès qu'était Raphaël Collin ? D'autre part, tels étrangers auxquels ses créations étaient familières, comme Liebermann, n'en ont pas moins refusé ses voies : refus auquel on discerne deux raisons, la nouveauté révolutionnaire de l'Impressionnisme, d'abord, et son enracinement dans un terroir – l'Île-de-France et la Normandie – ainsi que dans un milieu culturel – le Paris de 1865-1886 – qui le rendaient difficilement assimilable à quiconque n'avait pas une expérience vécue de ces deux réalités. Ne laissons pas de remarquer enfin que, lorsque l'art des Monet et des Renoir atteignit – avec un décalage inévitable – les pays étrangers, il ne répondait plus alors ou il répondait mal à leurs aspirations de l'heure : cette heure était pour eux l'heure de toutes les inquiétudes, celles qui se font jour chez le Belge Ensor comme chez le Norvégien Munch, chez l'Allemande Paula Modersohn-Becker comme chez l'Autrichien Klimt et le Russe Vroubel. Que pouvaient-ils, dès lors, comprendre au bonheur de vivre dont les impressionnistes s'étaient fait les chantres ? Et voici que nous touchons du doigt une des singularités les plus remarquables de leurs créations : leur divorce avec toute une tendance de leur époque, une tendance qui s'y exprimait alors fortement dans sa littérature.

Soit qu'ils aient prolongé après 1870 la « fête impériale », soit que, plus vraisemblablement, ait « déteint » sur eux l'hédonisme du XVIIIᵉ siècle, dont leur temps a été si friand – pensons aux sculptures des Carpeaux et des Carrier-Belleuse, aux meubles des Fourdinois, des Beurdeley, des Simart –, et qu'ils aient toujours été fascinés par les exemples de Fragonard, de Boucher, de Watteau – Watteau dont Monet et Renoir proclamaient l'*Embarquement pour Cythère* « le plus beau tableau du monde » –, leur peinture, en tout cas, était résolument optimiste et l'était paradoxalement, et paradoxalement à double titre. D'abord, en effet, ses champions avaient été longtemps en butte à l'incompréhension et avaient, bien plus, en ce qui concerne tels d'entre eux, connu la misère : Monet avait même tenté de se suicider. Rien n'en transparaît dans leur art. Ensuite, c'était en face d'un roman et d'un théâtre mornes, parfois sinistres qu'ils avaient dressé leur peinture souriante. Flaubert peut bien, dès 1857, conter le destin lamentable d'Emma Bovary, avant d'énumérer tous les « ratages » du Frédéric Moreau de son *Éducation sentimentale* (1869), les Goncourt graver au vitriol la société bourgeoise où vit Renée Mauperin (1864), Zola nous conduire de l'enfer de *l'Assommoir* (1877) à celui de *Germinal* (1885), Daudet même camper « pour ses fils quand ils auront vingt ans » les demi-mondaines impécunieuses de *Sapho* (1882), tandis que Becque installe sur la scène les abjects « corbeaux » qui ont donné son titre à son chef-d'œuvre (1882), nos impressionnistes n'en persistent pas moins, à la même époque, à brosser des paysages où l'hiver même et les désastres naturels revêtent une apparence heureuse : pensons à *l'Inondation à Port-Marly* de Sisley (1876) et au *Givre* de Monet (1880). Mais rien ne nous permet mieux de saisir l'antagonisme du pessimisme des écrivains et de l'optimisme de nos peintres que la confrontation que l'on peut établir entre telles scènes peintes à la Grenouillère par Renoir et l'évocation que fait Maupassant de ce coin de Bougival. Dans le *Déjeuner des canotiers* de celui-là (1881), tout est bonne humeur, gaieté, appétit sensuel de vivre, joie drue et saine. Chez celui-ci, l'île et sa guinguette grouillent d'une faune écœurante, dont le vice pousse au suicide l'héroïne de son *Yvette* et l'amant bafoué de sa nouvelle *la Femme de Paul*. Au désenchantement des écrivains s'oppose le plaisir goulu des impressionnistes, qui s'inscrivent également en faux contre les musiciens de leur temps, dont les opéras – tradition oblige – versent volontiers dans le drame : ainsi du *Faust* et de la *Mireille* de Gounod (1859 et 1864), de la *Carmen* de Bizet (1875), du *Samson et Dalila* de Saint-Saëns (1877), du *Roi d'Ys* de Lalo (1878-1888). Seul fait exception Chabrier : il est vrai que le « bon gros » collectionnait les tableaux impressionnistes. À une époque donnée, n'en déplaise à monsieur Taine, tous les créateurs ne vivent pas sur la même longueur d'onde.

Mais ce démenti que nos artistes infligeaient à leurs contemporains exprimait trop les années 1865-1886 pour pouvoir survivre aux modifications de la *Weltanschauung* qui se produisirent aux environs de 1888-1890, époque où, de la Scandinavie d'Ibsen et de Strindberg, de la Russie de Dostoïevski et de Tolstoï, de la Belgique de Maeterlinck même, souffle un vent qui éveille ce que l'on appelait alors « l'inquiétude du mystère » et qui n'est qu'une forme de l'éternelle angoisse métaphysique : à soi seul en témoigne le titre du premier roman qu'en 1884 publie Paul Bourget, *Cruelle Énigme*. Le moment n'est plus au matérialisme des impressionnistes : la mélancolie de Seurat, le monde frileux des Nabis, celui, féroce, de Forain et de Toulouse-Lautrec, pour ne rien dire des hantises de Gauguin et de Van Gogh, toutes ces souffrances sont à l'ordre du jour. À l'Impressionnisme, donc, de laisser la place au Néo-Impressionnisme, aux mouvements de Pont-Aven et des Nabis, au Symbolisme d'Odilon Redon, aux Expressionnismes de Van Gogh et de Toulouse-Lautrec. Son temps est passé, mais qu'importe, puisque, son temps, il l'a vécu intensément et avec un bonheur génial.

Bernard Dorival
professeur honoraire
à l'université de Paris-Sorbonne

L'IMPRESSIONNISME,
SOURCES, ÉPANOUISSEMENT, PROLONGEMENTS

D'où vient l'Impressionnisme ?

L'Impressionnisme institutionnalise la peinture de plein air, pratiquée avec un enthousiasme croissant depuis une centaine d'années. « Voici mon atelier », s'exclame Monet en montrant son jardin et la Seine au journaliste de *la Vie moderne* venu l'interviewer à Vétheuil en 1880. Cet argument sert de support publicitaire à la nouvelle école, qui lui doit une large part de sa réussite. En effet, le public – moins sensible aux arguments stylistiques qu'à l'opposition entre les tenants d'un académisme d'atelier et les apôtres d'un écologisme avant la lettre – voit dans cette peinture le reflet de son propre goût pour la nature.

Trains de plaisir vers les plages de la Manche et trains de banlieue à travers l'Île-de-France véhiculent toutes les couches de la population. La bourgeoisie citadine foule le sable de Trouville, canote à Bougival, pêche à la ligne dans la Marne ou dans l'Oise, va cueillir le lilas d'Argenteuil ou de Meudon. Elle s'enchante de retrouver ces images chez Monet, Sisley, Renoir et Pissarro, noyau dur de cet Impressionnisme qu'ils ont triomphalement fait surgir du Réalisme pour créer la plus séduisante des écoles.

Un rude coup a été porté à la discipline artistique qu'ils avaient choisie par la suppression du prix de Rome de paysage. Fondé en 1817, celui-ci a été décerné pour la dernière fois en 1861 à Firmin Girard, élève de cet atelier Gleyre dans lequel Monet, Sisley, Renoir entrent l'année suivante. Ne plus avoir à se soucier d'une distinction aussi contraignante leur a sans doute permis de faire preuve d'une liberté plastique qu'en d'autres temps ils n'auraient peut-être pas poussée jusqu'à ses plus extrêmes conséquences... Cependant, leur manière, vibratoire, mouchetée, basée sur le jeu des reflets et des complémentaires, ce style qui prend en 1874 le nom d'*Impressionnisme* n'est que l'aboutissement de tendances en gestation depuis plusieurs décennies dans l'œuvre de ceux que l'on désignera comme les pré-impressionnistes... Mieux encore, il s'inscrit dans une propension aux signes

Maître du Roi René
*À la fontaine
de Fortune,* v. 1455
enluminure du
Cœur d'amour épris,
29 × 20 cm,
détail
Vienne,
Bibliothèque
nationale

abréviatifs, aux effets de lumière solaire, aux polychromies joyeuses qui resurgit régulièrement à travers les siècles en contrepoint des formes strictement dessinées et des couleurs sourdes.

« *Protohistoire* » *de l'Impressionnisme*

Ces jalons irrégulièrement surgis à travers l'histoire de la peinture apparaissent dès le Iᵉʳ s. de notre ère, à Rome, dans la Domus aurea néronienne et sur les murs de Pompéi. Un naturalisme nourri de fantaisie et sans doute emprunté au monde hellénique caractérise ce dernier style pompéien, avec ses paysages fluides, où la lumière est posée en taches et ses personnages abréviativement traités.

Quelques siècles plus tard, c'est dans la Chine des empereurs Song que s'expriment, au moyen du lavis, les préoccupations luministes. Elles aboutissent à une dématérialisation du paysage, entreprise à travers des éléments fugitifs, nuages, brume, neige, qui seront à la base même de l'Impressionnisme. Le modelé tachiste ou pointilliste de Mi Fu (1051-1107) supprime le cerne pour obtenir ce qu'il qualifie de « peinture sans os ». Ma Yuan (v. 1190-1230) annonce avec son *Pêcheur sur un lac dans la brume* les lagunes vénitiennes que décrira Guardi un demi-millénaire plus tard. Les peintres de la secte chan, que le Japon adoptera sous le nom de *zen*, transcendent par leur souci de spiritualité la simple représentation d'un arbre ou d'une montagne émergeant du brouillard. Le soleil se lève sur la peinture européenne avec les rayons matinaux noyant d'or pâle la prairie dans une enluminure du *Cœur d'amour épris* par le Maître du Roi René (*À la fontaine de Fortune*, Vienne, Bibliothèque nationale). Il faudra cependant attendre la Renaissance vénitienne pour que l'air et la vie pénètrent dans la profondeur des couches picturales et se transcrivent par des vibrations colorées.

Ce « proto-impressionnisme », pourrait-on dire, trouve naturellement naissance dans des régions où l'humidité marine se condense à flanc de montagne et dans les plaines gorgées d'eau. Son évolution amorcée chez Giovanni Bellini (1433 ? - 1516) se poursuit dans les arrière-plans des saintes conversations de Cima da Conegliano (v. 1459-1517-1518), originaire des contreforts du Frioul comme Titien (1488-1489-1576). Ce dernier apprend avec Giorgione (1477-1478-1510) à fondre les personnages dans le paysage en fonction des jeux de lumière. Les œuvres de la maturité de Titien utilisent toutes les ressources des reflets pour enrichir la polychromie, et les toiles de sa vieillesse se composent en taches qui suppriment les contours et s'éclairent de points contrastés. Après lui, un autre Vénitien, Tintoret (1518-1594), se situe avec plus de fougue encore dans cette lignée des peintres qui construisent avec la couleur. « Il dessine mal », a-t-on longtemps dit de cet artiste. Les impressionnistes, auxquels s'adressera le même reproche, lui ont porté, ainsi qu'à Titien et à Véronèse (1528-1588), un intérêt mis en évidence par les copies de Manet d'après ces maîtres.

C'est à Venise que le Flamand Rubens (1577-1640), venu d'une autre ville portuaire, Anvers, découvre la magie de la couleur et s'exclame devant les Titien : « Avec lui, la peinture a trouvé son parfum ! » Il mettra cette expérience au service d'un Baroque septentrional dont il sera le roi par l'emportement de la touche et les harmonies claires que Renoir admirera dans ses nus. Rubens, devenu sensible au paysage dans son âge mûr, lui donne une impulsion régénératrice. Les verts animés de pointillés orange ou rouges, l'imbrication des teintes appellent parfois le recul, comme les peintures impressionnistes, pour saisir l'assemblage des formes. Le titre de l'un de ses tableaux les plus célèbres apparaît d'ailleurs comme un programme prémonitoire : *Paysage d'automne avec la vue du château de Steen à l'aube* (Londres, N. G.). Cent cinquante ans plus tard, Constable verra en Rubens « le père de la peinture moderne » mais, entre-temps, d'autres précurseurs se sont manifestés.

Un des pères fondateurs du paysage classique, Claude Gellée dit Le Lorrain, a connu lui aussi la tentation de l'impalpable et de l'inachevé dans ses admirables lavis et ses poudroiements solaires, qui serviront d'exemples à des générations de luministes. Passant à Madrid en 1628, Rubens a conseillé à Velázquez (1599-1660) de visiter l'Italie. Avant lui, Greco, qui a séjourné à

Venise, est arrivé en Espagne porteur de richesses chromatiques. Il en a limité la palette et la pose avec une manière heurtée qui enthousiasmera Cézanne. La *Vue de Tolède* (New York, Metropolitan Museum), saisie pendant la fulgurance d'un éclair, pourrait d'ailleurs apparaître comme le summum d'une instantanéité impressionniste... Velázquez, « le peintre des peintres » pour Manet, a rapporté de son second voyage en Italie (1649) deux *Paysages de la villa Médicis* dont la perspective atmosphérique, transcrite en touches papillonnantes, n'aura de véritable équivalent que chez Pissarro ou Sisley.

En ce même XVIIe s., les Pays-Bas du Nord ont aussi leurs signes avant-coureurs. Les violences iconoclastes ont suscité dans les pays atteints par la Réforme un intérêt nouveau pour le paysage. Au Pré-Romantisme de Jacob Van Ruisdaël (1628-1629-1682) répond l'Impressionnisme avant la lettre de son ami Meindert Hobbema (1638-1709), dont *l'Allée de Middelharnis,* 1689 (Londres, N. G.), utilise un thème qui fera fureur deux cents ans plus tard, la route fuyant entre de maigres rangées d'arbres.

Le goût de l'esquisse faite en plein air précède Monet de longtemps. En France, le grand animalier F. Desportes (1661-1743) emmène « aux champs ses pinceaux et sa palette toute chargée dans des boîtes de fer-blanc », et son confrère J.-B. Oudry (1626-1755) « n'allait jamais à la campagne qu'il ne portât une petite tente sous laquelle il dessinait et même peignait des paysages ». Watteau (1684-1721) conseille à ses élèves de travailler le paysage dans la nature et commence plusieurs tableaux à la fois comme le fera Monet. Sa manière, illusionniste et réaliste à la fois, servie par le jeu subtil des reflets et la vivacité des touches, parle un langage bien nouveau sous Louis XIV.

Deux grands foyers, Paris et Venise, instaurent au XVIIIe s. ce style vivement enlevé et ces couleurs claires. Il débute avec Watteau et se poursuit avec les ombres bleues, les blancs tramés de vermillon de Fragonard (1732-1806). Certains paysages d'Hubert Robert (1733-1808) et de Moreau l'Aîné (1740-1806) le conduisent aux portes du Pré-Impressionnisme. Tous ces peintres, honnis pendant trois quarts de siècle, éveilleront, grâce à l'ouverture de la salle Lacaze au Louvre, l'intérêt de Renoir et de ses amis.

Les védutistes italiens posent des jalons encore plus précis. Canaletto (1697-1768) prend auprès de Flamands rencontrés à Rome le goût des vues naturelles. L'abandon du clair-obscur, une lumière solaire toute en taches de couleurs caractérisent ses vues de Venise destinées au duc de Bedford. Les frères Guardi poussent encore plus loin ses recherches, Gian Antonio (1699-1760) avec la touche échevelée de l'*Histoire de Tobie,* Francesco (1712-1792) avec son extraordinaire sensibilité atmosphérique et la facture papillotante des « Caprices » et des « Fêtes vénitiennes ». Joseph Smith, marchand de tableaux et consul d'Angleterre à Venise, fait connaître les védutistes à ses compatriotes. Canaletto (1697-1768) séjournera ainsi trois fois à Londres, où ses œuvres et celles de Guardi contribuent à l'abandon du paysage historique. Le sentiment de la nature, si fort en Grande-Bretagne, trouve paradoxalement son expression chez un portraitiste, Gainsborough (1727-1788). le champ de blé et les prairies sur fond de collines violettes de *Robert Andrews* (Londres, N. G.) ne sont pas l'habituel complément pittoresque d'une conversation piece mais un hommage à la science agricole du modèle, inscrit dans le premier paysage moderne. Non loin de là, dans ce même Suffolk, Constable trouvera son inspiration, et, dans le comté voisin, John Crome (1768-1821) s'affranchira du paysage historique avec l'école de Norwich, qui s'adonne au plein air et dont Crome demeure le membre le plus actif. Si l'on regarde de nouveau vers le sud de l'Europe, le dernier relais arrive entre les mains de Goya (1746-1828). Le grand Espagnol passe des grâces chatoyantes du XVIIIe s. au clair-obscur tragique du *Tres de Mayo* (Madrid, Prado) et des peintures noires de la Quinta del Sordo (Madrid, Prado) pour continuer avec le pressentiment de l'Impressionnisme en germe dans la frénésie tachiste des fresques de l'ermitage San Antonio de la Florida à Madrid (1798), les petits paysages de la sierra de Tardienta (1812) et *la Laitière de Bordeaux* (Madrid, Prado) aux tons divisés, peinte à Bordeaux l'année de sa mort. Deux ans et demi auparavant, le vieux maître réfugié en France avait pu voir à Paris, au Salon et chez Arrowsmith, les œuvres de Constable et de Bonington, avec lesquels naturalisme et Pré-Impressionnisme imposent une vision nouvelle du paysage promise au plus bel avenir.

Le Pré-Impressionnisme dans toutes ses nuances

Ce terme, apparu vers le milieu du XXe s., s'applique à la manière, suggestive, esquissée, qui chez maint artiste prélude plus ou moins directement à la technique impressionniste. La Grande-Bretagne en est l'initiatrice à travers ses deux grands paysagistes romantiques, Constable et Turner. Le premier rompt à la fois avec la tradition du paysage historique et avec le pittoresque pré-romantique. Comme William Wordsworth (1771-1855), son poète favori, il se laisse immerger dans la nature. Son œil est déjà celui d'un naturaliste : « Je n'ai jamais rien vu de laid ! », et chaque coin de sa vallée de la Stour, vieille barrière à l'entrée d'un champ ou flaque d'eau boueuse, a pour lui sa beauté. Le peintre en décline les plus subtiles variations, partant du principe qu'« il n'y a pas deux jours pareils, ni même deux heures, ni deux feuilles semblables depuis la création du monde ». Sa simplicité, celle du *Labourage dans le Suffolk* (1812) ou du *Potager de Golding*, servira d'exemple à Pissarro. Pour Constable, le ciel donne la clef du paysage, et ses nerveuses études de nuages, à Hampstead Heath ou sur la plage de Brighton, paraissent l'amorce de tout ce que proposera l'Impressionnisme.

C'est également le cas de Turner, devenu le maître de l'instantanéité après les débuts d'une inspiration proche de celle du Lorrain. Il cherche la lumière avant toute chose et si la critique, dès *Hannibal traversant les Alpes* (1812, Tate Gal.), lui reproche de négliger la forme, elle reconnaît qu'il porte à sa quintessence la perspective aérienne en montrant moins les objets que l'atmosphère dans laquelle ils baignent. Ses « études de couleurs » ne gardent d'un paysage que sa structure en bandes contrastées, révélant ainsi à quel point sa construction remplace le dessin par la couleur comme le fera plus tard Monet. « Chimères éblouissantes ou réalités saisies sur l'instant ? » s'interroge le *Times* lorsque *Pluie, vapeur, vitesse* (Londres, N.G.) est exposé à la Royal Academy en 1844. Cette introduction de la durée et cette poursuite de l'impalpable explosent dans *l'Incendie du Parlement* et dans ses aquarelles. Si certaines ont un fini qui correspond au goût de leurs commanditaires, d'autres, vues des Alpes, de Rouen, de Venise, ne laissent subsister qu'une impression presque abstraite.

L'aquarelle tient une place essentielle dans l'art britannique. Thomas Girtin (1775-1802), en allégeant ses contraintes topographiques, en a fait une véritable peinture d'une fluidité aérienne. David Cox (1783-1859), un de ses plus subtils utilisateurs, lui a consacré un Traité. Bonington (1802-1828) emploie cette technique de façon éblouissante et communique sa légèreté à ses études à l'huile. Amoureux fou de Watteau, en un temps où tous le méprisent encore à l'instar de David, qui, sous la Convention, souhaitait badigeonner de blanc *l'Embarquement pour Cythère*, il montre la voie, « d'une main si habile, écrit Delacroix, qu'elle devançait sa pensée », à Sisley (*l'Aqueduc de Marly*), à Monet (*Cathédrale de Rouen le matin*), à Whistler (*Venise, la lagune*).

D'autres artistes anglais, sans pratiquer des notations aussi suggestivement pré-impressionnistes, préludent au style des générations suivantes. Ainsi, Samuel Palmer (1805-1881), gendre de John Linnell, un des premiers adeptes de la peinture de plein air, mêle son admiration pour l'art fantastique de Blake et les paysages de Turner à des préoccupations d'artiste naïf. Avec leurs touches en piquetage, leur accumulation de nuages, leurs lumières orangées, ses toiles ont un climat étrange et poétique que remarquera Van Gogh.

Le style minutieux des préraphaélites succède aux évanescences de Turner. Un même écrivain, Ruskin, soutient avec enthousiasme ces deux expressions artistiques. Les nouveaux venus se réfèrent souvent, comme avant eux les Nazaréens, aux peintres du quattrocento mais exécutent aussi des scènes modernes et transposent les sujets bibliques dans le monde contemporain. Un perfectionnisme réaliste leur fait supprimer les ombres et peindre en plein

Joseph Turner, *L'Incendie du Parlement, 1835*
92,5 × 123 cm. Cleveland, Museum of Art

air, jusqu'à la dernière touche, les grandes figures qu'ils inscrivent dans des paysages. Les expositions internationales de 1855 et 1867 donnent l'occasion à leurs confrères français de découvrir leurs toiles. C'est d'une extrême importance, car les œuvres de Millais, de Hunt et de Ford Madox Brown ont une vivacité de couleurs stupéfiante, accentuée par l'emploi des complémentaires comme il ressort de leur description dans un article de Chesneau : « Terrain rose, rocher vert, visage coupé en deux parties égales, l'une violette, l'autre jaune paille. » Cette orgie de couleurs paraît d'ailleurs le comble de la barbarie au public parisien, habitué aux tons assourdis par l'huile de bitume.

Le Pré-Impressionnisme se manifeste en France avec moins d'agressivité. Il est déjà présent dans les études de nuages exécutées à Rome à la fin du siècle précédent par Pierre Henri de Valenciennes, formidables exemples pour son élève tôt disparu, Michallon, dont le nom apparaît dans les carnets de Turner et qui donne ses premières leçons à Corot. On note aussi de nouvelles tendances dans la mobilité des ciels placés au-dessus d'un Montmartre encore rural par Georges Michel. Mais la plus parfaite démonstration d'un

Pré-Impressionnisme indépendant de toute influence étrangère apparaît chez Corot. Entre les esquisses architecturées par la lumière de son premier voyage en Italie (1825-1828), les brumes vaporeuses des matinées nervaliennes près de Mortefontaine et les touches morcelées des vues de Mantes (vers 1870) se profile toute l'évolution qui conduit à Monet aussi bien qu'à Cézanne. En 1843, le refus de ses toiles par le jury du Salon avait indigné Camille Pelletan, dont la critique prend un accent prophétique : « Savez-vous qui ces hommes-là ont refusé ? Corot ! notre plus grand paysagiste... Mais regardez donc, malheureux... c'est la vie, c'est l'impression du paysage qui est là-dedans. »

Il faudra trente ans encore pour que l'Impressionnisme devienne une école mais son frémissement court tout au long du siècle. En 1821, l'écrivain Charles Nodier, ami de tous les artistes romantiques, découvre avec émerveillement *la Charrette de foin* de Constable ; peu après, Géricault revient « tout ébouriffé » de l'avoir vue à Londres. Exposée avec deux autres toiles en 1824 à Paris, chez le marchand Arrowsmith puis au Salon, la toile enthousiasme les premiers paysagistes romantiques par le naturel jailli de son fourmillement de touches, la fraîcheur incroyable de ses verts, les gouttes de rosée posées en toile d'araignée. Après avoir examiné ce tableau, Delacroix aurait retouché les fonds de ses *Massacres de Scio*. Mais il a aussi regardé chez Régnier un exemple de ce qui constitue la modernité de l'artiste : « Une esquisse de Constable, admirable chose et incroyable. »

Deux autres de ses amis anglais participent à ce même Salon de 1824, Copley Fielding et Bonington. C'est autour de ce dernier que se manifestent les tendances les plus directement pré-impressionnistes dans l'évolution de Delacroix et de Paul Huet, ancien camarade de l'atelier de Gros. Le premier, chef incontesté de l'école romantique, montre dans les notations atmosphériques de ses aquarelles exécutées en Angleterre (la *Barrière*, 1825) ou au Maroc un Impressionnisme avant la lettre, qu'annonce aussi sa façon de traiter la peinture à l'huile depuis les *Femmes d'Alger dans leur appartement* jusqu'aux décorations de la chapelle des Saints-Anges à l'église Saint-Sulpice de Paris. Son travail de dissociation des touches, chacune animée ensuite de virgules aux nuances complémentaires, cherche à « concilier la couleur-couleur et la couleur-lumière ». Sa théorie des reflets, expliquée à son élève Maurice Sand, fils de la romancière, permet de lier les tons les plus violents, sans qu'ils paraissent jamais criards, en introduisant par exemple un soupçon de violet entre un bleu et un rouge. Il pressent, remarquera Jules Laforgue, « le vibrant des impressionnistes », lui qui, « dans les fureurs à froid du romantisme, [...] modèle par hachures vibrantes ».

Son ami Huet travaille dès 1823 en plein air, utilise parfois des tons purs, revient ensuite à des verts soutenus puis dissout les formes dans la lumière

Eugène Delacroix
Lutte de Jacob
avec l'ange, 1861
huile et cire sur le mur
781 × 485 cm
Paris, église Saint-Sulpice

à la façon de Turner. Plus tard, il juxtapose de larges touches et, par l'intermédiaire du pastel, entre à partir de 1849 dans une période impressionniste, couronnée par ses aquarelles de Trouville et d'Apt. En 1862, à l'Exposition universelle de Londres, son grand tableau, peint pour celle de 1855 à Paris, *l'Inondation à Saint-Cloud*, connaît un très grand succès. Peut-être a-t-il été remarqué par Sisley, dont le stage commercial dans la City se termine cette année-là et qui plus tard exécutera sur ce thème ses plus célèbres chefs-d'œuvre.

La France, l'Europe entière deviennent à cette époque un immense atelier de paysagistes. La première génération romantique avait la passion des grands spectacles de la montagne ; la seconde donne la prééminence aux forêts. Barbizon, en bordure de celle de Fontainebleau, en est le haut lieu avec en annexe Chailly et, à l'autre bout du massif, Marlotte. Les futaies du Bas-Bréau et les gorges d'Apremont, arpentées en solitaires cinquante ans auparavant par leurs premiers défenseurs, Bruandet et Lantara, abritent des cohortes de peintres. Les Goncourt dans *Manette Salomon*, Taine dans *Vie et opinions de Thomas Graindorge* en ont décrit la belle liberté de mœurs.

Chez les centaines d'artistes plantés devant leurs chevalets à la mare aux Fées, ou au pied de ces chênes au nom évocateur des tempêtes d'automne (le Rageur), des sensibilités différentes s'affirment. Elles vont du Néo-Classicisme blond et gris de Caruelle d'Aligny aux verts anglais de Belly, si proche parfois de Constable, aux virgules de couleurs de Decamps, dont l'éclat si vanté s'est bien terni, à la touche papillotante de Diaz, qui fascine la jeune génération. Les uns célèbrent le paysage en soi, d'autres lui adjoignent des activités rurales avec un cortège varié de bétail au succès presque incroyable : moutons de Charles Jacque, bœufs de Troyon, percherons de Rosa Bonheur. Tous ces peintres, qui sont la gloire du Salon quand débutent les impressionnistes, ont parfois, sous l'ennuyeuse convention du sujet, des vibrations annonciatrices des temps nouveaux.

Rousseau et Millet, les plus célèbres figures de Barbizon, définitivement adopté par eux en 1847 et 1849, s'engagent chacun à sa manière sur une voie nouvelle. Rousseau éclaircit sa palette romantique après avoir découvert les estampes japonaises. Millet remarque : « Si je le pouvais... je ne ferais rien qui ne fût le résultat d'impressions reçues par l'aspect de la nature, soit en paysages, soit en figure. » Les couleurs plus vives, les reflets qui apparaissent dans ses œuvres des années 1860 (*le Bain de la gardeuse d'oies*, 1863, Baltimore, Walters Art Gal.), les notations rapides de ses *Travaux des champs* donnent des exemples auxquels Pissarro et Van Gogh se référeront avec une admiration sans mélange.

Le Pré-Impressionnisme se montre de façon évidente chez les paysagistes qui marquent une préférence, que Monet et Sisley porteront à son paroxysme, pour les vues aquatiques : marais des Dombes chez Ravier, dont la touche est d'une remarquable expressivité, marais des Landes chez Dupré, vallées de la Saône et de la Bièvre pour Chintreuil, exquis interprète des effets de pluie, de brume et de pommiers en fleurs. L'école lyonnaise, à laquelle appartient Ravier, se distingue aussi avec Carrand et ses quais du Rhône aux lumières tremblées. Auguin décrit dans le même esprit les rives de la Gironde et la Saintonge. Le Valenciennois Harpignies prolonge jusqu'au siècle suivant dans ses vues de Barbizon, de l'Yonne ou de la Riviera le faire sensible appris de Corot, pour qui la discrétion était vertu cardinale.

Chez les Méridionaux, le Pré-Impressionnisme prend des formes plus contrastées, dessine les plans successifs au lieu de les fondre dans la lumière.

Granet, chaînon entre le Néo-Classicisme et le Romantisme, en donne déjà l'exemple. « Sans soleil, pas de bonne peinture », affirme-t-il en utilisant ses rayons comme des projecteurs braqués sur les sujets. Cet artiste admiré de Degas et de Cézanne, qui tous deux étudient son legs au musée d'Aix-en-Provence, se sert, pour ses dernières aquarelles du parc de Versailles, d'accords de couleurs étonnamment modernes. D'autres Provençaux – Loubon, avec de grandes vues panoramiques, Engalières et plus tard Guigou, qui, avant sa mort précoce, fréquente le groupe des futurs impressionnistes – traduisent leurs motifs avec cette vision implacablement simplifiée que l'on retrouvera chez Bazille.

À cette sensibilité qui tant au nord qu'au sud s'attache à des effets atmosphériques répond chez d'autres artistes une sensibilité tactile dans laquelle le travail de la touche se montre primordial. C'est la combinaison des deux qui donnera l'Impressionnisme.

Cette seconde forme de tempérament plastique se double d'une volonté constructiviste chez Daumier, que Cézanne a beaucoup regardé. Elle appar.ît avec une joyeuse frénésie chez Diaz, dont Renoir recevra le conseil de peindre plus clair, et chez Monticelli, avec qui Cézanne ira souvent travailler près de Marseille et qui sera pour Van Gogh un frère imaginaire.

Une pâte lumineuse et dense, c'est aussi ce que Courbet donne en exemple à toute la jeunesse réaliste, dont il est le maître incontesté. Son prodigieux tempérament de peintre auquel rien n'est impossible sait aussi bien adopter un pleinairisme éclatant pour l'esquisse des *Demoiselles de village faisant l'aumône à une gardeuse de vaches* (Leeds, City Art Gal.) qu'aviver la neige des *Braconniers à Ornans* de ces reflets bleus que lui emprunteront Monet et Renoir. Sa réponse aux compliments inspirés par l'une de ses toiles exécutées en Normandie : « Ce n'est pas une étude de mer, c'est une heure ! », le situe bien dans cette mouvance à partir de laquelle se développera l'Impressionnisme. Il est d'ailleurs l'un de ceux qui président à ses débuts par la sympathie avec laquelle il accueille les travaux de Whistler et de Monet, avec lesquels on le rencontre à Chailly-en-Bière et à Trouville.

Certains artistes lient également de façon directe le Pré-Impressionnisme à ses grands successeurs. Il s'agit de Daubigny, de Boudin et de Jongkind. Le premier évolue d'un style barbizonien à des notations rapides que déplore en 1861 Théophile Gautier : « Dommage que ce paysagiste d'un sentiment si vrai... se contente d'une impression », mais qui deux ans plus tard réjouissent Castagnary : « Quelle vérité d'impression ! » Son bateau-atelier, le *Botin*, avec lequel il circule de Paris à sa maison d'Auvers-sur-Oise, sera imité par Monet. Il est avec Corot l'un des soutiens de la jeune école à l'intérieur des jurys du Salon dans les années 1860, et son amitié pour Monet ne se démentira jamais.

Karl Blechen
*Vue sur des maisons
et des jardins, 1828*
Berlin, Staatliche Museen
Preussischer Kulturbesitz,
Gemäldegalerie

« Nous ne peignons jamais assez clair », confie Daubigny à Boudin, qu'il retrouve tantôt à Paris, tantôt à la ferme Saint-Siméon, Barbizon normand, près de Honfleur, où la mère Toutain reçoit des peintres qui, pour la plupart, pratiquent le paysage dans une optique pré-impressionniste. Corot, Troyon, Diaz ont travaillé sous ces pommiers qui, face au Havre, dominent l'estuaire. On y rencontre aussi Boudin, originaire de Honfleur, et Cals, qui tous deux participeront en 1874 à l'exposition éponyme de l'Impressionnisme, et Ribot. Nul n'ignore le rôle joué par Boudin dans la formation de Monet mais il ne faut pas négliger celui de Ribot, que Monet voit exécuter de grandes figures de marins sur la plage et qui sera le précédent locataire de l'atelier occupé place Furstenberg par Bazille et Monet puis de sa maison d'Argenteuil.

Boudin donne ses premières leçons de plein air à Monet près du Havre puis l'emmène souvent sur la côte de Grâce à la ferme Saint-Siméon, qu'il fait aussi découvrir à Courbet. Celui que Baudelaire et Corot surnomment « le roi des ciels » fragmente les touches et donne la fraîcheur de quelques notes plus colorées à ses toiles aux harmonies un peu grises, traitées avec une vivacité de véritable impressionniste.

Le Hollandais Jongkind a découvert la côte normande dès 1846 avec le mariniste Eugène Isabey, un ami de Bonington dont il semble subir l'influence posthume puisque Burty remarque en 1861 que « ses ciels ont la profondeur des meilleurs Bonington ». Lui-même exerce une action tout à fait bénéfique sur le style de Monet, rencontré en 1862 à Sainte-Adresse et qui fait de longs séjours avec lui à la ferme Saint-Siméon. Des aquarelles précèdent toujours ses peintures à l'huile, conférant leur légèreté à celles-ci, dont le dynamisme de la composition et le graphisme des figures semblent un chef-d'œuvre d'improvisation. Cette écriture relève d'une étonnante simplification visuelle, tandis que sa gamme de couleurs s'inspire des anciens maîtres de son pays natal, Vermeer, Van Goyen, Van der Neer.

Les confrères néerlandais de Jongkind retournent aussi à leurs sources nationales, tels Josef Israels, avec ses scènes religieuses baignées de lumière rembranesque, Roelofs ou Bosboom. Ce sont les premiers représentants de l'école de La Haye, qui, parallèlement à l'Impressionnisme, gardera sa propre vision discrètement pré-impressionniste.

Les artistes du jeune royaume de Belgique, Papeleu, Knyff, ont souvent fréquenté Barbizon, dont un équivalent flamand apparaît avec l'école de Tervueren dans la forêt de Soignes. Elle consacre la rupture avec le Romantisme d'Hippolyte Boulenger, à qui elle doit son nom, et réunit des peintres comme Louis Dubois, l'un des refusés de 1863 à Paris, ou Verheyden, tous désireux d'exprimer les effets fugitifs de la lumière. Le goût du luminisme et du pleinairisme concerne d'ailleurs l'Europe entière et s'étend jusqu'en Amérique. Dans les pays du Nord, il se teinte de l'idéalisme pratiqué par les Nazaréens. La sobriété scandinave s'évade des contraintes néo-classiques à travers la spontanéité de Kobke et sa perception délicate des couleurs. Sens de la lumière et simplicité s'affirment dans *le Champ d'avoine*, 1843, de Skovgaard, et dans *le Pré derrière la maison de l'artiste*, de Kihn (1819-1903), qui en 1853 exécute des paysages de neige aux reflets impressionnistes de rouge, de jaune et de bleu.

En Allemagne, des vibrations colorées se glissent dans les aquarelles de l'écrivain autrichien Adalbert Stifter. Des thèmes industriels sont traités avec la plus grande liberté d'expression par Blechen : *Vue du moulin de Neustadt-Eberswalde*, ou *Vue sur des maisons et des jardins*, et par Menzel : *le Chemin de fer Paris-Potsdam*. Ce peintre célébrissime pour ses minutieux tableaux d'histoire, en effet, est par ailleurs le créateur de toiles relatant ses impressions directes (*Souvenir du théâtre du Gymnase*, 1856), qu'admireront Degas et ses amis.

Aux États-Unis, les peintres, souvent d'origine allemande et qui viennent parfois étudier à Dresde ou à Francfort, sont encore imprégnés d'idéalisme germanique. C'est le triomphe du majestueux paysagisme de l'école de l'Hudson, plus réaliste chez Achenbach, plus poétique chez Church, incomparable interprète du sublime de la montagne et des icebergs. Whittredge et surtout Bierdstadt animent parfois les grands espaces sauvages d'un frémissement prémonitoire. Les correspondants de guerre apportent d'Europe l'écho de l'évolution des styles, ce qui est le cas du Suisse Buchser venu suivre le conflit hispano-américain, dont il évoque les épisodes avec un morcellement de touches assez neuf.

Les fréquents séjours de Corot dans la Confédération helvétique, d'où sa mère est originaire, contribuent au climat pré-impressionniste marquant les œuvres de ses amis suisses, tels Baud-Bovy, son hôte à Gruyère, ou Barthélemy Menn qui forme trois générations de pleinairistes. Ils sont parfois rejoints par le Turinois Fontanesi, dont les sensations immédiates se traduisent en vibrations colorées représentatives d'une sorte d'impressionnisme proche des travaux de son camarade français Ravier.

Dans le nord de la péninsule italienne, cette fantaisie suggestive s'exprime dans la bohème de la Scapigliatura avec Il Piccio. Au sud, elle donne à Naples, où séjournent de nombreux Anglais, la fluidité des aquarelles de Gigante (1806-1876) puis le mouchetage réaliste de Filippo Palizzi, dont les frères fréquentent Barbizon. C'est des écoles réalistes napolitaines, dites « du Posilippe » et « de Resina », que viennent Altamura et De Nittis, membres actifs du grand mouvement italien des Macchiaioli toscans. Ce groupe, dont les fondateurs participent à tous les combats pour l'unité italienne et rêvent d'une république en suivant Garibaldi, amorce au plan plastique une véritable révolution picturale au nom de l'antiacadémisme et du réalisme. Ses recherches de contrastes, d'effets tachistes, de travail en plein air autour de Florence commencent peu après la visite de plusieurs de ses membres à l'Exposition universelle de 1855. Elles se développeront parallèlement à celles des impressionnistes avec lesquels ils ont quelques contacts par l'intermédiaire de Degas. Ces théories sont soutenues par le *Gazzettino delle arti del designo*, que lancent en 1867 Signorini et Martelli. Les grands créateurs Fattori et Lega mènent à bien une œuvre très personnelle sans quitter une Florence pour laquelle le Risorgimento n'a pas tenu ses promesses d'en faire la capitale du royaume unifié. Beaucoup de ces artistes feront carrière à l'étranger, essentiellement à Paris ou à Londres, avec pour Boldini et De Nittis un véritable succès.

Mais les Macchiaioli ne tireront pas à l'échelon international les conclusions de leurs théories d'avant-garde. C'est en France que va porter ses fruits la convergence des efforts de toute la peinture européenne vers la transcription de la lumière.

Qu'est-ce que l'Impressionnisme ?

Entrée en scène de la modernité : l'école des Batignolles

1859-1870 : entre ces deux dates, tous les rouages du futur Impressionnisme se mettent en place. La première voit l'apparition initiale au Salon de Manet (refusé) et de Pissarro (reçu), l'arrivée de Monet à Paris, le retour de Degas après un long séjour à Rome et à Florence. C'est également celle du texte fondateur inspiré à Baudelaire par les pastels de Boudin : « Ces étonnantes études, si rapidement et si fidèlement croquées d'après ce qu'il y a de plus inconstant, de plus insaisissable dans sa forme et dans sa couleur, d'après des vagues et des nuages, portent toujours écrits en marge la date, l'heure et le vent... »

Le tableau refusé de Manet, *le Buveur d'absinthe*, s'inspire d'un poème de Baudelaire, avec qui le peintre est amicalement lié. Onze ans plus tard, le poète est mort, Manet apparaît en chef d'école dans *Un atelier aux Batignolles*, exposé par Fantin-Latour au Salon de 1870, et le disciple de Boudin, Monet, qui figure dans ce tableau avec Renoir, a peint l'année précédente en compagnie de ce camarade les premières toiles véritablement impressionnistes.

Au cours de cette période, la personnalité de Manet éclipse en effet peu à peu auprès des jeunes celle de Courbet, dont l'apogée se situe au moment de la grande fête du Réalisme, donnée dans son atelier en 1860. Les combats de cerfs et les scènes de neige du maître d'Ornans ne sont plus des tableaux-manifestes comme l'étaient *l'Atelier* et les *Demoiselles du bord de Seine*, mais *le Déjeuner sur l'herbe* et l'*Olympia* en sont les nouveaux exemples.

L'influence de Courbet reste cependant considérable et Manet, Cézanne, Monet lui doivent tous d'avoir su libérer leur tempérament. En 1855, alors que douze tableaux, dont *les Casseurs de pierres*, le représentaient déjà à l'Exposition universelle, sa décision de construire un bâtiment annexe pour en montrer quarante de plus a donné le coup d'envoi de la première manifestation géante consacrée à un artiste et de la première glorification de son statut social. Les inconditionnels du Réalisme l'entourent à la brasserie des Martyrs et, paraphrasant Wagner, souhaitent faire la peinture de l'avenir. Mais c'est ailleurs que l'avenir s'organise.

Pendant cette riche phase préparatoire, les théories farouchement réalistes se décantent et des relations se tissent entre artistes venus d'horizons divers. Leurs grandes rencontres prospectives sur les lieux de travail ou de distraction prennent en compte des domaines plastiques étrangers ou annexes, estampes japonaises, photographies. Elles entraînent aussi un changement dans le choix des sites. Les motifs préférentiels des paysagistes glissent ainsi de l'amont à l'aval de la Seine, délaissant ceux trop usés des environs de Barbizon. Ne pouvant lutter avec la puissance expressive de Courbet, l'esprit nouveau emprunte d'autres chemins pour opposer à sa densité les séductions de l'éphémère et s'affirmer l'incomparable interprète du concept de modernité. L'idée en a été lancée par Baudelaire dans un article écrit en 1861 mais publié seulement deux ans plus tard : « M. G., peintre de la vie moderne ». Cet enthousiaste hommage à Constantin Guys, admirable évocateur de la vie contemporaine dans toute son instantanéité, constate : « Il cherche ce quelque chose que l'on nous permettra d'appeler la modernité... il s'agit pour lui de dégager de la mode ce qu'elle peut contenir de poétique dans l'historique, de tirer l'éternel du transitoire... Cet élément transitoire, fugitif, dont les métamorphoses sont si fréquentes, vous n'avez pas le droit de le mépriser ou de vous en passer. »

Degas et Manet sont d'ailleurs déjà tout à fait conscients du bien-fondé de ce raisonnement, eux qui traitent en 1860-1862 l'un *la Musique aux Tuileries,* l'autre *Jockeys à Epsom* et *Course de gentlemen.*

1863, année de la parution de ce texte, apparaît comme une année clef. C'est en effet également celle de la mort de Delacroix, de la première exposition personnelle de Manet (gal. Martinet) et du retentissant Salon des refusés. Le jury du Salon s'étant montré d'une particulière sévérité, Napoléon III, devant l'afflux de protestations, a décidé de faire exposer les œuvres exclues.

Les ateliers délirent de joie, mais public et critique ont des réactions mitigées. Deux toiles déchaînent les passions : *la Fille blanche* de Whistler et *le Bain* de Manet, la première davantage par sa technique, déjà précédemment trouvée inachevée par la Royal Academy, la seconde, dénommée depuis *le Déjeuner sur l'herbe,* par son sujet, car cette femme nue entre deux hommes habillés ne paraît pas aux spectateurs bourgeois un écho de Giorgione ou de Raphaël mais une allusion choquante aux mœurs des élèves des Beaux-Arts.

Des artistes, auxquels on donne le nom de « groupe de 1863 », gravitent autour de ces vedettes : Legros, dont un *Portrait de Manet* est accroché aux Refusés, et Fantin-Latour, tous deux intimes de Whistler, un ami de Degas, Tissot, admis au Salon avec des sujets Renaissance qu'il est sur le point d'abandonner, Carolus Duran, un des rares camarades que Manet tutoie. Tous se disent réalistes, comme se veut aussi Degas, qui ne renie pourtant pas son admiration pour Ingres, Piero della Francesca et Mantegna dans le monumental *Portrait de la famille Bellelli,* terminé à son retour d'Italie.

Les différents éléments du futur groupe impressionniste prennent peu à peu leur place. L'orageuse amitié de Degas, Manet et Fantin-Latour voit le jour dans les salles du Louvre, où leur sont présentées un peu plus tard les sœurs Morisot. Leur inscription dans un même atelier, celui du timide et libéral Gleyre, met en contact Monet, Bazille, Renoir et Sisley tandis que Pissarro, de beaucoup l'aîné de tous, Cézanne et Guillaumin se rencontrent à l'académie Suisse. La première entrevue de Cézanne, ce provincial bourru, et de Manet, parangon du parisianisme, a lieu chez les Le Josne, amis de Baudelaire et cousins de Bazille, qui, avec le paysagiste Guillemet, futur modèle du *Balcon*, sera le plus chaleureux des intermédiaires entre eux tous.

Ils pourront ainsi confronter leurs multiples admirations : la technique de Delacroix, dont la mort inspire à Fantin un *Hommage* pour lequel posent Whistler et Manet ; les maîtres espagnols, que ce dernier apprend à aimer en écoutant et lisant Charles Blanc, ami de sa famille ; les porcelaines chinoises et les estampes japonaises, âprement disputées à la Porte chinoise ou chez Mme Desoye par ceux qui s'en estiment les « inventeurs », le graveur Bracquemond, les Goncourt, Whistler. Les Méridionaux Bazille et Cézanne, le Marseillais Guigou, habitués aux contrastes de la lumière provençale ou languedocienne, comparent leur vision tranchée à celle, déstructurante, développée dans les pays de brume par Monet, dont « l'œil a fait son éducation définitive » avec Jongkind sur les plages normandes. Sisley, d'origine anglaise, confie à ses camarades que c'est la fascination des Constable et des Turner qui l'a conduit à quitter le négoce pour la peinture.

Les interférences entre nationalités et cultures picturales étrangères sont d'ailleurs nombreuses. Manet, époux d'une Hollandaise dont les frères sont peintre et sculpteur, n'ignore ni Frans Hals ni Vermeer, encore si peu connu en France malgré les efforts de Thoré-Burger.

L'Américain Whistler, ancien élève de Gleyre, s'est fixé à Londres mais revient fréquemment à Paris, invite ses amis français en Angleterre et les met en contact avec le milieu préraphaélite. Tout au désir d'exprimer « la beauté

Edgar Degas
Portrait de famille,
dit aussi
La Famille Bellelli,
v. 1858-1867
200 × 250 cm
Paris, musée d'Orsay

passagère fugace de la vie présente », il combine figures et plein air sur la Tamise dans *Wapping*, s'attache à la description des variations climatiques avec *la Tamise prise dans les glaces* et donne une mise en page japonisante à sa *Démolition des échafaudages du pont de Westminster.*

L'Italie n'a pas été seulement pour Degas le passage dans le conservatoire idéal du Classicisme, elle l'a mis en contact pendant son séjour chez son oncle Bellelli à Florence avec les Macchiaioli, qui tiennent au café Michelangiolo des débats passionnés sur une représentation vériste et tachiste du plein air.

Degas excepté, pour qui ce type de travail est l'abomination des abominations, la plupart des artistes de cette génération plantent leurs chevalets dans la campagne. Berthe Morisot et sa sœur Edma suivent ainsi Corot à Ville-d'Avray et, sur son conseil, découvrent Auvers-sur-Oise. Ce maître est l'un de ceux auxquels Pissarro a demandé des leçons, ce que rappelleront plusieurs fois ses notices dans le livret du Salon.

Cette gigantesque manifestation artistico-mondaine, tellement critiquée plus tard par ces peintres, est encore à cette époque leur grande préoccupation. C'est en effet le seul moyen d'atteindre un large public que n'attirent ni les expositions privées créées par Martinet et rattachées à l'éphémère société des Beaux-Arts (1862-1866) ni le cercle de l'Union artistique, fondé par des amis de Degas et de Manet mais trop soumis aux impératifs mondains. Tous les futurs impressionnistes tentent donc leur chance au Salon. Leurs premières œuvres reflètent les influences exercées sur leurs débuts. L'une des plus évidentes est celle des peintres de Barbizon, rencontrés pendant des séjours à Chailly ou à Marlotte. *Le Chêne de Bodmer au Bas-Bréau*, par Monet (New York, Metropolitan Museum), et la *Lisière de forêt*, par Bazille (Orsay), appellent la comparaison avec des Rousseau. *Jules Le Cœur en forêt de Fontainebleau*, par Renoir (1866, São Paulo, Museu de Arte), évoque les toiles de Diaz, qui lui enseigne comment éclaircir sa palette et rompre ses touches. Leurs villégiatures forestières les rapprochent aussi de Corot et surtout de Courbet, dont la bonté protectrice s'étend alors sur Monet.

En 1865, la première apparition de celui-ci au Salon (des marines de Honfleur) coïncide avec le formidable scandale causé par l'*Olympia* de Manet. La presque homonymie de leurs noms fait régner une confusion qui incite le jeune artiste à s'affirmer peintre de figures en rivalisant avec son aîné dans un *Déjeuner sur l'herbe* entrepris aussitôt à Chailly et pour lequel Bazille pose plusieurs personnages. *Olympia* interpelle le spectateur à plusieurs niveaux, social, plastique, moral. Mais surtout, et c'était déjà la troublante nouveauté de Manet, tant dans le parisianisme de *la Musique aux Tuileries* que dans l'hispanisme de *Lola de Valence*, la toile donne une véritable autonomie à la matière picturale par rapport au sujet décrit. Cette transgression inconsciente chez Manet devient tout à fait voulue dans l'immense *Déjeuner sur l'herbe* de Monet, qui marque ainsi l'entrée en scène de l'art moderne. L'œuvre, connue à travers trois fragments et l'esquisse du musée Pouchkine, rompt totalement avec les conventions en vigueur par sa facture brutale, le refus de liens psychologiques entre les figurants et la lumière jouant en grosses taches rondes, sans effet de clair-obscur, sur les tissus et les feuillages. Elle n'aura pourtant jamais les honneurs du Salon, pour lequel elle n'a pas été terminée à temps, et se détériorera lentement à travers les déménagements ou les saisies. Un portrait beaucoup plus classique, *Camille*, brossé en quatre jours, la remplace à ce Salon de 1866, apportant une notoriété immédiate à Monet, tandis que Manet, à qui ses deux envois, *le Fifre* et *l'Acteur tragique*, ont été refusés, connaît de nouveau une publicité bruyante avec la retentissante prise de position de Zola en sa faveur.

L'ami d'enfance de Cézanne affirme ainsi la personnalité polémiste dont il fera preuve trente ans plus tard dans *J'accuse...* Son Salon *de l'Événement* encense non seulement le chef du Naturalisme mais plusieurs de ses représentants, Pissarro, Monet. Il publie ensuite ces articles en un opuscule dédié à Cézanne : *Sais-tu que nous étions des révolutionnaires sans le savoir...*, et conclut : « Il me plaît d'étaler une seconde fois mes idées. J'ai foi en elles. Je sais que dans quelques années j'aurai raison pour tout le monde. » Phrase prémonitoire née dans le choc créateur des idées débattues soit à ses mercredis, où viennent Pissarro et Guillemet, soit à l'atelier de Manet, soit au café Guerbois, Grande-Rue-des-Batignolles, dans un quartier en pleine mutation où les écrivains et les peintres remplacent les petits retraités. Les cafés sont alors le cœur de la vie littéraire, artistique et politique. La présence de Manet, familier de Tortoni et du café de Bade, transforme en haut lieu de la peinture ce Guerbois situé entre son atelier et son appartement. Sa bande réunit là, de façon irrégulière mais toujours le vendredi, presque tous les futurs impressionnistes ainsi que des personnalités d'une originalité conta-gieuse, Constantin Guys, Monticelli, ou d'un modernisme moins agressif, Stevens, Astruc, Carolus Duran, Antonin Proust, un ancien de l'atelier Couture, happé déjà par la politique, dont il apportera plus tard le soutien à ses amis. Dans ce creuset intellectuel et violemment républicain figurent aussi le photographe Nadar, homme de toutes les audaces, le graveur Bracquemond et le petit monde d'écrivains ou de journalistes prêts à devenir, à l'instar de Zola, les porte-parole de leurs camarades. On trouve là Duret, bon connaisseur de la peinture anglaise, Duranty, l'un des pères du Naturalisme, Silvestre et Burty, japonisants de la première heure, et l'historien de la caricature Champfleury, qui réhabilite tous les arts populaires, dont ces jeux de cartes anciens auxquels *le Fifre*, selon ses détracteurs, doit une apparence trop plate.

En 1867, l'Exposition universelle confronte pour la seconde fois à Paris les beaux-arts des Deux Mondes. Cela donne à Manet, exclu de cette manifestation à laquelle son ami Stevens est fort bien représenté, l'occasion de frapper un grand coup en tenant comme Courbet une exposition particulière dans un pavillon à l'Alma. Mais le public ne suit pas et préfère se délecter des microscopiques tabagies de Meissonier, des nymphes épilées de Cabanel, de l'Orient photographique de Gérôme. Il ne visite d'ailleurs pas davantage le Salon, dont le jury s'est montré d'une telle rigueur qu'une pétition, signée par Cézanne, Renoir, Bazille et Pissarro, est déposée chez le marchand Latouche pour demander l'ouverture d'un nouveau Salon des refusés.

Leurs camarades admis ne sont guère plus heureux. Les deux *Portraits de famille* de Degas, mal placés, n'attirent pas l'attention, pas plus que la *Vue de Paris prise des hauteurs du Trocadéro*, de Berthe Morisot. Le *Navire sortant des jetées du Havre*, de Monet, a l'honneur d'une caricature, mais ses *Femmes au jardin* se sont fait récuser pour leur pleinairisme éclatant. Whistler, représenté aux deux manifestations, émerveille ses camarades français par des vues de la Tamise fluides, presque monochromes, tandis qu'une fois de plus les Préraphaélites déroutent par leurs couleurs crues, que les visiteurs trouvent étranges. Cet adjectif est à la mode : l'année suivante, il qualifie *Lise*, le portrait qui fait connaître Renoir et, en 1869, s'applique au *Balcon* de Manet.

La rigueur du jury de 1867 suscite un projet dont le spectaculaire aboutissement se produira sept ans plus tard. Une lettre de Bazille à ses parents en fait état : ses camarades et lui-même envisagent de louer une salle pour tenir chaque année une exposition ensemble. Courbet, Corot, Diaz, Daubigny sont prêts à se joindre à eux.

« Avec ces artistes arrivés, et Monet qui est plus fort qu'eux tous », affirme Bazille, le succès couronnera sûrement leur entreprise. *La Terrasse à Méric*, qu'il exécute cet été-là en Languedoc, paraît l'exemple même du Naturalisme ensoleillé auquel tous aspirent. L'œuvre figure au Salon de 1868, « premier Salon instructif depuis 1848 », écrit Castagnary dans *le Siècle*. Les futurs impressionnistes ont en effet été reçus en masse, Cézanne excepté, dont la violence expressive est incompatible avec les critères d'un jury pour lequel le *Portrait de Zola* de Manet semble le comble des audaces permises.

La fureur de peindre de l'artiste aixois, précédemment exprimée par des portraits ou des natures mortes maçonnés au couteau d'aplats presque émaillés, a fait place aux envolées érotiques de *l'Après-Midi à Naples*, au baroquisme à la Greco, de *la Douleur*, aux distorsions à la Daumier, d'*Un meurtre*. Un an encore, et ce sera l'outrance pré-fauve du *Pacha*, première version d'*Une moderne Olympia*.

Cézanne est déjà bien différent de ses camarades, que Zola, dans *l'Événement*

Claude Monet
Femmes au jardin, 1866-1867
255 × 205 cm
Paris, musée d'Orsay

illustré, soutient de nouveau. L'écrivain place Pissarro à la tête des naturalistes pour « son exactitude et sa gravité » et crée pour Bazille, Renoir et Monet le terme d'*actualiste*. Il note le japonisme de Degas dans *À propos du ballet de la Source* puis, pour décrire l'art de Jongkind et de Berthe Morisot, se sert du mot *impression*, qui, bien avant d'inspirer le plus célèbre des néologismes, se trouve sous toutes les plumes. Charles Blanc l'applique aux Français : « Nos peintres se préoccupent de l'impression avant tout » ; Chesneau en qualifie les Anglais : « C'est surtout parmi les peintres d'aquarelles qu'il faut chercher les paysagistes d'impression, tel feu David Cox » ; et les critiques allemands s'en servent à propos de Courbet lors de l'Exposition universelle de Munich en 1869. Manet, pour qui c'est un honneur bien nouveau, figure également à cette manifestation. Deux ans auparavant, dans la défense de son exposition personnelle, il expliquait : « C'est l'effet de la sincérité de donner aux œuvres le caractère qui les fait ressembler à une protestation alors que le peintre n'a pensé qu'à rendre son impression. » Le droit à la subjectivité, qu'encourage cette phrase, se remarque non seulement dans son propre style, brutal et souple à la fois, mais aussi dans celui de Berthe Morisot, qui pose alors pour l'un de ses plus émouvants portraits, *le Repos*. Contrairement à Éva Gonzalèz, elle n'est pas son élève et s'attache à créer un intimisme de plein air d'une véritable originalité en fondant ses figures dans l'atmosphère ambiante. L'allègement de la touche se manifeste aussi chez Renoir, qui emprunte à Jongkind son sujet et ses silhouettes sténographiques pour des *Patineurs au bois de Boulogne*. Mais la nouveauté vient encore de Monet et de sa construction par plans et taches de lumière dans *Au bord de l'eau* (1868), peint à Bennecourt, non loin de ce Giverny où il finira sa vie. Il s'isole pendant l'hiver à Étretat avec son amie Camille : « On est trop préoccupé de ce que l'on voit et de ce que l'on entend à Paris, si fort que l'on soit », confie-t-il à Bazille. L'étourdissant paysage de neige de *la Pie* est un des fruits de sa réclusion volontaire. Son refus au Salon de 1869 paraît aujourd'hui stupéfiant. Il partage le sort des deux Sisley et d'un Degas *(Mme Camus au piano)* mais la *Vue de village* de Bazille et celle de l'*Ermitage* par Pissarro, qui, l'année précédente, affirmait son autorité avec *la Côte du Jallais*, ont été admises ainsi que les Manet et *la Bohémienne* de Renoir.

Les exclusives ne portent d'ailleurs pas seulement sur le groupe des Batignolles. Elles rejettent de façon générale tout ce qui semble une rupture avec les habitudes esthétiques, s'en prenant aussi cette année-là au *Prométhée* de Gustave Moreau et aux compositions pour Marseille de Puvis de Chavannes. *La Peste à Rome*, de Delaunay, fait triompher le genre historique et le *Général Prim*, d'Henri Regnault, le portrait équestre. L'année suivante, on se pâmera d'admiration devant la *Salomé* de ce dernier artiste, zingara d'Espagne ou du Maroc traitée dans un camaïeu de jaunes beaucoup plus sophistiqué que les tons employés par Renoir pour sa *Bohémienne*. Le refus essuyé par Monet au palais de l'Industrie a trouvé une compensation sur les Boulevards. Il a exposé dans une vitrine de Latouche – premier marchand, avec le père Martin, à prendre au sérieux la nouvelle école – une étude de Sainte-Adresse, probablement la radieuse *Terrasse*, toute de vermillon, d'outremer et de blanc : « Il y a eu foule devant les vitrines tout le temps de l'exposition – signale une lettre de Boudin – et, pour les jeunes, l'imprévu de cette peinture violente a fait fanatisme. »

Ce n'est pourtant pas vers ce Pré-Fauvisme que vont s'orienter ses travaux ultérieurs. Le Salon de 1869 a mis en évidence un phénomène récent en France, l'importance que commence à prendre l'aquarelle. « Les plus grands maîtres s'y mettent, Courbet, Daumier », indique Castagnary, qui précise : « C'est à des collectionneurs comme MM. de Boissieu et Hoschedé que l'on doit la passion de cette technique. »

Cette remarque de l'ami de Courbet n'a pas dû échapper aux jeunes peintres, non plus que le nom du second de ces amateurs, qui, jusqu'à présent, s'intéresse à l'école de Barbizon mais que l'on commence à voir au Guerbois.

Contrairement à la plupart de leurs confrères, ils ne vont pas se mettre à l'aquarelle en tentant de lui faire imiter l'huile, ils vont communiquer à celle-ci la fluidité de la peinture à l'eau. Les toiles qu'ils peignent de conserve à la Grenouillère cet été-là marquent sans qu'ils le sachent encore l'entrée en scène de l'Impressionnisme. « Il paraît que l'on aura sous peu une école de Bougival, rivale de l'école de Rome », annonçait Texier en 1859 devant l'afflux de paysagistes en ce lieu. Dix ans plus tard, c'est chose faite grâce aux amis de Monet, qui succèdent à ceux de Corot sur ces rives de la Seine. Toute la bourgeoisie parisienne a des résidences d'été entre Malmaison et Saint-Germain. La présence dans un périmètre restreint des parents de Renoir, retirés à Louveciennes, de Pissarro, locataire d'une maison dans ce village pour les semestres estivaux 1869-70, et de Monet, à qui les subsides d'un amateur ont permis de s'installer à Saint-Michel-de-Bougival, constitue un cénacle idéal du plein air, auquel se joint souvent Sisley.

La vogue du canotage et l'ouverture d'un pont en 1864 ont fait la fortune des bains de la Grenouillère dans l'île de Croissy. La visite de l'impératrice en 1869 à ce Trouville des bords de Seine lui donne un aspect très chic. Il n'a pas encore ce côté canaille que décrira plus tard Maupassant. Bien au contraire, Renoir et Monet, en le choisissant pour thème, se placent dans le

Édouard Manet
Clair de lune
sur le port
de Boulogne, 1869
82 × 101 cm
Paris,
musée d'Orsay

Frédéric Bazille
La Toilette, 1870
132 × 127 cm
Montpellier, musée Fabre

droit fil des sujets à la mode, générateurs de succès aussi bien dans le style précis d'Heilbuth ou de Tissot que dans celui de Boudin.

L'ambiance élégante de leurs huit études de la Grenouillère, quatre chacun, plus moelleuses chez Renoir, plus autoritaires chez Monet, ne masque pas leur contribution décisive à l'avenir de l'art : cette éblouissante façon de transcrire par des reflets et des vibrations les plus subtiles sensations optiques.

Le même frémissement parcourt les routes sous la pluie que Pissarro peint alors à Louveciennes et les rives de la Seine près d'Argenteuil de Sisley. Degas lui-même fait quelques incursions (au pastel) dans le domaine du paysage tout en poursuivant une vie mondaine très remplie et une activité de portraitiste qui transforme la mise en page traditionnelle par des apports orientaux. Manet subit, quant à lui, le choc en retour des idées qu'il a encouragées chez ses jeunes amis, sa palette chargée de noirs somptueux (l'*Exécution de Maximilien, le Déjeuner*) s'éclaircit et, pendant l'été 1870, il peint en plein air un couple d'amis dans le jardin des De Nittis à la Jonchère. Une agitation continuelle règne depuis le début de l'année dans le monde artistique. Chennevières a lancé un projet d'Académie nationale des artistes français, auquel ont souscrit quatre cents d'entre eux, parmi lesquels Manet, le sculpteur Solari (ami de Cézanne), Fantin-Latour. L'État, sous l'impulsion de Meissonier, l'a rejeté. La Rochenoire et Manet en ont présenté un autre, qui à son tour échoue, mais la création d'un ministère des Beaux-Arts calme un peu les esprits en rendant l'élection du jury plus souple. Toutes les sculptures sont admises ainsi que 5 434 peintures. Le public populaire préfère comme toujours les œuvres théâtrales : *les Barbares devant Rome*, de Luminais, ou *le Sac de Corinthe*, de Tony Robert Fleury, mais dans l'ensemble ce Salon entre dans la voie d'un naturalisme avec lequel s'adoucit le Réalisme de Courbet et de Millet. L'école que devant le tableau de Fantin tous désignent maintenant comme celle des Batignolles se montre sous un aspect fort sage avec *la Leçon de musique*, de Manet, l'*Odalisque*, de Renoir, *la Lecture*, de Berthe Morisot, les *Bords de la Durance*, de Guigou, et *la Toilette*, de Bazille, dont on a récusé la *Scène d'été*, si moderne par ses simplifications de couleurs et de composition. Par ailleurs, le portrait de *Mme Camus en rouge*, de Degas, paraît à Castagnary « propre à illustrer [...] le traité des couleurs de M. Chevreul », si bien qu'avec cette toile et les paysages doucement tremblés de Pissarro, *Louveciennes*, et de Sisley, *Vues du canal Saint-Martin en hiver*, les éléments constitutifs de l'Impressionnisme s'offrent déjà à la vue de tous.

Pourtant, son représentant majeur est absent. Les deux Monet, *le Déjeuner* et *Vue de la Grenouillère*, ont été refusés tandis qu'était admis *Au bord de l'eau*, peint au même endroit par Heilbuth. Pour marquer leur désapprobation, Corot et Daubigny ont démissionné du jury. Le peintre attendra dix ans pour accepter de se plier une fois encore aux caprices de cette instance à laquelle Cézanne se soumet avec une orgueilleuse résignation.

Après ce dernier Salon de l'avant-guerre, Bazille, dont les ateliers successifs ont si souvent hébergé ses amis et retenti des airs de Wagner, leur musicien favori, est parti pour le Languedoc. Tous se sont dispersés. Monet, sur la plage de Trouville, multiplie les études. Elles font frémir les drapeaux de l'hôtel des Roches noires ou les toilettes claires des estivantes avec le code illusionniste innové à la Grenouillère et dont la troublante nouveauté s'imposera magistralement dans la décennie suivante.

Les années-lumière

La période comprise entre 1870 et 1886 transforme les efforts individuels du groupe des Batignolles en révolution collective. Huit expositions la scandent. La première, en 1874, déclenche l'emploi de ce mot qui fera fortune : *Impressionnisme*. La dernière ouvre la porte aux dissidences néo-divisionnistes et symbolistes. Toutes présentent quelques-uns des plus purs chefs-d'œuvre de cette école que la présence simultanée de plusieurs peintres de génie métamorphose en véritable renaissance.

Ces expositions annuelles confèrent une unité précaire à l'ancienne bande du Guerbois, dans laquelle existent des clivages de résidence (Monet, Pissarro,

Sisley habitent la campagne) et d'affinités : cercle des amis de Manet, Degas, Morisot, fidèles de Pissarro, jeunes camarades de Renoir. Le refus de Manet de se joindre à ces manifestations n'empêche pas que, jusqu'à sa mort, il apparaisse dans la presse comme le chef incontesté de la nouvelle manière, qui déchaîne autant d'enthousiasme que de contestations et suscite les emballements convaincants d'un grand marchand et d'amateurs passionnés.

Tous ces artistes vivent en ordre dispersé le désastre de la guerre puis les soubresauts de la Commune. Ils ne reverront pas Bazille, engagé dans les zouaves après le désastre de Sedan et tué à Beaune-la-Rolande. Cézanne, bientôt rejoint par son ami Zola, s'abrite de la conscription à l'Estaque en compagnie d'Hortense Fiquet, sa future épouse, et peint des « Tentations » ou des « Idylles » d'un romantisme expressionniste. Renoir, mobilisé en province, ne retrouve Paris qu'après la signature de la paix. Pendant tout le siège de la capitale, Degas et Manet, comme de nombreux confrères, tel Meissonier, qui a le grade de commandant, servent dans la Garde nationale. C'est l'occasion pour Degas de renouer avec un ami de jeunesse, Henri Rouart, des liens d'une importance extrême. Ce grand industriel, peintre lui aussi, sera l'un des soutiens les plus sûrs des expositions impressionnistes et l'un des premiers collectionneurs des œuvres de ses amis.

Une autre rencontre majeure pour l'avenir de l'Impressionnisme se produit en Angleterre, celle de Paul Durand-Ruel, qui a replié à Londres ses collections et celles de ses clients. L'avance allemande a provoqué une ruée vers la Grande-Bretagne. Pissarro, de nationalité danoise, est parti avec sa compagne, ses enfants et sa mère. Monet est arrivé avec Camille, récemment épousée. « Voici un jeune homme qui sera plus fort que nous tous », a dit Daubigny en le présentant au marchand français. Les expositions que ce dernier organise de décembre 1870 à 1875 dans sa galerie de New Bond Street mettent le public anglais en présence d'œuvres de l'école de Barbizon mais aussi de petits maîtres du groupe des Batignolles.

Ce séjour forcé, partagé aussi par Guillemet, La Rochenoire, Bonvin, a des aspects très positifs car la vue des études de Constable et de Turner, réactualisés par les conférences de Ruskin à Oxford, ancre les peintres français dans le bien-fondé de leurs propres recherches. Il permet aussi à Monet et Pissarro de figurer à l'Exposition universelle tenue à Londres en 1871, l'un avec des paysages, l'autre avec des marines et deux portraits. Celui intitulé *Méditation* semble emprunter sa sobriété au *Portrait de ma mère*, récemment terminé par Whistler. Ce n'est cependant pas cette voie qu'explorera Monet par la suite, mais celle montrée par Turner et par Jongkind, dont il retrouve les traces en séjournant en Hollande avant son retour en France.

Auguste Renoir
Portrait de Paul Durand-Ruel, 1910
65 × 54 cm
collection Durand-Ruel

Les effets de la guerre ont transformé l'atmosphère du groupe des Batignolles. Bazille n'est plus là pour apporter son aide financière aux plus démunis, Sisley a perdu à la fois son père et sa fortune. Courbet est en prison, comme Amand Gautier, qui, à l'instigation d'une tante de Monet, a toujours encouragé ce dernier. Une sorte de dépression s'empare de tous ceux qui sont liés, directement ou indirectement, à la Commune. Manet, élu avec Courbet, Corot, Millet, Daumier, Bracquemond, etc., au comité de la Fédération des artistes, a vu Duret, auquel il a confié ses tableaux, échapper par miracle à une exécution sommaire et quitter la France pour un tour du monde. Tissot, dont l'hôtel particulier sert d'hôpital aux Fédérés, suit le second exode pour Londres, où son ami Degas passe le voir avant d'aller tenter d'oublier les événements dans sa famille maternelle, à La Nouvelle-Orléans. La compromettante protection accordée par Raoul Rigault à Renoir est compensée par l'amitié de Bibesco, qui lui a fait découvrir la Grenouillère, et des Le Cœur, grâce auxquels l'aide de camp du général commandant les Invalides s'adresse à lui pour des portraits. Il rejoint souvent Monet, qui vient de louer à Argenteuil l'ancienne maison de Ribot, entièrement pillée pendant l'occupation, comme celle de Pissarro à Louveciennes, maintenant abandonnée par celui-ci pour Pontoise. Les combats autour de Paris ont saccagé Sèvres, Meudon, Bougival, Argenteuil, Gennevilliers, Maisons-Alfort, Créteil, Champigny. Rien n'en transparaîtra jamais dans les toiles entreprises par Monet, Renoir, Sisley et Pissarro. Les dramatiques incendies des derniers jours de la Commune ont laissé un souvenir terrible, dont le vieux Victor Hugo et le jeune Rimbaud, hébergé à Paris par les amis écrivains du groupe des Batignolles (Verlaine, Cros), subliment l'horreur mais que le parti versaillais triomphant exploite jusque dans le domaine artistique.

C'est contre la sévérité inattendue des jurys de la IIIᵉ République que vont s'organiser les expositions collectives. Celui de 1872, sous l'impulsion de Meissonier, refuse l'envoi de Courbet, ce qui entraîne la démission de Puvis de Chavannes, représenté à ce même Salon par une fragile *Espérance* extrêmement critiquée. Il y a moitié moins d'admis qu'en 1870 et la plupart des débutants, dont Guillaumin, sont refusés, ainsi que Renoir avec ses *Parisiennes en Algériennes*, d'esprit si delacrucien. Hormis quelques tableaux de Neuville, de Dupray, de Castres, (*l'Ambulance internationale*), Thiers n'a pas voulu d'images de la guerre – surtout civile. On tourne la difficulté par des allusions historiques, J.-P. Laurens avec la *Mort du duc d'Enghien*, fusillé en 1804 dans les fossés de Vincennes, Manet avec une toile qui enthousiasme Barbey d'Aurevilly, *le Combat de l'Alabama*. Peinte en 1864, elle montre ce vaisseau sudiste coulé en rade de Cherbourg par le *Kearsage*. Au Salon suivant, le peintre obtient un vrai succès avec le *Bon Bock*, exécuté au retour d'un voyage aux Pays-Bas, où l'exposition « Chefs-d'œuvre de la peinture hollandaise » fait courir tous les artistes à Amsterdam. Pourtant, c'est aux portraits de *Thiers*, par Nélie Jacquemart, et de *Croizette*, rivale de Sarah Bernhardt, par Carolus-Duran que va la faveur officielle. Quant à Renoir, on n'a pas voulu de ses *Cavaliers au bois de Boulogne*, dont les ombres bleues ont déplu. Il a donc accroché sa toile avec les Refusés, qui se sont rassemblés sous la houlette d'Harpignies.

Monet, Pissarro, Sisley ne se sont pas présentés à ces Salons de l'après-guerre. Soutenus par Durand-Ruel, dont le catalogue de 1873 les montre à côté des plus célèbres de leurs contemporains, ils estiment pouvoir reprendre leur projet d'expositions collectives en créant une coopérative d'artistes. Paul Alexis, l'ami de Cézanne et de Zola, se charge de l'annoncer dans *l'Avenir national* par un échange de lettres avec Monet, précisant qu'il s'agit d'exprimer « leurs justes ambitions de naturalistes. Ils ne veulent unir que des intérêts, non des systèmes ».

En janvier 1874, Hoschedé, pour établir la cote des artistes auxquels il commence à s'intéresser, tâte le terrain en vendant leurs œuvres et celles de divers paysagistes à côté d'un Corot, d'un Diaz et d'un Courbet. Le test est si positif que Duret pense inutile de se lancer dans une exposition que déconseillent aussi Manet et Guillemet. Elle se tient cependant en avril-mai dans un lieu prestigieux, l'ancien atelier de Nadar, boulevard des Capucines. Les principaux organisateurs ont chacun recruté des adhérents. On trouve

Claude Monet, *Impression Soleil levant, 1872*
48 × 63 cm. Paris, musée Marmottan

là des familiers de Saint-Siméon, Boudin, Cals, Bureau, Mulot-Durivage, les camarades Cézanne, Guillaumin, Béliard, qui se réunissent autour de Pissarro et du docteur Gachet à Pontoise ou à Auvers-sur-Oise, les amis de Degas, Rouart, Lepic, Levert, Astruc et Berthe Morisot qui épousera Eugène Manet à la fin de l'année. Les grands aînés, prévus à l'origine, sont absents : Courbet en exil, Daumier à demi aveugle, Diaz et Corot déjà malades, mais plusieurs élèves de ce dernier sont là : Lépine, Brandon. Il y a aussi le sculpteur Ottin et son fils ainsi que le graveur Bracquemond, qui, en 1877, persuadera Sisley de s'installer à Sèvres. Parmi les trente exposants, beaucoup pratiquent ce naturalisme discret nommé plus tard « Pré-Impressionnisme ». Déçus par le médiocre résultat financier, ils ne réapparaîtront pas aux manifestations suivantes. Les personnalités de Degas et de Renoir forcent l'attention, le premier avec des blanchisseuses, et des scènes de courses ou de danse, le second avec le portrait en pied d'une actrice en vogue, Mme Henriot (*la Parisienne*), et *la Loge*, dans laquelle la théorie des ombres colorées s'applique aux effets de la lumière artificielle.

Mais l'impact le plus marquant vient d'une toile de Monet, *Impression, soleil levant*. Ce tableau, qui deviendra le plus médiatique du monde, jusqu'à faire l'objet, en 1985, d'un vol suivi d'une disparition de cinq ans, donne involontairement son nom au style des exposants de 1874. Intitulé par son auteur *Paysage*, il prend sa désignation actuelle à la demande du frère de Renoir, Edmond, journaliste auquel a été confiée la rédaction du catalogue. Peinte au Havre peu après le retour en France de Monet, l'œuvre donne une adaptation superbement moderniste des abréviations de Turner.

À cette même exposition, une gravure de Bracquemond d'après *Pluie, vapeur, vitesse* salue le maître anglais, une autre évoque Ingres, si cher à Degas, tandis que Cézanne compense ironiquement l'absence de Manet par *Une moderne Olympia*, le tableau le plus controversé de tous.

C'est un article de Leroy dans *le Charivari* qui lance le terme *Impressionniste*, repris bientôt par tous les habitués du Boulevard car il marque une parfaite adéquation avec la grâce illusionniste des *Coquelicots* de Monet, du *Verger* de Sisley, de la *Gelée blanche* de Pissarro, du *Cache-cache* de Morisot. L'exposition bénéficie d'une presse beaucoup moins défavorable qu'il n'a été dit et la célèbre satire du *Charivari* est bien plus à porter au crédit des artistes qu'à leur débit. Il n'en est pas de même pour la vente tenue l'année suivante par Monet, Renoir, Morisot et Sisley à Drouot, où partisans et détracteurs s'affrontent dans un effroyable tumulte. C'est pire encore en 1876, lors de la seconde exposition collective, organisée cette fois galerie Durand-Ruel. Le tout-puissant critique du *Figaro* se lance dans des attaques d'une violence inouïe : « Cinq ou six aliénés dont une femme », relayées par une partie de la presse qui assimile les exposants à des communards, peut-être en raison de la présence parmi eux des Ottin, anciens membres de la Commission présidée par Courbet. Au même moment, Manet, refusé au Salon, attire tout Paris dans son atelier pour voir les tableaux exclus : *le Linge* et le *Portrait de Desboutin*. « Quel éclat sa présence n'eût-elle pas donné à ces renards de la peinture qui se disent fièrement impressionnistes », grince l'échotier du *Français* tandis que la plupart des journaux encensent Cabanel, à qui le Luxembourg vient d'acheter vingt-cinq mille francs *Thamar*, sa toile du Salon précédent.

L'époque correspond cependant à la quintessence de l'Impressionnisme, évoqué par tant de vues de voiliers sur la Seine, de promeneuses dans les hautes herbes, de siestes sous les lilas. Sisley s'isole devant les inondations de Port-Marly ou les vergers de Sèvres. Cézanne adoucit au contact de Pissarro la brutalité de son style afin que l'Impressionnisme devienne quelque chose de durable comme l'art des musées. Manet traverse la Seine pour peindre de conserve avec Renoir et Monet dans le jardin de celui-ci. Ces années-lumière s'incarnent dans le nom d'*Argenteuil*, choisi par Manet comme titre d'un de ses plus célèbres tableaux.

Contrairement à ce qui se passe en littérature, ce naturalisme tout de délectation visuelle donne peu de place au monde du travail. *Les Déchargeurs de charbon* par Monet, *la Forge à Marly* de Sisley, *les Raboteurs de parquet* de Caillebotte sont les exceptions qui confirment la règle car Pissarro fond ses paysans dans le paysage, et Degas, malgré la volonté réaliste de ses blanchisseuses, pense avant tout contraste ou camaïeu. Quant aux gares Saint-Lazare de Monet, elles n'expriment pas le labeur des cheminots mais les beautés atmosphériques des volutes de fumée, se rattachant par là au triomphe du paysage, à propos duquel Fromentin remarquait, en 1876, que « le plein air, la lumière diffuse, le vrai soleil prennent dans la peinture une importance qu'on ne leur avait jamais accordée ».

C'est pourtant la raison probable du succès de cet art qui rencontre très vite ses premiers amateurs. Les uns sont des célébrités comme le baryton Faure, que ses nombreux achats à Manet n'empêchent pas d'offrir en 1874 un séjour en Angleterre à Sisley en échange de cinq tableaux. D'autres sont des personnalités discrètes, tel Chocquet, que seul le comte Doria, acquéreur de *la Maison du pendu*, précède dans son admiration pour Cézanne. Deux d'entre eux associent les arts à la frénésie d'une vie mondaine, l'éditeur Charpentier et sa femme, dont Renoir s'amuse à se dire « le peintre ordinaire », et le fastueux Hoschedé, qui les invite tous dans son château de Montgeron et pour qui Monet brosse le sous-bois craquant de givre de *la Chasse* et les fantomatiques *Dindons blancs*.

Les collectionneurs se recrutent aussi parmi les confrères. Caillebotte, Rouart, Degas en sont les meilleurs exemples ainsi que le Suisse Auguste de Molins et le Nancéien Charles de Meixmoron, acquéreur de dix Monet en 1873. Comme tous les peintres du monde, les impressionnistes vendent aussi à bas prix à ceux qui les soignent, les docteurs de Bellio, Gachet, Paulin (stomatologue et sculpteur), ou bien à des restaurateurs amis, Fournaise, à Chatou, et Murer, chez lequel ils se réunissent hebdomadairement boulevard Voltaire.

Renoir, dont le *Bal au moulin de la Galette* illumine la troisième exposition collective, en 1877, exécute quatre ans plus tard une autre toile majeure, *le Déjeuner des canotiers* (illustr. p. 62), sur la terrasse du restaurant Fournaise, incontournable rendez-vous de tout le monde où l'on s'amuse, acteurs, écrivains, artistes. Les dix ans qui suivent la guerre sont une époque trépidante dont la joie de vivre, si sensible dans les œuvres précédentes, étonne les étrangers : « Bien que la France ait été battue, humiliée sur une échelle sans précédent, dépouillée, déshonorée, saignée à mort financièrement, remarque Henry James en 1875, Paris est aussi soumis à son propre génie que s'il n'y avait pas eu de nuages dans son ciel. »

Auguste Renoir, *Le Déjeuner des canotiers, 1880-1881*
130 × 173 cm. Washington, The Phillips Collection

Un éblouissant creuset fusionne les représentants de la littérature, de l'art et du théâtre. Charpentier, éditeur des naturalistes, et sa femme reçoivent autant de peintres que d'écrivains et permettent dans les locaux de la revue *la Vie moderne* les premières expositions personnelles de Monet, de Sisley, de Renoir. Les soupers de Nina de Callias, muse un peu folle des poètes maudits et des partisans de la Commune, réunissent Villiers de L'Isle-Adam, Manet, Charles Cros et Cézanne, qui donne au musicien Cabaner sa première toile de « Baigneuses ». Mallarmé passe chaque jour à l'atelier de Manet, avec qui il partage les faveurs de la belle Méry Laurent. Les gloires montantes du théâtre, Jeanne Samary, Ellen Andrée, Réjane, posent pour les peintres dans les auberges des bords de Seine ou les cafés-concerts, que Degas, suivi de Forain, photographie mentalement avant d'en recréer les lumières cruelles. Au café de la Nouvelle Athènes, place Pigalle, les créateurs et les théoriciens de l'Impressionnisme défendent bruyamment leur école. Dès 1876, une brochure de Duranty, *la Nouvelle Peinture*, en a exprimé les buts tels que les conçoit son ami Degas. Pendant la seconde exposition impressionniste, Georges Rivière, un intime de Renoir, publie *l'Impressionniste, journal d'art*, dans lequel il précise : « Traiter un sujet pour le ton et non pour le sujet lui-même, voilà ce qui distingue les impressionnistes des autres peintres. » Enfin, Duret donne en 1878 la première *Histoire des peintres impressionnistes*.

Cette même année, la catastrophique vente judiciaire des biens d'Hoschedé, qui se réfugie à Vétheuil avec sa famille et les Monet, puis en 1882 le krach de l'Union générale de banque commanditaire de Durand-Ruel accentuent les divergences entre impressionnistes sur la façon de gérer l'avenir. Les discussions, dans lesquelles se délite leur éphémère unité, débutent avec l'interdiction, prônée par Degas et Monet, d'exposer à la fois à leur coopérative et au Salon, que choisissent alors Sisley, Cézanne et Renoir. Le retentissant succès du portrait de *Mme Charpentier et ses enfants*, par ce dernier, incite Monet à suivre un an plus tard son exemple, au grand scandale de ses ex-coéquipiers, parmi lesquels les partisans de Degas, dont Mary Cassatt, récemment admise dans leur association, sont maintenant majoritaires.

Les cinquième (1880) et sixième (1881) expositions se tiennent dans un climat effroyable, causé par l'antagonisme de deux nouveaux venus, Gauguin, dont les débuts ont été encouragés par Pissarro, et Raffaelli, que Degas défend avec acharnement au point de provoquer le départ de Caillebotte, pourtant entré dans leur association avec son soutien. Un an plus tard, celui-ci est de retour et c'est Degas qui, suivi de ses amis, refuse sa participation à la septième exposition. Durand-Ruel a déployé des trésors de diplomatie pour organiser cette manifestation, généralement considérée comme exemplaire de l'esthétique impressionniste grâce à la présence de Monet, de Sisley, de Pissarro, de Morisot, de Renoir, de Gauguin, de Guillaumin et de Vignon. Leur univers plastique décline toutes ses nuances dans les débâcles et les neiges du terrible hiver 1879-80 de Monet, les peupliers du Loing de Sisley, les canotiers de Renoir, les paysans dérivés de Millet par Pissarro.

Leurs thèmes, leur facture, leur gamme de couleurs sont de plus en plus empruntés par des artistes, Bastien Lepage, Béraud, Gervex, Lhermitte, auxquels le public du Salon réserve un accueil enthousiaste. À celui de 1882 figure le plus impressionniste des tableaux de Manet, *Jeanne ou le Printemps*, et son testament artistique, *Un bar aux Folies-Bergère* (illustr. p. 64), admirable soumission du réalisme aux puissances chimériques de l'image.

Sa mort à cinquante ans, l'année suivante, marque la fin d'une certaine conception unitaire des admirations ou des haines et signe le début du chacun pour soi vers lequel vont inexorablement glisser les artistes. Sa disparition coïncide avec l'installation de Monet à Giverny ; quelques mois auparavant, Sisley s'est établi à Moret-sur-Loing ; quelques mois plus tard, Pissarro

Édouard Manet, *Un bar aux Folies-Bergère, 1883*
96 × 130 cm. Londres, Courtauld Institute Galleries

découvrira Éragny. Gauguin va tenter de faire admettre l'Impressionnisme au Danemark et Cézanne s'identifie de plus en plus à sa Provence.

Chacun s'éloigne en même temps que se formule la nécessité d'une évolution artistique. « J'étais allé au bout de l'Impressionnisme », confie Renoir, qui rapporte des paysages cotonneux d'Algérie mais trouve des simplifications pompéiennes pour peindre sa *Baigneuse* de Capri (1881), prélude à la manière « aigre » ou « ingresque » qu'illustrent *l'Après-midi des enfants à Wargemont* (1884) et *les Grandes Baigneuses* du musée de Philadelphie, terminées en 1887.

Les éternels démêlés de la gent artistique avec le jury du Salon officiel ont abouti en 1881 à la création de la Société des artistes français. Noyautée par les partisans de Cabanel et de Bonnat, elle a vite déçu les espoirs qu'elle avait inspirés. Un contre-pouvoir s'est alors manifesté avec la fondation du Salon des Indépendants, qui jouera un rôle essentiel dans les années suivantes. C'est au cours des réunions houleuses précédant son organisation définitive que se sont rencontrés, en 1884, Seurat et Signac. Deux ans plus tard, tous deux participent à la dernière manifestation collective des impressionnistes.

Une discontinuité esthétique plane sur cette exposition : réunie à travers mille difficultés par Degas et les Eugène Manet : Impressionnisme raisonné de Rouart, de Tillot, de Marie Bracquemond et de Gauguin, revenu très déçu du Danemark, graphisme un peu sec de Forain et de Mary Cassatt, pente expressionniste chez Vignon et Guillaumin, fidélité de Berthe Morisot à la fluidité duveteuse de son style. Comme toujours, la personnalité de Degas s'impose, cette fois-ci avec les éclatants pastels d'une éblouissante série « Femmes à leur toilette ». À côté de tous ces adeptes d'un Impressionnisme réaliste, l'invitation faite à l'un de artistes les plus secrets et les plus originaux, Odilon Redon, représenté par 15 numéros (*Profil de lumière, Lune noire*, etc.), laisse s'exprimer des tendances symbolistes qui vont bientôt prendre une place prépondérante en art. Le choc ne vient pourtant pas des fantasmes de Redon mais du magistral *Un dimanche à la Grande Jatte* de Seurat, présenté avec les toiles de ceux qu'il a convertis au Divisionnisme, Signac et les Pissarro.

Au moment où se tient cette exposition, un formidable ensemble d'œuvres

Georges Seurat, *Un dimanche à la Grande Jatte, 1884-1886*
207 × 308 cm. Chicago, The Art Institute

des mêmes artistes est présenté à New York par Durand-Ruel. Depuis plusieurs années, il se bat pour imposer l'Impressionnisme à l'étranger. En 1881, il a ainsi montré des toiles de sa galerie à Londres, en 1883 à Bruxelles, à Amsterdam, à Berlin, où Jules Laforgue s'émerveille de les découvrir semblables à celles qui le faisaient rêver à Paris chez Charles Éphrussi, commanditaire de *la Gazette des beaux-arts*. En 1883 également, le grand marchand avait envoyé des tableaux à l'exposition internationale de Boston et le peintre William Merritt Chase avait inclus des œuvres de Degas et de Manet dans l'exposition destinée à couvrir les frais d'un socle pour la statue de la Liberté, offerte à l'État américain par la France. Mais, en 1886, ce sont 310 toiles qui représentent « les Impressionnistes de Paris » et marquent leur entrée en force sur ce marché américain, dont ils deviendront bientôt les vedettes.

Les efforts de Durand-Ruel en faveur de cette école sont accompagnés, parfois même précédés, par ceux de marchands moins importants, au rôle cependant essentiel. Le père Martin fait ainsi connaître très tôt Pissarro, Renoir et Monet à des amateurs de Corot ou de Jongkind qui se retrouvent presque quotidiennement dans sa boutique. Latouche participe aux expositions de ces impressionnistes, auxquels sa femme échange des fournitures contre des tableaux, exposés ensuite dans son magasin. Ce système de troc, largement répandu car les peintres règlent difficilement leurs notes, permet au père Tanguy d'entreposer ces chefs-d'œuvre qu'il admire avant tout le monde sans parvenir à les vendre et que lui apportent Cézanne, Gauguin et Van Gogh.

Un ancien commis de Durand-Ruel, reconverti dans le courtage, Portier, a toute la confiance de Berthe Morisot, de Degas, de Guillaumin, de Pissarro car sa clientèle n'est pas nécessairement la plus fortunée mais la plus passionnée. C'est lui qui semble avoir communiqué le goût de l'Impression-nisme à son voisin de la rue Lepic, un jeune employé de la célèbre mais fort académique maison Goupil, le Hollandais Théo Van Gogh, dont le frère, Vincent, à peine arrivé à Paris, assimile avec une passion dévorante les principes de cette école.

L'entrée de Vincent Van Gogh dans la vie artistique française en 1886 amorce avec la révélation divisionniste de Seurat le grand tournant des expressions post-impressionnistes. Une nouvelle génération se met en marche au moment même où les créateurs de la révolution précédente, soutenus par des marchands et des amateurs de plus en plus nombreux, accèdent à la reconnaissance publique. Degas, dont une lettre de sa sœur Thérèse indique qu'en 1881 déjà « l'on s'arrache ses tableaux », méprise l'espace trop publicitaire de la somptueuse galerie Petit, inaugurée en 1882 par le président de la République. Mais Monet dès 1885 et Renoir l'année suivante exposent sur ces cimaises, où la plupart de leurs camarades les rejoindront bientôt. Le temps de la coopérative de l'art est révolu, celui de la spéculation commence.

Les chemins divergents de la gloire

Les premiers créateurs de l'Impressionnisme, maintenant séparés des néo-impressionnistes, qui les qualifient de romantiques, et des amis de Gauguin, pour lesquels ils manquent de spiritualité, poursuivent jusqu'au terme de leur existence des recherches plastiques. Celles-ci sont d'ordre différent mais ont en commun la répétition en série d'un même motif et des couleurs plus soutenues. Deux d'entre eux, Renoir et Monet, après avoir été témoins du grand remue-ménage post-impressionniste, disparaîtront au moment où « l'écart absolu » de Dada et du Surréalisme façonne le nouveau visage de la peinture.

Les uns ont vécu assez longtemps pour connaître la plus heureuse réussite : Cézanne, Degas, Monet, Renoir, et voir l'envol des prix de leurs anciens tableaux sur le marché de l'art. D'autres, Caillebotte, Berthe Morisot, Sisley, meurent appréciés seulement de leurs confrères et de leurs premiers amateurs. De nouveaux amis (Clemenceau, Mirbeau), des marchands (Vollard, les Bernheim), des collectionneurs (Gallimard, Gangnat et bien d'autres) apparaissent autour des artistes. Des événements politiques (procès des Trente, Affaire Dreyfus) ou des questions de santé (isolement neurasthénique de Sisley, crises rhumatismales de Renoir, à qui on recommande la vie dans le Midi) contribuent à relâcher les liens entre les uns et les autres. D'ailleurs, les divergences de caractère et de métier s'accentuent avec les années tandis que, à la virulente conjuration anti-impressionniste, succèdent la ligue des amitiés protectrices et le flot des imitateurs. « On connaît toujours un mouvement par ses vulgarisateurs, écrit Lucien Pissarro à son père en 1894. Quelle surprise, plus tard, quand on découvrira Degas et Toi. » Il fait cette remarque à Londres, où Bastien Lepage semble l'exemple type de l'impressionniste malgré les efforts de l'écrivain George Moore pour faire apprécier ces artistes, qu'il fréquentait avec Manet à la Nouvelle Athènes.

Pourtant, l'attention portée aux impressionnistes s'est grandement amplifiée avec les expositions de Durand-Ruel outre-Atlantique et celle du cercle des XX à Bruxelles. Une certaine confusion dans les valeurs résulte peut-être de la diversité des artistes conviés à l'Exposition internationale, fondée en 1882 par Whistler, Thaulow, ex-beau-frère de Gauguin, et De Nittis, disparu en 1884. Celle-ci se tient dans le cadre somptueux de la galerie Georges Petit qui, dès 1886, a attiré Renoir et Monet. En 1887, le Suédois Larsson, le Finlandais

Edelfelt, Liebermann, premier collectionneur allemand d'impressionnistes, côtoient sur ces cimaises l'esthétisme subtil de Whistler, le populisme de Raffaelli, la religiosité de Cazin et le brio de Besnard. Le succès de ce dernier inspire des boutades ironiques à Degas mais exaspère Pissarro, qui participe avec Monet, Morisot, Renoir, Sisley et Rodin à ce grand show où sont rassemblés, dit-il, « le ban et l'arrière-ban de l'Impressionnisme triomphant ».

Depuis la fin de 1884, « histoire de se réunir et de causer », écrivait alors Monet à Renoir et à Pissarro, un dîner « impressionniste » a lieu chaque premier jeudi du mois au café Riche. Les peintres retrouvent là leurs amis écrivains, Mallarmé, Duret, Huysmans, George Moore et leurs amateurs, le Dr de Bellio, Deudon, Bérard, pour qui Renoir a peint quelques-uns de ses plus beaux portraits d'enfant. La mort de Caillebotte en 1894 rendra ces rendez-vous de plus en plus aléatoires bien que les dîners du « prix de Rhum », fondé par l'éditeur Charpentier, aient parfois pu y suppléer.

Trois événements marquent l'entrée de l'Impressionnisme dans le monde officiel : l'Exposition universelle de 1889, la donation de l'*Olympia* au Louvre et le legs Caillebotte. La commémoration du centenaire de la Révolution française donne un éclat particulier à la quatrième fois où cette manifestation géante se tient dans la capitale française, au pied de la tour édifiée par Eiffel à cette occasion. Les impressionnistes espéraient figurer à la Décennale, qui montre les travaux récents, mais ils sont conviés à la Centennale, plus flatteuse peut-être mais pour laquelle les tableaux exposés ont au moins dix ans. Renoir et Degas, auquel une salle entière avait été proposée, refusent leur participation. On peut voir trois Monet de l'époque de Vétheuil, deux Pissarro et un Cézanne, *la Maison du pendu,* reçue par Chocquet du comte Doria en échange de *la Neige fondue à l'Estaque.* Mais, surtout, on peut admirer une salle entière de Manet, déjà partiellement admis par les officiels de l'art – puisque son exposition posthume, en 1884, s'était tenue à l'École des beaux-arts – et dont on revoit quinze toiles, dont *le Fifre, Argenteuil* et bien sûr *Olympia.*

C'est pendant l'Exposition universelle que Sargent apprend à Monet les propositions d'achat faites à la veuve de Manet pour *Olympia*. Tous deux lancent alors une souscription destinée à conserver en France pour l'offrir au Louvre ce tableau symbole d'un quart de siècle de luttes pour l'art. Seul, parmi les amis de la première heure, Zola, à qui les impressionnistes battent froid depuis la publication de l'*Œuvre,* n'a pas jugé bon de participer à « cette forme de cadeau qui sentira quand même la coterie et la réclame ».

« Personne n'en veut, j'achète », lançait souvent Caillebotte à la fin des expositions de son groupe. Son legs, spécifié par deux testaments (1876 et 1883) avec Renoir comme exécuteur testamentaire, destine sa collection au Louvre après le passage obligatoire au Luxembourg. Il donne lieu à des

Paul Cézanne
La Maison du pendu,
Auvers-sur-Oise, 1873
55 × 66 cm
Paris, musée d'Orsay

affrontements homériques entre ses partisans et ses détracteurs, conduits par Gérôme. Son acceptation marque, malgré le renvoi de vingt-sept tableaux à la famille du peintre, le triomphe absolu de l'Impressionnisme puisque, à partir de 1897, on peut voir au Luxembourg sept Degas, deux Manet, huit Monet, six Renoir, sept Pissarro, cinq Sisley et deux Cézanne, étincelant noyau du musée du Jeu de paume puis du musée d'Orsay.

Les dernières années de Caillebotte, aussi passionné de peinture que de voile et de canotage, sujets de tant de ses tableaux, se sont déroulées entre Le Petit-Gennevilliers et Trouville. Un an après sa disparition, celle de Berthe Morisot atteint de nouveau le monde impressionniste.

Depuis la mort d'Édouard Manet, c'est grâce à elle et à son mari que se maintient une certaine unité parmi les amis de jeunesse de son beau-frère. Sa fille Julie, à laquelle Degas fera épouser l'un des fils d'Henri Rouart, se souviendra que sa mère, cette arrière-petite-nièce de Fragonard, avait à ses dîners du jeudi pour convives habituels Renoir et Mallarmé, souvent Degas, Puvis de Chavannes, Bartholomé, Astruc, les ex-Riesener, nièces de Delacroix, et, de temps à autre, Mary Cassatt, Monet ou Sisley. La propriété du Mesnil, près de Mantes, acquise en 1891, accueillera souvent Renoir, qui partage ses modèles avec cette camarade si représentative du charme impressionniste. L'univers plastique de Berthe Morisot, celui d'un intimisme féminin dont ses sœurs, ses nièces, sa fille fournissent les exemples, ne change guère avec le temps. Seules modifications, des couleurs plus soutenues au retour du Midi puis, trois ans plus tard, des touches plus arrondies dans le style de ce XVIIIᵉ siècle redevenu à la mode.

Pour sa première exposition personnelle (chez Boussod-Valadon), en 1892, année de la mort de son mari, le critique Gustave Geffroy évoque « sa lumière de cristal pur ». Mallarmé, dans le catalogue de sa rétrospective de 1896 chez Durand-Ruel, célèbre sa « Féerie, oui, quotidienne – sans distance »... « un glissement, le matin ou après-midi, de cygnes à nous ».

La disparition suivante, celle de Sisley, met fin pour cet artiste à des années d'amertume. Son vrai succès ne sera que posthume. Retiré à Moret, il est plus en contact avec la colonie américano-scandinave de Grez-sur-Loing qu'avec ses anciens amis, auxquels il reproche de le desservir auprès des marchands et des collectionneurs. En 1892, un article agressif de Mirbeau, très lié avec Monet, le blesse profondément. Sa grande rétrospective de 1897 chez Georges Petit est un échec. Pour l'en consoler, un de ses plus fidèles amateurs, le Rouennais Depeaux, lui offre un ultime séjour en Angleterre. Son style prolonge l'Impressionnisme de ses débuts dans les ciels changeants et les eaux doucement miroitantes de Saint-Mammès ou de Moret, dont il répète en séries le *Tournant du Loing* ou l'*Église*.

« Je suis avec Sisley le plus maltraité », constatait en 1895 Pissarro, qui, peu avant la mort de ce camarade, revoit de lui « des œuvres d'une ampleur et d'une beauté rares ». La fin de sa carrière paraît absolument l'inverse de l'amer isolement de Sisley. En effet, bien qu'installé dans le Vexin à Éragny-sur-Epte, il demeure un fidèle habitué de la capitale et du cénacle artistique de la Nouvelle Athènes, qu'un pied-à-terre montmartrois lui permet d'atteindre facilement. Grâce à ses fils, que ses dons de pédagogue orientent tous vers la peinture, il reste en contact avec les recherches de la jeunesse. Cela le transforme pendant quelques années en adepte fervent du Néo-Impressionnisme et lui fait aussi ressentir discrètement l'attrait décoratif du Modern Style. Après avoir joint dans certaines scènes paysannes l'organisation harmonieuse de Puvis de Chavannes au Divisionnisme, il est revenu à des paysages plus naturels, qu'il varie en exécutant, à côté de ceux d'Éragny, des vues de Rouen ou de Londres. Ses fils, Lucien, qui s'y fixera définitivement, et Georges, se sont mariés en Angleterre ; Félix, le plus doué, y meurt en 1897 ; trois ans auparavant, il avait suivi son père en Belgique, où celui-ci avait jugé prudent de passer quelque temps, quand se multipliaient les arrestations d'anarchistes, dont celles de Luce et de Fénéon. Deux amis de jeunesse – Piette, qu'il avait fait collaborer aux expositions impressionnistes, et l'Espagnol Malato – lui ont communiqué il y a longtemps déjà leurs convictions en ce domaine, et les journaux de Grave et de Pouget – le *Père Peinard, la Révolte* – reçoivent souvent son soutien. Dans sa dernière décennie, l'apparition du thème des baigneuses amorce, comme chez Renoir et Cézanne, une sorte de retour au Classicisme, sans cependant la modernité barbare de

Paul Cézanne, *Les Grandes Baigneuses, 1898-1905*
208 × 249 cm. Philadelphie, Museum of Art

l'Aixois. Il revient au contraire de plus en plus à la touche en virgules des années 1870 pour exécuter des scènes portuaires dans des villes chères aux paysagistes, Dieppe, Le Havre, mais surtout il délaisse le monde rural, si caractéristique de son œuvre, pour décrire la vie urbaine, à laquelle le ramènent l'âge et le mauvais état de ses yeux. Prises en vues plongeantes sur les Boulevards, la statue d'Henri IV ou les Tuileries, les dernières toiles de Pissarro retrouvent la mise en page des Monet du *Jardin de l'infante* ou du Renoir du *Pont-Neuf* car il reste, avec Sisley, le plus fidèle de leur groupe au style pictural né de leur sensibilité commune.

Autant les premiers Gauguin de Tahiti, « trop pigés aux Canaques » trouvait-il, avaient agacé Pissarro en 1893, autant, deux ans plus tard, le succès de Cézanne l'avait enchanté malgré la différence de ses nouveaux travaux avec ce métier impressionniste qu'il lui enseignait vingt ans auparavant dans la vallée de l'Oise.

C'est un jeune marchand, Vollard, auquel Degas, Pissarro et Renoir ont vanté l'originalité de leur camarade, qui révèle le maître d'Aix, auquel par contrecoup il devra sa fortune. L'exposition qu'il lui consacre à partir d'œuvres achetées à la vente Tanguy et de tableaux obtenus de Cézanne par l'intermédiaire de son fils projette dans l'actualité artistique cet homme qui, acceptant d'exposer aux XX en 1889, confiait avoir jusqu'alors résolu de travailler en silence. En 1891, pour lui consacrer un numéro des *Hommes d'aujourd'hui*, Émile Bernard avait dû se renseigner auprès de Gauguin.

Maintenant, la lumière est faite. « On va soudain découvrir que l'ami de Zola, le mystérieux Provençal, le peintre à la fois incomplet et inventif est un grand peintre », écrit alors Arsène Alexandre, qui, en signant son article « Claude Lantier », lance la rumeur à double tranchant d'une identification entre le malheureux héros de *l'Œuvre* et Cézanne, dont on sait combien par ailleurs il aime se comparer à un autre personnage de roman, le Frenhoffer de Balzac.

Sa maturité classique aligne les chefs-d'œuvre : paysages, dominés par la série hagiographique des « Sainte-Victoire », baigneurs, baigneuses, portraits (celui de *Geffroy*, jamais terminé mais que l'on ne peut imaginer plus complet, celui de *Vollard*, pour lequel le seul plastron a demandé des jours et des jours de pose). C'est à ce perfectionnisme qu'il doit l'intériorité d'un art qui se voudrait réaliste. Les cinq versions des *Joueurs de cartes* démontrent à quel point un thème classique – dont le musée d'Aix possède un exemple par les Le Nain – acquiert sous son pinceau une valeur à la fois plastique et sociologique pour traduire cette impression d'un silence auquel des siècles de repliement ont habitué le monde paysan.

Les œuvres de sa dernière décennie anticipent Matisse, Pissarro, Léger sans cesser de faire référence à ce « Poussin sur nature » qu'agencent ses nus en plein air. D'ailleurs, il n'oublie jamais les maîtres et le *Monsieur Bertin* d'Ingres donne son attitude au *Paysan assis* des années 1900.

Le plus méconnu des impressionnistes devient à la fin de sa vie le phare d'une nouvelle génération, dont Maurice Denis exprime le sentiment en peignant un *Hommage à Cézanne* (illustr. p. 175) qui appartiendra à Gide. Des jeunes gens gagnent épisodiquement la confiance de ce maître méfiant qui, à partir de 1900, ne quitte plus Aix. Après Joachim Gasquet, poète du félibrige, ce seront Camoin, qui fait son service militaire en Provence de 1901 à 1903, Bernard, à son retour d'Italie, en 1904, puis Denis et Roussel, en 1906. Tous cherchent à lui arracher ses formules. Sa malice les leur donne en se servant des principes géométriques que la méthode de dessin Guillaume applique dans les écoles. Il garde pour lui le secret de la modulation en brefs espaces des bleus de Prusse, des terres de Sienne, des verts olive qui composent sa palette ; le secret surtout des modifications que son esprit apporte aux différents plans composant l'image pour la reconstituer. Trente toiles au deuxième Salon d'automne, en 1904, puis sa rétrospective de 1907 ouvrent les yeux de tous ceux prêts à sentir, avec Rainer Maria Rilke, devant ses œuvres, « leur présence qui se referme sur vous comme une réalité colossale ».

À la mort de Cézanne, six de ses toiles appartiennent à la collection Degas. Ce dernier connaît un succès qui lui permet d'assouvir un amour frénétique de la chose peinte ou dessinée. « J'achète, j'achète, je ne peux plus m'arrêter », confie-t-il à Daniel Halévy en 1895. Ingres, Delacroix, Greco, Gauguin, Van Gogh, Manet, Monet, etc., entrent ainsi dans sa collection, et, par lui, Mary Cassatt connaîtra tout de la peinture ancienne et moderne, ce dont profiteront ses amis, Havemeyer et d'autres grands collectionneurs américains. « C'est sur lui que se discutera toujours le principe de l'indépendance... Respect ici, respect absolu », note Redon en 1889 dans *À soi-même*, et Gauguin écrit en 1898 à Monfreid : « Degas est comme talent et comme conduite un exemple rare de ce que l'artiste doit être, lui qui a eu pour collègues et admirateurs tous ceux qui sont au pouvoir, Bonnat, Puvis, Antonin Proust..., et qui n'a jamais rien voulu avoir. »

Ses sujets reprennent des « Femmes au bain », des scènes de « Courses » et toujours les « Danseuses » de cet Opéra dont il est un des plus fidèles abonnés, assistant dix fois à *Aïda* en quatre ans et trente-sept fois à *Sigurd*. La discrétion des années 1870 est remplacée par une expressivité qui pare de tons désaccordés et de couleurs électriques les *Danseuses russes* de 1899 pour prendre, semble-t-il, le contre-pied des évanescences symbolistes dénoncées par Mirbeau.

En 1892, son exposition de *Paysages* (« des états d'yeux », dit-il) a fait courir tous ses confrères, qui connaissent son horreur du plein air. Ces vues, prises du train en Italie, en Normandie ou bien en Espagne, qu'il a traversée avec Boldini en 1889, simplifient tout ce que l'Impressionnisme fragmente. D'autres sujets le passionnent, la photographie et surtout la sculpture avec les *Chevaux cabrés*, inspirés des clichés de Muybridge, et les études de *Danseuses*, dont les cires lui donnent le plaisir extrême de détruire pour recommencer.

En 1912, à la vente d'Henri Rouart, disparu au début de l'année, quelques mois après son frère Alexis, les *Danseuses à la barre* atteignent 435 000 francs. Ce triomphe ne touche guère Degas, qui, obligé la même année de quitter son appartement de la rue Victor-Massé, commence à sombrer dans une apathie dont la mort sera l'aboutissement.

Auguste Renoir
Baigneuse
s'essuyant la jambe, v. 1910
84 × 65 cm
São Paulo,
Museu de Arte

Renoir – à qui ses trois fils, sa femme et Gabrielle, cousine, servante et modèle, créent un intérieur chaleureux – n'a pas la triste vieillesse de Degas, malgré une effroyable déchéance physique, et travaillera jusqu'à son dernier jour dans cette maison des Collettes qu'il a fait construire à Cagnes. Les amis ont toujours été nombreux autour de lui. Avant qu'il n'ait rencontré sa femme Aline, il y avait déjà Franc Lamy et Georges Rivière, son futur biographe. Plus tard, le dessinateur Faivre et Maillol l'accompagnent à Essoyes. Albert André et Georges d'Espagnat viennent peindre avec lui dans le Midi, et le collectionneur Maurice Gangnat tâche de lui redonner courage quand il traverse ces périodes de découragement auxquelles il a toujours été sujet.

En 1889, pour expliquer à Roger Marx son refus d'exposer à la Centennale, Renoir lui écrit : « Je trouve tout ce que j'ai fait mauvais. » Cette remarque s'applique aux admirables tableaux des années 1870, mais un même mécontentement concerne aussi ses œuvres ingresques. Lorsque *les Filles de Catulle Mendès au piano* obtiennent peu de succès au Salon de 1890 en dépit de la notoriété du poète, vieil ami des impressionnistes, et de la célébrité de leur mère, la musicienne Augusta Holmès, c'est une raison supplémentaire pour abandonner un style que n'encouragent ni ses marchands ni ses amateurs. En se libérant de cette contrainte, sa spontanéité revient et s'affirme par les différentes études de jeunes filles (dans les prairies, au bord de la mer ou jouant du piano) qui se retrouveront plus tard dans le musée imaginaire de Marcel Proust.

L'adoption de cette fluidité nouvelle reflète probablement une influence de Whistler, dont une exposition se tient en 1892 chez Boussod-Valadon. On la remarque d'ailleurs dans un tableau, *la Plage de Pornic*, exécuté cette même année au cours de l'un de ces séjours balnéaires qui conduisent Renoir et les siens de la Bretagne à la Normandie. En 1898, c'est dans un chalet qu'avait loué Oscar Wilde après son emprisonnement à Reading qu'il représente ses deux fils Pierre et Jean (*la Salle à manger à Berneval*). Pendant une dizaine d'années, malgré une première atteinte de paralysie faciale en 1888 et de polyarthrite en 1894, il voyage beaucoup : Aix-en-Provence, où jusqu'à leur brouille, en 1896, il passe voir Cézanne, Tamaris-sur-Mer, avec Théodore de Wyzewa, l'une des personnalités les plus curieuses de l'intelligentsia symboliste, Carry-le-Rouet, où l'accompagne son élève Jeanne Baudot, qu'il emmènera souvent travailler avec Julie Manet et ses cousines après la mort de Berthe Morisot. L'un de ses amateurs les plus fervents, Paul Gallimard, l'entraîne en Espagne en 1892, Martial Caillebotte à Bayreuth en 1896, Paul Bérard à Amsterdam pour la grande exposition Rembrandt de 1898. Ensuite, ce sera de plus en plus en hiver le Midi avec l'installation à Cagnes en 1903, en été la Champagne, dans le village natal de sa femme, Essoyes, et pendant le printemps et l'automne des retours à Paris.

Au moment où Cézanne peine sur la vision constructiviste des *Grandes Baigneuses,* Renoir revient à Fragonard avec *les Baigneuses dans la forêt* (1897) de la fondation Barnes. Jusqu'à sa mort, on lui réclamera ces « Nus » qui deviennent de plus en plus rubéniens et de plus en plus colorés pour contrecarrer l'inévitable pâlissement du temps. Ravagé par la maladie et la souffrance, il continue à créer les images d'une joie de vivre que Matisse admire, imite et prolonge. Elles paraissent pourtant bien antinomiques des mouvements côtoyés à la fin de sa vie : Cubisme et Futurisme, bien sûr, mais surtout Dadaïsme, auquel le confronte le hasard puisque soixante de ses toiles sont exposées en 1917 à Zurich, au moment où les premières manifestations de la galerie Dada culbutent allègrement la notion d'art.

Monet survit sept ans à Renoir, auréolé d'une gloire qui n'a cessé de croître, soutenue par un instinct commercial que lui reprochent parfois ses confrères mais surtout prolongée par son génie du renouvellement. Celui-ci lui permet ainsi de préluder aussi bien au Fauvisme avec les vues de Bordighera en 1884 qu'à l'abstraction avec les derniers Nymphéas.

Lorsque, après les années de Vétheuil, sublime aboutissement d'un Impressionnisme atmosphérique et floral, il s'est fixé à Giverny, ses sujets ne sont pas seulement trouvés sur place mais dans des campagnes annuelles de peinture extrêmement ciblées : la Hollande pour ses champs de tulipes (1886), Antibes (1888), la Creuse chez le poète Maurice Rollinat en 1889 et plus tard la Norvège (1895), Londres (1899-1901), Venise (1908). « Il y a longtemps que je mets ce que vous faites au-dessus de tout », lui écrivait Mallarmé en 1888. C'est également l'avis du public, qui, l'année suivante, assiste à sa rétrospective, tenue chez Petit conjointement avec Rodin, et pense comme Mirbeau : « Ce sont eux qui dans le siècle incarnent le plus glorieusement, le plus définitivement ces deux arts magnifiques, la peinture et la sculpture. »

Après sa rencontre en 1889 avec Lilla Perry, à qui il accorde des conseils, les Américains vont prendre le chemin de Giverny et l'un d'eux, Butler, épouser Suzanne Hoschedé, en 1892, année où sa mère convole avec Monet. Les travaux les plus significatifs auxquels se livre maintenant l'artiste concernent l'établissement de séries et leur cheminement plastique. « Plus je vais, plus je vois qu'il faut beaucoup travailler pour arriver à ce que je cherche, l'instantanéité », confie-t-il à Geffroy pendant qu'il poursuit les effets climatiques des *Meules* en 1890.

Ce seront ensuite les effets du vent dans la série des *Peupliers de l'Epte* (1891) puis l'application des extraordinaires transformations causées par la lumière non plus à des objets éphémères et mouvants mais aux murs séculaires de la *Cathédrale de Rouen*.

Cette tendance à l'occultation du sujet représenté par la prééminence de la matière picturale se manifestera aussi dans des « Londres » ou des « Venise » turnériens mais c'est avec les « Nymphéas » que Monet surprend une fois de plus le public. La première série (1899-1900), avec son pont japonais et son écran de saules, représente le *Bassin aux nymphéas*, aménagé par le peintre après sa visite à l'exposition japonaise de 1893. La seconde abandonne toute référence à la mode pour donner l'illusion de l'infini à partir d'une surface d'eau. Proust décrit en phrases baudelairiennes ce parterre flottant : « Changeant sans cesse pour rester en accord, autour des corolles de teintes plus fixes, avec ce qu'il y a de plus profond, de plus fugitif, de plus mystérieux, avec ce qu'il y a d'infini – dans l'heure il semblait les avoir fait fleurir en plein ciel. »

La réciprocité voulue par Monet entre son jardin, qu'une armée de jardiniers transforme en tableaux, et les toiles qu'il en tire conduit à l'ensemble circulaire des derniers *Nymphéas*, légués à l'État grâce à l'insistance de Clemenceau et qui devaient selon le peintre « procurer l'illusion d'un tout

Claude Monet, *Nymphéas bleus*
200 × 200 cm. Paris, musée d'Orsay

sans fin où les nerfs surmenés par le travail se seraient détendus selon l'exemple de ces eaux stagnantes ».

Où va l'Impressionnisme ?

Au moment où les grands impressionnistes obtiennent enfin la reconnaissance de leurs mérites, le milieu artistique, toujours en ébullition, crée de nouveaux Salons : ceux des Arts incohérents, qui, de 1882 à 1894, tressent des lauriers à la dérision, des Indépendants (sans jury ni récompense) en 1884 et de la Société nationale des beaux-arts en 1890. Celle-ci résulte d'une scission, provoquée par Meissonier et Puvis de Chavannes, avec la trop conservatrice

Georges Seurat
Poseuse de dos, 1886
24,4 × 15,7 cm, détail
Paris, musée d'Orsay

Société des artistes français et représente des tendances modérées.
Les Indépendants accueillent l'avant-garde. Leur société, détachée du groupe d'artistes indépendants organisateur d'une première exposition en mai 1884, s'est fondée au cours de réunions qui voient naître l'amitié de Seurat et de Signac. Leurs Salons, où se révélera la personnalité géniale du Douanier

Rousseau, se constituent sous les auspices de Redon, figure majeure du Symbolisme, de Guimard, l'homme du Modern Style, et de Dubois-Pillet, l'un des meilleurs adeptes du Néo-Impressionnisme qui trouve son terrain d'élection chez ces Indépendants.

Une Baignade, Asnières, exposée en mai 1884 puis à l'automne avec la nouvelle société, fait apparaître Seurat comme l'artiste le plus doué de sa génération. Il termine alors un autre tableau de plein air dans lequel il utilise un procédé de peinture optique d'une nouveauté surprenante. Le monumental *Un dimanche à la Grande Jatte* marque l'entrée en scène de la science dans l'un des rares domaines que ce siècle, pour lequel elle est reine, lui avait interdit : celui de l'art. Les impressionnistes avaient bien eu connaissance des travaux de Chevreul mais ne s'y étaient intéressés que de façon hasardeuse et discontinue.

Seurat, au contraire, invente sa propre méthode à partir de sources découvertes à la lecture du remarquable ouvrage de Charles Blanc, *Grammaire des arts du dessin,* qu'il étudie pour la première fois en 1876 et dont l'inspiration sous-tendra son œuvre de façon constante. Il trouve là, illustrée d'une rose chromatique, l'explication des lois de Chevreul sur le contraste simultané des couleurs et celle du mélange optique auquel avait recours Delacroix ainsi que des éclaircissements sur le *Manuel d'optique* du peintre Charles Bourgeois et surtout de précieuses références aux théories du Hollandais Humbert de Superville concernant l'expressivité des lignes. Cela le conduit à l'étude des phénomènes de la vision décrits par Sutter puis à celle des travaux d'optique de Rood, de Helmholtz et de Maxwell pour aboutir en 1884-85 à sa propre théorie de la division des couleurs avec sa magistrale démonstration publique : *Un dimanche à la Grande Jatte.*

Le procédé de Seurat ne tente pas exactement d'obtenir ce que l'on simplifie en parlant de mélange optique mais utilise le principe d'exaspération des couleurs qui se produit à la fois au point de rencontre de deux complémentaires et à celui de deux plans d'inégale luminosité. À cela s'ajoute un effet de vibration des couleurs emprunté aux miniatures orientales et donné par la pose, à l'intérieur d'un ton, de touches abaissant ou rehaussant sa teinte. D'autre part, la perspective se compose à travers une succession de bandes dégradées qui substituent un sentiment de permanence à la sensation d'éphémère recherchée par les impressionnistes. L'emploi des couleurs en petites touches arrondies fait baptiser cette technique pointillisme par un public qu'obnubile cette partie du procédé. Les artistes préfèrent cependant employer le terme trouvé par Fénéon, *Néo-Impressionnisme,* car il lie leur mouvement à celui de leurs grands prédécesseurs.

Ces derniers, à l'instar des réalistes académiques, accueillent très mal cette déviation, à l'exception de Pissarro, émerveillé par une théorie qui lui semble codifier tout ce qu'il cherche depuis trente ans. Le silencieux charisme de Seurat, soutenu par l'enthousiasme communicatif de Signac et l'esprit d'organisation du commandant Dubois-Pillet, fait de nombreux adeptes dans la société des Indépendants : Angrand, Luce, Hayet, etc. Les graveurs découvrent grâce à Cavallo-Peduzzi, l'un des artistes de l'atelier Froment, ce pointillisme qui leur rappelle les gravures rhénanes en criblé, récemment remises à l'honneur par les spécialistes du Moyen Âge. Cavallo Peduzzi a été le condisciple de Seurat aux Beaux-Arts comme le meilleur ami de ce dernier, Aman-Jean, et son camarade Ernest Laurent, par l'intermédiaire desquels le milieu idéaliste (Henri Martin, Le Sidaner) emprunte à son tour la nouvelle manière.

L'extraordinaire engouement provoqué par son style a d'abord flatté Seurat avant de devenir pour lui un motif d'agacement et de déclencher des frictions rendant difficile la cohésion des néo-impressionnistes et leurs relations avec les autres artistes. Leur groupe a le soutien des publications d'avant-garde (*Revue indépendante*, *Hommes d'aujourd'hui*, *Art moderne* de Bruxelles) et des feuilles anarchistes (*la Révolte*). En effet, si la naissance de l'Impressionnisme avait accompagné l'agitation contre l'Empire, celle du Néo-Impressionnisme est concomitante des mouvements anarchistes auxquels appartiennent plusieurs de ses membres, Luce, les Pissarro, Hayet en France, Nomellini, Pellizza da Volpedo en Italie et certains de ses critiques, Fénéon, Ajalbert. Cela se reflète dans les sujets, qui, contrairement à ceux de leurs prédécesseurs, relèvent souvent d'une inspiration sociale, jusque dans l'art superbement distancié de Seurat, dont le génie domine son entourage.

Aucun des tempéraments créateurs de cette fin de siècle n'a échappé à l'emprise passagère du Néo-Impressionnisme, pas plus Gauguin, dans des toiles de la Martinique et de Pont-Aven, que Van Gogh, Munch ou Toulouse-Lautrec, qui s'essaie à ce style avec ses camarades de l'atelier Cormon, Émile Bernard et Anquetin.

La mort subite de Seurat coïncide avec une sorte d'évolution de son art dans lequel s'introduisent les sinuosités qu'adoptera le Modern Style et l'entrain des affiches de Chéret. Signac demeure le gardien de l'orthodoxie néo-impressionniste. En 1898, l'oubli dans lequel semble tomber l'œuvre de son ami disparu lui inspire un ouvrage destiné à faire connaître les buts qu'ils poursuivaient ensemble. Ce livre, *D'Eugène Delacroix au Néo-Impressionnisme*, contribuera non seulement à faire apparaître de nouveaux adeptes de ce style (Lucie Cousturier, Henry Person, Jeanne Selmersheim) mais aussi et surtout à faire prendre conscience des problèmes de la couleur aux artistes de la génération des Fauves.

Paul Gauguin, *La Vision après le sermon, 1888*
73 × 92 cm. Édimbourg, National Gallery of Scotland

Le génie de Seurat ouvre d'ailleurs les portes de l'art moderne par une double démarche associant les expressions plastiques les plus contradictoires : la négation de toute forme par l'atomisation de la touche et sa reconstruction par une géométrie porteuse d'immuabilité. Les deux visages de l'abstraction sont au bout de cette route, le xxᵉ s. saura s'en apercevoir.

Parallèlement à la dispersion des fondateurs de l'Impressionnisme et à la brillante trajectoire du Néo-Impressionnisme, quelques grands créateurs, Gauguin, Van Gogh, Toulouse-Lautrec, après s'être inspirés de ces écoles, imposent chacun sa vision personnelle. Accentuant soit la ligne, soit la couleur, elles serviront d'exemples aux éclatantes variations plastiques qui, du Fauvisme français à l'Expressionnisme allemand, représentent les derniers déchaînements des impressions figuratives.

L'engouement pour le Néo-Impressionnisme a porté un coup très dur aux projets de Gauguin, qui, au cours d'un premier séjour à Pont-Aven, avait réuni autour de lui des artistes au nom d'un Impressionnisme pur et dur. Brouillé avec le groupe de Seurat et de Signac, il lui a pourtant emprunté certains effets du Pointillisme mais a surtout remarqué, dans la construction sous-jacente des œuvres divisionnistes, un fait essentiel : la ligne et le dessin sont de retour.

Son second séjour à Pont-Aven (1888) met en œuvre l'élaboration d'un système, le synthétisme. L'idée s'inspire partiellement du Cloisonnisme d'Anquetin. Ce condisciple de Lautrec, de Laval, d'Émile Bernard à l'atelier Cormon cerne les couleurs à la façon des cloisonnés chinois, des vitraux et des estampes japonaises. Laval a dû en entretenir Gauguin pendant leur malheureux séjour à Panamá et à la Martinique. « C'est le dessin affirmant la couleur et la couleur affirmant le dessin », explique Dujardin, qui consacre au Cloisonnisme un article dans *la Revue indépendante* de mai 1888.

Le contact d'Émile Bernard et de ses enthousiasmes pour le Moyen Âge, le Japon, les arts populaires et ceux que l'on ne qualifie pas encore de *naïfs* est également déterminant dans son évolution. Au cours de cet été 1888, leurs conversations font table rase du Divisionnisme pour opposer à son esprit d'analyse ce qu'ils considèrent comme un Impressionnisme synthétique, aussitôt illustré par les *Bretonnes dans la prairie verte* de Bernard et *la Vision après le sermon* de Gauguin. « Un si grand peintre, écrit alors Bernard à Van Gogh, qu'il me fait presque peur. » Pourtant, lorsqu'ils seront brouillés, il ne cessera de lui disputer la paternité de ce Synthétisme dont sa jeunesse ne lui permet pas de tirer d'aussi éblouissants exemples que cet aîné.

C'est en chef d'école que Gauguin, entouré d'Anquetin, de Bernard, de Laval, de Roy, etc., expose au café Volpini, situé dans l'enceinte même de l'Exposition universelle. Sans résultat financier mais avec un impact publicitaire certain auprès des jeunes car l'endroit est situé face à la maison de la Presse. Il a été retenu par Schuffenecker, à qui, en octobre 1888, Gauguin écrivait : « Cette voie symbolique est pleine d'écueils mais elle est au fond dans ma nature... Je sais bien qu'on me comprend de moins en moins. Qu'importe... Vous savez bien qu'en art j'ai toujours raison dans le fond. »

Un sens très aigu de l'avenir du goût lui fait ainsi acquérir des Cézanne en 1878 ou demander une préface à Strindberg en 1893. Quant à sa propre évolution, elle est en corrélation avec une culture visuelle beaucoup plus diversifiée que celle de ses confrères puisqu'elle ne se limite ni à la peinture occidentale ni au japonisme en vogue mais comprend des exemples d'art péruvien, venus de sa famille maternelle, d'art mobilier scandinave, vus au Danemark, et d'art populaire de toutes les latitudes entrevus dans les ports au cours de ses années passées dans la marine. Ses toiles d'Arles exacerbaient la couleur, celles du Pouldu réinventent la forme tout en conservant des hachures à la Degas pour faire vibrer les tons. Les nus qu'il peint alors ressemblent à « l'ondine niaise à la robe bruyante au bas de la rivière » décrite par Rimbaud. Bientôt, il pourra dire comme lui : « Me voici sur la plage armoricaine. Que les villes s'allument... Je quitte l'Europe. »

Dans les années qui ont suivi la publication dans *la Vogue* (1886), par l'intermédiaire de Verlaine, d'*Une saison en enfer* et des *Illuminations*, Rimbaud, errant en Abyssinie depuis 1880 et mort peu après son retour en France, est devenu une figure mythique pour les jeunes écrivains symbolistes. Leur consécration, grâce à Aurier, de Gauguin comme initiateur du Symbolisme pictural a peut-être incité ce dernier à chercher dans un départ aux antipodes l'oubli bénéfique dont l'œuvre du poète recueillait alors les fruits. Il partage d'ailleurs l'opinion, émise vingt ans auparavant par Monet, selon laquelle, pour créer, on doit s'éloigner des cénacles, qui introduisent le doute dans les esprits et copient plus ou moins consciemment vos trouvailles. « Mon centre artistique est dans mon cerveau, pas ailleurs. » Cette réponse faite de Tahiti à sa femme, qui, à Copenhague, s'inquiète de le savoir éloigné des cercles culturels parisiens, prouve sa confiance en son avenir de créateur.

Pour Gauguin, l'Impressionnisme n'a été qu'un passage et le Synthétisme, un dogme provisoire, préludes à la voie royale découverte à Tahiti puis aux Marquises. La visite du premier musée d'art maori, ouvert en Nouvelle-Zélande au moment de son passage en 1891, entre sûrement en compte dans son désir de montrer, à travers la splendeur des paysages et la réalité physique des personnages, les mœurs et les croyances d'un peuple. De *L'esprit des morts veille*, en 1892, aux *Cavaliers sur la plage* de 1902, son surprenant et dérangeant inventaire bouscule la façon de voir et de penser les Tropiques. *D'où venons-nous ? Que sommes-nous ? Où allons-nous ?* (1897) résume ses thèmes plastiques (bouderie, conversation, cueillette) mais surtout semble illustrer ce *Sartor resartus* de Carlyle qu'il lisait avec Meyer de Haan au Pouldu : « Ce flot de vie... sais-tu d'où il vient ? Où il va ? De l'Éternité vers l'Éternité. »

Les artistes que fascinait Gauguin pendant ses séjours à Pont-Aven et au Pouldu n'ont pas suivi les mêmes chemins. Moret, Maufra, Loiseau, Chamaillard restent attachés à l'Impressionnisme, qu'il leur a fait découvrir. Les autres, sous la direction de Sérusier, donnent une orientation personnelle au Synthétisme. En 1888, à son retour de Pont-Aven, ce massier de l'académie Julian a montré à ses camarades un petit paysage, informe à force d'être synthétiquement formulé, qu'il a exécuté sur les conseils de Gauguin. Émerveillés par ce « talisman », ils se veulent les Nabis (prophètes en hébreu) de ce nouveau style. Bonnard, Maurice Denis, Vuillard et son beau-frère Ker Xavier Roussel, Ranson, le sculpteur Lacombe participent à ce mouvement nabi que rejoignent aussi le Suisse Vallotton, le Hollandais Verkade et le Danois Ballin.

L'explication donnée par Sérusier de la synthèse : « Faire entrer toutes les formes dans le petit nombre de formes que nous sommes capables de penser :

lignes droites, quelques angles, arcs de cercle, ellipses », paraît préluder plus à ce que sera le Cubisme qu'au bref et brillant épisode nabi. Celui-ci se caractérise par une palette sourde, des aplats entourés de sinuosités déjà Modern Style, une texture grenue et, surtout, par un humour dont la peinture donne rarement l'exemple. D'autre part, il ne concerne pas seulement celle-ci mais traite toutes les expressions des arts décoratifs, tapisserie, reliure, décors de théâtre, illustrations, dont *la Revue blanche* est, avec les albums de Vollard, un des supports privilégiés.

Cette réaction anti-impressionniste réclame, en 1890, avec Maurice Denis, « le triomphe de l'émotion du beau sur le mensonge naturaliste ». Elle évolue cependant de façon très différente. Les uns plongent dans un mystico-symbolisme qui passe de la Bretagne, où Filiger peint des figures d'un statisme byzantin, à la Forêt-Noire, où Verkade et le père Lenz travaillent collectivement

Pierre Bonnard
Affiche pour
« *la Revue blanche », 1894*
lithographie, 80 × 62 cm
Paris, Bibliothèque nationale

à des œuvres spiritualistes au monastère bénédictin de Beuron. Les autres, tel Denis, cherchent des harmonies en rapport avec leur sensibilité, retrouvant à cet effet la palette claire des impressionnistes. C'est vers ces derniers que reviennent les deux plus grands artistes nabis, Bonnard et Vuillard. Une ironie proche de celle de leurs amis Jarry, Renard et Tristan Bernard accompagnait la linéarité de leurs premières œuvres. Cette sobriété fait ensuite place à une sorte d'intimisme, servi par la technique plus « jouissive » de l'Impressionnisme, qu'ils utiliseront jusqu'à la fin de leur vie.

Henri de Toulouse-Lautrec, mort en 1901, dix ans après Seurat, est une des figures les plus marquantes de ce tournant du siècle. Il expose avec les néo-impressionnistes aux Indépendants et au XX, avec les symbolistes à la Libre Esthétique, rencontre les Nabis à *la Revue blanche* mais refuse toute doctrine. Élève de Cormon (célèbre pour ses scènes préhistoriques), il échappe rapidement à l'emprise de l'atelier pour s'intéresser à l'Impressionnisme, très vite infléchi par lui en direction de Degas, dont il reçoit les conseils. Ses sujets rejoignent les siens : jockeys, cafés-concerts, femmes de maisons closes. Contrairement à la plupart des artistes de sa génération, Lautrec ne refuse pas le naturalisme mais l'emploie à la façon de Bruant, dont les chansons inspirent le titre de ses toiles : *À Grenelle, À Montrouge,* ou bien de Jules Renard, pour lequel il illustre en 1898 les *Histoires naturelles*. Ses dons graphiques font merveille dans le domaine en pleine expansion de l'affiche. Dessinés ou peints, les acteurs de son temps lui servent à composer la plus faussement réaliste des galeries. Les couleurs exacerbées et les déformations violentes de ses dernières toiles (série des *Messaline* d'après l'opéra de Lara) illustrent tout ce que l'Expressionnisme européen doit à son art superbement cruel.

Lui-même emprunte quelque outrance à son ami Van Gogh, pour lequel en 1890, à l'exposition des XX, il a failli se battre avec Henri De Groux. L'artiste hollandais, disparu en juillet de cette même année, est arrivé à Paris en 1886 au moment de la dernière exposition impressionniste. Des oncles et un frère (Théo Van Gogh) marchands de tableaux ainsi qu'un bref passage dans cette profession ont familiarisé Vincent avec toutes les formes d'art, aussi bien ancien que contemporain, avant même d'en découvrir la pratique. Aux réalistes qu'il souhaite imiter, Jules Breton ou Constantin Meunier, interprètes des solitudes paysannes et ouvrières, se substitue dès son arrivée en France l'exemple de l'Impressionnisme, bientôt submergé par son tempérament personnel. En quatre ans d'une activité dont l'intensité le foudroiera, son œuvre atteint le crescendo de l'expression. Au Pointillisme raisonnable des paysages de Montmartre ou d'Asnières succède l'appel d'un Japon mythique qu'il espère trouver en Arles et que transcrivent les jaunes de chrome et les outremers des *Semeurs* ou des *Tournesols*. Après son internement volontaire à l'asile Saint-Paul de Mausole, les *Platanes de Saint-Rémy* se tordent comme sous l'effet du haut mal et les *Nuit étoilée* tournoient derrière les barreaux. Ces racines noueuses – que dans *Sorrow*, huit ans auparavant, il associait au combat pour la vie – réapparaissent dans un des derniers tableaux d'Auvers-sur-Oise (*Racines d'arbres*, Amsterdam, fondation Van Gogh) mais comme les signes presque abstraits d'un combat déjà perdu.

« J'aime Van Gogh mieux que mon père », jette Vlaminck à Derain en sortant de l'exposition consacrée en 1901 à celui-ci par Fénéon chez Bernheim. Cette influence va se conjuguer aux influences d'autres figures un peu mythiques : Cézanne, Gauguin, Seurat, pour aiguiller les jeunes artistes vers des chemins plus audacieux.

Venus des cercles néo-impressionnistes, symbolistes ou nabis, ils ont exposés à la gal. de Lebarc de Boutteville, aux Indépendants, à la Société nationale des beaux-arts puis au Salon d'automne, fondé en 1903 par Frantz Jourdain et Georges d'Espagnat, qui, l'année suivante, montrent, à côté des œuvres de leurs adhérents, une rétrospective Gauguin, vingt-cinq Toulouse-Lautrec, une exposition Cézanne.

Le résultat de ces confrontations ne tarde pas à se faire sentir. En 1905, le Salon d'automne est l'épicentre de la secousse ressentie par le monde de l'art sous la dénomination de *Fauvisme*. La matière picturale, ses contours, ses couleurs s'entremêlent dans une frénésie qui prend à contre-pied l'art pratiqué depuis les années 1880, où les valeurs claires et les touches discontinues de l'Impressionnisme se combinaient souvent à des effets linéaires mis au service d'un programme symboliste.

Matisse apparaît comme le chef de file de ce Fauvisme auquel préludent, avant le début du siècle, Valtat et Van Dongen. D'anciens élèves de Gustave Moreau, de Bonnat et de l'académie Carrière côtoient dans ce mouvement Vlaminck, qui se vante d'être autodidacte. Tous ont eu des contacts avec l'Impressionnisme. Dufy et Friesz emmènent Marquet travailler à Sainte-Adresse sur les traces de Monet, dont la jeunesse s'est déroulée au Havre, comme la leur ; Valtat, après avoir rencontré Renoir en Bretagne, est devenu l'un de ses familiers ; Vollard a mis Camoin en contact avec Cézanne ; Matisse, invité par Signac à Saint-Tropez en 1904, pointille allègrement *Luxe, calme et volupté* avant d'écraser sur la toile ses tubes de couleurs pour en faire surgir *la Gitane*, qui transmute l'impression en expression. Des amateurs, américains et russes, les Stein, Morosov, Chtchoukine, s'intéressent très vite à cette nouvelle manière.

Le Fauvisme, beaucoup plus limité dans le temps que l'Expressionnisme allemand, apparu au même moment avec les expositions de Die Brücke à Dresde, n'est cependant qu'un passage pour la plupart de ses adeptes,

Van Gogh
Les Alyscamps, 1888
Otterlo, musée
Kröller-Müller

Vlaminck excepté. Tous reviendront à des formes épurées après avoir subi la tentation du mouvement le plus antinomique de leur style instinctif, le très intellectuel Cubisme, inventé par Picasso avec la caution cézannienne de Georges Braque.

Au début du xxe s., il n'est pas de créateur qui n'ait débuté par une période impressionniste, Picabia comme Kandinsky. Tous les mouvements précédents sont rassemblés en 1910 à Londres par le peintre et critique Roger Fry dans une exposition intitulée « Manet et les post-impressionnistes ». Les œuvres de Cézanne, de Gauguin et de Van Gogh, tous trois très largement représentés, côtoient celles de Seurat, de Sérusier, de Denis, de Vallotton, de Matisse, de Marquet, de Vlaminck, de Rouault, de Derain, de Picasso. Deux ans plus tard, « Cézanne et les modernes », deuxième exposition post-impressionniste, groupe essentiellement autour de ce maître des fauves et des cubistes ainsi que leurs homologues d'Angleterre et de Russie.

Le terme *Post-Impressionnisme* couvre aujourd'hui un large éventail de tendances. Il ne désigne plus seulement les mouvements précités mais s'applique à des idéalistes (Chabas, Ménard), au sombre Naturalisme de la Bande noire (Cottet, Simon, Dauchez), à des symbolistes (Lévy-Dhurmer) ainsi qu'aux artistes innombrables qui appartiennent à une mouvance impressionniste, de Gaston de Latouche à Montézin ou Charreton. Chez certains perdure l'éclat du Fauvisme (Guérin, Laprade, Lebasque) tandis que d'autres, tel Dunoyer de Segonzac, subissent l'effet Cézanne ou bien, comme Bouche, empruntent aux « Cathédrales » de Monet le travail tactile de la pâte.

La galaxie impressionniste

L'Impressionnisme conquiert l'étranger comme un siècle auparavant le Néo-Classicisme. Il est servi par le cosmopolitisme de la vie parisienne, où les artistes constituent sous le second Empire et dans les débuts de la IIIe République une sorte de préécole de Paris. De Whistler et Jongkind dans les années 1850 à Van Gogh ou Munch dans les années 1880, on les rencontre aux ateliers des Beaux-Arts ou des académies libres avec pour professeurs Lehmann, Couture, Gleyre, Gérôme, Bonnat, Cabanel, Cormon ou Carolus-Duran. Cela n'empêche pas certains d'entre eux d'approcher et même d'intégrer le cercle de Manet et des impressionnistes à la manière de l'Irlandais George Moore, qui, devenu écrivain, en décrira les arcanes.

Degas, par ses attaches familiales à Naples et à La Nouvelle-Orléans, a des amis italiens (De Nittis, Zandomeneghi) et d'autres américains (Mary Cassatt, Whistler). Autour de Pissarro gravitent des Hispano-Américains et des Espagnols, Oller, le graveur Martinez. L'admiration portée à Monet par l'Américain Sargent drainera les concitoyens de ce dernier vers Giverny.

Si l'on considère pays par pays la galaxie de l'Impressionnisme, on remarque que ce style se greffe en général sur un pleinairisme préexistant et que son apparente uniformité n'efface pas les caractères nationaux. En Grande-Bretagne, il apparaît comme la résurgence des travaux de Constable et de Turner. Un détour par la France a pourtant été nécessaire avant que se dégage de l'idéalisme victorien et de l'esthétisme whistlérien un nouveau frémissement des formes. Le New English Art Club, fondé en 1885, est pendant vingt ans le cœur de l'Impressionnisme anglais, auquel les expositions de Durand-Ruel à Londres en 1882 et 1883 ont servi d'exemple. Leurs manifestations reconnaissent cette dette par des invitations à Monet, à Berthe Morisot, à Degas. À l'intérieur de cette association, le groupe londonien (Steer, Starr, Frederick Brown, Edward Stott, MacColl), qui pratique un faire brillant s'oppose au groupe de Glasgow (Guthrie, Walton, Lavery), au style plus heurté, très remarqué à l'exposition inaugurale des Grafton Galleries en 1883. Steer et Sickert, dont le père s'est fixé en Angleterre après l'annexion du Schleswig-Holstein par la Prusse, sont les meilleurs représentants de l'Impressionnisme britannique. Le premier par un génie fantasque évocateur de jeunes filles proustiennes courant sur des plages. Le second par un naturalisme à la Degas, avec qui Whistler l'a mis en relation. C'est autour de Sickert et de Lucien Pissarro que se produit au sein du N.E.A.C. la scission qui donne jour au groupe de Camden Town, dans lequel Gore, Gilman et Ginner inclinent l'Impressionnisme vers le Fauvisme peu avant que Fry, Duncant Grant et le groupe de Bloomsbury ne l'orientent vers une géométrie cézannienne.

James Whistler
Nocturne en bleu et or,
v. 1870-1875
Londres, Tate Gallery

En Amérique, l'engouement pour l'Impressionnisme et sa pratique par les peintres font suite au succès obtenu par Millet, Rousseau et l'école de Barbizon, dans laquelle semblaient s'incarner les théories de Thoreau. Le réalisme brillant et coloré d'Eakins, le luminisme de John La Farge, la vivacité de Winslow Homer, qui participent à l'Exposition universelle de 1867, amorcent une évolution. Elle prend corps avec Whistler, Mary Cassatt et Sargent. Européanisés comme les personnages d'Henry James, avec lequel ils sont d'ailleurs en relations, tous trois tissent des liens privilégiés entre leurs amis Manet, Degas, Monet et les artistes du Nouveau Monde. Le résultat s'en fait sentir entre 1877 (année de la fondation de la Society of American Artists, à laquelle ont pris part Duveneck et Chase, dont le réalisme est proche de Manet) et 1913, année de l'exposition de l'Armory Show à New York où le Cubisme, le Futurisme et le Pré-Dadaïsme de Marcel Duchamp occupent le devant de la scène.

L'Impressionnisme fait son entrée en 1883 aux États-Unis, en même temps que la statue de *la Liberté*, avec l'envoi d'œuvres de Manet, de Monet, de Renoir,

plastique et les violences de la Commune. C'est seulement à partir de l'Exposition universelle de 1889 que Manet, Monet, Renoir ne passeront plus pour des hors-la-loi. L'exposition des artistes français à Munich en 1891 servira d'exemple aux différentes sécessions créées pour la défense de l'art contemporain : Munich (1893), Vienne (1898) et Berlin (1899). Le premier président de celle de Munich, Liebermann, peintre et collectionneur, est avec Corinth, Leistikov et Slevogt le représentant d'un Impressionnisme véritablement allemand, clair et heurté dans ses scènes du zoo d'Amsterdam ou ses joueurs de polo. Leistikov japonise à son retour de Paris, en 1893. Corinth modifie sa touche après trois ans passés en France (1884-1887) et glisse à partir de 1905 vers une sorte d'Expressionnisme. C'est également la trajectoire de Slevogt, sensible à la manière de Manet (l'*Homme aux perroquets*, 1901) mais qui ne cessera d'augmenter sa violence colorée.

Assez tardivement adopté dans l'Empire germanique, l'Impressionnisme s'y trouve le contemporain de son avatar néo-impressionniste, qui a de grands représentants en Allemagne : Paul Baum, Kurt Herrmann et des collectionneurs passionnés.

La Belgique a servi d'intermédiaire pour la découverte de ce dernier mouvement. La création des Salons des XX par Maus et Picard en 1884, remplacés dix ans plus tard par la Libre Esthétique, a transformé Bruxelles en capitale de l'art moderne. Toutes les avant-gardes étrangères sont invitées à ces manifestations lancées pour soutenir l'Impressionnisme mais largement ouvertes au Symbolisme. Dans cette Belgique favorable aux exclus et où *l'Artiste* combat « pour le naturalisme et la modernité », les Stevens ont fait connaître vers 1870 à leurs compatriotes l'art de Degas et de Manet. Quinze ans plus tard, aux expositions des XX, le Réalisme luministe des peintres de Termonde fait place au double visage de l'Impressionnisme belge. L'un, flamand, avec la matière dense, les paysages de brume et de pluie de Vogels et de Baertsoen ; l'autre, d'obédience française, avec Pantazis, Willaert et surtout Émile Claus. L'inclassable Ensor domine tous ces groupes de son génie bizarre. Quant au Néo-Impressionnisme, il a connu un succès foudroyant illustré par Van Rysselberghe, Lemmen, Finch, etc., et défendu par Verhaeren. Un peu plus tard, Oleffe, Morren et surtout Wouters effleureront le Fauvisme avec, pour le troisième, un amalgame très personnel de Renoir, de Cézanne et de Matisse. Un des membres influents des XX, l'Espagnol Dario de Regoyos, établit des liens étroits avec son pays d'origine, auquel le Portoricain Oller, ami de Cézanne et de Pissaro, avait déjà transmis l'écho de l'Impressionnisme. Ce style se teinte d'instantanéisme dans l'école de Valence (Sorolla), prend une grandeur sévère en Castille (Beruete) et trouve sa meilleure expression en Catalogne avec Meifren, Miralles, Mir-Trinxet et Rusiñol, ami de

Théodore Van Rysselberghe
La Lecture, 1903
détail : Émile Verhaeren
Gand, musée des Beaux-Arts

Toulouse-Lautrec et organisateur de « fêtes modernistes ». Barcelone devient d'ailleurs au tournant du siècle le centre d'une avant-garde dans laquelle se développe le génie de Picasso.

La proximité des XX donne son élan au Divisionnisme néerlandais. Celui-ci est presque concomitant des formes atténuées que prend aux Pays-Bas l'Impressionnisme. Cette dénomination s'est d'abord appliquée à la sensibilité frémissante de l'école de La Haye (Mauve, les Maris) puis à la modernité de l'école d'Amsterdam, dont les deux personnalités majeures viennent d'ailleurs de La Haye : Isaac Israels et Breitner, qui a précédé Van Gogh chez Cormon à Paris. Aarts et Bremmer pratiquent le Néo-Impressionnisme, auquel Toorop, né à Java, et Thorn Prikker donnent une orientation symboliste.

Assez curieusement, c'est par l'intermédiaire d'un Milanais installé en Hollande, Grubicy de Dragon, que le Divisionnisme arrive en Italie. Précédemment, le critique Diego Martelli (représenté par Degas au moment de l'Exposition universelle de 1878) a tenté d'expliquer les différences entre le Macchiaiolisme et l'Impressionnisme, que Gioli lui semble illustrer au-delà des Alpes. En Piémont, où Fontanesi lui avait étonnamment prélude, le style français s'infiltre dans les paysages de Delleani ou de Reycend (le Sisley italien) et les jardins de Calderini. Un peu plus tard, le Campanien Caputo et le Toscan Spadini militeront à Paris et à Rome pour un Impressionnisme brillant. C'est pourtant le Divisionnisme, entraîné par Segantini, qui constitue l'apport le plus marquant de l'Italie aux aventures impressionnistes. Previati, Nomellini, Pellizza lui donnent des connotations symbolistes ou anarchistes et c'est dans ce milieu que Balla, Severini et Russolo élaboreront une nouvelle dynamique des formes : le Futurisme.

Fontanesi a dirigé de 1875 à 1879 une académie des arts à Tokyo, mais les Japonais viennent s'initier à l'art moderne en France, où, de 1880 à 1900, l'on en compte plus de deux cents. Le pleinairisme de Chu-Asai se situe entre Bastien-Lepage et Pissarro ; Kuroda regarde tantôt vers Monet, tantôt vers Renoir, et ce dernier a donné des leçons à Umehara, qui se tourne ensuite vers le Fauvisme.

En Russie plus qu'ailleurs, en raison du courant slavophile et tolstoïen, l'accent est mis sur les caractères nationaux. Les peintres qui ont fait dissidence en 1863 prônent l'éducation artistique des masses à travers l'Association des ambulants (Peredvijniki), dont les expositions itinérantes débutent en 1871. Leur Réalisme humanitaire ou pleinairiste (Répine, Chichkine) s'imprègne lentement d'Impressionnisme (Levitan, Polienov) tandis qu'apparaissent des académies de plein air. Au tournant du siècle, *Mir Iskousstva* (« le Monde de l'art »), animé par Diaghilev, oppose au Réalisme des tendances nouvelles, plus impressionnistes chez Borissov-Moussatov, Grabar, Youon, davantage liées à l'art pour l'art chez Korovine et Riabouchkine, au Symbolisme chez Vroubel, au Fauvisme chez Maliavine. L'influence coloriste de l'Orient et celle de l'artisanat populaire mis à l'honneur par le mécénat de Mamontov illuminent les travaux des artistes russes, qui étonnent Paris au Salon d'automne de 1906 et feront sa conquête avec les décors de Benois et Bakst pour les Ballets russes.

Les expositions de la Toison d'or familiarisent les artistes slaves avec les impressionnistes, les fauves et les expressionnistes, dont leur montrent aussi des exemples les collections des Chtchoukine et d'Ivan Morozov, que conseille

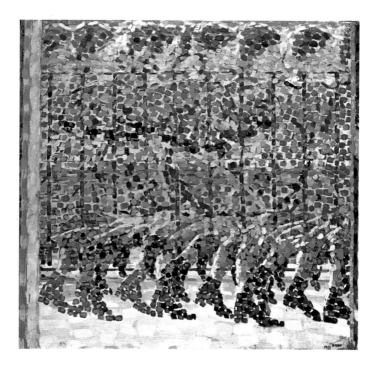

Giacomo Balla
*Les Adieux dans
l'escalier, 1905*
collection particulière

Korovine. L'ascendant des peintres sur les collectionneurs a d'ailleurs été essentiel dans la diffusion internationale de l'Impressionnisme. On peut ainsi noter celui de Mary Cassatt sur les Havemeyer et de Glackens sur le docteur Barnes aux États-Unis, de Bremmer sur Mme Kröller-Müller en Hollande, de Liebermann sur Tschudi, directeur du musée de Berlin.

L'Impressionnisme russe, que Roerich et Iakovlev emmèneront sur les routes de l'Asie centrale, se mâtine de Cézannisme puis de Cubisme chez Falk et Kontchalovski aux expositions du Valet de carreau (1910-1912). C'est dans la bouillonnante avant-garde russe que se produit la plus significative transformation de l'art moderne : le passage à l'abstraction. Kandinsky, après l'avoir pressenti dès 1895 devant une *Meule* de Monet, l'accomplit au nom du *Spirituel dans l'art*. Larionov glisse de Cézanne au Rayonnisme et Malévitch abandonne les vibrations des *Pommiers en fleurs* pour la non-représentation, qu'il baptise *Suprématisme*. Le temps est venu, souhaité par Izdebtski, « de ne plus reproduire servilement les impressions du monde extérieur, mais d'en créer un autre, jamais vu, non réel ».

Sophie Monneret

A

AARTS Johan Joseph,
peintre néerlandais
(La Haye 1871 -1934).

Professeur à l'Académie de La Haye – dont il a été l'élève –, Aarts y enseigne dès 1895 une technique divisionniste en larges touches colorées, adoptée après le retour de Toorop en Hollande en 1890. Deux ans plus tard, il expose à La Haye avec les néo-impressionnistes français et belges et participe à la création d'un petit groupe de peintres aux côtés de ses compatriotes Bremmer et Viljbrief.

Ses toiles sont conservées dans les musées d'Amsterdam et de Rotterdam, mais la majeure partie de son œuvre se trouve au musée Kröller-Müller d'Otterlo *(Paysage de landes*, 1895).

ABBATI Giuseppe,
peintre italien
(Naples 1836 - Florence 1868).

Formé à Venise dans l'atelier académique de Michelangelo Grigoletti, puis à Naples (1853) dans celui de son père Vincenzo, il prend part à l'expédition des Mille de Garibaldi avant de se fixer à Florence (1860), où il participe au mouvement rénovateur des Macchiaioli, dont il est un des plus illustres représentants.

On lui doit des portraits, des études de personnages et surtout de lumineux paysages de Toscane et des vues d'églises ou de cloîtres florentins à base de bruns et d'ocres : ceux des pierres de la Toscane, chefs-d'œuvre de subtile construction et de fine poésie. Giuseppe Abbati est représenté par plusieurs tableaux à Florence (la *Cour*

du Bargello, 1865, G.A.M.) et à Rome *(id.).* Comme pour Borrani ou Cabianca, les références au monde médiéval se mêlent fréquemment aux scènes d'intérieur et aux paysages. L'exposition « La Firenze dei Macchiaioli, un mondo scomparso » (Florence, 1985) a permis d'apprécier ses vues dispersées de l'intérieur de San Miniato, comme celles des rives de l'Arno ou des ruelles de Florence.

ADLER Jules,
peintre français
*(Luxeuil, Haute-Saône, 1865 -
Nogent 1952).*

Fils de commerçants de vêtements, élève à l'école des Arts décoratifs en 1882, il est refusé aux Beaux-Arts pour sa méconnaissance du nu et travaille dur chez Bouguereau et Robert Fleury à l'académie Julian, dont il deviendra lui-même professeur ; probablement influencé par Jean Gigoux et le Réalisme romantique, à la fois peintre reconnu (et souvent médaillé) et peintre populiste, il dit : « Il n'y a pas d'art social, mais mieux, un art s'inspirant de toutes les beautés infinies de la vie sociale. » Il brosse les ouvriers grévistes du Creusot, les terrils, organise en 1879 une cantine d'artistes. Il peint la vie ouvrière parisienne : la *Rue* (1893, musée de Castres), les *Miséreux* (1903, musée de Budapest), les *Noctambules (id.),* le *Trottin* (1908, Buenos Aires), les *Las* (Avignon, musée Calvet) sont ses thèmes de prédilection. *Gros Temps au large : matelotes d'Étaples* (1913, Paris, Petit Palais), *Au faubourg Saint-Denis le matin,* l'*Armistice* (1919, musée de Remiremont), *Printemps de Paris* (1923, Paris, Petit Palais) allient peinture populiste et peinture pleinairiste. Toute sa vie, il continue à peindre parallèlement des paysages paisibles : *Plombières (Vosges)*. *Après-midi d'été* (1933, *id.*). Il a laissé aussi de nombreux dessins du front (1917), envoyé en mission par l'École des beaux-arts. Il meurt pauvrement. Les expositions « la Représentation du travail. Mines, forges, usines » (Le Creusot, Écomusée, 1978) et « The Realist Tradition, French Painting and Drawing, 1830-1900 » (Cleveland, 1980-81) ont rendu hommage à cet artiste longtemps soutenu par les critiques favorables du milieu républicain.

AGUELI Ivan,
peintre suédois
(Sala, Dalécarlie, 1869 - Barcelone 1917).

En 1890, il vient à Paris, où Émile Bernard l'initie au Synthétisme et au Symbolisme. La leçon de Cézanne et de Gauguin lui inspire quelques études de personnages et de petits paysages de l'île de Gotland et de Stockholm, dont la technique fortement simplifiée et les couleurs vives inaugurent le modernisme dans la peinture suédoise (*Jeune Fille en bleu*, 1891, Stockholm, Nm). De nouveau à Paris en 1893, Agueli, déjà enclin au mysticisme par la tradition litté-raire suédoise se référant à Baudelaire, se plonge dans des études théosophiques, sous l'influence de Péladan, et fréquente les milieux anarchistes. Il se rend en 1894 en Égypte, où il se convertit à l'islam. Les quinze années suivantes, il mène une exis-tence itinérante entre Le Caire et Paris. Il visite également l'Inde en 1894-95 et peint une série de paysages égyptiens et des études sur la typologie des peuples arabes ; leur composition stricte et le traitement délicat de la lumière donnent à ces toiles de petites dimensions une remarquable ampleur spatiale. Après une assez longue interruption, qu'il consacre à propager par des écrits la culture islamique, il revient à la peinture v. 1910 en adepte du Cubisme. Dans ses derniers tableaux (paysages de France et d'Espagne), il éclaircit sa palette et pratique un style spontané. Longtemps

ignoré du grand public, c'est seulement lors de l'exposition commémorative de 1920 à Stockholm qu'Agueli apparaît comme le premier et le plus audacieux précurseur des recherches de synthèse en Suède. Il est représenté à Stockholm (Moderna Museet et Waldemarsudde), aux musées de Sala et de Göteborg.

AIX-EN-PROVENCE.

Au XIXe s., les artistes locaux sont souvent attirés par Marseille, qui, en raison de son développement économique et portuaire, à partir du second Empire, dispute à Aix son titre de métropole régionale ; mais l'âpre beauté de la haute Provence commence de fasciner les peintres, tels Loubon ou Gui-gou. Ravaison, Leydet et Achille Emperaire forment un petit groupe auquel se joint parfois Cézanne. C'est ce dernier surtout qui, né à Aix en 1839, a immortalisé les sites familiers : le Jas de Bouffan, l'Estaque, le Château noir, Gardanne et, principalement, la montagne Sainte-Victoire.

ALEXANDRE Arsène,
critique et collectionneur français
(Paris 1859 - id. 1937).

Auteur de nombreux ouvrages sur l'art et les peintres de son époque (*Daumier*, 1888 ; *Histoire populaire de la peinture*, 1895 ; *Paul Gauguin*, 1930 ; etc.), Arsène Alexandre est également le directeur du *Rire*, fondé en 1892, où il défend souvent d'une façon virulente Daumier et Toulouse-Lautrec. Ami intime de Renoir, à qui il achète plusieurs œuvres, il fera toute sa vie l'éloge de l'Impressionnisme et sera le premier dans l'*Événement*, en 1886, à employer le mot « Néo-Impressionnisme ». Sa collection, vendue aux enchères en 1919, comptait un Cézanne (la *Tentation de saint Antoine*), trois Pissarro (dont la *Moisson*), cinq Renoir (dont *Femme couchée, Deux Baigneuses*), un Seurat (*la Seine à Courbevoie*), quatre Toulouse-Lautrec (dont *Yvette Guilbert*), de nombreux Daumier et Boudin, Forain, Guillaumin, Vuillard, Fantin-Latour, Raffaeli, Maufra.

Cuno Amiet
Pont-Aven, 1892
Berne, Kunstmuseum

ALIGNY Théodore Caruelle d',
peintre français
(Chaumes, Nièvre, 1798 - Lyon 1871).

Cet élève de Regnault et de Watelet, conti-nuateur du paysage historique, fut cepen-dant un des premiers à ressentir le besoin de l'étude d'après nature. Tôt venu à Barbizon, il y retourna souvent. C'est en Italie, en 1825, que naquit son amitié pour Corot, qu'il comprit et encouragea. Aligny voyagea dans le midi de la France, en Normandie, de nouveau en Italie (1834-1836) et en Grèce (1843). Il mourut direc-teur de l'école des beaux-arts de Lyon. Il est représenté au Louvre (*Prométhée*, Salon de 1837) et dans plusieurs musées de province (Avignon, Lyon). L'art d'Aligny conjugue un sens graphique des lignes souples et aiguës, et le goût des franches oppositions de lumière et d'ombre.

AMIET Cuno,
peintre et sculpteur suisse
(Soleure 1868 - Oschwand 1961).

Considéré comme l'un des pionniers de la peinture suisse du xxe s., qu'il a renouvelée par son emploi de la couleur pure, Amiet

travaille dès 1884 avec Frank Buchser à Feldbrunnen, dans le canton de Soleure. Il se rend ensuite à Munich, où il se lie avec G. Giacometti, et étudie enfin à Paris (Académie Julian : 1889-1892). Une année passée à Pont-Aven, où O'Connor lui trans-met les leçons de Gauguin, a sur sa formation une influence décisive : il ren-contre É. Bernard, Sérusier, Renoir, décou-vre Van Gogh et Cézanne (*Pont-Aven*, 1892, Berne, Kunstmuseum). De retour en Suisse, il subit l'influence de Hodler sans pour autant abandonner la couleur. Sa peinture est alors tributaire du Jugendstil (*Richesse du soir*, 1899, musée de Soleure), en même temps qu'apparaissent des toiles pointil-listes (Frühlingslandschaft, 1905, *id.*). Invité en 1906-07 à participer à Die Brücke, il modifie sa manière : sa touche s'empâte et sa couleur devient expressionniste (*Autopor-trait II*, 1907, coll. part. Laufer). À partir de 1918, des œuvres composées avec une pâte épaisse et des couleurs violentes laissent progressivement la place à une touche plus légère et à une surface plus dépouillée (l'*Artiste au jardin*, 1938, Berne, Kunstmuseum). Dès lors, si son rôle comme novateur est terminé, son art ne cesse d'évoluer (période parisienne, d'un Impressionnisme tardif 1932-1939 : *Boulevard Brune*, 1939, musée de Genève). Dans une dernière période, vers 1950, Amiet revient à des arabesques décoratives et des touches morcelées dans des œuvres pleines de lyrisme (*Paradis*, 1958, coll. part.). Sa production, dominée par le thème du « jardin » et celui de la « récolte », comporte de nombreux portraits et quelques compositions murales (la *Fontaine de jouvence*, Zurich, Kunsthaus ; asile d'Ittingen). Amiet est représenté dans les musées de Bâle, de Berne, de Soleure et de Zurich.

Les œuvres de la période de Pont-Aven ont fait l'objet d'une rétrospective dans cette ville (1982) et celles de la période postérieure à 1918, d'une exposition au musée de Thoune (1968).

ANCONA Vito d',
peintre italien
(Pesaro 1825 - Florence 1884).

Élève de Bezzuoli à l'Académie de Florence, il débuta dans la peinture historique, qu'il abandonna v. 1860. Il aborde alors des thèmes contemporains et se rapproche des Macchiaioli, sans toutefois en adopter totalement la technique. Sensible aux suggestions de Corot et de Courbet, il travaille à Florence, à Londres, à Paris, élaborant une version personnelle, éclectique et raffinée, de la peinture d'intérieur, riche en jeux de clair-obscur (*Nu*, 1873, Milan, G.A.M. ; *Portrait de femme*, Florence, G.A.M.) bien qu'assez académique, et de délicieuses scènes de genre : *Dans l'atelier* (Florence, G.A.M.), *Au piano* (coll. part.), *l'Attente* (coll. part.). La *Femme au jardin* (coll. part., 1861-62), montrée à l'exposition « Macchiaioli » (Paris, Grand Palais, 1978-79), indique le bref moment où Vito d'Ancona se soumet strictement aux méthodes avant-gardistes des artistes Macchiaioli, exerçant en retour sur eux, par ses notations synthétiques, une influence durable.

ANDRÉ Albert,
peintre français
(Lyon 1869 - Laudun, Gard, 1954).

Arrivé à Paris à vingt ans, il suivit les cours de l'Académie Julian. Son premier envoi au Salon des indépendants, en 1894, le fit découvrir par Renoir, qui le présenta à Durand-Ruel, lequel vendit ses tableaux, surtout en Amérique. Cet artiste isolé, sensible, fut influencé par Renoir et surtout par Bonnard, que sa peinture, tendre et intimiste, évoque. Conservateur du musée de Bagnols-sur-Cèze (1918), il y constitua, grâce aux dons de ses amis Renoir, Bonnard et Matisse, une belle collection d'œuvres du début du siècle. Albert André a publié une bibliographie de Renoir et un précieux inventaire de l'atelier du peintre à la mort de celui-ci, en 1919 (éd. Bernheim-Jeune). Il est représenté, en province, aux musées de Besançon, de Lyon (*En Provence*, 1907), de Bagnols-sur-Cèze, et au musée d'Orsay (le *Déjeuner*) ainsi qu'au Louvre (*l'Escalier Daru, au Louvre*, v. 1910).

ANDREESCU Ion,
peintre roumain
(Bucarest 1850 - id. 1882).

Il fit ses études à l'École des beaux-arts de Bucarest avec Aman (1869-1872). Professeur de dessin à Buzau (1872-1878), il se rendit en 1879 à Paris, où il travailla à l'Académie Julian, puis, comme beaucoup d'autres peintres de toutes nationalités, à Barbizon, et exposa en 1879 1880 et 1881 au Salon. Rentré à Bucarest en 1882, il présenta soixante tableaux dans son unique exposition particulière. La tuberculose l'emporta la même année.

Andreescu est le premier disciple de Grigorescu. Ses paysages, qui évoquent la campagne roumaine, sont construits selon trois zones : le ciel, qui couvre plus de la moitié de la toile, la végétation humanisée, qui borde l'horizon, et la terre, qui occupe le premier plan. Le contraste entre le ciel, aux couleurs transparentes, et les tons sombres des terrains crée une tension

Charles Angrand
La Seine à l'aube, 1889
65 × 81 cm
Genève, musée du Petit Palais

dramatique propre à l'art d'Andreescu (*Sous-bois*, Vila Alba, coll. RFSJ).

Développant la puissance constructive de la couleur, il peint d'abord des paysages aux tons francs et fermes. Sa technique se modifie, devenant au cours des années plus limpide et diffuse.

L'un de ses chefs-d'œuvre est l'*Hiver à Barbizon*, mélancolique symphonie de blanc, de gris-bleu et de gris-vert filtrée dans la douce lumière hivernale du soir. La peinture d'Andreescu, méditation profonde devant la nature et la vie, ouvre un chapitre nouveau dans la peinture roumaine par sa résonance humaine et l'intensité de sa vie intérieure. La plupart de ses œuvres se trouvent à Bucarest (musée d'Art et musée Zambaccian).

ANGRAND Charles,
peintre français
(Criquetot-sur-Ouville, Seine-Maritime, 1854 - Rouen 1926).

Après quelques essais académiques à l'école des Beaux-Arts de Rouen, Angrand s'installe à Paris en 1882, où il rencontre Seurat, Signac et Van Gogh et participe en 1884 à la fondation du Salon des indépendants. Influencé par Pissarro (*Basse-Cour*, 1884, Copenhague, N.C.G.) et par Signac (*Talus de chemin de fer*, 1886, coll. part.), il utilise avec finesse le pointillisme de Seurat tour à tour d'une manière rigoureuse et contrastée ou au contraire harmonieuse et nuancée (la *Seine à l'aube*, 1889 [Genève, Petit Palais]). Il se fait remarquer au Salon en 1887 ainsi qu'à l'exposition des néo-impressionnistes et au Salon d'art Keller et Reiner en 1901. Retiré en Normandie à partir de 1896, il se détache du mouvement néo-impressionniste. Devenu solitaire, il se consacre surtout au dessin (délicates *Maternités* au crayon Conté de 1899, scènes de travaux rustiques), peint v. 1908 en larges touches vives comme Lucie Cousturier (*Sur le seuil,* coll. part.), puis réalise de très subtils paysages au pastel (la *Maison blanche,* Louvre). D'importantes expositions rétrospectives de son œuvre lui sont consacrées en 1927 au Salon des indépendants et en 1976 au musée de Dieppe. Quelques-unes de ses toiles figurèrent également dans diverses expositions collectives sur les néo-impressionnistes (chez George Wildenstein à New York en 1953, à l'occasion de l'hommage à Paul Signac à Paris en 1955). Le musée d'Orsay à Paris conserve deux peintures d'Angrand (*Couple dans la rue,* 1887 ; *Les Villotes,* v. 1887-1889) et le musée des Beaux-Arts de Rouen une toile de 1885 *(Dans le jardin).*

ANQUETIN Louis,
peintre français
(Étrépagny, Eure, 1861 - Paris 1932).

Anquetin entre en 1882 dans l'atelier de Bonnat puis dans celui de Cormon, où il est le condisciple de Toulouse-Lautrec, Émile Bernard et Van Gogh. D'abord intéressé par l'Impressionnisme, il est surtout séduit par les simplifications japonaises et le style dépouillé de Degas ; il définit avec Émile Bernard le Cloisonnisme et réalise des œuvres originales et synthétiques aux contours cernés, appréciées par Gauguin, Van Gogh (*Place Clichy : le Moissonneur,* 1887, coll. part.) et les Nabis (le *Pont-Neuf,* 1889, coll. part.). Il se fait remarquer au Salon des vingt à Bruxelles, puis au Salon des indépendants en 1888, par son utilisation suggestive de la couleur. Après 1890, il se tourne progressivement vers l'art classique et pastiche Manet et Daumier (*Courses,* coll. part. et Paris, Orsay), puis Rubens et les Flamands du XVIIe s. en se lançant dans des études d'anatomie et de composition (les *Trois Grâces,* v. 1899, Londres, Tate Gal.). Ce retour à un art d'inspiration rubénienne se double de recherches sur la technique des maîtres anciens (en

particulier sur l'emploi des couleurs). Il exécute par ailleurs les décors pour le Théâtre-Libre d'Antoine en 1897 et pour Gémier en 1917. Il compose également des peintures murales (1900-1901) et des cartons de tapisseries pour les manufactures de Beauvais et des Gobelins (1919-20). Il est bien représenté à Paris, aux musées d'Orsay (la *Course,* 1893 ; la *Femme dans la rue* ; *Profil d'enfant et étude de nature morte*), du Louvre (40 dessins) et du Petit Palais (*Bacchante endormie,* 1909), ainsi qu'au musée Toulouse-Lautrec d'Albi, aux musées des Beaux-Arts de Rouen et de Marseille et à la Tate Gal. de Londres.

APPIAN Adolphe,
peintre et graveur français
(Lyon 1819 - id. 1898).

Il est élève de Grabon et Thierrat à l'école des Beaux-Arts de Lyon. Dans ses paysages, souvent liés à l'eau, il recherche des effets de lumières par temps brumeux ou pluvieux. Ces derniers montrent l'influence de ses maîtres, Corot et Daubigny (rencontrés chez Ravier à Crémieu), malgré un coloris souvent métallique. En 1870, à la faveur d'un séjour sur les côtes méditerranéennes, Appian se découvre une vocation tardive de mariniste : c'est là, en vertu d'une palette plus chaleureuse, le meilleur de sa production. Appian est aussi un graveur pré-impressionniste. Il est représenté au musée de Lyon et dans plusieurs musées de province (Bourges, Dijon, Montpellier).

ARGENTEUIL-SUR-SEINE.

Le nom de cette commune de la banlieue parisienne (Val-d'Oise) est attaché à l'histoire et à l'iconographie de l'Impressionnisme. Dès 1868, les bords de la Seine étaient devenus le motif de prédilection de l'Impressionnisme naissant : *Argenteuil-sur-Seine* (Chicago, Art Inst.), peint cette année par Monet, et les représentations de la *Grenouillère* (1869, Metropolitan Museum), qu'il exécuta en compagnie de Renoir (même sujet, 1869, Stockholm, Nm), constituèrent le prélude aux grandes compositions nautiques qui allaient illustrer la décennie suivante, appelée parfois « période d'Argenteuil ». Monet, qui se révéla alors comme le véritable chef du mouvement, s'y installa de 1872 à 1878, rassemblant autour de lui la plupart des peintres du groupe (Sisley, Renoir, Caillebotte, Manet) dans une émulation commune créatrice au terme de laquelle la nouvelle peinture atteignit, v. 1874, la maîtrise parfaite de sa technique et de son style. La *Passerelle d'Argenteuil* (Orsay), peinte par Sisley en 1872 précédait encore cette libération de la lumière et n'est pas sans rappeler l'œuvre de Corot. Le rôle décisif revint sans doute à Monet et à Renoir, qui, en 1873-74, travaillèrent ensemble à Argenteuil : Monet peignait son propre jardin (le *Jardin de l'artiste à Argenteuil*, 1873, Paris, coll. part.) pendant que Renoir le saisissait à son chevalet (*Monet peignant dans son jardin à Argenteuil*, 1873, Hartford, Wadsworth Atheneum). Ils ont également donné deux versions des mêmes voiliers (Monet, Paris, coll. part. ; Renoir, musée de Portland, Oregon). Volontiers portraitiste, Renoir a représenté à Argenteuil de nombreuses effigies de Monet et de sa famille : *Madame Monet et son fils dans leur jardin à Argenteuil* (1874, New York, Mrs. Mellon Bruce). Pendant l'été de 1874, Manet fréquenta Monet et ses amis, dont il subit l'influence. À leur contact, il se laissa gagner par la pratique du plein air et réussit l'union de la figure et du paysage dans de grandes compositions qui révèlent une adaptation rapide au nouveau style : *Canotiers à Argenteuil* (1874, musée de Tournai), *En bateau* (1874, Metropolitan Museum) ; Monet lui-même travaillait le plus souvent dans un bateau aménagé en atelier, où Manet l'a représenté (*Monet dans sa barque au bord de la Seine*, 1874, Munich, Neue Pin.). La peinture de Monet connut alors une luminosité sans précédent : le *Pont d'Argenteuil* (1874, Orsay), les *Barques, Régates à Argenteuil* et le *Pont du chemin de fer* (1875, coll. part.), le *Bassin d'Argenteuil* (1875, Orsay) comptent parmi les réalisations les plus abouties de l'Impressionnisme.

ARKHIPOV Abraham Éfimovitch,
peintre russe
(? 1862 - Moscou 1930).

Il étudie à l'École de peinture, de sculpture et d'architecture de Moscou de 1877 à 1888 et trouve rapidement dans la peinture de genre son moyen d'expression favori. Membre de la Société des Peredvijniki, il occupe une place importante en tant que peintre du peuple. Il est l'un des fondateurs de l'Union des artistes russes en 1904. Son œuvre se trouve justifiée par la nouvelle direction que prend l'art après la révolution. Arkhipov adhère à l'A.K.R.R. (Association des artistes de la Russie révolutionnaire) en 1924. Il prolonge la tradition des Peredvijniki dans sa peinture de la vie agricole : *Paysanne du gouvernement de Riazan* (1928, Moscou, Gal. Tretiakov), le *Petit Pâtre* (1928, *id.*). Guerassimov et Iogansson se réclament de son enseignement.

ARTAN DE SAINT-MARTIN Louis,
peintre belge
(La Haye 1837 - Nieuport 1890).

Fils d'un diplomate belge employé par la Hollande, il renonce à la carrière militaire pour suivre sa vocation d'artiste et acquiert une première formation à Spa avec les paysagistes E. Delvaux et H. Marcette, complétée par un séjour à Paris et par un voyage en Bretagne (1867-68), où s'affirme son talent de peintre de marines. Après un second séjour à Paris (1874-1876), il parcourt tout le littoral belge et s'établit finalement à La Panne. Peintre de la mer du Nord, adepte du Réalisme, Artan, par son intérêt pour l'élément brut au détriment de l'anecdote, annonce Permeke (l'*Épave*, 1871, Bruxelles, M.R.B.A. ; le *Brise-lames*, 1869-1872, *id.*). L'influence de Courbet et de Corot, sensible dans la première partie de sa carrière (pâte épaisse, triturée), fait place plus tard à celle de l'Impressionnisme (*Matin*, musée d'Anvers). Artan est représenté dans les musées belges d'Anvers, Bruxelles (M.R.B.A.), Gand, Elsene, Liège (M.A.M.), Courtrai, Verviers.

Louis Comfort Tiffany
Au nouveau cirque.
Papa chrysanthème
vitrail d'après
Henri de Toulouse-Lautrec
120 × 85 cm
Paris, musée d'Orsay

ART NOUVEAU.

Les origines du mouvement remontent au milieu du XIXe s., au lendemain de l'Exposition universelle de Londres (1851). Les produits, les œuvres exposés traduisent le désarroi des créateurs devant cette puissance encore très neuve que représente l'industrie, et dont ils ne savent pas utiliser les possibilités. Ils se réfugient alors dans le travail manuel, au nom de la tradition gothique, mise à l'honneur par Viollet-le-Duc, et à la faveur de la découverte de l'art japonais dans les années 60. Tous ressentent la nécessité de repenser en termes neufs l'environnement de l'homme occidental. Le nouvel art qui se cherche rejette les références classiques héritées de la Renais-

sance : la soumission à la symétrie, la déformation de la nature à travers les canons gréco-latins, l'élitisme attaché aux arts dits nobles, peinture, sculpture, par opposition aux arts décoratifs, dits mineurs. Il retourne à l'observation de la nature, suivant les voies de l'art néo-gothique et du japonisme, leur emprunte des motifs, des couleurs, le goût des lignes souples et sinueuses. Il se veut enfin social : « l'art social » est à la base des programmes des Expositions universelles qui se succèdent dans la seconde moitié du XIXe s. à Paris, à Londres, à Bruxelles, aux États-Unis. L'Art nouveau s'élabore à la faveur de ces grandes confrontations, qui sont pour les artistes l'occasion de se rencontrer, les incitant à réaliser des œuvres qui seraient sans doute restées sans cela à l'état de projets ou de rêves.

Réhabilitation des arts décoratifs, que l'on appelle alors « arts appliqués à l'industrie », l'Art nouveau affecte profondément le monde des objets et le décor intérieur, avant de transformer la vision des peintres, des sculpteurs, qui deviennent potiers, menuisiers, tisserands (Gauguin, Lévy-Dhurmer, Rupert Carabin, Maurice Denis en France, Henry Van de Velde en Belgique, etc.), puis l'architecture elle-même.

Celle-ci fait appel à la couleur, au détail ornemental et à l'asymétrie, tout en utilisant parfois les techniques de construction les plus avancées. Pour Horta à Bruxelles, Guimard à Paris, Gaudí à Barcelone, J. Hoffmann à Vienne, Ch. R. Mackintosh à Glasgow, le problème se pose en termes de dépendance étroite entre le contenant et le contenu, entre la structure extérieure et l'aménagement intérieur dans ses moindres détails.

Les premières œuvres d'art décoratif Art nouveau apparaissent simultanément en Angleterre, autour de William Morris et d'Arthur Mackmurdo (en 1880-1883) et en France, à Nancy, où Émile Gallé fabrique ses verres à décor symbolique inspiré de la flore et de la faune, ainsi que ses premières « verreries parlantes » (1884). Sa participation à l'Exposition universelle de 1889, à Paris, est un triomphe. 1889 est une date charnière : l'historicisme, l'éclectisme qui dominaient les précédentes manifestations cèdent la place à l'Art nouveau. Après 1890, l'art décoratif devient une mode, un « snobisme » dira M. Denis. Heureux snobisme, qui suscite une prolifération d'œuvres de haute qualité, que ce soit dans la verrerie, avec Gallé, Eugène Rousseau, Joseph Brocard, dans la céramique avec Auguste Delaherche, Ernest Chaplet, Jean Carriès, dans le meuble avec Louis Majorelle – qui fonde avec Gallé l'école de Nancy. La galerie de « l'Art nouveau », que Samuel Bing ouvre à Paris en 1895, regroupe des artistes parmi les meilleurs du temps, en France et à l'étranger : elle propose des ensembles créés par Georges de Feure, Eugène Gaillard,

Edward Colonna, et des vitraux réalisés par Louis Comfort Tiffany, à New York, d'après les cartons de Pierre Bonnard, Édouard Vuillard, Toulouse-Lautrec.

L'Exposition de 1900 marque le triomphe et le déclin de l'Art nouveau, qui montre ses dernières merveilles : les bijoux de Lalique, les verres sculptés de Gallé, le pavillon de l'Art nouveau dédié à la femme. Paris découvre les entrées de métro de Guimard. Mais la nouvelle génération rejette déjà l'Art nouveau, et prépare le style 1925 (ou « Art déco ») en renouant avec la « tradition française ». À la veille de l'Exposition de 1925, Le Corbusier est le seul à reconnaître l'originalité du mouvement défunt : « Vers 1900, un geste magnifique : "l'Art nouveau". On secoue les nippes d'une vieille culture. »

ASNIÈRES.

Situé à l'ouest de Paris sur la rive gauche de la Seine, Asnières est au XIXe s. un lieu de promenade populaire à proximité de l'île de la Grande Jatte. Inspiré par le monde ouvrier, Monet est venu y peindre les *Péniches à Asnières* (coll. part.), et Seurat – invité chez Signac, dont les parents habitent l'endroit – y travaille dès 1883 *Une baignade, Asnières* (Londres, N.G.), le *Pont de Courbevoie* (coll. part.), *Un dimanche après-midi à la Grande Jatte* (Chicago, Art Institute). Van Gogh y passe l'été de 1887 avec Émile Bernard, exécutant de lumineux paysages, révélateurs de l'influence impressionniste qu'il subit alors : le *Pont de la Grande Jatte*, le *Restaurant de la Sirène*, le *Parc Voyer d'Argenson* (Amsterdam, musée Van Gogh).

ASTRUC Zacharie,
peintre et sculpteur français
(Angers 1835 - Paris 1907).

Journaliste à *l'Écho du Nord*, poète, sculpteur et peintre, Astruc reste surtout l'un des meilleurs critiques d'art de la seconde moitié du XIXe s. Ami et fervent défenseur des impressionnistes, en particulier de Manet et de Pissarro, il débute au Salon des

artistes français en 1871 mais ne participe qu'en 1874 à la première manifestation impressionniste chez Nadar (les *Présents chinois*, 1874, New York, coll. part.). Un buste de *Barbey d'Aurevilly* (1876) se trouve aujourd'hui exposé au musée d'Orsay et le *Marchand de masques* (1883) se dresse dans les jardins du Luxembourg. Son œuvre peint est représenté en partie aux musées d'Évreux, de Saint-Étienne et surtout d'Angers, sa ville natale.

Vincent Van Gogh
L'Église d'Auvers-sur-Oise, 1890
94 × 74 cm
Paris, musée d'Orsay

AUVERS-SUR-OISE.

Situé au bord de l'Oise, près de Pontoise, ce village attira par son charme rustique plusieurs générations de peintres. Daubigny y vécut de 1860 à 1878 et y reçut Corot et Daumier. Le docteur Gachet y posséda une maison à partir de 1872, où il reçut Pissarro, Renoir, Guillaumin, Cézanne en 1873 ; ce dernier y exécuta sa *Moderne Olympia* et sa *Maison du pendu* (musée d'Orsay). Van Gogh y vécut ses derniers mois, de mai à juillet 1890, et y peignit ses ultimes chefs-d'œuvre, dont l'*Église d'Auvers (id.)*. Vlaminck vint à son tour à Auvers entre 1920 et 1925.

AVONDO Vittorio,
peintre italien
(Turin 1836 - id. 1910).

Peintre de paysages formé à Turin, il se rendit en 1851 à Genève, où il reçut l'influence des paysagistes romantiques et lyriques de Calame et rencontra Fontanesi. En 1855, il est à Paris et admire, à l'Exposition universelle, les peintres de Barbizon. Après 1857, il s'établit à Rome et peint la campagne romaine ; à part un séjour à Florence en 1865, il y reste jusqu'en 1891, date à laquelle il se fixe à Turin, où il est nommé directeur au Museo Civico. Ce musée conserve une importante série de paysages d'Avondo qui sont l'aboutissement de ses recherches de plein air.

AŽBÉ Anton,
peintre yougoslave d'origine slovène
(Dolencice, près de Škofja Loka, 1862 - Munich 1903).

Il commença ses études à l'Académie de Vienne en 1882 et les termina à celle de Munich en 1890. Il fut avec Herterich et Zügel l'un des fondateurs du Jugendstil munichois. Excellent dessinateur, peintre réaliste, il soignait la forme et s'intéressait aux problèmes de la couleur. Il fonda à Munich en 1891 une école de peinture connue par son « principe de la sphère » et la « cristallisation de couleurs ». Grâce au libéralisme de sa méthode, à l'atmosphère munichoise marquée par les nouvelles tendances de la Sécession et du Jugendstil, son école connut bientôt un grand renom et attira de nombreux élèves de différents pays, notamment Kandinsky, Jawlensky, Münter, Igor Grabar, L. Kuba ainsi que tous les impressionnistes yougoslaves : Jakopič, Grohar, Jama, Račić, Petrović, Milovanović, Stevanović, fondateurs de l'art moderne en Yougoslavie. Le prestige de ce grand pédagogue attentif à l'évolution individuelle de ses élèves a laissé dans l'ombre l'activité modeste du peintre. ☐

B

BACKER Harriet,
peintre norvégien
(Holmestrand 1845 - Oslo 1933).

Elle se forma à Christiania (1861-1874), à
Berlin (1866), en Italie et à Munich (1874-
1878), où elle subit l'influence des maîtres
hollandais, dont les solutions apportées aux
problèmes de composition de lumière et de
couleurs la préoccupèrent tout au long de
sa carrière. Avec sa toile *Solitude* (1878-1880,
coll. part.), elle attira l'attention au Salon
de Paris, où, de 1878 à 1880, elle fut élève
de Bonnat et de Gérôme. Elle fut marquée
par le Naturalisme français mais également
par l'Impressionnisme : *Intérieur bleu* (1883,
Oslo, Ng.), le *Séchage du linge* (1886, Bergen)
et *Chez moi* (1887, Oslo, Ng.). Elle a pour
devise : « le plein air dans l'intérieur ». En
1886, à la ferme de Fleskum, elle fait partie
des peintres d'atmosphère, avec Werenskiold et Kitty Kieland, et trouve dans des
intérieurs de fermes et surtout dans les
églises médiévales les motifs de quelques-
unes de ses œuvres les plus marquantes :
Baptême d'enfant dans l'église de Tanum
(1892, Oslo, Ng.) ; *Joueurs de cartes* (1897, *id.*).
Sa production limitée (moins de 200 œu-
vres) comprend des paysages et des natures
mortes, ainsi que quelques portraits. Sa
peinture, tout en paysages subtils et miroi-
tants, mériterait d'être mieux connue.

BAERTSOEN Albert,
peintre belge
(Gand 1866 - id. 1922).

Élève de l'Académie de Gand, il eut pour
professeur J. Delvin. À ses débuts, il fréquenta les peintres de l'école de Termonde et
envoya au Salon, à Paris, en 1887, l'*Escaut
à Termonde* (Gand, coll. part.). Il travailla
dans l'atelier de Roll à Paris (1888-89), où
il rencontra Ménard, Aman-Jean, Thaulow,
Cottet : ces contacts l'éloignèrent du strict
Réalisme de Termonde. Vers 1895-1897, il
peint à Nieuport et à Dixmude (*Cordiers sur
les remparts*, musée de Gand), puis en
Zélande, à Walcheren.

Baertsoen devint par excellence l'interprète sensible et évocateur des quartiers
anciens des villes flamandes (Gand, Bruges,
Audenarde, Courtrai) et du bassin industriel
de Liège, dans une technique voisine de
celle de l'Impressionnisme et qui privilégie
les tonalités sombres (*Chalands sous la neige*,
1901, Bruxelles, M.R.B.A.). Proche d'Émile
Claus, il partit au moment de la guerre pour
Londres, où il peignit dans l'atelier de John
Singer Sargent.

Ses dernières toiles s'attachent surtout à
restituer les structures des quais et des
ponts. Il a laissé aussi de belles eaux-fortes,
où les noirs sont richement utilisés (*Route
d'Ostende*). Il est représenté dans les musées
belges. Une rétrospective de son œuvre a
été présentée au musée des Beaux-Arts de
Gand en 1972-73.

BALLA Giacomo,
peintre italien
(Turin 1871 - Rome 1958).

De 1885 à 1890, il suit les cours du soir de
dessin à l'Academia Albertina et fréquente
l'atelier de photographie de Oreste Bertieri,
où il rencontre Pelizza da Volpedo. Ses
premiers paysages dérivent de la tradition de
l'esquisse du XIXᵉ s. turinois et plus précisément du courant naturaliste, imprégné

de symbolisme, marqué par Eugène Carrière, et sensible aux recherches divisionnistes (Pelizza da Volpedo, Segantini et
Previati). Un séjour à Paris en 1900 le met
en contact plus direct avec le Divisionnisme
(*Faillite*, 1902, coll. part.). Vers 1901, Boccioni et Severini fréquentent son atelier. À ce
moment sont entreprises les recherches
thématiques et formelles qui aboutiront au
Futurisme. Conduit par son idéal social et
humanitaire, Balla exécute des peintures
évoquant le monde contemporain, progrès
technique, banlieues industrielles et milieu
des ouvriers (la *Journée de l'ouvrier*, 1904,
coll. part.). En 1909, la *Lampe à arc* (New
York, M.O.M.A.) fonde le Futurisme en
peinture par son sujet « antiromantique »,
son traitement plastique et la décomposition de la lumière, qui ouvre la voie aux
travaux futurs de l'artiste.

BALLIN Mogens,
peintre danois
(Copenhague, 1871 - id. 1914).

Formé dans une académie privée, il découvrit l'art français chez Mette Gauguin. À
Paris, en 1891, il prit contact avec les
peintres modernes et devint, grâce à Verkade, un fidèle du « temple des Nabis », pour
lesquels il organisa en 1893 une exposition
à Copenhague. Il n'a laissé que peu de
tableaux, surtout des paysages et des natures mortes dans le style de l'école de
Pont-Aven et des Nabis (*Paysage de Bretagne*,
Copenhague, coll. part.). Après 1900, il
abandonna la peinture pour se consacrer
à l'art décoratif. Depuis l'exposition « L'écla-
tement de l'Impressionnisme » (Saint-Germain-en-Laye), le musée du Prieuré a acquis
Paysage breton ainsi que des dessins.

BANDE NOIRE.

Le surnom de « peintres de la Bande noire »
fut donné à quelques peintres français qui,
séduits par les violents contrastes du pays
breton, exposaient à la Société nationale des
beaux-arts des œuvres aux couleurs sombres. Charles Cottet dans l'*Enterrement*

breton (1895, musée de Lille), Lucien Simon
dans la *Procession* (1901, musée d'Orsay)
exprimaient la rudesse primitive des marins.
Ils s'inspiraient à la fois du Réalisme de
Courbet et de la construction cézannienne
pour rendre l'immuabilité de cette terre
mélancolique dans des toiles solides où le
trait vigoureux souligne la composition par
masses. Si Cottet resta fidèle à cette âpre
inspiration (*Au pays de la mer*, 1898, musée
d'Orsay), la retrouvant dans les collines
arides d'Espagne, Simon brossa aussi de
beaux portraits (*Autoportrait*, 1909, musée de
Lyon) et des scènes intimes plus impressionnistes (*Causerie du soir*, 1902, Stockholm,
Nm). André Dauchez peignit surtout des
grèves et des landes monotones (les *Brûleurs
de goémon*, 1898, musée de Moulins), tandis
que René Ménard exécutait des paysages
historiques (*Premières Étoiles*, 1899, musée
de Lyon) et de grandes décorations bucoliques d'une poésie sereine (l'*Âge d'or*, 1909,
Paris, panneaux peints pour la faculté de
droit, déposés en 1970, actuellement au
musée d'Orsay). Vers 1900, ils participent
avec Aman-Jean, Prinet et les frères Saglio
aux activités de la Société nouvelle, à la
galerie Georges Petit. La plupart des peintres
de la Bande noire sont représentés au musée
de Quimper, qui a organisé successivement
en 1981 et 1984 une exposition des œuvres
de Lucien Simon et de Charles Cottet. Mais
la Bande noire n'a pas encore fait l'objet
d'une grande rétrospective qui lui donne sa
juste place à côté des Réalistes synthétiques
belges, néerlandais ou nordiques. Le musée
du Petit Palais (Paris) a pu acquérir en 1984
la grande esquisse d'un portrait collectif du
groupe, peint par Lucien Simon en 1899,
acquis par le musée de Pittsburgh et détruit
dans un accident.

BANTI Cristiano,
peintre italien
*(Santa Croce sull'Arno 1824 -
Montemurlo 1904).*

Issu d'une famille aisée, Banti fréquente
entre 1842 et 1850 l'académie des Beaux-
Arts de Sienne avant de s'installer à Flo-

Théodore Rousseau
Groupe de chênes, Apremont
63,5 × 99,5 cm
Paris, musée d'Orsay

rence, où, habitué du café Michelangelo, il devient membre du groupe des Macchiaioli. Ses propriétés dans la campagne toscane abritent souvent ses amis Signorini, Boldini et Borrani, intéressés par sa technique du « miroir noir » – introduit dans le milieu florentin par Altamura – qui isole le motif, définissant ainsi parfaitement ses contours et ses valeurs lumineuses (*Assemblée de paysannes*, v. 1861, Florence, G. A. M. ; *Trois Paysannes*, id.). Par le caractère mélancolique des attitudes et des visages, et par le choix d'une palette à la fois sévère et précieuse, la peinture de Banti diffère un peu de l'expression des Macchiaioli. Collectionneur avisé, Cristiano Banti rassembla un riche ensemble des œuvres de ses contemporains, qui fut malheureusement dispersé à sa mort.

BARBIZON (école de).

Expression servant à désigner toute une génération de peintres paysagistes qui travaillèrent à Barbizon et en forêt de Fontainebleau au milieu du XIXᵉ s. Certains peintres placés sous ce vocable (Daubigny, Dupré) n'ont qu'épisodiquement fréquenté

Barbizon, mais leur style et leurs amitiés les rattachent à cette école. Elle se place dans le sillage du paysage hollandais du XVIIᵉ s. ainsi que du paysage anglais, apprécié en France depuis l'exposition de tableaux de Constable au Salon de 1824, Théodore Rousseau, qui connaît ce village depuis 1833 et s'y installe en 1847, Millet, qui suit son exemple en 1849, font la gloire de Barbizon, où viennent fréquemment Corot, Courbet (à partir de 1841) et le sculpteur Barye. Une pléiade d'artistes fréquente l'auberge Ganne, où les frères Goncourt s'installent pour écrire en commun *Manette Salomon* (1867), roman retraçant la vie des peintres.

Le style de ceux-ci évolue d'un certain Romantisme (Huet, Flers, Decamps, Diaz) au Réalisme (Rousseau, Charles Jacque, Troyon) et s'arrête avec Ziem et Harpignies au bord de l'Impressionnisme. Les gorges d'Apremont, la lande d'Arbonne, les hauteurs du Jean-de-Paris, le Bas-Bréau, les plaines de Chailly et de Macherin sont les thèmes le plus souvent choisis. L'école de Barbizon, qui connaîtra un succès remarquable auprès des collectionneurs américains, belges et hollandais (Mesdag), a rallié des peintres de toutes nationalités : Américains (Babcock, Eaton, Hunt, Inness) ; Allemands (Knaus, Saal) ; Belges (Boulenger, C. et X. De Cock, De Knyff, Papeleu) ; Hollandais (Kuytenbrouwer, que rejoint parfois Jongkind) ; Hongrois (Munkácsy, Páal) ; Roumains (Andreescu, Grigorescu) ; Suisses (Bodmer, Menn, Sutter).

BARNARD Edward Herbert,
peintre américain
(Belmont, Mass., 1855 - Westerly 1909).

Après avoir étudié l'architecture à l'Institut de technologie de Belmont, Barnard débute en peinture à l'école du musée des Beaux-Arts de Boston puis entre à Paris dans l'atelier de Boulanger à l'académie Julian (1885-1889). Il exécute surtout des scènes de plein air où, inspiré de Millet, il met en scène des personnages en pleine activité *(River Weeders,* 1890, Boston, coll. part.). Ses tableaux sont à l'Académie de Bradford, près de Boston, à l'Association d'art de Lincoln (Nebraska) et au club Saint-Botolph à Boston.

BARNES Dr Albert C.,
collectionneur américain
(Merion 1872 - près de Philadelphie 1951).

Ouvertes à un public privilégié (400 personnes au maximum par semaine), les 23 salles de la fondation Barnes abritent un ensemble unique au monde de Renoir (150 toiles, dont la *Promenade,* les *Baigneuses dans la forêt,* la *Sortie du Conservatoire)* et de Cézanne (100 toiles env., dont les *Joueurs de cartes,* la *Montagne Sainte-Victoire,* les *Grandes Baigneuses).*
Issu d'une famille pauvre de Philadelphie, Barnes acquiert v. 1910 une fortune colossale grâce à la découverte d'un composé chimique : l'Argyrol. D'abord amateur de la jeune Ash Can School américaine (Sloan,

Glackens...) puis des réalistes français, son goût s'oriente rapidement vers la peinture impressionniste, qui l'attire à Paris, où il achète en 1913 une vingtaine d'œuvres de Renoir, de Monet (le *Bateau-atelier),* de Van Gogh (la *Postière),* de Degas, de Pissarro et 14 de Cézanne. Souvent critiqué dans ses choix (son exposition à la Pennsylvania Academy de 75 tableaux achetés à Paris en 1923 fut largement controversée), Barnes ne cessa pour autant de son vivant d'acquérir des œuvres (le musée en compte env. 2 000), qui se trouvent réunies dans un mélange de styles et d'écoles voulu par l'auteur ; voisinent ainsi les maîtres anciens, les réalistes français, les Américains modernes, les post-impressionnistes, les cubistes et les impressionnistes.

BARYE Antoine,
sculpteur et peintre français
(Paris 1795 - id. 1875).

À l'âge de quinze ans, il commença son apprentissage chez un graveur sur métaux. Ainsi s'éveilla la vocation de sculpteur, qu'il confirma en devenant en 1816 l'élève de Bosio. Désirant apprendre le dessin, il entra l'année suivante dans l'atelier de Gros. Si Barye fut, sans conteste, un des plus grands parmi les sculpteurs du xixe s., son activité de peintre, et plus précisément d'aquarelliste, ne doit pas être négligée. Ses aquarelles représentant des animaux (Louvre) connurent, plus tôt que ses ouvrages de sculpture, la faveur du public. Barye copiait les maîtres au Louvre (Rubens), mais préférait le « modèle vivant ». Il dessinait les animaux au Jardin des Plantes ou dans les ménageries de foire, souvent accompagné de Delacroix, qui l'admirait. Il apportait dans ses recherches un soin de dissecteur, s'appliquant à analyser l'animal jusque dans la structure de ses muscles et de son squelette. Ensuite, il relevait ses croquis à l'aide de calques pour exécuter une œuvre aboutie, retouchée à bien des reprises, surchargeant ses aquarelles d'encre de Chine, de gouache, voire de peinture à l'huile. Par ce procédé et par l'esprit qui le suscitait, Barye s'apparente étroitement aux peintres de Barbizon, avec qu'il s'associa à partir de 1841. Dans la forêt de Fontainebleau, il peignit les sites, dans lesquels il libéra les bêtes sauvages étudiées en captivité : paysages d'une pâte un peu lourde et et opaque quand ils sont peints à l'huile, au contraire lumineux et chatoyants s'ils sont traités à l'aquarelle, et qu'un sentiment romantique dotait parfois d'un aspect tragique amplifié par une facture tourmentée (les *Gorges d'Apremont*, le *Jean de Paris*, Orsay). Barye a laissé en outre quelques rares portraits de ses proches : la *Fille de l'artiste* (Louvre).

BASTIEN-LEPAGE Jules,
peintre français
(Damvillers, Meuse, 1848 - Paris 1884).

Élève de Cabanel, mais ami de Zola et adepte de l'école naturaliste (*Petit Cireur de bottes à Londres*, 1882, Paris, musée des Arts décoratifs), il illustra la vie paysanne. Épigone de Millet et de Courbet, ses scènes de travaux champêtres, divulguées par le chromo (*les Foins*, 1877, Paris, Orsay), connurent de son vivant un tel succès qu'il eut de nombreux imitateurs. Il fut également un portraitiste recherché par la société mondaine parisienne : *Sarah Bernhardt* (musée de Montpellier).

Sa *Jeanne d'Arc* avec apparitions dans un décor champêtre (1880, Metropolitan Museum) ayant été mal reçue et vivement critiquée par Huysmans, il consacre les dernières années à sa vie aux scènes paysannes (*Pauvre Fauvette*, 1881, Glasgow, Art Gal. ; l'*Amour champêtre*, Moscou, musée Pouchkine) et aux paysages (la *Tamise*, 1882, Philadelphia, coll. J.G. Johnson). Il meurt à 36 ans. Les expositions « Victorian Social Conscience » (Sydney, 1976) et « The Realist Tradition French Painting and Drawing 1830-1900 » ont mis en valeur les liens unissant Symbolisme et Réalisme, sous l'influence du pleinairisme et de la photographie, chez ce peintre. L'hôtel de ville de Montmédy abrite un musée Bastien-Lepage (peintures et dessins).

BATIGNOLLES (groupe des).

Nom donné aux impressionnistes de 1869 à 1875 env., à l'époque où ils fréquentaient le café Guerbois, 2, Grande-Rue-des-Batignolles (maintenant avenue de Clichy). Fantin-Latour y peignit, en 1870, l'*Atelier des Batignolles* (musée d'Orsay), où figurent Édouard Manet, Frédéric Bazille, Pierre-Auguste Renoir et Claude Monet.

BAUM Paul,
peintre allemand
(Meissen 1859 - San Gimignano 1932).

Après de courtes études à l'Académie de Dresde, il adopte le style intimiste des paysagistes de l'école de Weimar, qu'il fréquente de 1878 à 1887 dans l'atelier de Theodor Hagen. Encouragé par Carl Bucholz, il se différencie déjà de ses camarades par son goût pour les couleurs claires et son obstination à peindre en plein air. Dès 1899, il voyage en France, en Hollande, en Italie et jusqu'à Constantinople, où il séjourne assez longtemps ; à Paris, il découvre le Néo-Impressionnisme de Signac et Pissarro, dont il s'inspire pour la division des tons purs et le rythme de la composition mais sans jamais en devenir l'esclave. Ses œuvres, rigoureuses et poétiques, sont conservées aux musées de Dresde (Gemäldegalerie) et de Düsseldorf (Neue Galerie) ; *Bords de mer à Capri*, 1899 ; *À la fin de l'automne*, 1904.

BAZILLE Frédéric,
peintre français
(Montpellier 1841 - Beaune-la-Rolande, Loiret, 1870).

Issu d'une riche famille de banquiers protestants montpelliérains, Bazille, après le baccalauréat, entreprend des études de médecine. Mais tant ses visites au musée Fabre que la découverte de l'art contemporain chez son voisin Alfred Bruyas, collectionneur, notamment, de Delacroix et de Courbet, déterminent sa vocation avant même sa sortie du lycée. En 1862, il peut enfin se rendre à Paris et, tout en y

Frédéric Bazille
Réunion de famille, 1867
152 × 230 cm
Paris, musée d'Orsay

poursuivant sans conviction ses études de médecine, il découvre le Louvre et s'inscrit à l'Académie Gleyre. Il y fait oublier son côté naturellement aristocratique par sa gentillesse, sa franchise, sa générosité, se lie d'amitié avec Monet, Renoir et Sisley, s'associant à eux pour contester les principes académiques de leur maître et s'enthousiasmer pour Delacroix, Courbet, Manet, Corot, Jongkind et les peintres de Barbizon. Par ses cousins, les Lejosne, qui reçoivent Manet et Fantin-Latour, Bazille fait la connaissance de Cézanne, avec qui il sympathise vite et qui le met en contact avec ses camarades de l'Académie Suisse : Pissarro et Guillaumin. Il se trouve ainsi rapidement mêlé à ce groupe de jeunes peintres qui, écartés le plus souvent des Salons officiels, seront amenés en 1867 à former le projet avorté d'exposer ensemble, préfigurant ainsi la première manifestation des « impressionnistes » de 1874. Contrairement à ses amis, il voyage peu, et seul Monet peut le convaincre de venir le retrouver à Honfleur ou à Chailly, où il sert de modèle au *Déjeuner sur l'herbe* et peint lui-même la subtile *Ambulance improvisée* (1865, Paris, Orsay), qui représente Monet immobilisé par une blessure et où se décèle l'influence de Manet. Soulageant souvent les difficultés financières de ses amis, il prend plaisir à les représenter dans des portraits très fidèles (*Renoir*, 1867, Paris, Orsay, dépôt du musée des Beaux-Arts d'Alger). Plus qu'à la

lumière des ciels mouillés d'Île-de-France ou de Normandie, il est sensible au dur éclairage méridional qui tranche les plans et colore les ombres, et dont il a eu la révélation picturale en admirant chez Bruyas l'éclatante transcription qu'en avait donnée Courbet en 1854 dans la *Rencontre*. Traditionnel dans le fond, mais moderne dans ses aspirations et souvent dans la forme, il va partager son temps entre la préparation de tableaux pour le Salon et Méric, propriété familiale située aux confins de Montpellier, qui va être dans le cadre de nombreuses toiles, entre autres : la *Robe rose* (1864, Paris, Orsay), la *Réunion de famille* (1867, *id.*), la *Vue de village* (1868, Montpellier, musée Fabre), tableau à propos duquel Berthe Morisot, en le voyant au Salon de 1869, où il avait été accepté, écrivait : « Le grand Bazille [il s'agit de sa taille : il mesurait 1,88 m] a fait une chose que je trouve fort bien [...]. Il y a beaucoup de lumière, de soleil ; il cherche ce que nous avons si souvent cherché : mettre une figure en plein air ; cette fois il me paraît avoir réussi. » Travaillant lentement, Bazille cherchait à « restituer à chaque chose son poids et son volume et ne pas seulement peindre l'apparence des choses », comme il le disait en 1869. Ainsi en est-il dans ses portraits (*Alphonse Tissié en uniforme de cuirassier*, 1869, Montpellier, musée Fabre ; *Autoportrait à Saint-Sauveur*, 1868, *id.*), ses natures mortes (la *Négresse aux pivoines*, 1870, *id.*), ses trois paysages d'Aigues-Mortes (dont l'un se trouve au musée de Montpellier) et dans ses compositions, où l'on retrouve non seulement les même sujets que chez Cézanne mais aussi des préoccupations identiques à celles qu'aura ce peintre vingt ans plus tard dans la *Tireuse de cartes* (1867, Paris, coll. part.) ou dans la *Scène d'été* (1860, Cambridge, Mass., Fogg Art Museum Harvard Univ.).

Hésitant encore sur la technique picturale, Bazille passait de Delacroix, qu'il admirait « autant que tout », à Manet, avec des emprunts aux Hollandais du XVIIᵉ s. et à Corot. Coloriste-né (voir le raffinement d'exécution de la robe dans la *Vue de village*), il montra, dans ses dernières œuvres, un goût de la composition qui faisait pressentir un véritable tempérament classique (*Bords du Lez,* 1870, coll. part.). Il n'avait que vingt-neuf ans lorsqu'il fut tué à Beaune-la-Rolande en novembre 1870, engagé volontaire, alors que beaucoup de ses camarades avaient fui pour ne pas participer à la guerre. Son œuvre comporte une soixantaine de peintures, dont dix sont conservées au musée de Montpellier et six à Paris (musée d'Orsay). Le reste de sa production est dispersé à Grenoble (musée de Peinture et de Sculpture), à Sète (musée Paul-Valéry), mais aussi aux États-Unis, en Allemagne, en Suisse dans des musées ou des collections particulières.

Il fut représenté à l'Exposition centennale de 1900 et plusieurs expositions commémoratives lui furent consacrées : à Paris, au Salon d'automne de 1910, à Montpellier, musée Fabre, en 1927 et 1941, à Chicago (Art Inst.) en 1978.

BÉLIARD Edmond Joseph,
peintre français
(Paris 1832 - Étampes 1912).

Élève de Hébert et Cogniet, c'est au contact de Corot qu'il s'initie aux paysages, paysages qu'il expose aux Salons de 1868 à 1881. Lié à Zola et Coste, il est également un habitué du café Guerbois, où il retrouve Manet, Guillaumin, Cézanne, Degas, etc. Lié à

Pissarro, il séjourne chez lui à Pontoise en 1872. Béliard expose avec le groupe impressionniste lors de ses deux premières expositions. Béliard peint essentiellement en Île-de-France (*Vue de Pontoise,* 1875, Étampes, Musée municipal) et passe les dernières années de sa vie à Étampes.

BELL Vanessa,
peintre britannique
(Londres 1879 - Charleston 1961).

Fille du critique et biographe sir Leslie Stephen, sœur de Virginia Woolf, elle étudie avec John Singer Sargent à l'école de la Royal Academy (1901-1904) et fonde le Bloomsbury Group, salon où se réunissent notamment Virginia Woolf, Clive Bell, Duncan Grant, Roger Fry, et, en 1905, le club du Vendredi, avec Duncan Grant, Nevison, Gertler et Bomberg. En 1910-1912, elle découvre le Post-Impressionnisme et l'art de Henri Matisse.

Elle peint alors des portraits calmes aux formes simplifiées et aux couleurs vives (*Bathers in a Lanscape,* 1913-14, Londres, V.A.M.), des œuvres abstraites (*Abstract Painting,* 1914, Londres, Tate Gal.). Elle est également active dans le domaine des arts décoratifs, souvent associée à Duncan Grant. De 1928 à 1939, elle séjourne régulièrement en France, à Cassis. En 1938, elle enseigne à la Euston Road School fondée par Coldstream et se lie avec des artistes de la génération de Pasmore. Trois ans après sa mort, The Arts Council of Great Britain, Londres, lui consacra une exposition rétrospective.

BÉNÉDITE Léonce,
historien et critique d'art français
(Nîmes 1859 - Paris 1925).

Auteur de divers ouvrages : le *Musée du Luxembourg* (1896), la *Peinture au XIXᵉ siècle* (1905), Léonce Bénédite entra au musée du Luxembourg en 1886 aux côtés d'Étienne Arago et en devint conservateur dix ans plus tard. Il joua un rôle de médiateur entre la pression conservatrice de l'Institut, exercée

Richard Bergh
La Mort du jour
Stockholm, Nationalmuseum

en partie par Gérôme, et l'avant-garde impressionniste. La donation Caillebotte en 1896, pour laquelle il fit construire une annexe au musée du Luxembourg mais qu'il refusa pourtant en partie, en est un bon exemple.

BENSON Frank Weston,
peintre américain
(Salem, Mass., 1862 - id. 1951).

D'abord élève d'Otto Grundmann à l'école du musée des Beaux-Arts de Boston (1880-1883), il en devient professeur en 1889. De 1883 à 1885, il séjourne à Paris, travaillant à l'Académie Julian chez Boulanger et Lefebvre, puis s'établit définitivement à Salem en 1885. Portraitiste de premier rang *(Portrait de mes filles*, Worcester, Art Museum), il possède un sens décoratif très développé et exécute surtout des scènes de plein air dans une technique proche de l'Impressionnisme *(Jour d'été*, coll. Horowitz). Le Metropolitan Museum de New York, les musées de Buffalo et de Worcester possèdent ses meilleures toiles.

BERGH Sven Richard,
peintre suédois
(Stockholm 1858 - id. 1919).

Fils du paysagiste Edvard Bergh, il est élevé dans un milieu d'artistes aisés. Après des études à l'Académie des beaux-arts de

Stockholm, il retrouve en 1880, à Paris, en Bretagne et à Grez-sur-Loing, les peintres scandinaves attirés par le Symbolisme : en 1887, il peint *Séance d'hypnotisme* (Stockholm, Nationalmuseum). En 1886, avec Ernst Josephson et Karl Nordström, il dirige le mouvement d'opposition contre l'Académie suédoise et tient, jusqu'à la fin de ses jours, une place prépondérante dans l'Association des artistes de son pays (Konstnärsförbundet), fondée la même année. À Paris, il semble d'abord opter pour une peinture réaliste, proche de Bastien-Lepage : *Après la pose* (1884, musée de Malmö), *Portrait de Nils Kreuger* (1883, Copenhague, S.M.f.K.), *Ma femme* (1885, musée de Göteborg). Citons une toile de plein air, de caractère plutôt impressionniste : *Journée printanière à Meudon* (1886, coll. part.). L'évolution de Bergh vers une peinture plus proche de l'intuition et de l'imagination, et parallèle aux recherches d'Ibsen, est très nette dans la *Fille et la mort* (1888, Stockholm, Waldemarsudde) et dans le portrait expressif du peintre *Eva Bonnier* (1889, Stockholm, Nm). En 1893-1896, il fonde avec Karl Nordström et Nils Kreuger « l'école de Varberg », sous l'influence de Gauguin, et peint des paysages à caractère monumental et expressif, près

Émile Bernard
Madeleine au bois d'amour, 1888
138 × 163 cm
Paris, musée d'Orsay

de Göteborg, en ayant « recours aux couleurs et aux formes qui sont aujourd'hui celles de notre pays et de notre peuple » : *Vision* (1894, Stockholm, Nm), le *Chevalier et la pucelle* (1897, Stockholm, Thielska Gal.), *Soir d'été du Nord* (1899-1900, Gothenborg Art Gal.). Mais sa principale activité est plus tardive et concerne le portrait : les *Administrateurs de l'Association des artistes* (1903, Stockholm, Nm), *August Strindberg* (1905, Stockholm, coll. part.), *Gustaf Fröding* (1909, *id.*). Théoricien, Richard Bergh exposa dans *Ce qu'était l'objectif de notre lutte* (1905) le but de l'Association des artistes. Comme professeur, il préconisa des formes d'enseignement non conformistes. Directeur du Nationalmuseum de Stockholm à partir de 1915, il apporta des réformes radicales dans la pédagogie de l'art et dans l'initiation du peuple à la culture. Un choix de ses essais

les plus importants a paru en 1908, en un volume intitulé *De l'art et d'autre chose.* L'exposition « Lumière du Nord » (Petit Palais, 1987) a montré cet artiste pris dans le courant du « mysticisme scientifique », qui joue un rôle important dans le « romantisme national » suédois.

BERNARD Émile,
peintre français
(Lille 1868 - Paris 1941).

Intelligent et précoce, Bernard entre, dès 1884, à l'Académie Cormon, où il rencontre Toulouse-Lautrec, Anquetin et Van Gogh (avec lequel il peindra dans son atelier d'Asnières) et d'où il est renvoyé en 1886 pour indépendance d'esprit. Dès ce moment, il étudie l'œuvre de Cézanne et s'intéresse au Pointillisme. Il voyage en 1887 en Bretagne avec Anquetin et, séduit comme lui par la « japonaiserie », cherche à simplifier et à cloisonner les plans colorés (*Pots de grès et pommes*, 1887, Paris, Orsay). À Pont-Aven, en août 1888, il retrouve Gauguin et le stimule par l'audace théorique de ses œuvres (*Bretonnes dans un pré*, coll. part. ; *Madeleine au bois d'amour*, 1888, Paris, Orsay) et ses propos doctrinaires. Avec lui, il formule et répand les principes du Synthétisme et participe, pendant l'Exposition universelle de 1889, à l'exposition du café Volpini. Leur amitié transparaît dans l'*Autoportrait au visage de Gauguin* (dont Gauguin reprendra le thème dans son *Autoportrait au visage d'Émile Bernard*). À cette époque, Bernard exécute également de nombreux dessins (portraits ou paysages) très stylisés (*Environs de Pont-Aven, le château de Rustephan*, v. 1886, Rennes, musée des Beaux-Arts, fusain ; *Tête de Bretonne de face avec une coiffe*, 1887, Paris, Louvre, aquarelle et encre). Graveur, Bernard initie Gauguin à la zincographie (*Bretonneries*, 1889, Mannheim, Städtische Kunsthalle), illustre notamment les *Cantilènes* de Moréas (1888-1892), *les Fleurs du mal* de Baudelaire et *l'Odyssée* d'Homère et cherche à retrouver l'esprit et la technique des xylographies médiévales (*Crucifixion*, 1894, Brême, Kunsthalle). Une crise sentimentale et religieuse le plonge, dès 1889, dans une période d'impuissance créatrice, où il oscille entre l'influence de Cézanne et la fascination des maîtres italiens (*Déposition*, 1890, Paris, coll. part.). Désapprouvé par ses amis, un moment séduit par les projets d'« atelier des tropiques » de Gauguin, il rompt bientôt avec lui (1891), déçu de se sentir dépassé et écarté, revendiquant la paternité du Synthétisme. Après quelques dernières œuvres synthétiques (les *Bretonnes aux ombrelles*, 1892, Paris, Orsay), il opte pour un traditionalisme mystique ou orientalisant à la faveur d'un voyage en Italie, au Proche-Orient puis en Égypte (1893-1904) [*Femmes au bord du Nil*, 1900, Lille, musée des Beaux-Arts] et défend cette position dans le *Mercure de France* (où il devient critique d'art à partir de 1886) et *la Rénovation esthétique* (fondée par lui en 1905). Ses écrits, sa correspondance avec Van Gogh, Cézanne et Gauguin restent encore aujourd'hui l'une des principales sources de l'histoire de l'art à la fin du xixe s. Quelques expositions personnelles lui furent consa-

crées après sa mort, comme en 1952 à Paris (gal. Durand-Ruel), en 1958 à Dallas, Texas (M.F.A.) et en 1967 à Brême (Kunsthalle) mais il figura surtout dans de nombreuses manifestations sur l'école de Pont-Aven. En France, Bernard est bien représenté à Paris (Orsay et Louvre), à Montpellier (musée Fabre), à Laval (musée du Vieux Château) et dans les musées des Beaux-Arts de Rennes, de Marseille et de Lille.

BERNHEIM-JEUNE (les), marchands de tableaux.

On trouve la trace de cette famille dès le xviiie s., dans le commerce des articles pour peintres. À Besançon, **Joseph** *(1794-1859)* donne un essor particulier à cette activité. Son fils, **Alexandre** *(1839-1915)*, d'abord installé à Bruxelles, s'établit ensuite à Paris, rue La Fayette, puis rue Laffitte. Son magasin se transforma bientôt en galerie d'art, où Courbet, Corot, Delacroix, les peintres de l'école de Barbizon figurent à l'honneur. La rapide extension de la maison se poursuit sous l'impulsion des deux fils d'Alexandre Bernheim-Jeune : **Josse** *(1870-1941)* et **Gaston** *(1870-1953)*. Résolument tournés vers la peinture « moderne », ils participent à la lutte en faveur de l'Impressionnisme et, avec l'aide de leur collaborateur Félix Fénéon, font connaître deux nouveaux groupes : néo-impressionnistes (Seurat, Cross, Signac) et Nabis (Maurice Denis, Vuillard, Bonnard, Roussel, Sérusier). En 1906, Josse et Gaston transfèrent leur galerie place de la Madeleine et rue Richepanse. C'est là qu'ont lieu des expositions demeurées fameuses, de Van Gogh (1901) à Redon (1917), de Van Dongen (1908) à Renoir (1913), de Cézanne (1907) à Matisse (1913). En 1924, la galerie s'installe définitivement à l'angle du faubourg Saint-Honoré et de l'avenue Matignon. Elle y poursuit toujours sa carrière sous la direction des deux fils de Josse : **Jean** *(1903)* et **Henry** *(1907)* **Dauberville**. Pour mieux défendre les artistes qu'elle soutenait, la galerie Bernheim-Jeune édita, l'une des premières, de nombreux ouvrages d'art (monographies, *Catalogue de l'atelier de Renoir* [1931], *Catalogue raisonné de l'œuvre de Bonnard* [Paris, 1965-1974]), fit graver par Jacques Villon des estampes d'après des tableaux modernes et diffusa, entre la mort de Renoir (déc. 1919) et celle de Monet (déc. 1926), le *Bulletin de la vie artistique*, qui fit réellement autorité dans le monde des artistes et des amateurs.

BERRES Joseph von,
peintre autrichien
(Lemberg 1821 - ?).

Ancien militaire reconverti dans les beaux-arts, il est l'élève de Piloty à Munich et entreprend des voyages en Hongrie, au Caucase et en Orient, d'où il rapporte son goût de la couleur et des scènes de genre : vie des habitants, scènes militaires mêlées d'orientalisme. La Galerie impériale de Vienne possède une œuvre de lui, le *Marché aux chevaux hongrois* (1873).

BERUETE Aureliano de,
peintre espagnol
(Madrid 1845 - id. 1912).

Après des études de droit et une brève carrière politique, Beruete suivit à l'académie San Fernando de Madrid les cours du paysagiste d'origine belge Carlos de Haes. Avec lui, il rénova la conception espagnole du paysage, éliminant le folklore pour une étude des sites et de la lumière, à la recherche de la réalité « physique et métaphysique », dans un esprit proche des intellectuels de « la Generacion del 98 » ; de fréquents voyages en France lui font connaître les impressionnistes et on le classe parfois comme « le plus impressionniste des Espagnols », mais sa technique est surtout influencée par Velázquez. Après avoir peint des paysages de l'Espagne du Nord, il se consacre à la Castille, aux effets du soleil écrasant sur quelques éléments de nature ou d'architecture (*Vue de Madrid*, 1907, Madrid, Prado [Cason], *Ségovie depuis la route de Boceguillas*, New York, Hispanic Society ; *Murailles d'Ávila*, 1909, Madrid, coll.

part.). Collaborateur actif de l'Institution libre d'enseignement fondée en 1877 à Madrid par Francisco Giner de los Rios, il fit aussi œuvre d'historien de l'art avec un livre magistral sur *Velázquez*, premier catalogue de son œuvre, publié en français à Paris (1898). Son fils, **Aureliano de Beruete y Moret** (1876-1922), qui épousa la fille de Dario de Regoyos, fut spécialiste de Goya et directeur du musée du Prado (1918-1922).

BESNARD Albert,
peintre français
(Paris 1849 - id. 1934).

Élève de Brémont, puis de Cabanel, il obtint en 1874 le grand prix de Rome. Après avoir séjourné à Rome et à Londres, il exécuta à Paris pour l'École de pharmacie (1884-1886) une vaste et claire décoration au symbolisme poétique et au coloris discret (la *Cueillette des simples*). Il recherha ensuite dans ses portraits (la *Princesse Mathilde*, 1893, Paris, ministère des Finances) et ses nus (*Femme nue se chauffant*, pastel, Orsay, 1886) des effets plus chaleureux, proches de ceux du XVIIIe s. Directeur de l'Académie de France à Rome (1913), puis de l'École des beaux-arts (1922), il sut adapter la leçon impressionniste à ses décors officiels : suite d'esquisses pour la décoration du vestibule de l'École de pharmacie à Paris (Orsay), l'*Île heureuse* du musée des Arts décoratifs (1909), les plafonds du Petit Palais (Paris, 1907-1910), du Théâtre-Français (le *Char d'Apollon et les Heures*, 1890) ou de l'Hôtel de Ville de Paris (1905-1913, *La Vérité, entraînant les Sciences à sa suite, répand la lumière sur les hommes*) illustrent sa poursuite sensuelle des jeux de couleurs et de reflets. Besnard s'attacha cependant à évoquer, dans certaines de ses compositions, des idées philosophiques et des mythes scientifiques (la *Vie renaissant de la Mort*, 1896, Paris, Sorbonne, amphithéâtre de Chimie). Ses œuvres orientales évoquent ses voyages en Algérie et aux Indes (*Femmes de Madura à la fontaine*, musée de Douai ; *Marchand de fruit à Madura*, Orsay). Il fut, en outre, un excellent graveur.

Albert Besnard
L'Île heureuse, 1909
(détail)
Paris, musée des Arts décoratifs

BLAKELOCK Ralph Albert,
peintre américain
(New York 1847 - id. 1919).

Élève de l'Académie de New York (1864-1866), où il étudie l'art et la musique, Blakelock est un artiste singulier qui s'est beaucoup penché sur la vie des Indiens à l'occasion d'un voyage dans l'ouest des États-Unis entre 1869 et 1872 (*Indiens en campement*, New York, Brooklyn Museum). Ses scènes de prédilection sont les paysages aux éclairages souvent irréels dans lesquels il expérimente une technique particulièrement fragile où vernis et bitume sont mélangés aux pigments de la couleur (*Paysage du Nouveau-Mexique*, 1869, États-Unis, coll. part.). Lors du centenaire de l'artiste en 1947, une exposition de ses œuvres eut lieu à New York au Whitney Museum of American Art.

BLANCHE Jacques-Émile,
peintre français
(Paris 1861 - id. 1942).

Fils du célèbre aliéniste Antoine Blanche, cet artiste raffiné et cultivé menait une vie très mondaine à Londres et à Paris, où il fut le portraitiste du milieu intellectuel et artistique (*Portrait du peintre Thaulow et de sa famille*, 1895, Paris, Orsay). Ses portraits de groupes sont une source iconographique précieuse (la *Panne*, 1906, musée de Lyon).

Cherchant surtout à exprimer dans ses toiles la psychologie de ses modèles (*Portrait d'Anna de Noailles*, 1912, musée de Rouen), il négligeait un peu le dessin et le coloris et se contentait parfois, avec désinvolture, de simples études (*Portrait de Stéphane Mallarmé*, 1889, *id.*). Jacques-Émile Blanche donna au musée de Rouen une centaine de ses œuvres : portraits d'*André Gide* (1912), de *Paul Valéry* (1923), le *Groupe des Six* (1924), le *Café maure de l'Exposition universelle* (1900). Les paysages verdoyants, les champs de courses, les vues de ports qu'il peignit en Angleterre ou en Normandie souffrent plus de sa facilité (l'*Arrivée du hareng à Dieppe*, 1934, musée de Rouen). Blanche fut aussi un remarquable critique d'art, émettant dans ses *Propos de peintre* (1919-1928), préfacés par Marcel Proust, des jugements équitables, finement perspicaces, souvent caustiques, sur ses contemporains.

BLAU-LANG Tina,
peintre autrichien
(Vienne 1845 - id. 1937).

Elle fit ses études à Vienne, puis, de 1869 à 1873, à Munich. De retour à Vienne, elle entretint pendant des années d'étroites relations avec Schindler, qui l'impressionna vivement, mais, consciente de ses limites, elle donna à ses paysages plus de calme et de simplicité. Ses tableaux du Prater, par exemple sa grande composition du *Printemps au Prater* (1882, Vienne, Osterr. Gal.), intime malgré son format, ne tendent qu'à exprimer la simple réalité, sans recherche d'interprétation ou de transfiguration. Tina Blau a beaucoup travaillé au cours de ses voyages en Hollande, en Hongrie ou dans les Alpes, ainsi qu'à Paris. Ses deux *Vues des Tuileries (id.)* s'inspirent par leur technique rapide de l'Impressionnisme. En 1883, après avoir épousé le peintre d'animaux et de batailles Heinrich Lang, Tina Blau s'installa de nouveau à Munich, qu'elle quittera après la mort de son mari pour rentrer à Vienne de 1891 jusqu'à sa mort. Depuis 1981, de nombreuses toiles et aquarelles ont été régulièrement vendues chez Sotheby's.

BOCH Anna,
peintre belge
(La Louvière, Saint-Vaast, 1848 - Bruxelles 1933).

Elle est la sœur d'Eugène Boch et la cousine d'Octave Maus. Élève d'Isidore Verheyden, c'est à son contact qu'Anna est sensibilisée à la peinture en plein air. Sa rencontre avec Van Rysselberghe, grâce à qui elle découvre les jeunes avant-gardistes belges, détermine son adhésion à l'Impressionnisme autochtone. Elle abandonne les couleurs sombres de ses débuts pour d'autres plus lumineuses. En 1885, l'artiste adhère au groupe des Vingt (c'est lors de l'une de ses expositions qu'elle achète le seul tableau que Van Gogh ait vendu de son vivant : la *Vigne rouge*). Comme son cousin, elle s'intéresse à tous les arts et organise des « lundis musicaux » où se rencontrent les membres des Vingt, des musiciens et des compositeurs. C'est pendant cette période qu'elle fait de nombreux voyages dans le sud de la France, en Italie et dans d'autres pays méditerranéens. Au moment de l'engouement pour le Néo-Impressionnisme de Seurat (1889-90), Anna fragmente sa touche pour accroître le luminisme de ses œuvres mais n'adopte pas pour autant la précision scientifique du Divisionnisme. Ses œuvres témoignent d'un Impressionnisme original (*Dunes au soleil*, v. 1903, musée d'Ixelles ; *Côtes de Bretagne*, 1901, Bruxelles, M.R.B.A.). Son art s'inscrit cependant dans le sillage de Monet. En 1904, elle adhère au nouveau cercle de « Vie et lumière », ses sujets sont souvent des intérieurs ornés de fleurs où dominent le rose et le violet, ses touches se divisent en virgules. Anna Boch est également connue pour son activité de céramiste.

BOGGS Frank Myers,
peintre et graveur français
d'origine américaine
(Springfield, Ohio, 1855 - Meudon 1926).

Venu très jeune en France, il étudie dans l'atelier de Gérôme. Après avoir fait alterner séjours en France et à New York avec de très nombreux voyages dans les pays méditerranéens ou flamands, il finit par s'installer définitivement dans la région parisienne et prend la nationalité française en 1923. Habile dessinateur, aquarelliste, il est avant tout peintre de paysages dans la tradition de Boudin et de Jongkind : villes de Normandie, marines, ponts de Paris, vues de Hollande ou d'Algérie sont ses sujets de prédilection (la *Houle à Honfleur*, 1885, Boston, M.F.A.). Il est aussi l'auteur d'une trentaine d'eaux-fortes, qu'il n'a fait connaître qu'en 1921.

Il est représenté dans les musées de Nantes, de Nîmes, à Paris (musée Carnavalet) et à Boston (M.F.A.).

BOLDINI Giovanni,
peintre italien
(Ferrare 1842 - Paris 1931).

Il travaille d'abord à Ferrare sous la direction de son père, peintre et restaurateur. Puis, installé à Florence à partir de 1862, il entre en contact avec le groupe des Macchiaioli, dont il subit l'influence (les *Sœurs Laskaraki*, 1867, Ferrare, musée Boldini ; peintures murales de la villa La Falconiera, 1868-v. 1870). Le choix habile des sujets, une facture brillante et minutieuse, une touche onctueuse et ardente ont concouru au vif succès qu'il connut surtout au cours de ses séjours à Londres et à Paris (1869-1871), consacrant sa vocation mondaine. Fixé définitivement à Paris en 1872, il se mêle au cercle des peintres qui fréquentent le Salon et des marchands de tableaux comme Goupil. Il traduit dans un style élégant et fort goûté du public l'intérêt nouveau que suscite la vie contemporaine. À cette époque, il peint de nombreuses vues de Paris (*Place Clichy*, 1874, Valdagno, coll. Marzotto) et commence la célèbre série de ses portraits parisiens (*Gabrielle de Rasty*, 1878, Florence, coll. part.). Son coup de pinceau, plus libre et plus nerveux, annonce son style définitif, cette manière fiévreuse et elliptique qui s'épanouira pleinement v. 1886, au moment où il est devenu lui-même une personnalité célèbre du monde pari-

Giovanni Boldini
Portrait de Whistler, 1897
Brooklyn, musée des Beaux-Arts

sien, si brillamment illustré par ses amis Helleu et Sem. Au cours des décennies suivantes, les plus prestigieuses personnalités du Paris de la fin du siècle (*Comte Robert de Montesquieu*, 1897, Paris, Orsay) posent devant lui et se multiplie une production où éclatent tour à tour le brio le plus facile et le plus piquant ainsi que les effets chromatiques les plus raffinés (*Portrait de Mme Lanthelme*, 1907, Rome, G.A.M.). Le musée Boldini de Ferrare et la coll. Boldini de Pistoia conservent d'importants ensembles d'œuvres de l'artiste. Une exposition de ses dessins parisiens a eu lieu au musée Carnavalet (1982) et de ses œuvres au musée Marmottan (1991).

BONHEUR Rosalie, dite Rosa,
peintre et sculpteur français
(Bordeaux 1822 - By, Seine-et-Marne, 1899).

Peintre et sculpteur animalier, élève de son père puis de Léon Cogniet, Rosa Bonheur se révèle au Salon de 1841 par une facture indépendante et personnelle. Dès 1848, l'État lui commande le *Labourage nivernais* pour le musée de Lyon (auj. au musée d'Orsay), où, à l'exemple des grands réalistes (Courbet et Millet), elle allie un sens aigu de l'observation à un traitement romantique de la lumière. Sa passion pour la vie animale (le *Repos du cerf*, 1863, Detroit, Institute of Arts ; la *Fenaison*, 1855, musée de Fontainebleau) la mène à une réputation internationale lorsque, en 1858, on expose en Angleterre et aux États-Unis le *Marché aux chevaux* (1853, New York, Metropolitan Museum). Ses œuvres se trouvent dans les musées d'Amsterdam, de Leningrad, de Hambourg, de Londres et aux musées de Blois, de Bordeaux, de Lille et de Bourg-en-Bresse ; ce dernier organisa en 1954 une rétrospective de l'artiste.

BONNARD Pierre,
peintre français
(Fontenay-aux-Roses 1867 - Le Cannet 1947).

Issu d'une famille aisée de la bourgeoisie, Bonnard commence très jeune à peindre, dans un style proche de celui de Corot, des paysages du Dauphiné (où son père possédait une maison au village du Grand-Lemps). Après d'excellentes études secondaires, puis supérieures, il se destine à la carrière administrative. En même temps, il s'inscrit en 1887 à l'Académie Julian. Il y fait la connaissance de Maurice Denis et de Paul Ranson, avec qui il formera en 1889, sous l'influence de Paul Sérusier (revenu de Pont-Aven et converti au Synthétisme), le groupe des Nabis, auquel se joindront Vallotton, Vuillard et Maillol, tous présentés comme les « élèves de Gauguin » (M. Denis). Avec eux, il expose au Salon des indépendants à partir de 1891 et chez le Barc de Boutteville. Durand-Ruel lui consacre

une exposition particulière en 1896.

Bien que Bonnard ait été souvent considéré comme le plus brillant des continuateurs de l'Impressionnisme, ses œuvres de jeunesse prouvent qu'il connaissait alors mal la peinture de Monet et de Renoir ; il était marqué au contraire par le climat résolument hostile à l'Impressionnisme qui caractérise la jeune peinture parisienne des années 1890. Il semble également avoir toujours été réservé à l'égard de Gauguin et des milieux symbolistes, et beaucoup trop ironique et modeste pour partager les préoccupations sentimentales et vaguement mystiques des Nabis. Les influences qu'il reçoit à cette époque sont pourtant décisives et persisteront à travers toute son œuvre. Comme tous les « élèves de Gauguin », il « simplifie la ligne et exalte la couleur » (à tel point qu'un critique, à l'occasion de sa première exposition, parle de « tachisme violent »), utilise celle-ci de façon souvent arbitraire et sans se préoccuper de ses rapports avec la lumière, préfère l'arabesque au modelé, néglige délibérément la perspective, resserre la composition et tend à amener l'ensemble des plans à la surface du tableau. Il pratique volontiers la déformation expressive et caricaturale, et surtout il néglige la représentation de la réalité, qu'il interprète d'une façon décorative, souvent capricieuse et humoristique. Bonnard est avant tout un décorateur (« Toute ma vie, dira-t-il en 1943 à •Georges Besson, j'ai flotté entre l'intimisme et la décoration »), et c'est à travers la liberté, la fantaisie et l'irréalisme que permet la décoration qu'il élabore son style personnel. Il se plaira longtemps à exécuter des panneaux décoratifs (*Femmes au jardin*, 1891, Paris, Orsay ; les deux *Place Clichy*, 1912 et 1928, Besançon, musée des Beaux-Arts), et ses premiers chefs-d'œuvre sont des lithographies en couleurs (*Quelques aspects de la vie de Paris*, publiés par Vollard en 1899), des paravents, des illustrations pour des livres (*Daphnis et Chloé*, 1902 ; les *Histoires naturelles* de Jules Renard, 1904), des affiches (*France-Champagne*, 1891 ; la *Revue blanche*, 1894). Dans cette partie de

Pierre Bonnard
La Tarte aux cerises, 1908
106 × 126 cm
collection particulière

son œuvre, Bonnard se souvient des estampes japonaises (ses amis l'avaient surnommé le « Nabi très japonard »), auxquelles il doit son goût pour certains motifs décoratifs (ramage d'une étoffe, carreaux d'une nappe : la *Partie de croquet*, 1892, Paris, Orsay ; la *Nappe à carreaux rouges*, 1910, Berne, coll. Hahnloser), pour les perspectives plongeantes et les découpages imprévus (la *Loge*, 1908, Paris, coll. Bernheim-Jeune). Il exprime ainsi autour de 1900 le pittoresque de la vie quotidienne dans de nombreuses scènes et paysages

parisiens que l'on a souvent décrits comme « verlainiens » et qui, beaucoup moins larges et colorés que les tableaux impressionnistes de même sujet, sont remarquables par leur mélange de cocasserie et de mélancolie, leur souci de réduire la scène à une sorte de décor intime et familier (le *Cheval de fiacre*, 1895, États-Unis, coll. part.). Cet intimisme se retrouve dans les scènes d'intérieur, qui évoquent avec la plus subtile poésie les plaisirs et les rêveries de la vie domestique (*Jeune Femme à la lampe*, 1900, Berne, K.M.), et dans les nus, genre qu'il aborde autour de 1900, peut-être sous l'influence de Degas, et dont il ne cessera pas, jusqu'en 1938, d'explorer toutes les possibilités. Les premiers nus, sombres et d'une atmosphère assez « fin de siècle » (l'*Indolente*, 1899, Paris, Orsay), font place, vers 1910, à des « nus à la toilette » plus clairs, plus largement traités sans aucune intention sensuelle, qui évoquent avec la plus spirituelle négligence le décor de l'intimité féminine (le *Nu à contre-jour*, 1908, Bruxelles, M.R.B.A.), et lorsque, entre les deux guerres, les baignoires remplaceront les cuvettes et les pots à eau évocateurs d'une hygiène assez rudimentaire, ce sera l'extraordinaire série des « nus au bain », peut-être les chefs-d'œuvre de Bonnard, dont la vision est la plus sensible à l'inépuisable variété des reflets, des passages et des accidents que la lumière introduit dans la couleur (*Nu dans la baignoire*, M.A.M. de la Ville de Paris).

C'est en effet dans le thème du « nu » que Bonnard a trouvé l'occasion de modifier son attitude à l'égard de la réalité. On le voit progressivement découvrir le modelé, réintroduire la perspective et les plans en profondeur à travers tout un système de reflets et de miroirs d'une extraordinaire ingéniosité (la *Glace du cabinet de toilette*, 1908, Moscou, musée Pouchkine), élargir la scène, éclaircir sa palette, faire circuler l'air autour des corps et des objets, abandonner le point de vue strictement coloriste qui était le sien et retrouver la lumière impressionniste. En 1912, il a acheté une petite maison, « Ma Roulotte », à Vernon, où il a souvent l'occasion de voir Monet, qui habite à Giverny, et le paysage fait son entrée dans son œuvre : d'abord prudemment, à travers une fenêtre, puis plus largement – bien que Bonnard ait toujours préféré l'univers clos du jardin aux vastes horizons – pour s'épanouir en de grandes compositions conçues un peu à la manière d'une tapisserie, mais d'une splendeur lyrique et décorative inégalée (la *Terrasse de Vernon*, v. 1930, Düsseldorf, K.N.W.).

Comme la plupart de ses contemporains, Bonnard traverse une époque de crise et d'incertitude entre 1914 et les années d'après-guerre. Crise d'autant plus forte qu'il a été victime du climat intellectuel créé par le Cubisme dans la peinture européenne. C'est au moment où Bonnard a rejoint l'Impressionnisme que celui-ci est dénoncé par les tenants de la logique et de la géométrie constructive comme le symbole même de la décadence sensualiste et de l'abandon à l'illusion fugitive du sentiment. Bonnard se préoccupe alors d'ordonner la dispersion lumineuse de ses toiles autour d'une solide armature de plans obliques et contrariés, comme le montre le motif de la porte-fenêtre qui apparaît dès 1913 dans la *Salle à manger de campagne* (Minneapolis, Inst. of Arts). Au lendemain de la guerre, cette crise est surmontée, comme le prouve une série de toiles exécutées autour de 1925 : la *Table* et le *Bain* (Londres, Tate Gal.), la *Salle à manger* (Copenhague, N.C.G.), qui résument l'essentiel de son art. Bonnard se limite désormais à quelques thèmes : scènes de jardin, déjeuners, marines et de très nombreuses natures mortes, genre où il excelle. Depuis 1925, il réside dans le Midi, où il a acheté une maison au Cannet, mais il serait fort imprudent d'attribuer à l'influence de la lumière méridionale, qu'il n'a jamais beaucoup aimée, l'évolution qui se manifeste dans les œuvres de ses quinze dernières années. Les toiles des années 1930-1940 sont en général remarquables par leur intention monumentale, le caractère beaucoup plus libre de la composition, la richesse et la complexité, l'étrangeté parfois de leur coloris (*Nu devant la glace*, 1933, Venise, G.A.M. Ca' Pesaro ; l'*Intérieur blanc* [*id.*], Grenoble, musée de Peinture et de Sculpture). La vision de la nature devient chez Bonnard d'un lyrisme presque désordonné (le *Jardin*, ville de Paris, M.A.M.), parfois extatique (*Méditerranée*, gouache, 1941-1944, Louvre, Cabinet des dessins), mais il convient d'écarter peut-être l'idée d'une « dernière manière » de Bonnard, dans la mesure où la plupart des toiles de 1940-1947, qui se trouvaient dans son atelier au moment de sa mort, étaient dans un état d'inachèvement qui ne permet pas de juger des intentions du peintre. De nombreuses expositions rétrospectives lui furent consacrées : parmi les plus importantes, on peut citer celles de Copenhague (N.C.G.) en 1947, de

Bâle (Kunsthalle) en 1955, de New York (M.O.M.A.) en 1964, de Paris (Orangerie) en 1967 et du M.N.A.M. de Paris en 1984. Les œuvres de Bonnard figurent dans de nombreux musées de Suisse, d'Allemagne, de Grande-Bretagne, de Belgique, du Danemark, mais aussi d'U.R.S.S. et des États-Unis. En France, il est bien représenté à Paris (Orsay ; Louvre ; Petit Palais ; M.A.M.), à Besançon (musée des Beaux-Arts), à Grenoble (musée de Peinture et de Sculpture), à Nancy (musée des Beaux-Arts) et au musée de Bagnols-sur-Cèze.

BORISSOV-MOUSSATOV
Victor Elpidiforovitch,
peintre russe
(Saratov 1870 - id. 1905).

Après avoir terminé ses études à l'École de peinture, de sculpture et d'architecture de Moscou, il séjourna à Paris de 1895 à 1898 et fréquenta l'atelier de Cormon. Il fut fortement marqué par l'Impressionnisme, qu'il interpréta d'une façon particulière en s'inspirant des harmonies du folklore méridional russe. Son goût pour la solitude mélancolique imprégna ses toiles d'une tristesse que renforce la délicatesse des couleurs, particulièrement remarquable dans la *Pièce d'eau* (1902, Moscou, Gal. Tretiakov) et *Requiem* (1905, *id.*). Le musée de Saint-Pétersbourg possède des portraits en plein air au chromatisme proche de celui de Puvis de Chavannes.

BORRANI Odoardo,
peintre italien
(Pise 1832 - Florence 1905).

Élève de Pollastrini et de Bianchi à l'Académie de Florence, il participe avec ce dernier à la restauration des fresques du cloître et de la basilique de Santa Maria Novella (1850). Adhérant au groupe des Macchiaioli dès 1853, il fait partie, avec Lega, Signorini et Abbati, des paysagistes dits « de Pergentina » (faubourg de Florence que ces peintres avaient l'habitude de fréquenter). Après un séjour à Montelupo en 1861, puis à Casti-

glioncello en 1862, chez Diego Martelli, en compagnie de ses amis (*Meules à Castiglioncello,* Montecatini Terme, coll. P. Dini), il ouvre avec Lega en 1876 une galerie de peinture à Florence et partage désormais son temps entre Rome et Rimini. Dessinateur, il travaille également pour *L'Illustrazione italiana* et la manufacture de faïences de Doccia. Les G.A.M. de Rome et de Florence conservent ses petits paysages, exécutés en plein air, remarquables par leurs effets de lumière finement observés et leur liberté d'interprétation (*Hauteurs,* Florence, G.A.M. ; *Rimini, La Marecchia, id. ; le Mugnone,* Rome, G.A.M.). Il a peint également des tableaux historiques et des scènes de genre beaucoup moins proches du style tachiste et plus académiques (le *26 Avril 1859,* Milan, coll. part., l'*Analphabète,* Montecatini Terme, coll. P. Dini). Borrani a figuré dans quelques expositions collectives sur les Macchiaioli, comme à Rome (G.A.M.) en 1956, à Florence (palais Strozzi) en 1971-1973 et à Paris (Grand Palais) en 1978-79.

BOUDIN Eugène,
peintre français
(Honfleur 1824 - Deauville 1898).

Fils de marin, il ouvre à vingt ans, au Havre, une boutique de papeterie dont la vitrine s'agrémente de peintures déposées par des artistes de passage. C'est ainsi qu'il connaît Isabey, Troyon, Couture et Millet, qui l'encouragent de leurs conseils. En effet, depuis l'enfance, Boudin cherchait à traduire l'univers qui l'entourait, les flots, les ciels nuageux, les navires. Il abandonne alors le commerce et se consacre à l'art. Venu à Paris en 1847, il découvre ses maîtres d'élection au Louvre, où il copie les paysagistes flamands et hollandais. Deux toiles envoyées à l'exposition des Amis des arts du Havre en 1850 le font remarquer, et il bénéficie pendant trois ans d'une pension offerte par la ville, années employées à un labeur solitaire, soit à Paris, soit plus souvent encore au Havre ou à Honfleur, à la ferme Saint-Siméon, où il retrouve les peintres connus autrefois et se livre à sa véritable vocation, peindre en plein air.

En 1858 se place l'événement capital de sa rencontre avec Monet, alors âgé de dix-sept ans. Monet n'oubliera jamais sa dette envers cet aîné qui, l'entraînant sur le motif, l'a éveillé au sentiment d'une nature mobile. Nouvelle rencontre heureuse, l'été suivant, avec Courbet et la naissance entre eux d'une amitié sans démenti. Ensemble, ils font la connaissance de Baudelaire ; le poète, enthousiasmé par ce que lui montre Boudin, plus particulièrement par ses études de nuages au pastel (musée de Honfleur), ne cessera de le louer. En 1859, Boudin paraît au Salon avec le *Pardon de Sainte-Anne* (musée du Havre) ; il y figurera chaque année à partir de 1863. Installé l'hiver à Paris depuis 1861, il collabore avec Troyon, pour qui il peint des ciels, et entre en relation avec Corot et Daubigny ; mais, dès les beaux jours, il fuit la capitale à la recherche d'espace et d'air marin. À Trouville, en 1862, Monet le présente à Jongkind, lui aussi élève d'Isabey, dont la sensibilité est si proche de la sienne avec cependant des hardiesses que Boudin ne connaît pas ; celui-ci gagnera à ce contact de se libérer de sa timidité. Après une vente publique de ses œuvres en 1868, ses années de misère sont terminées ; Boudin ne cesse alors de voyager, parcourant Normandie, Bretagne, Hollande, nord et midi de la France, allant jusqu'à Venise. Grâce à ce vagabondage, il évite de scléroser une inspiration puisée aux mêmes sources. Ses nombreuses vues d'un même port, Le Havre, Trouville, Bordeaux, Anvers, ses scènes de plage, ses lavandières et ses troupeaux sont plus les variations d'un thème que des redites. Il ne faut donc pas s'étonner que les impressionnistes aient convié ce précurseur à participer à la première exposition de leur groupe en 1874. Durand-Ruel, en 1881, se réserve sa production et organise pour lui plusieurs expositions à Paris et à Boston. Désormais, Boudin est un peintre consacré. Il s'éteint en 1898, laissant un fonds d'atelier considérable : peintures préférées, innombrables études et

Eugène Boudin
*Dame en blanc
sur la plage de Trouville,
1869*
32 × 49 cm
Le Havre, musée des
Beaux-Arts
André-Malraux

pochades. Le Louvre (cabinet des Dessins) en a hérité la majeure partie, plus de 6 000 numéros ; le reste fut distribué entre les musées du Havre et de Honfleur. C'est dans ces œuvres spontanées que réside souvent le meilleur de Boudin, plus que dans des ouvrages poussés, parfois trop minutieux, car, s'il fut sensible à l'enseignement des maîtres anciens, aux conseils d'Isabey, de Troyon, à l'exemple de Jongkind, de Corot, de Daubigny, à la leçon, en retour, de Monet, il se fia surtout à son instinct, à sa vision aiguë et rapide. Interprète des mouvances : eaux, nuées, subtilités de l'atmosphère, remous de la foule, Boudin, par ce don, fixant l'insaisissable, a préparé en précurseur indépendant et acharné le chemin de l'Impressionnisme.

BOUGIVAL.

Situé sur la rive gauche de la Seine, à 17 km env. de Paris, Bougival et ses alentours ont fourni aux impressionnistes une source d'inspiration inépuisable. Pissarro et Sisley (qui réside rue Princesse de 1872 à 1877) ont su traduire le caractère de plus en plus industrialisé de la Seine à cet endroit (*Bateaux à l'écluse*, la *Seine à Bougival*, Paris, Orsay) en appliquant l'esthétique nouvelle du paysage impressionniste définie par Monet et Renoir durant l'été 1869 dans une importante série de vues de la Seine (le *Pont de Bougival*, Manchester, The Currier Gal. of Art). Parmi les artistes qui ont fait la gloire de Bougival, citons également Turner, Millet, Corot, Bizet et Berthe Morisot.

BOULENGER Hippolyte,
peintre belge
(Tournai 1837 - Bruxelles 1874).

Durant son adolescence, il passa trois ans à Paris (1850-1853) et, orphelin à seize ans, se plaça à Bruxelles (1853) chez un ornemaniste, fréquentant le soir l'Académie dans la classe de paysage de Quinaux. De 1857 à 1862, il exécute divers travaux, peint quelques paysages et des portraits. Son art s'affirme en 1863-64 : il peint et dessine dans les environs de Bruxelles (Auderghem, Uccle, Schaerbeek, Vleurgat) et à Tervueren, et se lie avec Camille Van Camp, qui lui apportera son soutien. Installé à Tervueren en 1864, il devint le chef de file du groupe d'artistes qui y travailla. Atteint d'une maladie nerveuse alors incurable, il se soigne à Vichy à la fin de 1867 et revient en Belgique par Paris, où il peut voir des tableaux de Corot et de Rousseau. Sa conception de l'étude de plein air fait transition entre le Romantisme, auquel le rattache un vif sentiment de communion avec la nature, le Réalisme, dont il partage l'objectivité et un rendu vigoureux (le *Cheval*, 1869, coll. part. ; *Vue de Dinant*, 1870, Bruxelles, M.R.B.A.), et l'Impressionnisme, qu'il rejoint par un intérêt plus vif pour la lumière et la liberté de l'exécution (la *Mare aux cochons*, v. 1867-68, *id.* ; la *Vallée de Josaphat à Schaerbeek*, 1868, musée d'Anvers). En 1870 et 1872, il peignit l'été sur les bords de la Meuse (les *Rochers de Falmignoul*, 1872, Lokeren, coll. part.). L'année 1871 fut particulièrement féconde, qui vit la création de la célèbre *Allée des charmes à Tervueren* (Bruxelles, M.R.B.A.). En 1872, son mal s'aggrava et mit fin à une carrière qui couvrait seulement une dizaine d'années. Boulenger a laissé aussi de beaux dessins et des aquarelles *(id.)*. Il est bien représenté dans les musées belges, surtout à Anvers et Bruxelles, ainsi qu'à Gand, Tournai, Liège, Verviers. Des expositions (Cologne, Zurich en 1990 et Ixelles la même année) ont inclus des toiles de Boulenger après celle très copieuse de Gand en 1980 (« Het Land-schap in de Belgische Kunst 1830-1914 »).

BRACQUEMOND Félix,
peintre et graveur français
(Paris 1833 - id. 1914).

Découvert, alors qu'il était écuyer, par le peintre Guichard, il reçut de lui ses premières leçons, mais il garda un esprit indépendant et, tout en reflétant les tendances de son temps, un faire original. Il débuta par des portraits (*Portrait de Mme Paul Meurice*, 1866, Louvre) qui retinrent l'attention de la critique moderne : Th. Gautier, Baudelaire. Il fut aussi un peintre attachant de paysages à l'huile et à l'aquarelle (Louvre, cabinet des Dessins), qui très tôt l'ont apparenté aux impressionnistes. Mais c'est

dans la gravure qu'il atteignit le sommet de son art. Travaillant seul d'après Boissieu, Jacques et Bléry, il affirma vite son autorité. Le *Haut d'un battant de porte* (1852), le *Portrait de Meryon* (1854), son ami, comptent parmi les planches les plus justement célèbres du XIXe s. Il participa avec Théophile Gautier et Baudelaire à la fondation de la Société des aquafortistes (1862). C'est en s'inspirant de lui et sur son conseil que les plus grands graveurs ont œuvré.

BRACQUEMOND Marie,
peintre français
(Argenton 1840 - Sèvres 1916).

Longtemps laissée dans l'ombre de son mari, le graveur et peintre Félix Bracquemond, Marie débute dans l'atelier d'Ingres et expose pour la première fois au Salon de 1874. Très liée avec Manet et les Sisley, elle est confrontée dès 1880 à la technique impressionniste, qu'elle adopte et traduit d'une manière personnelle, délicate et souvent sentimentale (les *Trois Grâces*, 1880, mairie de Chemillé ; le *Goûter*, Paris, musée du Petit Palais).

Ses œuvres, largement dispersées dans les collections particulières, ont été rassemblées lors d'une rétrospective Félix et Marie Bracquemond à Chartres en 1972.

BRAEKELEER Henri de,
peintre belge
(Anvers 1840 - id. 1888).

Fils de Ferdinand de Braekeleer le Vieux, il fut d'abord l'élève de son père puis suivit de 1854 à 1861 les cours de l'Académie d'Anvers, où il se lia avec Jan Stobbaerts. Neveu d'Henri Leys, il subit son influence et commença sa carrière en réaliste, peignant des toiles sombres, témoignant d'une scrupuleuse observation (la *Blanchisseuse*, Anvers, M.R.B.A.). Peu à peu, sous l'influence à la fois d'Holbein et de Metsys, il s'intéressa à un certain archaïsme comme à la conception de la réalité du XVIIe s. (*Portrait d'Hélène, sœur de l'artiste*, 1863, Knokke-le-Zoute, coll. part.). Cette tendance se confirma à la suite

Marie Bracquemond
Sur la terrasse à Sèvres, 1880
88 × 115 cm
Genève, musée du Petit Palais

de voyages en Allemagne (1863-64) et en Hollande (1863), où Braekeleer fut frappé par Pieter de Hooch et Vermeer. Il s'attacha dès lors, dans une technique méticuleuse, à rendre l'atmosphère des chambres silencieuses, que leur décor suranné, leurs objets familiers saturent de présence excessive autour d'un personnage généralement seul (le *Géographe*, 1871, Bruxelles, M.R.B.A.) ou que la grille des fenêtres défend contre les sollicitations du dehors, bien plus que celles-ci n'en favorisent l'accès (l'*Homme à la fenêtre*, 1876, Anvers, M.R.B.A.). Cette vision de la solitude annonce l'art des Symbolistes.

Atteint de troubles mentaux, il cesse de peindre entre 1880 et 1884. À la fin de sa carrière, Braekeleer donne plus d'importance à l'étude de la lumière, sous l'in-fluence de l'Impressionnisme (*Femme du peuple*, v. 1887, Bruxelles, M.R.B.A.). Il est bien représenté à Anvers ainsi qu'à Bruxelles, à Gand, à Tournai et à Verviers.

BRAME (les),
marchands d'art français.

Le nom de Brame est lié, depuis plus d'un siècle, au commerce de tableaux parisiens. Le fondateur de cette dynastie de marchands, **Hector-Henri-Clément** *(Lille 1831 - Paris 1899)*, s'installa à Paris au milieu du xixe s. Avant de se livrer au commerce d'art, il avait eu une remarquable collection (objets d'art, tapisseries). Entré à la Comédie-Française sous le pseudonyme de « de Lille », il est surtout connu pour avoir été le marchand de Corot (il posa même pour celui-ci en hallebardier), des peintres de Barbizon, Rousseau et Millet en particulier, ainsi que d'artistes comme Carolus-Duran et Regnault (la célèbre *Salomé* du Metropolitan Museum fut un moment entre ses mains). Il fut également en relations avec

Jongkind, Boudin et Degas, dont son fils **Hector-Gustave** *(1866-1936)* fut le marchand attitré. Le fils de ce dernier, **Paul-Louis** *(Paris 1898 - id. 1971)*, reprit la galerie dans une même optique, poursuivie par son fils, **Philippe Brame** *(Neuilly-sur-Seine 1928)*.

BRANGWYN Frank,
peintre et graveur britannique
d'origine belge
(Bruges 1867 - Ditchling, Sussex, 1956).

Installé à Londres dès 1877, il fit ses études à la South Kensington Art School et travailla quelque temps avec William Morris. Il atteignit rapidement une célébrité officielle par ses œuvres inspirées de l'Orient, où il voyagea. Son *Marché sur la plage* (Orsay), acquis au Salon de 1895 pour le musée du Luxembourg, est, par son pittoresque coloré, caractéristique de sa nouvelle manière, les tonalités discrètes, fréquentes dans les marines et paysages antérieurs, disparaissant alors. Il fit de grandes décorations, particulièrement pour la Chambre des lords à Westminster, sur le thème de l'Empire britannique. En 1936, il donna à Bruges, sa ville natale, 450 œuvres – peintures, aquarelles et gravures –, qui sont conservées au Brangwynmuseum.

L'exposition « The Old Matsukata Collection » (Kobé, City Museum, 1989) a réuni plus d'une vingtaine de toiles du peintre ainsi que des gravures et des affiches.

BRASS Italico,
peintre, collectionneur
et marchand d'art italien
(Gorizia 1870 - Venise 1943).

Quittant sa ville natale, alors possession autrichienne, il s'installa définitivement à Venise en 1896. Formé dans les Académies de Munich et de Paris, il assimila les leçons de l'Impressionnisme et peignit des scènes de la vie quotidienne à Venise, dans la tonalité du XVIIIᵉ s. vénitien. Sa collection, dont il vendit petit à petit des éléments, comprenait la *Cène à Emmaüs* de Piazzetta et *Minerve* de B. Strozzi (ces tableaux auj.

au musée de Cleveland), l'*Extase de saint François* par Palma Vecchio et *Saint Christophe* de Piazzetta (auj. au Metropolitan Museum), ainsi que des œuvres de Traversi, de Longhi, de Tiepolo, de Canaletto et d'autres maîtres du XVIIᵉ et XVIIIᵉ s. vénitiens. Une partie de la coll. Brass, notamment un bel ensemble de peintures de G.A. Pellegrini, appartient à ses héritiers à Venise.

BRAUN Maurice,
peintre américain
(1877 - 1941).

Élève de l'Art Students' League de New York, Braun adopte très tôt la technique impressionniste de son maître William Chase (1849-1916) et applique sur la toile, à coups de pinceau rapides, des couleurs éclatantes. Après un voyage en Europe pour parfaire son éducation artistique, il se fixe à San Diego en 1909 et devient alors l'un des plus brillants paysagistes de sa génération (*Ferme dans une vallée de Californie*, v. 1920, coll. part.).

BREITNER Georg Hendrik,
peintre néerlandais
(Rotterdam 1857 - Aerdenhout 1923).

Il pratique de bonne heure avec aisance le dessin et l'aquarelle (v. 1872, Amsterdam, cabinet des Estampes), se plaisant à représenter des chevaux et des scènes militaires (cavaliers et artilleurs), tendance qu'il affirmera encore à La Haye, où il se rend pour suivre (1876-1879) les cours de l'Académie (le *Trompette des hussards jaunes*, v. 1886, Utrecht, Van Baaren Museum). Il entre en contact avec les peintres de l'école de La Haye, travaille en 1880 avec Willem Maris et collabore au *Panorama de Scheveningen* d'Hendrik Mesdag. Dès cette période, Breitner veut être le témoin de son temps, volonté favorisée par ses lectures (Zola, Flaubert, *Manette Salomon* des Goncourt) ; en 1882-83, il rencontre Van Gogh et est peut-être influencé par lui dans le choix de certains thèmes réalistes et sociaux (scènes paysannes inspirées de Millet exécutées

Georg Breitner
*Jeune Femme
en kimono, v. 1893*
Amsterdam, Rijksmuseum

dans la Drenthe en 1883 et 1885). Un séjour à Paris (mai-nov. 1884), où il fréquente l'atelier de Cormon, ne semble pas l'avoir beaucoup marqué. Plus que celles des impressionnistes, il apprécie les œuvres de Courbet, de Millet, de Corot et se montre intéressé par Manet. Comme Van Gogh à la même époque, il reste attaché à la peinture hollandaise du XVIIᵉ s., copie Jan Steen et Rembrandt (la *Leçon d'anatomie*, 1885, Amsterdam, Stedelijk Museum). Le meilleur de son œuvre se situe entre 1885 et 1900 environ. Installé à Amsterdam en 1886, Breitner devient son interprète par excellence (scènes de la vie quotidienne, paysages familiers, gens du peuple : *Deux Femmes*, v. 1890, aquarelle, Otterlo, Rijksmuseum Kröller-Müller). Chef de file des « Impressionnistes hollandais » (Verster, I. Israels, S. Bisshop-Robertson), il utilise beaucoup la photo par nécessité documentaire ou pour des effets de mise en page et de contrastes. Plus proche de celle de Hals que de celle des impressionnistes, auxquels l'apparentent surtout son modernisme et son intérêt pour le Japon, la technique audacieuse de Breitner est toute de suggestion expressive et procède par larges touches rapides ou frappes du couteau à palette (*Soir à Amsterdam*, Koninklijk Museum voor schone kunster ; *Pont-promenade avec trois dames*, v. 1897, Amsterdam, Stedelijk Museum). Ses autoportraits (1882 ; 1885-86, La Haye, Haags Gemeentemuseum) témoignent d'une vision incisive dans la tradition réaliste néerlandaise, revue par l'instantané photographique. Sa palette ne rejette ni les noirs ni les bruns ; elle admet seulement une gamme un peu plus haute dans de belles et vigoureuses études de nus (Rotterdam, B.V.B. ; La Haye, Haags Gemeentemuseum ; Amsterdam, Stedelijk Museum ; Anvers, Koninklijk Museum voor schone kunster) et d'intérieurs (le *Kimono rouge*, 1893, La Haye, *id.*). Sa première rétrospective a lieu à Amsterdam en 1901. Il évolue à ce moment vers un lyrisme plus objectif et paisible, peut-être sous l'influence de la photographie et stimulé par quelques voyages (1900, Norvège ; 1907, Belgique ; 1909, Pittsburgh, États-Unis). L'artiste est bien représenté dans les musées hollandais, particulièrement à Amsterdam et à La Haye. Le musée d'Orsay (Paris) conserve *Deux Chevaux blancs tirant des pieux à Amsterdam* (v. 1897-1898).

BREMMER Hendrik Pieter,
peintre néerlandais
(Leyde 1871 - Gravenhage 1956).

Grand admirateur de Van Gogh, Bremmer étudie la peinture à l'Académie de La Haye et subit dès 1892 l'influence de son compatriote Toorop, qui introduit aux Pays-Bas les théories pointillistes des peintres néo-impressionnistes belges et français (Seurat, Signac, Van Rysselberghe). Professeur et conseiller artistique de Mme Kröller-Müller, il participa en 1909 à l'élaboration de sa célèbre collection (*Nature morte à la lanterne*, 1893, Otterlo, Kröller-Müller).

BRESLAU Louise Catherine,
peintre suisse
(Munich 1856 - Neuilly-sur-Seine 1927).

Elle commence ses études à Zurich et s'inscrit en 1878 à l'Académie Julian à Paris. Son amitié avec Forain, Fantin-Latour et Degas orientera sa formation. Fidèle à la tradition réaliste française de la seconde moitié du XIXe s., son art s'exprime avant tout dans les thèmes chers à la peinture de genre. Dès 1881, l'influence d'Édouard Manet se fera sentir (le *Thé de cinq heures*, 1883, musée de Berne).

Sa peinture, d'une facture large (*Portrait de Jean Caniès*, 1887, Paris, Petit Palais ; *Portrait de Davison*, 1880, Paris, musée d'Orsay), embrasse mélancoliquement le motif, non sans révéler parfois la virtuosité du dessinateur. Vers 1889, s'inspirant des techniques du pastel, elle se rapprochera de Renoir (*Gamines*, 1890, musée de Carpentras), puis des Nabis, après avoir affiné une palette toujours plus fluide (*Autoportrait*, 1904, Nice, musée Jules-Chéret), et parfois d'une grâce acide. De son vivant, elle dut surtout sa renommée à ses illustrations de la Première Guerre mondiale. Le musée de Versailles possède d'elle un *Portrait d'Anatole*

France, et la coll. nat. de portraits (Gripsholm, Suède) le portrait du peintre suédois expressionniste E. Josephson.

BRETON Jules,
peintre français
(Courrières, Pas-de-Calais, 1827 - Paris 1906).

Élève de Drolling, il débuta par des scènes de genre dans lesquelles il tentait d'apitoyer sur la misère des déshérités. Il renonça vite à ces sujets pour se consacrer au paysage et plus encore aux scènes de la vie des champs, genre qui lui attira un immense succès : la *Bénédiction des blés*, 1857, Compiègne), les *Premières Communiantes à Courrières (id.)*, la *Réunion de famille à Bourron (id.)*. Il nous retient davantage aujourd'hui par ses pochades prestement enlevées qui annoncent l'Impressionnisme : la *Femme à l'ombrelle, baie de Douarnenez* (Paris, Petit Palais). L'exposition « The Peasant in French XIXth Century Art », Dublin, 1980, lui a rendu hommage. Breton fut en outre prosateur et poète, ce qui lui valut l'admiration de Van Gogh, qui l'a aussi beaucoup lu.

Son frère **Émile** *(Courrières 1831 - id. 1902)* fit des paysages remarquables parfois par l'énergie de l'exécution et la force lumineuse (*Nuit de Noël*, 1892, Lille, musée des Beaux-Arts).

BROWN John Lewis,
peintre français
d'origine irlandaise
(Bordeaux 1829 - Paris 1890).

Quelque temps élève de Belloc puis de Roqueplan, il se consacra très vite aux scènes sportives et militaires (*Avant le départ*, Orsay), à la représentation des chiens et surtout des chevaux, dont, avec une véritable ferveur, il se fit le portraitiste. Sa peinture, d'une touche un peu menue mais preste, le rapproche des impressionnistes, que très tôt il admira. Le musée de Bordeaux possède quelques œuvres comme *Étude de perroquets*, le *Jardin d'acclimatation* ou *Jour de sortie des pensionnaires* (1865).

BUCHSER Frank,
peintre suisse
(Feldbrunnen 1828 - id. 1890).

Grand voyageur, il étudia la peinture en Italie, suivit la guerre hispano-marocaine en qualité de peintre d'histoire, résida en Angleterre et aux États-Unis (1866-1871). Puis il voyagea en Afrique du Nord et en l'Europe. Portraitiste, paysagiste, peintre de genre, il établit son style sur l'observation directe de la réalité *(Marché marocain*, 1880, musée de Soleure). Il est proche de l'Impressionnisme par l'utilisation d'une palette de couleurs claires et par les jeux de lumière. Il est représenté dans les musées de Bâle et de Lucerne.

BÜHRLE Emil G.,
collectionneur suisse
d'origine allemande
(Pforzheim, Allemagne, 1890 - Zurich 1956).

Installé à Zurich en 1924, l'industriel Emil Bührle sentit s'éveiller sa vocation de collectionneur devant l'ensemble de peintures impressionnistes exposées au musée de Berlin de 1913. En 1934, il put commencer à acquérir des œuvres françaises du XIXᵉ s., pour lesquelles il conserva toujours une prédilection, allant de Corot *(Jeune Fille lisant)* et Courbet *(Château d'Ornans)* à Degas, Manet *(Rue de Berne*, le *Port de Bordeaux)*, Monet *(Claude Monet au jardin avec son fils et la nourrice)*, Seurat *(Étude pour la Grande Jatte)*, Cézanne (15 tableaux, dont le *Garçon au gilet rouge)*, Paul Gauguin et Vincent Van Gogh (12 toiles, dont le *Semeur*, le *Champ de blé jaune)*.

Il fut attiré ensuite par le XVIIIᵉ s. (Fragonard : le *Marchand de jouets*, les *Charlatans)*, les romantiques (Delacroix) et les Néerlandais du XVIIᵉ s. (Hals), jugeant ces peintres les ancêtres de l'Impressionnisme, sans négliger d'ailleurs la peinture moderne et les cubistes (Braque, Juan Gris, Picasso). En 1960, la collection fut érigée par la famille d'Emil Bührle en « fondation » accessible au public ; elle comprend un ensemble d'environ deux cents peintures et sculptures.

BUKOVAC Vlaho,
peintre yougoslave, d'origine croate
(Cavtat 1855 - Prague 1923).

De retour à Cavtat en 1876, après de longs voyages, il put, grâce au mécénat de l'archevêque Strossmayer, se rendre à Paris, où il entra dans l'atelier de Cabanel. Il adopta alors le style académique de son maître et exposa au Salon à partir de 1878. En 1882, il exécuta avec succès la *Grande Isa*, d'après le roman de A. Bouvier, qui lui valut en Yougoslavie le prestige d'un peintre de renommée internationale. Bukovac devint alors le portraitiste officiel de la cour royale de Serbie et du Monténégro. Exposant régulièrement à Paris de 1878 à 1893, il fut le chef de file de la jeune génération yougoslave et fonda en 1897 la Société des artistes croates. À partir de 1894, il vécut à Zagreb, où il peignit des sujets historiques allégoriques (le *Rêve du poète Gundulić*, 1894, musée de Zagreb), des portraits et des nus. Sous l'influence de l'Impressionnisme (la *Reine Natalie de Serbie*, musée de Belgrade), sa palette s'éclaircit et son dessin demeura académique. Bien qu'il n'ait jamais adopté entièrement l'Impressionnisme, l'influence de son coloris clair fut grande sur les artistes de Zagreb, qui constituèrent l'école dite « multicolore ». En 1903, Bukovac se rendit à Prague, où il enseigna à l'Académie des beaux-arts jusqu'à sa mort.

BUNKER Dennis Miller,
peintre américain
(New York 1861 - Boston 1890).

Élève de l'Art Students' League avec William Chase puis de la National Academy of Design, Dennis Bunker entre en France en 1882 dans l'atelier de Gérôme aux Beaux-Arts. Durant les années passées à Paris (1882-1884), il travaille en atelier d'après Corot et Courbet mais regarde surtout les œuvres de Manet, dont la rétrospective a lieu en 1883 (la *Saison morte*, États-Unis, coll. part.). De retour aux États-Unis l'année suivante, il enseigne à la Cowles Art School de Boston un art influencé par la fluidité et les vibrations colorées de l'Impressionnisme français, dont le Metropolitan Museum de New York conserve des exemples.

BURNAND Eugène,
peintre, dessinateur et graveur suisse
(Moudon, canton de Vaud, 1850 -
Paris 1921).

Élève à l'École des beaux-arts de Genève et à celle de Paris, il subit l'influence de Courbet et de Millet. Il exécute alors de nombreux tableaux de genre et des paysages des montagnes suisses qui sont la première expression d'un sentiment net et précis de la nature (*Femme suisse,* 1883, musée de Genève). Dès 1895, ce réalisme s'épanouit dans des compositions religieuses (les *Disciples Pierre et Jean courant au Sépulcre,* 1898, Orsay).

L'exposition « la Peinture religieuse suisse au XIXᵉ s. » (Lucerne, Kunstmuseum, 1985) le restitue dans le cadre d'un symbolisme protestant liant réalisme et célébration de la nature. ☐

C

CABAT Louis,
peintre français
(Paris 1812 - id. 1893).

Élève de Flers, qui lui enseigna le paysage
de plein air, il fut un assidu de Barbizon
(*Route en forêt*, musée de Reims) et accompagna Dupré dans plusieurs voyages.
Mais, v. 1840, il se rallia au paysage
néo-classique. Si, de ce fait, il perdit des
amis, il gagna des honneurs et devint en
1877 directeur de l'Académie de France à
Rome.

CABIANCA Vincenzo,
peintre italien
(Vérone 1827 - Rome 1902).

Après quelques années de séminaire, il fait
son apprentissage à Vérone et à Venise
(1847), où il pratique la peinture historique
dans la tradition lombarde, et se lie à des
sociétés secrètes. C'est d'abord en tant que
carbonaro qu'il rencontre à Florence
(1860), où il réside quelque temps, Borrani
et Signorini, qui l'initient au macchiaiolisme, et d'où il part en bande peindre les
paysages du golfe de La Spezia, de Lerici
ou de Portofino. Il lui faut montrer la
nature, selon ses propres termes, « dans ses
moments de féroce splendeur ». Les titres
des tableaux sont parfois aussi frappants
que leurs sujets et leur traitement, tout en
contraste : *Femme avec un porc à contre-jour*
(1860), *Porc noir contre un mur blanc (id.)*,
mais il peint aussi le calme des cloîtres et,
non sans humour, campe souvent dans ses
paysages moines, nonnes et campagnards,
aux silhouettes stylisées, avec parfois des
évocations du XVIIIᵉ s. ou du monde médiéval

dans le goût de l'époque. Il se rend à
Londres et à Paris (1861), où il rencontre
les impressionnistes, et à partir de 1868 il
s'établit à Rome, d'où il rayonne en Campa-
nie avec une production extrêmement
abondante d'huiles et d'aquarelles, en continuant à voyager dans toute l'Italie. Son
œuvre est dispersée dans de nombreuses
coll. part. ; la gal. d'Art moderne du palais
Pitti à Florence conserve notamment *Effet
de soleil, Ombre et lumière, Nettuno* (1872).

CAGNES.

Renoir vint pour la première fois à Cagnes
en 1899 et s'y fixa définitivement en 1903.
Cette petite ville de bord de mer, entre Nice
et Cannes, attira bon nombre d'impressionnistes. Monet, Vollard, les Durand-Ruel
rendent de fréquentes visites à leur ami et
s'inspirent de ces paysages plantés d'oliviers. Les *Grandes Baigneuses* (Paris, Orsay)
ont été exécutées dans son atelier des
Collettes ; acheté par la municipalité de
Cagnes en 1960, celui-ci est depuis ouvert
au public.

CAILLEBOTTE Gustave,
peintre français
*(Paris 1848 - Gennevilliers,
Hauts-de-Seine, 1894).*

Élève de Bonnat, Caillebotte entre en 1873
aux Beaux-Arts et se consacre alors entièrement au soutien des impressionnistes, dont
il fait partie. Il participe, en 1876, à la
deuxième exposition de leur groupe (le
Déjeuner, coll. part.), et leur influence
apparaît très nettement dans les quelque
300 tableaux qui composent son œuvre

(*Raboteurs de parquet*, 1875, Paris, Orsay). Ses scènes d'intérieur et ses portraits (*Jeune Homme au piano*, 1876, coll. part. ; *Au café*, 1880, musée de Rouen) s'apparentent à l'art de Degas, ses paysages à celui de Bazille, ses canotiers à celui de Renoir ; c'est dans ses scènes de la vie ouvrière et ses vues de Paris que s'affirme sa personnalité : *Place de l'Europe*, 1877, Chicago, Art Inst. ; les *Peintres en bâtiment*, 1877, coll. part. ; le *Jardin de Gennevilliers*, 1893, *id.* Dès 1876, Caillebotte avait acquis des œuvres de ses amis impressionnistes. Il en possédait 67 en 1883, qu'il légua à l'État.

.Après de difficiles négociations, signe du divorce qui régnait alors entre l'art vivant et les pouvoirs officiels, seule une partie du legs fut acceptée (auj. au musée d'Orsay, Paris) ; entrées en 1896 au musée du Luxembourg, ces œuvres sont : 6 Renoir, dont la *Liseuse*, la *Balançoire*, le *Moulin de la Galette* ; 8 Monet, dont le *Déjeuner*, *Régates à Argenteuil*, la *Gare Saint-Lazare* ; 7 Pissarro, dont *Toits rouges* ; 2 Manet ; 6 Sisley ; 2 Cézanne, dont l'*Estaque*, 7 pastels de Degas et 5 toiles de l'artiste lui-même.

Gustave Caillebotte
Le Pont de l'Europe, 1876
125 × 180 cm
Genève, musée du Petit Palais

De nombreuses expositions et rétrospectives ont été consacrées à Caillebotte : en 1951 au musée de Rennes, en 1965 au musée de Chartres, en 1976 à Houston (M.F.A.), en 1977 à New York (Brooklyn Museum), en 1987 au musée de Brunoy et en 1988 à Paris (gal. H. Brame). Beaucoup de ses œuvres se trouvent actuellement aux États-Unis : à Chicago (Art Institute), à New Haven (Yale University Art Gal.), mais également à Brême (Kunsthalle), à Genève (musée du Petit Palais), à Montpellier, à Rennes et à Saint-Denis de la Réunion.

CALS Adolphe Félix,
peintre français
(Paris 1810 - Honfleur 1880).

Fils d'ouvrier, Cals reçut une première formation de graveur, puis entra dans l'atelier de Cogniet, avec qui il se sentit peu

Charles Camoin
Jeune Napolitaine, 1904
Genève, coll. Oscar Ghez

d'affinités. Peintre des petites gens, des intérieurs paysans, des scènes de la vie quotidienne et familiale, il préfigura Millet par ses sujets. Sa manière évolua constamment. La touche lisse, un peu lourde de ses débuts acquit de la prestesse à partir de 1859, moment de sa rencontre avec le comte Doria, qui le protégea et l'accueillit dans son château d'Orrouy (Oise). Sa palette s'éclaircit et s'affina. Paysagiste de plein air, admirateur de Corot, il fut l'ami de Jongkind. Lié avec les artistes habitués des côtes normandes, il séjourna à la ferme Saint-Siméon de Honfleur (le *Déjeuner à Honfleur,* 1875, Orsay). Précurseur des impressionnistes, et plus précisément de Pissarro, il prit part aux manifestations de leur groupe et parut à leurs côtés dès leur première exposition, en 1874.

CAMOIN Charles,
peintre français
(Marseille 1879 - Paris 1965).

Destiné à des études commerciales, il s'oriente très tôt vers la peinture. Admis à Paris dans l'atelier de Gustave Moreau, à l'E. N. B. A., il ne profite que quatre mois de cet enseignement et, comme Matisse et Marquet, quitte l'atelier à la mort du maître, en 1898, pour travailler librement dans les rues de Paris. Trois ans plus tard, au cours de son service militaire à Aix, il rend visite à Cézanne, suscitant à la fin de la vie du grand peintre une amitié et une correspondance des plus riches. La peinture de Camoin est dans ses débuts vigoureuse et colorée (*Autoportrait en soldat*, 1899, Marseille, musée Cantini ; *Portrait de ma mère,*

1904, Marseille, musée des Beaux-Arts) et sa *Cabaretière* (1900, Sydney Art Gal. of New South Wales) est faussement attribuée à Gauguin ; très influencé par Marquet, il s'exprime par la couleur pure, mais sans la véritable violence du premier ni la rigueur du second.

Son fauvisme est alors tempéré par l'influence de Cézanne, dans la fluidité de la touche, et par celle, plus éloignée, de Manet dans la simplification de la mise en page (*Portrait d'Albert Marquet*, 1904, Paris, M. N. A. M. ; la *Petite Lina*, 1906, Marseille, musée des Beaux-Arts). En 1905, il expose au retentissant Salon d'automne et, un an après Matisse, il part avec Marquet et Manguin travailler dans l'entourage de Signac et de Cross à Saint-Tropez. Ensemble, ils effectueront des voyages à Londres, en Italie, à Francfort, en Corse et Camoin se rendra au Maroc avec Marquet et Matisse.

Le peintre partage alors son temps entre ses deux ateliers à Montmartre et à Saint-Tropez. En 1912, il expose à Paris chez Kahnweiler et prend part à l'Armory Show de New York. En 1918, il rencontre Renoir à Cagnes, et leur amitié épanouit désormais son impressionnisme latent dans des paysages, des nus et des natures mortes d'un style voluptueux et coloré (le *Canal de la douane à Marseille*, 1928, Saint-Tropez, musée de l'Annonciade ; la *Coupe bleue*, 1930, Paris, M. N. A. M.). De nombreuses rétrospectives lui sont consacrées : au M.A.M. de la Ville de Paris en 1952, à Chicago en 1960 puis à New York en 1961, au musée des Beaux-Arts de Marseille en 1966, etc. Camoin a eu une production très importante et continue, qu'il amputa par quelques destructions massives de ses œuvres (notamment en 1913 et 1944). Il est particulièrement bien représenté dans les musées français, à Aix-en-Provence (musée Granet), Marseille (musée des Beaux-Arts et musée Cantini), Saint-Tropez (musée de l'Annonciade) et Paris (M. N. A. M.) ainsi qu'à Berlin (N.G.), Bonn (Städtisches Kunstmuseum), Genève (Petit Palais), Sydney (Art Gal. of New South Wales) et New York (M. O. M. A.).

CAMONDO (les),
collectionneurs et amateurs d'art français.
Descendant d'une famille de banquiers de Constantinople installée à Paris sous le second Empire, **Isaac de Camondo** (Constantinople 1851 - Paris 1911) constitua durant trente ans, avec passion, une collection qu'il légua à l'État français. Outre de nombreuses œuvres d'art d'Extrême-Orient (dont 400 estampes japonaises) et un important ensemble du XVIII⁰ s. français (meubles, faïences, quelques dessins), cette collection comprend un prestigieux choix d'environ 130 peintures, pastels, aquarelles et dessins, en majorité impressionnistes, dont la plus grande partie se trouve auj. au musée d'Orsay. Isaac de Camondo avait, en effet, acquis quelque 25 Degas (dont *Répétition d'un ballet sur la scène*, *Danseuse au bouquet saluant*, *Devant les tribunes*, l'*Absinthe*, les *Repasseuses*, le *Tub*), 14 Monet (parmi lesquels 4 peintures de la série des *Cathédrales de Rouen* et 2 de la série des *Nymphéas*), 10 Manet (dont *Lola de Valence* et le *Fifre*), 9 Cézanne (entre autres la *Maison du pendu* et les *Joueurs de cartes*), 8 Sisley (notamment l'*Inondation à Port-Marly*), des peintures de Boudin, de Pissarro, de Renoir, de Van Gogh et 35 aquarelles et lavis de Jongkind. Les toiles plus anciennes, beaucoup moins nombreuses mais tout aussi célèbres (Delacroix : *Chevaux se battant dans une écurie* ; Corot : l'*Atelier*), doivent également être mentionnées. Le comte **Moïse de Camondo** *(1860-1935)* cousin germain du précédent et comme lui amateur raffiné, rassembla une précieuse collection d'œuvres du XVIII⁰ s. français : quelques peintures de Mᵐᵉ Vigée-Lebrun *(Bacchante, Madame Le Coulteux du Molay)*, d'Oudry (esquisses pour la tenture des *Chasses de Louis XV*), de Jean-Baptiste Huet, et surtout des boiseries, meubles et objets d'art, qu'il légua, avec l'hôtel parisien qui les renferme, au musée des Arts décoratifs de Paris ; selon la volonté du comte Moïse, l'ensemble, devenu musée au 63 de la rue de Monceau, porte le nom de son fils, **Nissim de Camondo**, qui fut tué en combat aérien en 1917.

CARRAND Louis,
peintre français
(Lyon 1821 - id. 1899).

Né dans une famille aisée, il débuta dans l'atelier du paysagiste Fonville, puis, préférant travailler sans autre maître que la nature, il partit pour l'Italie et le midi de la France. En 1865, des revers de fortune le contraignant à de modestes emplois, il ne put peindre qu'à ses moments de loisirs, dans la campagne des monts du Lyonnais : Collonges et Saint-Cyr-au-Mont-d'Or lui ont inspiré ses meilleures études. Ses premiers essais le rapprochaient des peintres de Barbizon, mais très vite il se détacha de l'étude des formes. Séduit par les théories optiques de Chevreul, comme son compatriote et ami Ravier, il s'appliqua, à l'aide de touches juxtaposées claires et argentées, à traduire les brumes et les effets de lumière (*Paysage au Soleil couchant,* Louvre). En cela, il fut un précurseur direct des impressionnistes, sans avoir eu pourtant de contact réel avec eux. Il est largement représenté au musée de Lyon ainsi qu'aux musées de Bagnols-sur-Cèze et de Grenoble.

CASSATT Mary,
peintre américain
(Allegheny City, auj. Pittsburgh, 1844 - château de Beaufresne, Mesnil-Théribus, Oise, 1926).

Étroitement liée à l'histoire du mouvement impressionniste, la carrière de Mary Cassatt se déroula en majeure partie en France, sa patrie d'élection.

Née dans une riche famille de Pittsburgh, l'artiste passa son enfance en Allemagne et en France (1851-1858), avant de se former à la Pennsylvania Academy of Fine Arts de Philadelphie (1861-1865), voyagea en Italie, notamment à Parme, où elle étudia Corrège (1872), et en Espagne, où elle fit de même avec Velázquez (1875). À Paris, elle fréquenta l'atelier de Chaplin (1866), mais Degas, qui avait remarqué ses envois au Salon (1872, 1873, 1874 et 1876), devint son conseiller et l'invita à se joindre aux impressionnistes (1877) à la suite du refus, par le Salon de 1876, de sa *Jeune Mariée* (Montclair, N.J., Montclair Art Museum). Dès lors, elle participa à leurs expositions (1877, 1879, 1880, 1881, 1886) et se révéla comme la meilleure représentante féminine de ce mouvement.

Toutefois, elle conserva une personnalité très marquée au sein du groupe, illustrée par sa longue amitié avec Degas. La figure humaine l'occupa exclusivement, en particulier le thème de la mère et de l'enfant, qu'elle illustra sa vie durant. Empruntant à Renoir l'éclat lumineux des chairs et des étoffes (la *Loge,* 1878-79, Paris, coll. part.), elle ne néglige pas le dessin, qu'elle rend aussi vrai et aussi peu conventionnel que possible. Comme Degas, c'est la vérité du geste qu'elle retient, dépouillant de tout artifice les images de la vie quotidienne : *Mère et enfant sur fond vert* ou *Maternité,* 1897 (Louvre, département des Arts graphiques, fonds Orsay).

L'influence de Degas est particulièrement sensible dans les pastels, les dessins et les gravures, qu'elle multiplia à la fin de sa vie. L'exposition d'estampes japonaises qu'elle avait visitée en compagnie du peintre en 1890 lui inspira une série d'estampes en couleurs, remarquable par la précision du trait et la valeur expressive du dessin. Elle pratiqua également la pointe sèche et l'aquatinte et tient une bonne place, aujourd'hui réévaluée, dans le cercle des graveurs impressionnistes.

Mary Cassatt consacra les dernières années de sa vie à faire connaître la peinture impressionniste aux États-Unis, où elle-même n'atteignit la notoriété qu'avec une peinture murale commandée par son amie Mrs Potter Palmer pour l'exposition de Chicago, la *Femme moderne* (1892-93, auj. perdue). Elle possédait elle-même une importante collection et conseilla plusieurs amateurs comme son frère Alexander Cassatt, James Stillmann, Mrs Palmer et surtout Horace et Louisine Havemeyer : c'est en partie grâce à ses efforts que les musées américains possèdent de nos jours de magnifiques ensembles de cette école. On

Mary Cassatt
La Partie de bateau, 1893-1894
90,2 × 117,5 cm
Washington, National Gallery of Art

peut approuver le jugement que Gauguin exprima à son sujet ; comparant ses envois à ceux de Berthe Morisot, il déclara : « Miss Cassatt possède autant de charme, mais plus de force. » Atteinte d'une maladie des yeux, elle arrêta de peindre vers 1914. Elle est représentée à Paris (musée d'Orsay et Petit Palais) et surtout dans les musées américains : la *Dame à la table à thé*, 1883-1885, Metropolitan Museum ; *la Partie de bateau*, 1893-1894, Washington, N.G. ; *Femme et Enfant conduisant*, v. 1880, Philadelphie, Museum of Art ; *Alexander J. Cassatt et son fils*, 1885 ; le *Bain*, 1891-92, Chicago, Art Inst. ; *À l'Opéra*, v. 1880, Boston, M.F.A. ; la *Tasse de thé*, id. ; *Après le bain*, v. 1901, musée de Cleveland.

CASTAGNARY Jules-Antoine,
critique d'art français
(Saintes 1830 - Paris 1888).

Ami de Courbet, qui peignit son portrait (Louvre), il soutint le Réalisme, Corot, Jongkind et fut, dès les années 1865, l'ardent défenseur des impressionnistes. À partir de 1857, il écrivit des comptes rendus de Salons, publiés dans les journaux de l'époque *(le Présent, l'Audience, le Monde illustré),* qui seront ensuite édités *(les Artistes du XIXᵉ s. : Salon de 1861,* Paris, 1881 ; *Salons, 1857-1870,* Paris, 1892). Ses articles furent également réunis en volume sous le titre *Libre Propos* (Paris, 1864). Parmi les autres ouvrages qu'il a signés, citons *Grand Album des expositions de peinture et de sculpture* (Paris, 1863), *le Bilan de l'année 1868* (Paris, 1869), *Gustave Courbet et la colonne Vendôme* (Paris, 1883). L'avènement du régime républicain lui permit une carrière politique, qui s'acheva par sa nomination comme directeur des Beaux-Arts en 1887.

CECIONI Adriano,
sculpteur, peintre et critique italien
(Fontebuona, Florence, 1836 - Florence 1886).

Élève à l'Académie de Florence (1850-1860), devenu le théoricien des Macchiaioli, la manifestation la plus importante de sa carrière de peintre (secondaire par rapport à son activité de sculpteur) est la création, au cours d'un voyage d'études à Naples (1863-1867), d'une école de paysage dite « de Resina », proche de celle des Macchiaioli et dont feront partie le jeune De Nittis, Rossano et De Gregorio. Dans ses *Notes critiques*, nettement polémiques et laissant apparaître les contradictions inhérentes à la fusion des tendances romantiques et véristes, il défend la liberté de l'art, qui consiste pour lui dans la libre expression d'une vérité directement empruntée à la nature et personnellement ressentie. Il pense faire carrière à Paris en 1870, où il expose en tant que sculpteur au Salon, puis à Londres en 1872, où il est dessinateur humoriste pour le journal *Vanity Fair*, mais préfère retourner à Florence, où il enseigne à partir de 1884 à la Scuola Superiore di Magistero. Il peint surtout des petits tableaux inspirés par la vie quotidienne, traités dans un style clair et paisible, d'un goût presque puriste (la *Tante Erminia*, Florence, G.A.M. ; *Portrait de l'épouse du peintre*, id. ; le *Café Michel-Ange*, 1861, coll. part.). Ses œuvres ont été exposées avec celles des autres Macchiaioli à Rome (G.A.M.) en 1956, à Florence (palais Strozzi) en 1971-1973 et à Paris (Grand Palais) en 1978-1979.

CÉZANNE Paul
(Aix-en-Provence 1839 - id. 1906).

D'origine aixoise et dauphinoise, ouvrier puis négociant chapelier, le père de Cézanne devient en 1847 banquier, assurant à son fils un avenir dénué de préoccupations financières. De 1852 à 1858, Paul reçoit une solide formation humaniste au collège Bourbon d'Aix. Zola y devient son ami. Ensemble, ils font de longues promenades agitées de rêves et de discussions. Bachelier en 1858, Cézanne entre à la faculté de droit, mais l'échange de lettres qu'il entretient avec Zola l'encourage bientôt à réclamer son indépendance, prétextant une vocation picturale qui semble alors reposer avant tout sur le mirage intellectuel de la capitale. Les *Quatre Saisons* (1860, Paris, Petit Palais) dont il décore le « Jas de Bouffan », maison de campagne que son père vient d'acquérir, témoignent surtout d'une juvénile maladresse. À Paris, en 1861, il fréquente l'Académie Suisse, reçoit les conseils de son compatriote Villevieille, mais son inexpérience le décourage : il revient à la banque paternelle pour peu de temps, sa vocation de peintre s'étant définitivement affirmée. De 1862 à 1869, entre Paris et Aix, Cézanne, qui ne connaissait que les caravagesques des églises aixoises et les collections importantes, mais peu actuelles, du musée Granet, assiste au conflit opposant l'éclectisme cultivé et fade des milieux officiels au réalisme révolutionnaire de Courbet, de Manet et des « refusés » de 1863. Conciliation anachronique de l'art des musées et du modernisme, l'œuvre de Delacroix apparaît alors, à la rétrospective de 1864, comme un ultime vocabulaire où puiser ses justifications. Perméable à ces influences variées, il participe aux réunions du café Guerbois et est ébloui par le lyrisme de Géricault ou de Daumier.

La phase baroque. Cézanne traduit ses débordements et ses angoisses dans ce qu'il appelle sa manière « couillarde ». En une pâte éclatante et boueuse, lourde de noirs épais, brutalement maçonnés, il évoque les scènes de genre érotiques et macabres que lui inspirent les baroques italiens et espagnols ou tel de leurs imitateurs, comme Ribot (l'*Orgie*, 1864-1868, coll. Lecomte ; la *Madeleine*, 1869, Paris, Orsay ; l'*Autopsie*, 1867-1869, coll. Lecomte). Plus tenus, ses portraits et ses natures mortes témoignent alors d'une force et d'une intensité surprenantes (le *Nègre Scipion*, 1865, musée de São Paulo ; *Portrait d'Emperaire*, 1866, Paris, Orsay ; la *Pendule au marbre noir*, 1869-1871, Paris, coll. part.). Se trouvant à l'Estaque (1870) au moment où éclate la guerre entre la France et l'Allemagne, Cézanne ignorera le conflit jusqu'à la fin des hostilités. Il y peint sur le motif de nombreux paysages aux plages colorées, audacieusement composés (la *Neige fondante à l'Estaque*, 1870, Zurich, coll. Bührle). Cette période souvent méconnue fut l'objet d'une exposition en 1988 (Londres, Paris, Washington). **Contacts avec l'Impressionnisme.** Prêt à assimiler les recherches des impressionnistes, il s'installe en 1872-73 auprès de Pissarro, à Auvers-sur-Oise, et subit son influence. Humainement détendu auprès de sa compagne, Hortense Fiquet, qui vient de lui donner un fils, et de ses amis Guillaumin, Van Gogh et surtout le docteur Gachet, Cézanne substitue en petites touches beurrées le « ton au modelé », définissant dans des paysages comme la *Maison du pendu* (1873, Paris, Orsay) ou des natures mortes telles que le *Buffet* du musée de Budapest (1873-1877) un univers personnel fortement animé mais toujours soumis aux exigences du tableau. Réservant l'analyse psychologique aux autoportraits riches de défiance et de passions (anc. coll. Lecomte, v. 1873-1876 ; Washington, Phillips Coll., v. 1877), Cézanne observe simplement la cadence des volumes et des tons dans l'espace pictural. L'assise géométrique de *Madame Cézanne au fauteuil rouge* (1877, Boston, M.F.A.), le dialogue serein de la *Nature morte au vase et aux fruits* du Metropolitan Museum (v. 1877), l'ordonnance des arbres du *Clos des Mathurins* (v. 1877, Moscou, musée Pouchkine) témoignent de préoccupations identiques, que le peintre s'attachera désormais à résoudre. Prétextes à variations rythmiques, les corps résolument déformés de la *Lutte d'amour* (1875-76, Washington, coll. part.) rappellent Rubens et Titien, comme les *Baigneurs* et *Baigneuses* qu'il commence dès lors.

En 1874, Cézanne a participé à la première exposition des impressionnistes chez Nadar ; il présente en 1877 16 toiles et aquarelles à l'exposition impressionniste de la rue Pelletier. Blessé par les ricanements de la presse et du public, il s'abstiendra désormais d'exposer avec ses amis. **La maturité.** Instable, l'artiste passe à Paris ; parfois présent au café de la Nouvelle-Athènes, il est plus souvent provincial : chez Zola, à Médan, en 1880 (son père, hostile à sa vie familiale, lui ayant coupé les vivres) ; chez Pissarro, à Pontoise, en 1881 ; avec Renoir à La Roche-Guyon, puis à Marseille, où il rencontre Monticelli, en 1883 ; avec Monet et Renoir, à l'Estaque, en 1884 ; chez Chocquet, à Hattenville, en 1886.

Période de maturité féconde, où Cézanne, s'écartant des impressionnistes, maîtrisant sa touche, reprend sans cesse le même motif. Soucieux de « faire du Poussin sur nature » en traitant la nature « par le cylindre et par la sphère », il ordonne autour du cristal bleuté de la *Sainte-Victoire* (1885-1887, Londres, N. G. ; Metropolitan Museum) la cadence et l'ondoiement ocre et vert des terres et des pins, morcelle et balance les facettes des murs de *Gardanne* (1886, Merion, Barnes Foundation) et des rochers aixois (1887, Londres, Tate Gal.), anime de réseaux linéaires l'espace opaque de la mer à l'*Estaque* (1882-1885, Metropolitan Museum ; Paris, Orsay ; 1886-1890, Chicago, Art Inst.), dresse dans l'air vibrant l'abstraction du *Grand Baigneur* (1885-1887, New York, M.O.M.A.). L'harmonie légère du *Vase bleu* (1883-1887, Louvre, Jeu de paume) semble conserver la miraculeuse attention des aquarelles où Cézanne indique d'un fin tracé, soutenu d'une touche frêle, le rythme retenu. Très nombreuses (Venturi en signale plus de 400), mais connues d'un cercle restreint de collectionneurs tels que Chocquet, Pellerin, Renoir, Degas ou le comte Camondo, ces aquarelles ne furent guère remarquées avant l'exposition qui leur fut consacrée par Vollard en 1905. Citons seulement quelques exemples remarquables : la *Route* (1883-1887, Chicago, Art Inst.), le *Lac d'Annecy* (1896, Saint Louis, Missouri, City Art Gal.), les *Trois Crânes* (1900-1906, Chicago, Art Inst.), le *Pont des*

Trois-Sautets (1906, musée de Cincinnati).
Diffusion de l'œuvre. Irritable et défiant, très isolé depuis 1886, année de la mort de son père et de sa rupture définitive avec Zola, dont *l'Œuvre,* qui le prend en partie pour modèle, l'a blessé, Cézanne n'est connu que des rares initiés qui entrent, de 1887 à 1893, chez le père Tanguy ou qui lisent les textes confidentiels de Huysmans (*la Cravache,* 4 août 1888) et de É. Bernard (*Hommes d'aujourd'hui,* 1892). Mystérieux, l'artiste connaît pourtant quelque notoriété. Conduits par Gauguin, É. Bernard et P. Sérusier, Maurice Denis et les Nabis subissent dès lors profondément son influence ; il peut exposer une toile à l'Exposition universelle de 1889, est invité aux XX, à Bruxelles, en 1890. Les 100 toiles présentées en 1895 par Vollard retiennent vivement l'attention, provoquant une hausse des cours, sensible de 1894 (ventes Druet et Tanguy) à 1899 (vente Chocquet). En 1900, 3 œuvres figurent à l'Exposition universelle, tandis que le musée de Berlin acquiert une toile.
La dernière période. Cézanne exécute alors, avec une sensibilité moins crispée, un ensemble d'œuvres capitales qui opposent au brillant éphémère impressionniste « quelque chose de solide comme l'art des musées ». De l'immuable ampleur de la *Femme à la cafetière* du musée d'Orsay, Paris (v. 1890), au jeu dynamique et maîtrisé de compositions complexes telles que le *Mardi gras* (1888, Moscou, musée Pouchkine) ou l'importante série des *Joueurs de cartes,* sans doute inspirée du Le Nain du musée d'Aix (1890-1895, Merion, Barnes Foundation ; Metropolitan Museum ; Londres, Courtauld Inst. ; Paris, Orsay), il s'affirme peintre au-delà du quotidien. Analyse souvent chargée d'émotions, qui noie de pénombres mauves et brunes le charme réfléchi du *Garçon au gilet rouge* (1894-1895, Zurich, fondation Bührle), la gravité inquiète du *Fumeur accoudé* (1890, musée de Mannheim), la présence de *Vollard* (1899, Paris, Petit Palais), l'air gorgé d'harmonies bleues du *Lac d'Annecy* (1896, Londres, Courtauld Inst.). Sensible à la ferveur des jeunes peintres

Paul Cézanne
Le Garçon au gilet rouge, v. 1894-1895
79 × 64 cm
Zurich, fondation Bührle

(É. Bernard, Ch. Camoin viennent le voir ; M. Denis expose aux Indépendants de 1901 son *Hommage à Cézanne*), enfin reconnu au Salon d'automne de 1903, où il expose 33 toiles, Cézanne s'acharne à « réaliser comme les Vénitiens », en un lyrisme plus exalté, les thèmes qui l'obsèdent, reprenant sans cesse ses *Baigneurs* (1900-1905, Merion, Barnes Foundation ; Londres, N.G.), résumés dans l'ample architecture de son chef-d'œuvre, les *Grandes Baigneuses* du Museum of Art de Philadelphie (1898-1905). Au rythme allusif et nerveux du pinceau, l'hallucinante vibration chromatique du *Château noir* (1904-1906, Washington, N.G.), l'angoisse du *Portrait de Vallier* (1906, Chicago, coll. Block), les ultimes *Sainte-Victoire* (1904-1906, Moscou, musée Pouchkine ; Philadelphie, Museum of Art ; Zurich, fondation Bührle) précèdent de peu sa mort, survenue le 22 octobre 1906.
La vision cézannienne, une fois de plus révélée au Salon d'automne de 1907

(57 toiles), annexée et transformée par les cubistes, adoptée par les fauves, répandue à l'étranger (en Angleterre par les expositions postimpressionnistes organisées en 1912 et 1913 par R. Fry ; en Allemagne par l'exposition de *Sonderbund* à Cologne en 1912 ; en Italie lors de l'exposition romaine *Secessione* de 1913 ; aux États-Unis par l'exposition de l'*Armory Show* à New York en 1913), apparaissait dès lors et pour longtemps comme le fonde-

ment essentiel de toute analyse picturale.

L'artiste, dont le catalogue comprend environ 900 peintures et 400 aquarelles, est représenté dans la plupart des grands musées du monde entier, notamment à la Barnes Foundation (Merion, Pennsylvanie), au Metropolitan Museum et au M.O.M.A. de New York, à Vienne (Albertina), à Paris (Orangerie des Tuileries, Donation Walter-Guillaume, au musée d'Orsay et au musée d'Aix-en-Provence).

Paul Cézanne
*La Montagne
Sainte-Victoire, 1902-1904*
70 × 89,5 cm
Philadelphie,
Museum of Art

jouant dans l'eau (*Joyeux Ébats*, 1899, musée de Nantes). Ces séries de « baigneuses » sont des études impressionnistes de chatoiements de lumière sur les corps mouillés, les vagues transparentes ou les surfaces aquatiques immobiles (*Matin de septembre*, 1912, Metropolitan Museum). Son frère, **Maurice** *(Nantes 1862 -Versailles 1947)*, d'abord tenté par le Symbolisme, fut un paysagiste lyrique et un bon décorateur.

CHABRIER Emmanuel,
musicien et amateur d'art français
(Ambert 1841 - Paris 1894).

Fils d'un magistrat de province venu faire son droit à Paris, Chabrier abandonne son poste au ministère de l'Intérieur (1869-1879) pour se consacrer à la musique. Ami intime de la pianiste Nina de Callias, qui reçoit chez elle ce que tout Paris compte d'artistes, il se lie d'amitié avec les peintres du groupe impressionniste, et sa première œuvre importante, un « Impromptu » (1873), est dédiée à Mme Manet. La même année, il pose devant Manet pour le *Bal masqué à l'Opéra*. Un héritage fait par sa femme lui permet d'acquérir certaines toiles de ses amis : 6 Manet, dont *Un bar aux Folies-Bergère*, 1881 (Londres, Courtauld Institute Gal.) ; 4 Renoir, dont *Femme nue*, 1876 (Moscou, coll. Chtchoukine), la *Sortie du conservatoire* (Merion, Barnes Foundation) ; 6 Monet, dont *Rue Saint-Denis, fête du 30 juin 1878* (Rouen, musée des Beaux-Arts) ; 2 Sisley, dont la *Seine au Point-du-Jour*, 1878 (coll. part.) et 1 Cézanne. Le 26 mars 1896, la presque totalité de sa collection (38 œuvres) est vendue aux enchères à l'hôtel Drouot, et Durand-Ruel en achètera de nombreux lots.

CHABAS Paul,
peintre français
(Nantes 1869 - Paris 1937).
Illustrateur de talent, il exécuta aussi d'élégants portraits de mondaines ou de groupes littéraires (*Un coin de table*, 1904, musée de Tourcoing). Mais il connut une célébrité internationale pour les nombreuses toiles où il peignit, sans prétexte mythologique, des nus féminins graciles, nymphettes

CHAILLY-EN-BIÈRE.

Gros bourg situé en bordure occidentale de la forêt de Fontainebleau et distant d'à peine 2 kilomètres de Barbizon, Chailly permit dès 1863 à Monet et Bazille – alors élèves de Gleyre – de découvrir les charmes de la peinture de plein air : *Paysage à Chailly* (Bazille, 1865, Chicago, The Art Institute).

Sisley et Renoir, qui séjournent alors non loin de là, à Marlotte, leur rendent de fréquentes visites et, ensemble, ils posent pour le *Déjeuner sur l'herbe* de Claude Monet. Déjà très apprécié des paysagistes de l'école de 1830, Chailly fut délaissé après la guerre de 1870.

CHAMAILLARD
Henri-Ernest Ponthier de,
peintre français
(Quimper v. 1865 - Paris 1930).

Compagnon de Gauguin à Pont-Aven en 1888, un moment sous son influence, il expose des paysages impressionnistes au Salon d'automne, de 1907 à 1925. Le musée de Rennes conserve de lui un *Paysage de Bretagne*.

CHARLET Frantz,
peintre belge
(Bruxelles 1862 - Paris 1928).

D'abord élève de J. Portaels à l'Académie de Bruxelles, il est ensuite celui de Carolus-Duran et de Gérôme à l'École des beaux-arts de Paris. Après un premier voyage en Afrique du Nord en 1883, en compagnie de ses amis Théo Van Rysselberghe et Regoyos, il expose aux Salons des œuvres d'une facture impressionniste (la *Femme du pêcheur*, Bruxelles, M.R.B.A.) et participe à la fondation du Cercle des XX à Bruxelles.

CHARPENTIER Georges,
collectionneur français
(Paris 1846 - id. 1905).

Fils de Gervais Charpentier (1805-1871), éditeur célèbre des écrivains romantiques, Georges Charpentier s'occupa de journalisme, d'art et de littérature avant de succéder à son père, en 1871. Il publia des œuvres d'A. Daudet, de Zola, fit partie du groupe de Médan. Protectrice des peintres impressionnistes, Mme Charpentier, femme de l'éditeur, les recevait dans son salon de la rue de Grenelle, où ils rencontraient Gambetta, Jules Ferry, Zola, Flaubert, A. Daudet, E. de Goncourt, Huysmans.

Georges Charpentier fut l'un des premiers acheteurs de l'Impressionnisme. Dès 1875, il acquit des toiles de Monet. L'année suivante, il rencontra Renoir et lui commanda le *Portrait de Mme Georges Charpentier*, l'un des chefs-d'œuvre du peintre, légué par la suite au musée du Luxembourg (1877, musée d'Orsay). Le célèbre groupe représentant *Madame Georges Charpentier et ses deux enfants* (1878, Metropolitan Museum) révéla le peintre au Salon de 1879, où l'œuvre connut un succès qu'explique en partie la notoriété du modèle.

Les locaux de la revue artistique *la Vie moderne*, fondée par Georges Charpentier en 1879, abritèrent des expositions individuelles, consacrées aux œuvres de Renoir (juin 1879), de Manet (avril 1880), de Monet (juin 1880), de Sisley (1881). Ces expositions étaient organisées par Edmond Renoir, frère du peintre et collaborateur de la revue.

La collection Charpentier fut dispersée à Paris le 11 avril 1907. Son catalogue met en évidence de nombreux artistes contemporains (C. Nanteuil ; E. Boudin ; J.-J. Henner, F. Rops, H. Fantin-Latour, Forain, Puvis de Chavannes, Gleizes) ainsi que des œuvres dues à Cézanne, à Degas, à Pissarro, à Sisley, à Monet et surtout à Renoir. Son *Portrait de Mme Charpentier et de ses enfants*, pièce maîtresse de la vente, fut acquis par le Metropolitan Museum pour le prix exorbitant de 92 000 F. C'est une des cotes les plus importantes atteintes à cette date par un peintre de l'école impressionniste ; seules certaines œuvres de Degas l'avaient déjà dépassée.

CHARRETON Victor Léon Jean-Pierre,
peintre français
(Bourgoin, Isère, 1864 - 1936).

Paysagiste de l'école lyonnaise, on a dit de Victor Charreton qu'il était le Mallarmé de la peinture. Bien que travaillant dans un style très personnel, il se rattache à l'Impressionnisme, et, faisant allusion à ce mouvement, Odilon Redon a dit de l'artiste : « De

Maurice de Vlaminck
Le Pont de Chatou, 1905
collection particulière

tous, il n'y a que lui qui soit quelque chose de plus qu'un impressionniste ». Charreton fut le peintre des nuances extrêmes et des impressions éphémères. Ses neiges, ses printemps, ses automnes, tout baignés de tendre irréalité, traduisent un lyrisme tranquille. Il a peint surtout dans les campagnes de province, en Dauphiné, en Provence, en Bretagne et surtout en Auvergne, mais on lui doit aussi de très beaux paysages de Paris. Charreton fit tout d'abord des études de droit, qu'il pratiqua pendant quelque temps à Lyon. Il fit tardivement des études de peinture et débuta au Salon de Lyon, puis à Paris dans la même année 1894. Il a exposé au Salon de Paris jusqu'à la veille de sa mort et fut l'un des fondateurs du Salon d'automne, dont il devint secrétaire. Esprit très cultivé et poète délicat, il publia des vers dans la tradition symboliste. De son vivant, il avait contribué à créer à Bourgoin, sa ville natale, un musée des monuments historiques. Celui-ci, qui conserve une importante collection des œuvres de l'artiste, porte actuellement le nom de Victor Charreton. Ses œuvres figurent dans de nombreux musées de France. Elles sont également répandues dans les musées des États-Unis, Charleston, Boston, Cleveland (Ohio), New York, La Nouvelle-Orléans, ainsi qu'à Madrid et à Genève (Petit Palais).

CHATOU.

C'est à Chatou (commune des Yvelines) que les impressionnistes se font les témoins des dimanches heureux décrits par Maupassant, notamment dans *la Femme de Paul*. Monet et Renoir, qui vivaient non loin de là, peignirent à la Grenouillère (Monet, la *Grenouillère*, 1869, Metropolitan Museum ; Renoir, la *Grenouillère*, 1869, Stockholm, Nm) et au restaurant Fournaise (Renoir, le *Déjeuner des canotiers*, 1881, Washington, Phillips Coll.). En 1900, Derain, natif de Chatou, et son ami Vlaminck louent un atelier commun, créant ainsi l'un des plus précoces foyers du Fauvisme. Dans leurs tableaux, comme en réalité, les péniches ont désormais supplanté les rameurs, et les usines, les plaisirs populaires. De Chatou et des environs – Nanterre, Marly, Le Pecq – datent peut-être le plus personnel de la production de Vlaminck et les premières et brillantes réussites fauves de Derain.

CHÉRET Jules,
peintre et affichiste français
(Paris 1836 - Nice 1932).

Élève de Horace Lecoq de Boisbaudran et apprenti lithographe, il séjourne à Londres de 1856 à 1866, où il étudie les procédés de la lithographie en couleurs. De retour à Paris, il obtient l'appui du parfumeur Rimmel et monte un atelier où il développe le procédé nouveau de la lithographie polychrome. Par l'éclat de leur graphisme et de leurs couleurs, leur élégance et leur gaieté, les affiches dont il couvre Paris de 1866 à 1900 *(Loïe Fuller* [1893], la *Saxoléine* [1894], les *Patineurs* [1896], *Palais de Glace* [1896], la *Loïe Fuller aux Folies-Bergère, Bal au Moulin-Rouge)* influencent ses contemporains, comme Seurat, Lautrec, les Nabis, et contribuent au développement du Modern Style (les *Pantomimes lumineuses*, 1892). Véritables chroniques de leur époque, elles représentent le Paris populaire, le monde du cirque et du music-hall. Épris de l'art de Tiepolo (on l'appela le « Tiepolo des carrefours »), de Watteau et de Turner, Chéret décore quelques édifices (villa du baron Villa à Évian ; musée Grévin à Paris, 1894) et réalise des cartons de tapisseries pour les Gobelins (*les Quatre Saisons*, 1900-1910). Il s'adonne aussi au pastel et à la peinture. Le musée de Nice qui porte son nom abrite 200 peintures, pastels et maquettes.

CHEVREUL Michel-Eugène,
chimiste français
(Angers 1786 - Paris 1889).

Après des études à l'École centrale d'Angers, il travaille dans divers laboratoires parisiens avant d'être nommé professeur à la manufacture des Gobelins, puis directeur des teintureries en 1824. C'est à l'intention des tapissiers de la manufacture qu'il entreprend ses recherches sur la couleur : elles aboutissent, en 1839, à la publication d'un ouvrage intitulé *De la loi du contraste simultané des couleurs et de l'assortiment des objets colorés considéré d'après cette loi dans ses rapports avec la peinture.* En 1864, nommé directeur du Museum, il publie un second ouvrage, complétant le premier : *Des couleurs et de leurs applications aux arts industriels à l'aide des cercles chromatiques.* C'est une théorie des rapports des couleurs entre elles que Chevreul développe au cours de ces deux études ; il y énonce ainsi la loi du contraste simultané : « Dans le cas où l'œil voit en même temps deux couleurs contiguës, il les voit les plus dissemblables possible, quant à leur composition optique et quant à la hauteur de leur ton. » Deux autres types de contraste viennent compléter le premier : le contraste successif (ainsi, si l'œil, après avoir perçu une figure noire sur un fond blanc, se porte sur un fond noir, il percevra cette figure en blanc) et le contraste mixte (modification d'une couleur par la complémentaire d'une autre couleur observée auparavant).

Les théories de Chevreul, avec celles de Rood et de Helmholtz, exerceront une influence décisive sur le Néo-Impressionnisme : le Divisionnisme de Seurat en est directement issu, que rallièrent bientôt Pissarro et Signac ; la « touche divisée », écrivait ce dernier, permet que « le mélange optique des couleurs dissociées s'opère facilement et reconstitue la teinte ». Ainsi est rejeté le mélange des pigments, de même que le « balayage », au bénéfice des couleurs pures. Vers 1912-13 enfin, les conceptions de Chevreul marquèrent les débuts de l'Abstraction à travers les *Disques* simultanés de Delaunay, qui eut « l'idée d'une peinture qui ne tiendrait techniquement que de la couleur, des contrastes de couleurs, mais se développant dans le temps et se percevant simultanément... ».

CHINTREUIL Antoine,
peintre français
*(Pont-de-Vaux, Ain, 1814 -
Septeuil, Yvelines, 1873).*

Artiste pauvre, de santé précaire, Chintreuil fut un paysagiste isolé. Il fit ses débuts au Salon de 1847. En 1850, il alla habiter Igny (vallée de la Bièvre), puis quelques années plus tard se fixa à Septeuil, près de Mantes. Conseillé à ses débuts par Corot, il témoigna de son influence dans ses premières études, mais très vite s'attacha à une technique différente, s'appliquant, dans un souci de sincérité et de respect vis-à-vis de la nature, à s'effacer devant elle. Il évita, au contraire des paysagistes contemporains, de personnaliser son œuvre par la « touche ». Il procéda souvent par aplats, d'où découle une certaine monotonie, qui peut passer, à l'inverse du sentiment qui l'animait, pour un manque d'émotion. Ses études directes, dont le musée de Pont-de-Vaux montre un ensemble, nous retiennent davantage par leur spontanéité que des œuvres de Salon plus ambitieuses, comme l'*Espace* (1869, Orsay). Le centenaire de l'artiste a été commémoré par une rétrospective au musée de Bourg-en-Bresse en 1973.

CHITTUSSI Antonin,
peintre tchèque
*(Ronov nad Doubravkou 1847 -
Prague 1891).*

Formé (1866-1876) à Prague, à Munich et à Vienne, il peint d'abord des tableaux de genre et des paysages de Bohême, de Hongrie (1872-73) et de Bosnie, où il a été envoyé comme soldat (1878). Déçu par la médiocrité de la vie artistique à Prague, il se rend à Paris (1879), où il passe six ans, en retournant de temps à autre en Bohême pour y peindre et exposer.

Les premiers tableaux qu'il exécute en France révèlent l'influence de Daubigny et de Rousseau. Il expose aux Salons de Paris des motifs de la forêt de Fontainebleau ou des rives de la Seine, ainsi que des paysages de Bohême (la *Seine à Suresnes*, v. 1885, Prague, gal. Národní ; *Paysage des hauteurs tchéco-moraves*, 1882, *id.*). Malgré l'audience favorable qu'il obtient en Bohême, il reste isolé. Il a pourtant dégagé définitivement le paysage tchèque des schémas romantiques et introduit dans son pays la peinture de plein air en utilisant une technique particulière fine et presque translucide. L'exemple de Chittussi exerça une puissante influence sur la génération des paysagistes tchèques des années 1890, notamment sur Slaviěk.

CHOCQUET Victor,
collectionneur français
(Lille 1821 - Paris v. 1898).

Il occupait un emploi au ministère des Finances et avait débuté à Dunkerque (1842) dans l'Administration des douanes. Après avoir collectionné les œuvres de Delacroix, il devint l'ami de Renoir, puis de Cézanne et l'un des premiers protecteurs des peintres impressionnistes, qu'il découvrit à la vente du 24 mars 1875. Entre 1874 et 1880, Victor Chocquet constitua ainsi un ensemble, dispersé en juillet 1899, gal. Georges Petit, de 32 Cézanne (dont la *Maison du pendu*, auj. au Louvre), 5 Manet, 11 Monet, 11 Renoir, 1 Pissaro, 1 Sisley. Il a inspiré à Emile Zola, dans *l'Œuvre*, le personnage de monsieur Hue. Renoir (Cambridge, Mass., Fogg Art Museum) et Cézanne (Columbus Gal. of Fine Arts) ont fait à plusieurs reprises son portrait.

CHTCHOUKINE ou **STSCHOUKINE**
Serge Ivanovitch,
collectionneur russe
(1854 - 1936).

Ce grand négociant moscovite fut, avec son ami Morozov, l'introducteur en Russie de la peinture française moderne, dont il suivit l'évolution avec grand intérêt et sut discerner les lignes de force. Il s'intéressa d'abord aux impressionnistes, en voyant en 1897 les Monet de la collection Durand-Ruel, ainsi qu'à leurs successeurs immédiats et acheta, dans les galeries parisiennes, 13 Monet, 5 Degas, 8 Cézanne, 14 Gauguin, 4 Van Gogh. Il se passionna ensuite pour les fauves et surtout pour Matisse, qui fut son hôte en 1911 ; il acquit 37 toiles qui comptent parmi les œuvres maîtresses de l'artiste, en particulier la *Danse* et la *Musique* (1910), peintes pour décorer l'hôtel Chtchoukine (auj. Ermitage). Il reconnut en Picasso le chef de file de la nouvelle peinture ; 40 toiles, caractéristiques des recherches de l'artiste, de ses débuts à la période cubiste, firent de la collection Chtchoukine l'une des plus riches en œuvres du maître. Elle comportait également des œuvres des Nabis, qui, à une époque, le séduisirent vivement, de Marquet, de Derain, de Rousseau. La collection Chtchoukine et la collection Morozov formèrent en 1918 le musée d'art occidental de Moscou, qui fut dispersé en 1948 ; les œuvres sont actuellement réparties entre le musée Pouchkine de Moscou et l'Ermitage. Les musées russes doivent à ces deux collectionneurs clairvoyants leurs ensembles exceptionnels de peinture française de la fin du XIXe s. et du début du XXe s.

CIARDI Guglielmo,
peintre italien
(Venise 1842 - id. 1917).

Issu de la jeune école de peinture vénitienne, Ciardi voyage à Florence en 1868 et s'impose rapidement comme le peintre de Venise (*Dans la lagune*, Venise, G. A. M.). Doué de qualités techniques extrêmement solides, malgré une certaine affectation de coloris antinaturels, il entre en contact avec les Macchiaioli et échappe ainsi à l'académisme vénitien qui persiste alors. Après de nombreux voyages en France et en Allemagne – où il obtient à Berlin en 1886 une médaille d'or –, Ciardi revient enseigner en 1894 à l'Institut des beaux-arts de sa ville natale. Le musée d'Orsay à Paris conserve

de l'artiste le *Lac de Weissenfields*. L'artiste est bien représenté dans les musées italiens (Venise, G. A. M. ; Milan, G. A. M. ; Rome, G. A. M.).

CLAUS Émile,
peintre belge
(Vijve-Saint-Éloi 1849 - Astene 1924).

Il suit les cours de Nicaise de Keyser et de Jacob Jacobsz à l'Académie d'Anvers de 1870 à 1874 et expose pour la première fois à Bruxelles en 1875. Jusqu'en 1888, il reste fidèle à un réalisme sentimental ou de tendance sociale : son *Combat de coqs en Flandre*, exposé à Paris en 1882, le rend célèbre (Waregem, coll. part.). Il excelle alors dans des décors pittoresques (peinture de genre et portrait) qui rappellent Bastien-Lepage. S'étant installé en 1888 dans la vallée de la Lys, à Astene, il se rend peu après à Paris, où il retourne à plusieurs reprises en 1890-91 et 1892. Là, sous l'influence de Pissarro et de Sisley, il a la révélation de l'Impressionnisme, dont il devient en Belgique l'ardent propagateur. Il produit pourtant encore des tableaux à sujet narratif (la *Récolte de betteraves*, 1890, musée de Deinze ; la *Levée des nasses*, 1893, Ixelles, musée des Beaux-Arts), puis se consacre exclusivement au paysage, surtout celui des bords de la Lys, dans une palette lumineuse et colorée. Il participe à plusieurs cercles comme celui des Vingt de la Libre Esthétique et le cercle Vie et lumière, qu'il fonde en 1904 avec Ensor, Lemmen, Anna Boch... L'admiration pour Monet le conduit à Venise en 1906. Exilé à Londres pendant la guerre, il prend alors la Tamise pour thème favori (*Londres, midi en novembre*, 1916, Bruxelles, M.R.B.A.). Une exposition rétrospective lui fut consacrée en 1927 par la Société nationale de Bruxelles. Il est représenté en Belgique, à Ixelles, Courtrai, Gand, Liège, Anvers (Koninklijk Museum voor schone kunsten) et Bruxelles (M.R.B.A.), mais aussi en Allemagne, à Dresde et Berlin (N.G.), ainsi qu'en France (*Rayon de soleil*, 1899, Paris, Orsay ; *Brouillard sur la Lys*, Douai, musée de la Chartreuse).

CLOISONNISME.

Ce terme fut inventé et uilisé pour la première fois par le critique Édouard Dujardin dans un article publié dans *la Revue indépendante* du 19 mai 1888. Dujardin saluait ainsi la naissance d'un art nouveau qui lui semblait annoncé par les toiles que le peintre Louis Anquetin venait de présenter à l'exposition des Vingt à Bruxelles. Déçus par le Néo-Impressionnisme, qui les avait un moment tentés, Anquetin et Émile Bernard s'étaient détournés des recherches divisionnistes pour simplifier et recomposer l'image perçue en formes élémentaires aux teintes plates cernées d'un contour, « quelque chose comme une peinture par *compartiments*, analogue au cloisonné [...], le dessin affirmant la couleur et la couleur affirmant le dessin », notait É. Dujardin. Le procédé était emprunté aux estampes japonaises, au vitrail, aux xylographies populaires et médiévales ; il devait séduire Gauguin, que Bernard avait retrouvé à Pont-Aven au début d'août 1888, et devenir l'une des bases du Synthétisme, élaboré par le groupe de Pont-Aven ; Gauguin et de nombreux artistes du groupe, tels Sérusier ou Filiger, puis certains Nabis catéchisés par Sérusier l'utilisèrent souvent. Sollicité par des influences contradictoires, Émile Bernard devait l'abandonner à partir de 1892.

COLIN Gustave,
peintre français
(Arras 1828 - Paris 1911).

Élève de Dutilleux à Arras, puis de Thomas Couture à Paris, Colin rencontre à Fontainebleau les peintres de Barbizon et débute au Salon de 1857 (*Pâturages près d'Arras*, 1857, Neuchâtel, musée des Beaux-Arts). L'année suivante, il se fixe au Pays basque, dont il peint sans relâche les paysages, les corridas et les scènes de la vie quotidienne (la *Barre de la Bidassoa*, 1867, musée d'Arras ; *Course de novillos sur la place de Pasagès*, v. 1869, *id.*). Tempérament réaliste, influencé par les exemples de Corot, il affectionne les pâtes épaisses et les formes puissantes mais évolue rapidement vers un dessin plus allusif et une palette plus claire proche de celle des impressionnistes (*Castillo et le goulet de Pasagès*, v. 1880, musée de Pau), avec lesquels il expose en 1874 chez Durand-Ruel.

Son œuvre, abondante et originale, a été présentée en partie au musée d'Arras en 1967, avant que 25 de ses tableaux ne soient dispersés à l'hôtel Drouot en 1984. Le musée d'Arras abrite la majorité des œuvres de l'artiste, avant les musées de Bayonne, de Clermont-Ferrand, de Cognac, de Lille, de Marseille (musée Cantini), de Neuchâtel, de Paris (Louvre, Petit Palais), de Pau, du Puy et de Reims (musée Saint-Denis).

COLLETT Frederik Jonas Lucian Botfield,
peintre norvégien
(Christiania 1839 - après 1908).

Ancien marin, ayant commencé des suites d'aquarelles et d'huiles au cours de ses voyages, il vient étudier en 1860 à Düsseldorf, dans l'atelier du paysagiste H. Gude, maître qu'il suit régulièrement dans ses déplacements au pays de Galles et en Allemagne. En 1874, à Paris, il découvre simultanément Corot, Daubigny et l'Impressionnisme. Il part peindre les côtes bretonnes, normandes puis norvégiennes. Avec les paysages enneigés de ces dernières, leurs arbres dénudés, l'emploi de tons blancs et violets, il devient l'une des figures symboliques de la peinture pleinairiste scandinave. Il est représenté dans les musées d'Oslo, de Copenhague, à Bergen et à Trondhjem.

COLLIN L.-J. Raphaël,
peintre français
(Paris 1850 - Brionne 1916).

Il fut élève de Bouguereau et de Cabanel, dans l'atelier desquels il côtoya Lepage, Cormon, Morot et Benjamin Constant. À son tour professeur à l'académie Colarossi, il initia au pleinairisme de nombreux peintres scandinaves et le premier peintre japonais impressionniste, Kuroda, en 1886. Tout au long de sa vie, il entretient un goût privilégié pour le Japon, collectionne les céramiques nipponnes et peint lui-même des faïences de 1871 à 1889 pour Théodore Deck (musée de Limoges et Académie royale de Worcester). Décorateur, il réalise des panneaux pour la Sorbonne *(Fin d'été)*, pour l'Hôtel de Ville (salon des Belles-Lettres : la *Poésie*, dont l'esquisse est au Petit Palais), pour l'ancien plafond du théâtre de l'Odéon et pour le théâtre de Belfort. Peintre, il met en scène des idylles, des baigneuses, imposant une conception du nu peu académique mais très « Belle Époque » et pour laquelle il distille, en plus ou moins grande quantité, une gaieté et un chromatisme empruntés aux impressionnistes. Ses portraits, souvent du Tout-Paris, peuvent séduire par leurs qualités anecdotiques et surtout par leurs travaux préparatoires, dont deux sont au musée Rodin, avec leurs touches rapides. Graveur, il illustre *Daphnis et Chloé* (1890) – thème qu'il avait déjà peint en 1877 (musée d'Alençon) – et les *Chansons de Bilitis* de Pierre Louÿs (1906). Un ensemble de ses dessins et de nombreuses toiles a été exposé à Tōkyō (1983, Ishibashi Foundation) dans le cadre de « l'Académie du Japon et les peintres français ».

CONDER Charles,
peintre anglais
*(Londres 1868 - Virginia Water,
près de Windsor, 1909).*

Ce fils d'ingénieur, descendant direct du sculpteur Roubillac, après une enfance passée aux Indes et en Angleterre, émigre en Australie en 1883. Il travaille à Melbourne, puis à Sydney, comme dessinateur humoristique, à l'*Illustrated Sydney News*, tout en continuant à peindre, influencé alors par le style impressionniste de Giacomo Nerli, et expose avec les impressionnistes australiens Tom Roberts et Arthur Streeton à Melbourne en 1889. De retour en Europe en 1890, il travaille à Paris à l'Académie Julian et à l'atelier Cormon, où il rencontre Anquetin et Toulouse-Lautrec,

avec lequel il entretiendra une longue amitié et dont il s'efforce d'imiter le style dans des toiles comme le *Bal masqué au Moulin-Rouge* ou *Café sous les arcades de la rue de Rivoli*. Il aime à peindre également la beauté de la vallée de la Seine, où il passe les étés 1892-1894 : *Printemps* (1892, Londres, Tate Gal.). Sous l'influence des peintres français du XVIIIᵉ s. (Watteau, Saint-Aubin) et de l'art japonais et chinois, il commence, en 1893, à dessiner et à peindre des éventails, généralement sur soie blanche (l'*Excursion romantique*, 1899, Londres, Tate Gal.). En 1893, il devient membre associé de la Société nationale des beaux-arts et, en 1891, membre du New English Art Club. Son style linéaire s'apparente alors au Modern Art : en 1895, il réalise ainsi une décoration sur panneaux de soie et quelques dessins pour la Maison de l'art moderne de Bing. Ses peintures sur soie aux élans romantiques suscitent l'admiration d'Oscar Wilde. S'il retourne s'établir à Londres en 1897, il fera cependant de fréquents voyages à Paris et à Dieppe. Sérieusement malade en 1906, il est obligé d'abandonner la peinture. Ses derniers travaux montrent un style plus robuste et plus naturaliste (*Swanage Bay*, 1901, Londres, Tate Gal.). Il est représenté dans les musées australiens de Melbourne et Sydney (Art Gal. of New South Wales) ainsi qu'en Europe à Dublin et Londres (Tate Gal.).

CONSTABLE John,
peintre britannique
(East Bergholt, Suffolk, 1776 - Londres 1837).

Parmi les paysagistes anglais, il n'a d'égal que Turner, dont il diffère pourtant profondément, car il s'inspire essentiellement de son paysage natal plus qu'il ne cherche la grandeur dans la multiplicité des sujets. Le temps qu'il fallut pour que son génie fût reconnu et l'évolution laborieuse de son art le distinguent également de Turner.

Ses premières œuvres furent si peu concluantes qu'il débuta dans le métier de meunier, qui était celui de son père ; encouragé par l'amateur d'art sir George

John Constable
*La Baie de Weymouth à l'approche
de l'orage, 1827*
88 × 112 cm
Paris, musée du Louvre

Beaumont et par le peintre Joseph Farington, il décida pourtant de se lancer dans la carrière artistique. En 1799, il suivit les cours de la Royal Academy ; il tira cependant plus de fruit de son étude personnelle du paysage anglais au XVIIIᵉ s. et du paysage classique, comme en témoigne le *Vallon de Dedham* (1802, Londres, V.A.M.), qui rappelle par certains côtés la toile de Claude Lorrain *Agar et l'ange* (Londres, N.G.). En 1802, année où il expose pour la première fois à la Royal Academy, découvrant les limites qu'imposait à son œuvre un travail trop fidèle à la tradition, il écrivait à un ami : « Pendant deux ans, j'ai cherché à faire des tableaux et j'ai trouvé une vérité d'emprunt... Je vais bientôt revenir à East Bergholt, où je travaillerai sans relâche d'après nature... et je tendrai vers la représentation simple et authentique des scènes qui m'intéresseront... il y a place pour un peintre naturel *(natural painter)*. » Au cours des années suivantes, il continua avec persévérance l'étude directe de la nature,

à l'exception de quelques essais, comme portraitiste et peintre religieux, faits à contrecœur et pour vivre, ainsi que des aquarelles à la manière de Girtin, exécutées en 1806 lors de l'unique séjour qu'il fit dans le Lake District. Il prit l'habitude de faire directement ses esquisses à l'huile et, en 1811, il s'était familiarisé avec ce genre, dans lequel il acquit une grande maîtrise en appliquant la peinture sur un fond rouge ; il soulignait ainsi l'individualité de chaque objet sans perdre de vue l'unité générale, comme en témoigne *Écluse et cottages sur la Stour* (v. 1811, Londres, V.A.M.). Pourtant, les toiles terminées restaient davantage dans la tradition des paysages composés, comme c'est le cas du *Vallon de Dedham* (1811, coll. part.) ; aussi

Lovis Corinth
Autoportrait, 1921
Ulm, Ulmer Museum

sionnisme (thème de l'*Abattoir,* 1892 et 1893, Stuttgart, Staatsgal.), nus d'une robuste sensualité voisine de celle d'un Courbet (1899, Brême, K. ; 1906, Hambourg), portraits et autoportraits aux connotations nettement symbolistes (*Autoportrait au squelette,* 1896, Munich, Städtische Galerie, *Portrait du peintre Eckmann,* 1897, Hambourg, Kunsthalle).

Une grave maladie, en 1911-12, précipita l'évolution de sa vision. La fougue et la puissance de l'exécution font éclater la construction, en particulier dans la série de paysages que lui inspire entre 1918 et 1925 la région de Walchensee, en Bavière (1921, musée de Sarrebruck ; *Pâques à Walchensee,* 1922, New York, coll. part.). Quoiqu'il se soit opposé à Kokoschka et à Nolde, il s'approcha de l'Expressionnisme, moins dans ses autoportraits (1918, Cologne, W.R.M. ; 1921, Ulmer Museum) que dans quelques œuvres tardives comme le *Christ rouge* (1922, Mu-

nich, N. P.), le portrait de *Bernt Grönvold* (1923, musée de Brême). La force et la présence de sa matière franche et somptueuse, les couleurs sourdes, la violence rageuse de la touche donnent à ses dernières peintures un aspect monumental sans qu'elles se départissent d'une certaine élégance, dite « impressionniste », et d'une grande sensibilité (*Ecce Homo,* 1925, musée de Bâle). Après Lieberman et Slevogt, Corinth est le représentant le plus caractéristique de l'« Impressionnisme allemand », quoiqu'il n'ait jamais fréquenté les impressionnistes pendant ses séjours en France et que son art en soit fort éloigné. En 1937, 295 de ses œuvres sont retirées des musées allemands comme « peintures dégénérées ». Ses œuvres figurent dans les musées suisses et allemands ; le M.N.A.M. de Paris conserve le *Portrait de Meier-Graefe* (1917). Si l'œuvre peint compte près de 1 000 numéros, l'œuvre gravé comprend aussi plus de 900 pièces, surtout pointes-sèches et lithographies, entreprises à partir de 1891. Le trait rapide, aigu, mêlé, restitue le sujet, qui émerge d'une riche orchestration de gris (*Suzanne au bain,* 1920, pointe-sèche), tandis que le lithographe procède par frottis dynamiques (la *Mort de Jésus,* 1923) ; le XVIᵉ s. lui a inspiré plusieurs cycles lithographiés (*Luther, Ann Boleyn, Götz von Berlichingen*).

COROT Camille,
peintre français
(Paris 1796 - id. 1875).

Il naquit dans une famille aisée de petite bourgeoisie parisienne. Son père, d'abord perruquier, vendait du drap ; sa mère, modiste, tenait une boutique bien achalandée, rue du Bac. Tous deux projetaient une carrière de négociant pour leur fils, mais il y manifesta une telle répugnance et ses débuts y furent si malheureux qu'en 1822 ils accédèrent à ses vœux et lui consentirent une modeste rente pour qu'il se consacrât à sa vocation de peintre. Corot demanda conseil à un contemporain, Michallon, le premier lauréat du prix de Rome de paysage historique, institué en 1817. Celui-ci l'entraîna sur le motif, l'invitant à peindre ce qu'il voyait. La mort de Michallon mit vite fin à ces leçons. Corot s'adressa alors au maître du défunt, J.-V. Bertin. Il apprit de ce dernier, formé à l'école néo-classique, la science de l'agencement de quelques-uns de ses paysages historiques, où survit un souvenir de Poussin. Mais, en disciple de P. H. de Valenciennes, Bertin, lui aussi, l'encouragea à travailler dans la nature. A Robaut, l'ami et l'historiographe de Corot, nous a gardé le souvenir d'une quarantaine d'études des années d'apprentissage : paysages et figures qui préludent à tout l'œuvre.

En 1825, Corot partit pour l'Italie, où il demeura trois ans. À Rome soufflait un esprit nouveau parmi les paysagistes venus de toute l'Europe. Nordiques, Allemands, Britanniques et Russes (Chtchédrine) s'efforçaient de rompre avec l'académisme en étudiant en plein air. Par les rues et les campagnes, ils recréaient dans l'éclat de la lumière méditerranéenne, à la faveur de l'harmonieuse ordonnance de la nature, un art classique et réaliste sans recours aux maîtres d'autrefois. Corot vécut dans l'émulation du groupe des Français auprès d'Aligny, Bodinier, Ed. Bertin, Léopold Robert. Il ne vit, au cours de ce premier séjour, ni Michel-Ange ni Raphaël. Il ne faut déduire de ce manque de curiosité – si surprenant – ni ostentation délibérée ni mépris, mais une indifférence profonde aux exemples du passé. Cette confiance en son instinct n'a pas trahi Corot, de qui Millet a pu dire : « C'est enfin la peinture spontanément trouvée. » Déjà, les premières études italiennes sont, par leur autorité, des tableaux aboutis. Si l'artiste s'appliqua à en tirer des peintures plus « nobles » destinées à plaire au traditionaliste jury du Salon, ce ne fut pas pour un mieux. Le *Pont de Narni* (Ottawa, N.G.) du Salon de 1827 ne montre pas la fraîcheur de vision, l'émotion de la touche qui témoignent dans les études de la maîtrise que l'Italie révéla chez Corot. Si la critique avait connu plus tôt ces petites vues, le *Colisée*, la *Promenade du Poussin*, la

Trinité des monts (1826-1828, Louvre), ou encore ces figures d'Italiens prestement brossées, elle se fût montrée moins sévère. Mais comment, avant 1830, proposer aux officiels des ouvrages aussi libres ?

Perpétuel itinérant, l'artiste ne cessa de voyager. Il parcourut Normandie, Bretagne, Bourgogne, Morvan, Auvergne, Saintonge, Picardie, Provence, prolongeant son incessante pérégrination jusqu'en Suisse, aux Pays-Bas, à Londres. Il hanta les environs de Paris (il habitait une partie de l'année à Ville-d'Avray) et revit l'Italie à deux reprises. Partout il peignit avec la notion (qui sera essentielle aux impressionnistes) que la lumière crée la vie (*Cathédrale de Chartres*, 1830, Louvre ; *Saint-Paterne d'Orléans*, 1843, musée de Strasbourg ; le *Moulin de Saint-Nicolas-lès-Arras*, 1874, Paris, Orsay). Il travailla aussi à Barbizon et fut sensible, comme les artistes qui s'y rassemblaient, à l'influence des peintres hollandais du XVIIᵉ s., bien qu'elle soit tempérée chez lui par la révélation italienne et par son indépendance d'esprit. La *Forêt de Fontainebleau* (1831, Washington, N.G.), la *Vue de Soissons* (1833, Otterlo, Kröller-Müller), le *Port de Rouen* (1834, musée de Rouen) l'attestent. Par contre, ces toiles expriment un sentiment autre que celles des paysagistes de Barbizon. Alors qu'un Rousseau chargea sa peinture d'intentions philosophiques, Corot traduisit une nature sereine en lui conférant avec sa sensibilité « naïve » plus d'âme que d'« intelligence ». L'Italie lui apprit la puissance créatrice de la lumière, les ciels d'Île-de-France lui enseignèrent sa modulation, exprimée dans un chromatisme nacré qui argente aussi bien les peintures rapportées du deuxième voyage en italie, en 1834 (vues de Volterra, de Florence, de Venise), que les études faites en Avignon en 1836 (Louvre ; Londres, N.G. ; La Haye, musée Mesdag). Il mena jusqu'à sa perfection un art qui suscite une atmosphère par les variations subtiles d'une tonalité. Combien de chefs-d'œuvre en marquent les étapes : le *Port de La Rochelle* (1852, New Haven, Yale University Art Gal.), la *Cathédrale de Mantes* (apr. 1860, musée de Reims), le

Beffroi de Douai (1871, Louvre), l'*Intérieur de la cathédrale de Sens* (1874, Louvre) d'un Corot presque octogénaire. Ce n'est pas seulement la science des valeurs qui insuffle la vie à ces paysages immuables ignorant la torpeur, mais la variété de la technique : empâtements, glacis, frottis alternent sur une même toile.

Après 1835, la notoriété de Corot s'établit non pas avec ses esquisses, qui pour beaucoup ont le plus d'attraits, mais avec ses envois aux Salons. Ce sont des compositions élaborées montrant de vastes paysages animés de figures bibliques ou mythologiques : *Silène* (1838, États-Unis, coll. part.), la *Fuite en Égypte* (1840, église de Rosny), *Homère et les bergers* (1845, musée de Saint-Lô), *Destruction de Sodome* (1857, Metropolitan Museum), *Macbeth et les sorcières* (1859, Londres, Wallace Coll.), ou encore des paysages d'évocation peuplés de nymphes, *Souvenirs* de Ville-d'Avray ou d'Italie, plus nombreux encore après le troisième voyage dans la péninsule en 1843. On a trop décrié cet aspect de l'œuvre qui assura le succès du peintre. Sans doute, beaucoup de ces tableaux aux brumes irisées n'atteignent pas à la plénitude du *Souvenir de Mortefontaine* (1864, Louvre) ; certains ne sont que de grisâtres brouillards, à la touche amollie, d'une suavité confinant à la mièvrerie. Il faut abstraire ceux qui ont mal vieilli, rongés par le bitume, ceux qui se multiplièrent par l'exigence de la commande, toujours satisfaite non par cupidité, mais pour emplir un gousset ouvert à toutes les générosités. On conçoit l'intransigeance de la critique à l'égard de cette production commerciale encore avilie par la foule des imitateurs, voire des faussaires, féconds en « Corot pour petites bourses ». Bien des critiques, pourtant, comprirent son génie. Un des premiers, Baudelaire le reconnut. Delacroix l'admira, encore que l'homme le déroutât par sa candeur et qu'il ne semble pas qu'il ait vu une part capitale de son œuvre, les figures.

De tout temps l'artiste s'intéressa à la figure et plus précisément à la femme : nus chastes ou troublants (*Marietta*, 1843, Petit

Palais ; *Nymphe couchée*, v. 1856, musée de Genève), qui acheminent au chef-d'œuvre de la *Toilette* (1859, Paris, coll. part.), Italiennes au costume coloré ébauchées sur le vif, portraits de ses proches, émouvants de vérité naïve (*Claire Sennegon*, 1838, Louvre), ou de tendresse nostalgique recélant quelque secret regret (la *Dame en bleu*, 1874, Louvre), figures de fantaisie, nymphes ou Orientales issues de songe, au curieux travestissement, à la parure à la fois simple et recherchée (la *Lecture interrompue*, 1868, Chicago, Art Inst. ; la *Jeune Grecque*, v. 1869, Metropolitan Museum ; *Jeunes Filles de Sparte*, v. 1869, New York, Brooklyn Museum ; *Algérienne couchée*, v. 1873, Rijksmuseum).

Bien que Corot ne fût pas un « dessinateur » à proprement parler, il laissa 600 dessins environ (dont un très grand nombre sont conservés au Louvre), de technique et de caractère différents. Tantôt fin et souple réseau à la mine de plomb, disséquant feuilles et branches, analysant la structure du sol (*Civita Castellana*, 1827, Louvre), tantôt masses violemment contrastées au fusain (*Macbeth*, 1859, Ordrupgaard Samlingen, près de Copenhague), ils sont généralement des notes ou des indications en vue de tableaux. Certains, au contraire, constituent des œuvres abouties, portraits (la *Petite Fille au béret*, 1831, musée de Lille) ou figures (*Fillette accroupie*, v. 1838, Louvre). Corot vint tard à l'estampe ; il y fut un maître. On lui doit une quinzaine d'eaux-fortes et autant de lithographies, paysages pour la plupart. Son œuvre est plus riche en clichés-verre (près de 70), exécutés à partir de 1853 suivant le procédé nouveau mis au point par ses amis d'Arras, les photographes Grandguillaume et Cuvelier et le peintre Dutilleux (la B.N. de Paris en conserve 32 plaques).

L'œuvre de Corot a été cataloguée par A. Robaut et publiée en 1905 par E. Moreau-Nélaton. Près de 2 500 peintures sont dénombrées dans cet ouvrage. Il faut leur ajouter environ 400 pièces authentiques, découvertes depuis le début de ce siècle. Cette œuvre, déjà abondante, est abusivement grossie. Des attributions complaisantes et lucratives ont introduit sous le nom de Corot des ouvrages d'Aligny, de Bodinier, de Bertin ou de Marilhat, en usant de leur contemporanéité et de leur appartenance à une même esthétique. Des mains criminelles ont même effacé une signature, travestissant ainsi certains de leurs tableaux en Corot non signés (par exemple, *Villeneuve-lès-Avignon* du musée de Reims, rendu depuis peu à Marilhat). Le marché est encombré de copies, exécutées en toute bonne foi à Arras par les amis du maître, Dutilleux et Desavary, et par ses élèves (Français, Lapito, Poirot, Prévost...), dont on contesta parfois la sincérité. Copies qui facilitèrent bien des escroqueries. Enfin, la liste des faussaires, déjà longue, est sans doute loin d'être close.

Peu d'artistes ont, à l'égal de Corot, attisé le goût des collectionneurs pour les séries. Certaines de ces collections ont abouti intégralement dans les musées. Le Louvre et le musée d'Orsay qui possèdent 115 peintures de Corot, accueillent les collections Thomy Thiery, Moreau-Nélaton, Chauchard. Le musée de Reims, le plus riche musée de province en Corot, reçut plusieurs collections rémoises. Les tableaux de Corot se répartissent dans le monde entier. Il est bien représenté aux États-Unis dans les musées et les coll. part.

Corot ne ressortit à aucune école. Héritier du XVIIIe s. par une touche précieuse à la Watteau, héritier du classicisme par la sobriété de sa composition, il est romantique par un lyrisme que sa pudeur garde de l'héroïsme et du drame ; il est réaliste par la véracité de ses paysages et de ses portraits, qu'atténue sa propension au rêve. La prédominance de son génie éclate aujourd'hui ; pourtant son influence fut moindre qu'on ne le suppose. Homme réservé, fuyant la doctrine, il borna son enseignement à des exemples et des conseils dont les bénéficiaires furent souvent des peintres modestes, amis dévoués ou même plagiaires que sa mansuétude toléra. Il ouvrit la voie à une mode en créant un genre dont on s'engoua (de là de nombreux

Camille Corot
Mantes, la cathédrale et la ville vues derrière les arbres, le matin, après 1860
52,1 × 32,6 cm
Reims, musée Saint-Denis

suiveurs, dont Trouillebert demeure le plus valable), mais il ne marqua pas la génération de peintres lui succédant. Sa place est unique dans la peinture française. Baudelaire avait décelé ce caractère d'exception quand il qualifia son œuvre de « miracle du cœur et de l'esprit ».

COSTA Giovanni, dit Nino, peintre italien
(Rome 1827 - Marina di Pisa 1903).

Après des études académiques à Rome sous la direction de Podesti et de Chierici, il s'engage aux côtés de Garibaldi dans la campagne de 1848 puis s'installe à Ariccia

Charles Cottet
Au Pays de la mer,
esquisse de la partie centrale d'un
triptyque, 1898
collection particulière

(1857-1859) et abandonne la peinture historique pour s'adonner au paysage, dans un
langage voisin de celui de Corot et des
maîtres de Barbizon. Son séjour à Florence
(1859-1870) a une influence déterminante
sur Fattori, l'entraînant vers le Naturalisme.
Costa se lie aux Macchiaioli, mais ne s'avère
que partiellement touché par leurs théories,
élaborées dans le milieu florentin, et il reste
attaché à sa formation initiale s'inspirant de
l'art italien ancien (à travers le thème de
saint François d'Assise par exemple) dans
des compositions rigoureuses évoluant dans
une atmosphère colorée (*Femmes sur la
place d'Anzio,* 1852, Rome, G.A.M. ; *Nymphe
dans le bois,* 1863, *id. ; Venise vue des jardins,*
1876, *id. ; Embouchure de l'Arno,* 1859,
Florence, coll. part.). Après un séjour à Paris,
puis à Barbizon (1863), où il est accueilli
par Corot, il visite Londres, où il connaît un
certain succès (il expose à la Grosvenor Gal.
depuis 1862) et se lie à des préraphaélites

comme Frédérik Leighton, George Mason
et Böcklin. De retour à Rome, il participe
à la fondation, en 1886, de la société In Arte
Libertas, qui présente des expositions des
préraphaélites anglais en plus de ses propres manifestations. Il est représenté dans
les G.A.M. des grandes villes italiennes.

COTTET Charles,
peintre français
(Le Puy 1863 - Paris 1925).

Élève de l'Académie Julian, ami des Nabis,
Cottet ne retient guère leur esthétique et
suit les conseils de Roll et de Puvis de
Chavannes (*Messe des morts à Camaret,*
musée de Brest). Réaliste, inspiré par Courbet, soucieux d'expression, sans toujours
éviter l'écueil d'un moralisme anecdotique
et cultivé, il se consacre, après quelques
natures mortes solides (1883-1887 ; *Nature
morte : pommes et bouteille,* Paris, Orsay) et
hormis ses notes de voyage (Espagne,
Algérie, Italie, Égypte), à l'exaltation du pays
breton, découvert en 1885, dans des toiles
à l'élan dramatique et à la pâte épaisse (*Au
pays de la mer,* 1898, triptyque, Paris, Orsay ;
Au pays de la mer. Douleur, 1908, *id. ; Rayons*

du soir, port de Camaret, 1892, *id.).* En 1889, il expose au Salon et participe à la fondation de la Société nationale l'année suivante et de la Société nouvelle en 1900 ; il se manifeste également chez Le Barc de Boutteville. Par ses couleurs sombres, il devient le chef de file du groupe de « la Bande noire », qui réunit L. Simon, Prinet, Ménard et Dauchez. (V. BANDE NOIRE). À partir de 1896, Cottet multiplie sa participation à des expositions en Europe et à l'étranger. En 1973, il figure dans l'exposition « Visionnaires et intimistes à l'époque 1900 », à Paris, au Grand Palais ; en 1979-80, dans l'exposition consacrée au Post-Impressionnisme à la Royal Academy of Arts de Londres et, en 1980, à la N.G. de Washington. Il est représenté aussi bien en Europe, dans les musées de France (musées d'Orsay et du Petit Palais à Paris ; musées de Rennes, Rouen, Bordeaux, Lille et Marseille ; musée Crozatier au Puy-en-Velay), de Belgique, d'Allemagne, d'Espagne et d'Italie, qu'au Japon, en U.R.S.S. et aux États-Unis.

COURTENS Frans,
peintre paysagiste belge
(Termonde 1854 - Bruxelles 1943).

Il est l'un des représentants de l'Impressionnisme autochtone qui, à la touche lumineuse du travail sur le motif, allie le naturalisme et une matière plus dense. Formé au sein de l'école paysagiste de Termonde chez Isidore Meyers et Jacques Rosseels, Courtens décide en 1874 d'habiter Bruxelles, où il découvre l'équipe de Tervueren, dont Vogels, qui lui montre le travail par touches lumineuses. En 1883, il se rend à Paris et à Barbizon mais ne semble pas s'intéresser aux recherches impressionnistes et, en disciple de l'école de Termonde, peint plutôt avec les caractères de l'école flamande : truculence de la pâte et, pour les couleurs, prédominance de gris et de beiges (*Midi, village zélandais*, av. 1882, Tournai, musée des Beaux-Arts ; la *Dame en bleu*, Bruxelles, M.R.B.A.). Il fut nommé professeur puis président de l'Institut supérieur des Beaux-Arts d'Anvers.

COUSTURIER Lucie,
peintre français
(Paris 1870 - id. 1925).

Élève de Signac et de Cross, elle est responsable avec Fénéon de l'exposition rétrospective de Seurat à la Revue blanche et participe, à partir de 1901, aux expositions du groupe néo-impressionniste (au Salon des indépendants, à la Sécession de Berlin en 1906 et à la Libre Esthétique de Bruxelles en 1908), dont elle emprunte la technique. À Paris, à Fréjus mais aussi en Afrique-Occidentale française, elle peint des paysages, des fleurs, des portraits ou des nus avec de grands aplats de couleurs vives mais adopte, après 1908, un style moins ferme (*Femme faisant du crochet*, 1908, Paris, Orsay).

Elle est l'auteur d'études consacrées à Cross, à Seurat, à Signac, à Ker Xavier Roussel et à Bonnard. Certains de ses ouvrages (*Des inconnus chez moi*, 1920 ; *Mes inconnus chez eux*, 1925) défendent la cause du mouvement noir.

Hormis le musée d'Orsay (Paris), le musée de l'Annonciade (Saint-Tropez) conserve une aquarelle sur papier, le *Nègre écrivant*, et une huile sur toile, *Fleurs*, v. 1912 ; le musée départemental de l'Oise (Beauvais), une *Femme à sa toilette*.

CREMONA Tranquillo,
peintre italien
(Pavie 1837 - Milan 1878).

Après des études à Pavie et à Venise, il alla à Milan, où il entra à l'Académie Brera et s'y lia avec Ranzoni et Faruffini ; c'est de ce dernier qu'il hérita un goût très prononcé pour le clair-obscur et les recherches chromatiques. Auteur surtout de scènes bourgeoises et de portraits, Cremona pratiqua une technique très particulière, où une touche hachée et vaporeuse crée des effets indécis et romantiques d'une subtile étrangeté (*High-Life*, 1877, Milan, G.A.M.). Son tableau l'*Edera* (le *Lierre*, 1878, Turin, G.A.M.), symbole de l'amour fidèle, connut une grande popularité.

Henri-Edmond Cross
Marine aux cyprès, 1896
65 × 92 cm
Genève, musée du Petit Palais

CROSS, Henri-Edmond Delacroix, dit Henri-Edmond, peintre français
(Douai 1856 - Le Lavandou, Var, 1910).

Élève à Lille du jeune Carolus-Duran (1866) et plus tard d'A. Colas (1877), puis à Paris du peintre académique Dupont-Zipcy (1881-1885), il est un moment influencé par François Bonvin et Carolus-Duran (*Convalescent*, 1882-1885, musée de Douai). En 1881, il expose pour la première fois au Salon sous son vrai nom, mais adoptera bientôt celui, moins connu, de Cross. Il participe en 1884 à la fondation des Indépendants, exposant *Coin de jardin à Monaco (id.)*, dont l'atmosphère de plein air réaliste rappelle, comme ses *Blanchisseuses en Provence* (1885-1889, Paris, musée des Arts décoratifs), l'œuvre de Manet et des impressionnistes italiens. Ami des néo-impressionnistes, dont il partage les convictions anarchistes, il n'adopte le Divisionnisme qu'en 1891, peu avant la mort de Seurat (*Portrait de Mme Cross*, 1891, Paris, Orsay). Chez Le

Barc de Boutteville (1892), à l'hôtel Brébant (1893), dans la « boutique » financée par A. de La Rochefoucauld (1893-94), au salon de l'Art nouveau en 1896 et à la gal. Durand-Ruel en 1899, il expose, avec le groupe, des paysages inspirés par la région du Var, où il s'est installé (*Plage de la Vignasse*, 1891-92, Paris, coll. part. ; *Vendanges*, 1892, New York, coll. J. Hay Whitney). Constellées de « pastilles » de couleurs claires rigoureusement posées, ses œuvres, harmonieuses et pures (les *Îles d'or*, 1891-92, Paris, Orsay), sont parfois teintées d'un idéalisme issu de Puvis de Chavannes et des Nabis (l'*Air du soir*, 1893-94, *id.* ; *Nocturne*, 1896, Genève, Petit Palais), mais plus souvent fidèles au populisme utopique de J. Grave (*Excursion*, 1894, New York, coll. W. P. Chrysler). Entre 1895 et 1900, annonçant le Fauvisme, Cross résout parfois le dilemme nature-abstraction dans le jaillissement de la couleur pure (*Bal villageois*, 1896, Toledo, Ohio, Museum of Art ; *Pêcheur provençal*, 1896, Oberlin, Ohio, Allen Memorial Art Museum). Converti à la touche large de Signac, il confirme cette évolution après ses voyages à Venise en 1903 (*Ponte San Trovaso*, 1903-1905, Otterlo, Rijksmuseum Kröller-Müller) et en Toscane en 1908. Ses paysages touffus (l'*Après-midi au jardin*, 1904, Francfort, Städel. Inst. ; *Autour de ma maison*, 1906, Moscou, musée Pouchkine ; *Jardin rouge*, 1906-1907, New York, coll. part.), peuplés de nus mythologiques (*Fuite des nymphes*, 1906, Paris, musée des Arts décoratifs ; la *Forêt*, 1906-1907, Lausanne, coll. part.), sont prétextes à l'analyse lyrique, à l'exaltation colorée de la lumière (le *Lesteur*, 1906, Genève, Petit Palais ; la *Baie de Cavalière*, 1906-1907, Saint-Tropez, musée de l'Annonciade ; *Cyprès à Cagnes*, 1908, Paris, Orsay). Deux expositions, préfacées par Verhaeren et M. Denis, révèlent en 1905, chez Druet, et en 1907, chez Bernheim-Jeune, la fraîcheur et l'étonnante liberté de ses aquarelles. Trois rétrospectives importantes de l'œuvre de Cross ont eu lieu en 1913 et en 1917 à la gal. Bernheim-Jeune et en 1956 au musée de Douai. Il fut également présent dans quelques expositions collectives sur les néo-impressionnistes. Cross est plutôt bien représenté dans les musées : en France, à Paris (musées d'Orsay et des Arts décoratifs), à Douai (musée de la Chartreuse) et à Saint-Tropez (musée de l'Annonciade), mais aussi en U.R.S.S., en Allemagne, aux Pays-Bas et aux États-Unis.

CSONTVÁRY Tivadar Kosztka, dit,
peintre hongrois
(*Kisszeben 1853 - Budapest 1919*).

Pharmacien à Igló, il commence à peindre en 1880 sous l'effet d'une crise de mysticisme. En 1894, il abandonne sa profession pour étudier la peinture à Munich chez Hollósy, à Karlsruhe puis à Paris, où il fréquente l'Académie Julian. Mais ces expériences, de courte durée, ne laissent pas de trace dans ses œuvres. Peintre de plein air,

il évoque sur la toile, dans un style naïf et très coloré, les visions poétiques et étranges que lui suggèrent les « grands motifs » recherchés au cours de ses nombreux voyages en Italie (1895-1902), Grèce, Égypte, Proche-Orient (1903-1909) : *Clair de lune à Taormina*, 1901, Budapest, coll. part. ; *Promenade en voiture à Athènes*, 1904, *id.* ; *Mur des Lamentations à Jérusalem*, 1904, *id.* ; *Baalbek*, 1906, *id.* Incompris, il s'enferme de plus en plus dans la maladie mentale et n'est découvert à Budapest qu'en 1930. Ses œuvres exercèrent une influence importante sur les jeunes peintres hongrois après 1945. Un grand prix à l'exposition de Bruxelles (1958) consacra l'originalité de ce « Douanier Rousseau » de l'Europe orientale. L'essentiel de son œuvre se trouve dans la coll. part. de Gedeon Gerlóczy (Budapest), mais est exposé par roulement à la G.N.H. de Budapest, où a eu lieu en 1958 une vaste rétrospective de l'artiste, suivie par celle de Belgrade en 1963.

CULLEN Maurice Galbraith,
peintre canadien
(*Saint-Jean, Terre-Neuve, 1866 - Chambly, Québec, 1934*).

Il suit tout d'abord les cours de sculpture et de dessin au Monument national de Montréal (1886) puis se rend à Paris, où il entre à l'École des beaux-arts (1889-1892) et travaille avec ses compatriotes Ludger Larose et M.A. Suzor-Coté dans l'atelier de J.E. Delaunay. Très vite, il s'oriente vers la peinture de paysages, trouvant des sources d'inspiration dans ses voyages en Bretagne et en Algérie. En 1894-95, il peint en compagnie de J.W. Morrice à Giverny, à Moret et au Pouldu, marquant une préférence très nette pour les paysages d'hiver aux effets de lumière changeants, proches de la facture de Sisley et qui montrent chez lui un souci constant d'observation de la nature (*Moret en hiver*, 1895, Toronto, Art Gal. of Ontario). Devenu membre de la Société nationale des beaux-arts en 1894, il participe régulièrement aux expositions de son Salon. Mais son pays natal lui manque et il décide en 1895 de s'installer à Montréal, où il ouvre un atelier. Devenu membre de la Royal Academy (1907), il participe à l'Exposition internationale de Saint-Louis et se met à peindre dans les Laurentides à partir de 1912. C'est là, à côté du mont Tremblant, qu'il s'établira dans un petit chalet, préparant ses propres couleurs à base d'un mélange de terre et de pigments, sculptant ses cadres et peignant en plein air, les pieds dans la neige (*Levis, à côté de Québec*, 1906, Toronto, Art Gal. of Ontario ; les *Derniers Fardeaux*, 1916, *id.* ; l'*Étang profond*, Montréal, coll. part.). Plusieurs rétrospectives lui ont été consacrées : à Montréal (école des Beaux-Arts) en 1930, à Hamilton (musée des Beaux-Arts), à Ottawa (G.N.) et à Montréal (musée des Beaux-Arts) en 1956. Tous ces musées conservent des œuvres de Cullen. □

D

DARASCU Nicolae,
peintre roumain
(Giurgiu 1883 - Bucarest 1959).

Élève de l'École des beaux-arts de Bucarest
de 1902 à 1906, Darascu arrive à Paris
l'année suivante et fréquente l'atelier de
Jean-Paul Laurens à l'Académie Julian, puis
celui de Merson aux Beaux-Arts. Attiré par
le Néo-Impressionnisme, il fait la connaissance de Signac et part travailler dans le
midi de la France (1908-1914), révélant ainsi
sa vocation de paysagiste (*Saint-Tropez, la
veille du 14 juillet,* 1913, Bucarest, Muzeul
de Arta). Dès 1911, il obtient dans sa ville
natale sept expositions personnelles, où il
affirme un style indépendant dans le choix
des nuances chromatiques et dans le statisme accusé de ses formes. Après avoir
séjourné de nombreuses années à Venise,
il revient à Bucarest en 1936 et reçoit le Prix
national de peinture.

L'exposition du Trianon de Bagatelle à
Paris en 1991, « Au temps des impressionnistes, la peinture roumaine », a consacré
une large place à l'œuvre de l'artiste.

DAUBIGNY Charles-François,
peintre français
(Paris 1817 - id. 1878).

Il naquit dans une famille d'artisans dont
les penchants artistiques encouragèrent ses
aptitudes précoces pour le dessin. À dix-sept
ans, il effectua un voyage en Italie, et, à son
retour, il s'attacha surtout à la gravure. Ses
planches, très influencées par Rembrandt,
témoignent d'un sentiment direct de la
nature. Puis il travailla quelque temps à la
restauration des peintures. Un bref passage,

en 1840, dans l'atelier de Paul Delaroche le
marqua moins que l'exemple des Hollandais copiés au Louvre. Ses premières œuvres trahissent plus de souvenirs de Ruisdael et d'Hobbema, alliés à des réminis-
cences classiques, que l'empreinte de son
maître. À partir de 1843, attiré par le plein
air, il fit de longs séjours à Barbizon et dans
le Morvan (la *Vallée du Cousin,* 1847,
Louvre). Vers 1850, sa notoriété s'accrut. Le
gouvernement acheta à l'artiste une peinture. L'*Étang de Gylieu* (1853, musée de
Cincinnati) avait été acquis par Napolèon
III. Grâce à ses gains, Daubigny put alors
voyager davantage. En 1852 se place l'événement capital de sa rencontre avec Corot à
Optevoz (Isère). Les deux artistes travaillèrent côte à côte et s'encouragèrent à
peindre sur le motif. Daubigny resta fidèle
aux mêmes sites : Optevoz, où il connut
Ravier, Villerville, sur les côtes de la
Manche, mais surtout les rives de la Seine
et de l'Oise près d'Auvers, rives longées
inlassablement à bord de son célèbre
bateau, le *Botin,* aménagé en atelier. Lisse
à ses débuts, sa touche s'empâta v. 1852 et
subit à ce moment une influence de
Courbet : l'*Écluse à Optevoz* (1855, Rouen,
musée des Beaux-Arts) et sa réplique du
Louvre de 1859 en sont les derniers témoignages. Un contact assidu avec la nature,
les eaux courantes et la mer incita ensuite
l'artiste à éclaircir ses tons, à alléger sa
palette, à poser sa touche avec promptitude.
Un des premiers, Daubigny tenta de traduire la fugacité du moment. La critique,
n'entrevoyant pas encore la portée d'une
telle évolution, le taxa de hâte et d'improvisation. Théophile Gautier, avec une restric-
tion péjorative, prononça même le mot

même flochetée évolua sans cesse. Cette diversité nous paraît encore accrue par le fait que nombre de ses peintures (quelque 300 numéros) restèrent inachevées.

Daumier fut admiré sans réserve par les romantiques, Delacroix, Préault, les assidus de l'hôtel Pimodan, les peintres de Barbizon, Millet en particulier. Il fut loué par la critique (Baudelaire, Banville), mais il demeura mal compris du public. Il vécut sans gloire et mourut aveugle dans une quasi-misère malgré l'aide fraternelle de Corot. Étroitement suivi par les dessinateurs de son temps (Gavarni, Cham le démarquèrent souvent), son influence de peintre fut immense. Elle s'exerça directement sur ses contemporains et sur la génération suivante, Manet, Degas, Monet, Toulouse-Lautrec, Van Gogh, et les derniers échos de l'art de Daumier retentissent encore, avec des sons différents, chez les fauves, les expressionnistes allemands, chez Soutine et jusque chez Picasso.

DAWSON-WATSON John,
peintre britannique
(Londres 1869 - id. 1939).

Élève à Londres de Mark Fisher – peintre américain fixé en Angleterre, l'un des premiers à pratiquer l'Impressionnisme – puis de l'Institut de Manchester en 1851, Dawson-Watson voyage ensuite en France et devient l'élève de Carolus-Duran à Paris avant de se rendre à Giverny, où il rencontre Monet. Mais c'est l'influence de Bastien-Lepage qui se ressent le plus nettement dans son œuvre lorsque ce dernier, à la fin de sa vie, expose à Londres v. 1880 des œuvres proches de l'Impressionnisme (la *Vieille Femme et l'enfant*, 1890 ; *Enfants jouant*, Bedford, Cecil Higgins Art Gal.).

DEGAS, Edgar de Gas, dit
peintre français
(Paris 1834 - id. 1917).

Issu d'une famille appartenant à la bonne bourgeoisie bancaire napolitaine, il fit d'abord de sérieuses études classiques puis

entra, en 1855, dans l'atelier de Lamothe, où se perpétuait l'enseignement d'Ingres et de Flandrin. Ses premières œuvres (1853-1856) furent des copies de tableaux du Louvre, des autoportraits et des portraits de famille qui montrent déjà de grandes qualités de simplicité (*René de Gas à l'encrier*, 1855, Northampton, Smith College Museum of Art). Le jeune artiste séjourna en suite en Italie (1856-1860), essentiellement à Naples, où résidait sa famille, et à Florence, où il découvrit avec ferveur les œuvres des maîtres florentins et fit de très nombreuses copies, à la mine de plomb ou à l'huile, de figures de retables ou de fresques. À Rome, il fréquenta l'atelier d'académies de la Villa Médicis, rencontra d'autres jeunes artistes français et se lia avec Gustave Moreau, dont le coloris précieux l'influença (*Femme sur une terrasse*, 1857-1862, coll. part.). Dès son retour à Paris, Degas exécuta plusieurs toiles de sujets historiques : *Petites Filles spartiates provoquant des garçons* (1860, Londres, N.G.), *Sémiramis construisant Babylone* (1861, Paris, Orsay), *Scène de guerre au Moyen Âge* (1865, id.), œuvres déjà profondément originales par leur simplification mais très marquées cependant par la peinture du quattrocento. On conserve les séries de dessins préparatoires qu'il réalisa pour ces toiles, études de draperies et de nus dont le graphisme est déjà sûr et vigoureux (*Femme nue debout*, 1865, Louvre). Degas prouvait ainsi combien il avait compris la leçon essentielle d'Ingres, qu'il considéra toute sa vie comme le plus grand peintre contemporain.

C'est à Ingres qu'il se référait encore dans les remarquables portraits de famille et d'amis qu'il peignit de 1857 à 1870 (*Hilaire Degas*, 1857, Paris, Orsay) : il y associait, comme le faisait le maître, le sens de la réalité et la conception du beau idéal. Le *Portrait de la famille Bellelli* (1858-1867, Paris, Orsay), en particulier, est une composition habile mais rigoureuse, au dessin ingriste et à la couleur raffinée. Les études qu'il fit, au pastel ou à l'essence, pour les différents personnages sont parmi les plus harmonieuses de son œuvre. Son *Portrait de*

Thérèse de Gas, duchesse Morbilli (v. 1863, *id.*) comme celui de *Mme Théodore Gobillard* (1869, New York, The Metropolitan Museum), fine et sérieuse, sont des toiles d'une profondeur psychologique délicate et d'un charme certain.

Degas pouvait alors être considéré comme l'un des espoirs de la grande peinture officielle. Mais son goût du Réalisme, l'influence des théories de Louis-Émile Duranty sur le rendu du réel, son intérêt pour la « modernité » baudelairienne et pour les sujets inédits allaient le pousser sur les champs de courses et dans les coulisses de théâtre. Son milieu social, ses amitiés musicales lui avaient fait découvrir ces mondes factices et colorés. Il s'attacha désormais à en observer les aspects insolites. Vers 1860-1862, il peignit ses premiers chevaux de course : pur-sang à la robe satinée, casaques vives des jockeys, fébrilité du pesage (*Aux courses en province,* 1869, Boston, M.F.A.). Très vite, il s'intéressa à la danse et à l'opéra. Il exécuta le *Portrait de Mlle Eugénie Fiocre, à propos du ballet de « la Source »* (1867-68, musée de Brooklyn), curieuse toile, presque symboliste, où chante le turquoise acide de la robe de la danseuse, puis, en 1872, le *Foyer de la danse à l'Opéra* (Paris, Orsay), aux accords atténués de bleu-gris et de jaune. C'est durant cette période qu'apparurent des effets nouveaux de cadrages et de mises en page originales, souvent décentrées : l'*Orchestre de l'Opéra* (v. 1870, *id.*). Il y mêlait en outre les éléments furtifs d'un japonisme alors à la mode (l'*Amateur d'estampes,* 1866, New York, The Metropolitan Museum of Art ; *James Tissot,* 1867-68, *id.*).

Après un voyage avec son frère René dans la famille de sa mère, à La Nouvelle-Orléans, il peignit *Portraits dans un bureau (Nouvelle-Orléans)* [1873, musée de Pau], où s'affirment ses recherches réalistes. Degas avait rencontré au Louvre Édouard Manet, dont il partageait les goûts bourgeois et les admirations artistiques (*Portrait de Duranty,* 1879, pastel, Glasgow, Glasgow Art Gal.). Ils s'intéressèrent ensemble à certains thèmes naturalistes mais Degas refusa avec acharnement le culte de la campagne, la nécessité du plein air et du travail sur le motif. S'il fréquenta le café Guerbois jusqu'en 1870, puis le café de la Nouvelle-Athènes, s'il y retrouvait avec plaisir Manet, Zola et Cézanne, il ne partageait pas réellement l'esthétique du mouvement impressionniste. Il souhaitait une recherche plus large et, rejetant l'obligation du plein air, il refusait l'observation obsédante des changements de la lumière pour s'attacher à l'étude du mouvement et à la traduction de l'instantané. Cependant, il fit psychologiquement cause commune avec les impressionnistes et présenta 10 toiles à la première exposition du groupe, en 1874, chez le photographe Nadar. Bien qu'il ne fût pas exclu du Salon officiel, et malgré certains heurts au sujet des désaccords de doctrine et de la présence un peu encombrante de son ami Raffaelli, il continua d'exposer régulièrement à leurs côtés (sauf en 1882) jusqu'en 1886, date après laquelle il réserva toute sa production à ses marchands fidèles, en particulier à Durand-Ruel. Son art exigeant traduit, certes, une remarquable perspicacité de l'impression fugitive, et il est en ce sens impressionniste, mais c'est aussi un art réfléchi, construit, épris de perfection et par là profondément indépendant. Degas s'intéressait avant tout à la ligne : ses dessins, rapides, précis, révèlent sa rare habileté et son sens du mouvement, analysé et projeté d'un seul coup de crayon (le Louvre possède de passionnantes séries d'études, et la B.N. de Paris plusieurs carnets de croquis). Pour rompre l'immobilisme de ses toiles, il inventait des cadrages décentrés, remontait la ligne d'horizon, renversait la perspective ou fixait la scène dans un espace découpé arbitrairement comme un trou de serrure ou un objectif photographique (*Chez la modiste,* 1882, New York, The Metropolitan Museum of Art). Il s'était d'ailleurs adonné souvent à la photographie, sans s'en être inspiré picturalement autant qu'on a voulu le dire. Mais il aimait faire jouer sur ces compositions fragmentaires la lumière artificielle d'éclairages éblouissants qui soulignent les formes (la

Chanteuse verte, v. 1884, *id.*). Dans ses huiles et ses pastels, plus nombreux après 1880, les tons sont éclatants : bleus sourds, roses et oranges opulents ; les plans mono-chromes vibrent grâce à quelques touches de couleurs pures qui les raniment. Degas, inquiet, probe, cherchait sans cesse, repre-nant inlassablement chaque pose, chaque thème. Il rejetait le Symbolisme, qui est évasion, et l'esthétisme de l'Art nouveau, qu'il trouvait décadent. Très orgueilleux, il dédaignait d'ailleurs les avis extérieurs, conseils ou compliments, ne se fiant qu'à son jugement, et renonçait volontairement aux honneurs officiels pour écarter tout risque de compromission. Son caractère, difficile, intransigeant, s'était assombri, en 1878, après la faillite qui devait ruiner sa famille. Il paya les dettes mais, gêné finan-cièrement, devint plus pessimiste et irasci-ble que jamais. Ce misanthrope ressentit pourtant de vives sympathies pour Manet ou Gustave Moreau et de profondes amitiés pour les Halévy, les Rouart, Évariste de Valernes et surtout le sculpteur Albert Bartholomé. Très sensible au chagrin de ses proches, ce bourru fut pour Bartholomé un ami secourable au moment de la mort de son épouse, Périe de Fleury, une des rares femmes devant lesquelles Degas oublia sa misogynie farouche. Cependant, parfois, cet esprit pénétrant, ce causeur cultivé et caustique, ce fin poète était dominé par sa hargne agressive, et souvent l'amitié ne résistait pas aux dissensions politiques. Degas, réactionnaire, fanatique du passé, des traditions, de l'armée, se brouilla avec les Halévy au sujet de l'Affaire Dreyfus.

Lucide et ironique, il fut un observateur cruel du quotidien : ses célèbres danseuses sont avant tout des créatures aériennes (l'*Étoile*, 1876-77, Paris, musée d'Orsay), enfantines, transfigurées par les lumières phosphorescentes de la rampe (*Danseuse au bouquet saluant*, v. 1877, *id.*) ; elles sont des arabesques colorées en suspens, mais elles sont aussi des petits rats abêtis et épuisés par la monotonie des répétitions, des sil-houettes au repos, s'étirant, ajustant leur chausson ou leur corsage avec des gestes

gauches, des pieds de canard et des mu-seaux chiffonnés (*Danseuses dans les cou-lisses*, 1890-1895, Saint Louis, Missouri, City Art Gal.). Degas, en effet, ne recherchait pas dans le ballet la grâce séduisante. Il s'atta-chait de préférence aux positions absurdes et aux équilibres invraisemblables. Son regard était plus impitoyable encore lorsqu'il se posait sur la femme à sa toilette. Il l'observait longuement, dans son tub, sortant de sa baignoire, se savonnant, se frictionnant, s'essuyant la nuque, la jambe ou le torse (le *Bain*, v. 1890, Chicago, Art Inst.). Il la détaillait avec mépris alors qu'elle pouvait se croire seule, animale, accroupie, grotesquement occupée à des soins intimes ou se grattant. Mais cette grenouille grasse et vulgaire, Degas la décrivait avec force et véracité : il zébrait de lumière les croupes

Edgar Degas
Intérieur,
dit aussi *le Viol, v. 1868-1869*
81 × 116 cm
Philadelphie, Museum of Art

rondes, il caressait les chairs bleuies, il mêlait les tons violents de pastel, le rose crevette, l'abricot, le vert (la *Sortie du bain,* 1885, New York, M. O. M. A.). Et ses femmes qui se peignent déroulaient des chevelures fauves ruisselantes (*Femme se coiffant,* 1887-1890, Paris, Orsay). La vision de Degas n'était guère plus indulgente quand il regardait les femmes du peuple ou le monde des cafés et des beuglants. Il traitait là des thèmes chers à Zola mais il n'était pas un réaliste à la manière de Courbet. Ses *Repasseuses au travail* (1884, *id.*), ses blanchisseuses et ses couturières, sa jeune modiste couchée sur la table pour façonner un chapeau ne suggèrent ni leçon de morale ni manifeste politique. Ces œuvres évoquent seulement, de façon magistrale, un instant de leur vie populaire. Degas s'y révèle toujours compo-

siteur hardi et coloriste violent, comme le prouvent les chapeaux fleuris de *Chez la modiste* (1882-1886, Chicago, The Art Institute of Chicago), se détachant sur le comptoir orange. En 1876, il peignit l'*Absinthe* (Paris, Orsay), ce portrait de Marcellin Desboutin et de l'actrice Ellen Andrée, attablés au café de la Nouvelle-Athènes, l'air hagard, immobilisés dans leur détresse. Ce fut le seul tableau « misérabiliste » de sa carrière. Cette toile fut très vivement critiquée à Paris et à Londres, où elle fut exposée en 1893. Ses *Femmes à la terrasse d'un café, le soir* (1877, *id.*) avancent leur visage simiesque sur le fond clignotant du boulevard. La même utilisation du flou se retrouve dans le *Café-concert des Ambassadeurs* (1876-77, musée de Lyon), où, seule parmi les lampions, se détache la chanteuse. Degas s'intéressa

EF

EDELFET Albert Gustav,
peintre finlandais
(Porvoo 1854 - Haikko 1905).

Chef de file de l'école réaliste finlandaise, il est le seul à s'être intégré au milieu artistique de l'Europe continentale. Sa peinture en France se place entre le Réalisme et l'Impressionnisme ; en Finlande, révolutionnaire, elle marque la cassure avec l'école de Düsseldorf. Il se forme vers 1870 à Anvers, où il adopte le Romantisme historique. En 1874, il vient poursuivre des études à Paris et entre dans l'atelier de Gérôme à l'École des beaux-arts.

Avec ses camarades Bastien-Lepage et Dagnan-Bouveret, il est influencé (1878) par l'*Assommoir* de Zola et, à leur exemple, se met à peindre en plein air vers la fin des années 1870. Ses premiers succès dans les milieux parisiens sont dus à ses portraits (*Pasteur*, 1886, Institut Pasteur). Mais l'influence de l'Impressionnisme sur son travail apparaît plus dans ses esquisses que dans ses grandes toiles (le *Jardin du Luxembourg*, 1887, Helsinki, musée d'Helsinki).

De retour en Finlande vers 1890, il introduit le pleinairisme français et contribue à la lutte pour l'indépendance de son pays : il peint des peintures d'histoire patriotiques (*Soldats finnois pendant la guerre de 1808-1809*, 1892, Mäntta, Fondation Gösta Serlachius). Edelfet est choisi pour la première peinture monumentale destinée à un édifice public en Finlande. L'*Inauguration de l'Académie de Turku*, exécutée pour la salle des fêtes de l'université d'Helsinki, est détruite en 1944. L'œuvre d'Edelfet est surtout bien représentée dans les musées d'Helsinki et de Göteborg.

EGEDIUS Halfdan,
peintre norvégien
(Drammen 1877 - Christiania 1899).

Avant de devenir l'élève d'Harriet Backer, artiste précoce, il obtint à seize ans son premier succès avec *Samedi soir ou les Jeunes*, « peinture d'atmosphère » inspirée par la nature et le folklore pittoresque du Telemark, comme le seront les tableaux postérieurs : le *Rêveur*, jeune homme méditatif saisi au coin de l'âtre (1895, *id.*), et *Jeunes Filles dansant (id.)*, fantomatiques comme une évocation de Strindberg et proches de Munch. *Orage menaçant* (1896, *id.*) date de sa période d'études à Copenhague avec Kr. Zahrtmann et poursuit ce goût pour les atmosphères fantastiques. Mort à 23 ans, il fut les deux dernières années de sa vie l'illustrateur des sagas norvégiennes au même titre qu'Erik Werenskiold et Gerhard Munthe.

ÉRAGNY-SUR-EPTE.

Durand-Ruel lui ayant consacré une exposition où il connut un certain succès, Pissarro put s'acheter une maison à Éragny. En 1884, il quitte définitivement la région de Pontoise pour s'installer dans ce petit village près de Gisors. Durant quatre années, il se livre d'abord à quelques tentatives pointillistes puis y exécute la plupart de ses toiles néo-impressionnistes : *Soleil de printemps dans le pré à Éragny* (1887, Paris, Orsay). Son fils Lucien Pissarro, adoptant le style de son père, représente l'*Église d'Éragny* (1887, Oxford, Ashmolean Museum) et baptise « Eragny-Press » sa maison d'édition londonienne.

Georges d'Espagnat
Pêcheurs en mer, 1905
60 × 73 cm
Genève, musée du Petit Palais

ERICHSEN Thorvald,
peintre norvégien
(Trondheim 1868 - Oslo 1939).

Il fit ses études à Oslo, puis chez K. Zahrt-mann à Copenhague, en 1892 et en 1899-1900. En 1893-94, et à maintes reprises, il séjourna en Italie, et ses premiers tableaux, avec leur coloris sombre et leur dessin strict, sont typiques de l'idéal du style « dano-florentin » des années 1890. Son grand *Paysage du Telemark* (1890, Oslo, Ng) est une vision pittoresque au coloris lumineux, inspirée de l'Impressionnisme. À Paris, en 1903, il découvre la peinture de Bonnard, dont il s'inspire pour un autre de ses chefs-d'œuvre : *Au jardin* (1903, Bergen, coll. Rasmus Meyers).

À la même époque, il crée des compositions peuplées de personnages étranges : *Humains autour d'un dieu* (1905, musée de Lillehammer), mais, attentif aux variations des valeurs atmosphériques, il exécute des tableaux de paysages et de fleurs dans des tons de plus en plus clairs et vaporeux. Comme Monet, il aimait peindre des séries sur un thème et pouvait répéter le même motif jusqu'à quarante fois.

ESPAGNAT Georges d',
peintre français
(Melun 1870 - Paris 1950).

À Paris, en 1888, il s'inscrit à l'École des arts décoratifs et à l'École des beaux-arts mais, de caractère indépendant, préfère se former seul en effectuant des copies au Louvre. En 1892, il participe au Salon des indépendants puis, en 1894-95, expose chez

185

Le Barc de Boutteville. Grand voyageur, il se rend au Maroc en 1898 (où il prend modèle sur Delacroix) puis visite l'Europe de 1905 à 1910, exécutant de nombreuses aquarelles. À partir de 1904, il expose fréquemment chez Durand-Ruel, Bernheim et Druet. En 1921, il s'installe dans le Quercy, région qui lui inspire de nombreux paysages, de même que Collioures et la Normandie (*Pêcher en fleurs*, 1906, Saint-Étienne, musée d'Art et d'Histoire ; *La Rochelle*, Ville de Paris, M.A.M.).

Peintre très productif (plus de mille toiles), d'Espagnat utilise les couleurs franches des fauves en les soulignant toutefois de cernes appuyés, dans un style proche de celui de Renoir (à qui il rend souvent visite à Cagnes avec son ami Valtat).

Sa peinture à tendance intimiste évoque Bonnard et Vuillard dans des portraits d'écrivains et d'artistes (*Paul Valéry*, 1910, coll. part. ; *André Mare*, 1931, id.), des scènes en plein air, des compositions à plusieurs personnages (les *Couseuses*, 1898, coll. part. ; la *Pergola*, 1907, Paris, Orsay) et des natures mortes (*Fleurs*, v. 1939, Saint-Tropez, musée de l'Annonciade).

Son activité est multiple : dessinateur dans *le Courrier français* puis *le Rire*, illustrateur pour *les Oraisons mauvaises* de Rémy de Gourmont (1897), *le Centaure* de Maurice Guérin (1900) et *l'Immortel* d'Alphonse Daudet (1930), peintre de décorations murales à Vilennes-sur-Seine pour la villa du Dr Vian (1900), pour la mairie de Vincennes (1936), le paquebot *Normandie* (1935) et le palais du Luxembourg (1939), il exécute également des décors de théâtre pour *Fantasio* de Musset (1912) et *le Barbier de Séville* de Beaumarchais (1934).

Il est représenté à Paris (Orsay et M.A.M. de la Ville), à Saint-Tropez (musée de l'Annonciade), à Bagnols-sur-Cèze (musée Léon-Alègre), à Douai (musée de la Chartreuse) et à Rouen (musée des Beaux-Arts) et à Genève (Petit Palais). Quelques rétrospectives lui ont été consacrées : chez Durand-Ruel en 1962 et 1967 et au musée des Beaux-Arts d'Alençon en 1987.

ÉTRETAT.
Séduit par le caractère particulièrement pittoresque d'Étretat – situé entre Dieppe et Le Havre sur la côte normande –, Monet est l'un des artistes qui y a le plus souvent tavaillé. Dès 1868, à la suite de Courbet (la *Roche percée*, Birmingham, Barber Institute of Arts), il découvre la beauté des falaises (la *Manneporte*, Philadelphie, coll. part. ; *Falaise d'aval par gros temps*, Paris, Orsay ; *Falaise d'amont*, Chicago, The Art Institute) et y revient chaque année jusqu'en 1885, invité chez le chanteur et collectionneur Faure et où il rencontre souvent Maupassant. Corot y séjourne en 1872, Boudin, Degas et Renoir en 1882-83.

EUGÈN DE SUÈDE prince, peintre, mécène et collectionneur suédois *(Château de Drottningholm 1865 - Waldemarsudde 1947).*

Fils du roi Oscar II, il suit successivement les cours d'Halfström, d'Hans Gude puis de Wilhelm von Gegerfelt à Stockholm et commence à Paris (1887-1889) son apprentissage de peintre comme élève de Bonnat et de Gervex, tout en suivant les conseils de Puvis de Chavannes. Bientôt il s'adonne entièrement à la peinture de paysage et interprète les sites de la Suède centrale avec des simplifications décoratives exprimées avec une grande sensibilité (la *Forêt*, 1892, Göteborg, musée des Beaux-Arts ; *Nuit d'été*, 1895, Stockholm, Nm). À partir de son installation, en 1905, au château de Waldemarsudde, ses motifs principaux sont des crépuscules propres à Stockholm, où eau, rochers et bateaux blancs sont traités en tons bleutés, voilés, insistant sur la lumière dans une manière impressionniste qui tend vers le pointillisme (*l'Aube*, 1908, Stockholm, Nm ; le *Canot blanc*, 1906, id.). Le prince Eugèn est aussi l'un des rénovateurs de la peinture monumentale (la *Ville au bord de l'eau*, 1916-1923, Hôtel de Ville de Stockholm), où apparaît l'influence du cubisme d'André Lhote dans des décors privilégiant la stylisation des motifs : pour l'Opéra royal

Henri Evenepoel
La Marchande de légumes, 1897
collection particulière

(1898) et le Collège de latin (1899) de Stockholm. Son œuvre de mécène et de collectionneur est aussi importante. Sa sympathie pour le radicalisme (on le surnomma le « prince rouge ») le porte à donner un appui moral aux mouvements modernistes du monde artistique suédois. Ses collections de Waldemarsudde, léguées en 1947 à la ville de Stockholm, qui les exposa en un musée d'État, donnent un substantiel aperçu de l'évolution et du développement de la peinture suédoise des années 1880 à 1940 env., avec des œuvres d'Ernst Josephson, de Carl Hill, d'Ivan Aguéli, de Karl Isakson, d'Isaac Grünewald. Elles comprennent aussi un choix de peintures danoises, norvégiennes et finlandaises datant de cette même époque. Les œuvres du prince Eugèn sont conservées dans les musées de Suède (Göteborg, musée des Beaux-Arts ; Stockholm, Nm ; musée de Malmö), de Norvège (Oslo, G.N.), de Finlande (Helsinki, K.M. Athenaeum), du Danemark (Copenhague, S.M.f.K.) et de Belgique (Bruxelles, M.R.B.A.). Le musée d'Orsay (Paris) possède le *Vieux Château* (1912).

EVENEPOEL Henri,
peintre belge
(Nice 1872 - Paris 1899).

Il suit d'abord les cours du soir de Blanc Garin à l'Académie de Saint-Josse-ten-Node

puis s'inscrit à l'Académie de Bruxelles, dans une classe d'art décoratif. Il reçoit un enseignement analogue dans l'atelier de Galland lorsqu'il s'installe à Paris en octobre 1892, avant d'entrer chez Gustave Moreau, où il rencontre Matisse et Rouault. À partir de 1893, il expose chaque année au Salon des Champs-Élysées. Pour des organismes belges, il crée plusieurs affiches en 1894, mais l'existence quotidienne de Paris le fascine comme en témoignent de multiples croquis où les études de caractère sont fréquentes. Chez Durand-Ruel, il a la révélation de Manet, dont l'influence, sensible dès l'*Homme en rouge* (1894, Bruxelles, M.R.B.A.), est encore trop flagrante dans l'*Espagnol à Paris* (1899, Gand, musée des Beaux-Arts). Des tableaux tels que le *Caveau du Soleil d'or* (1896, Bruxelles, coll. part.) et le *Café d'Harcourt* (1897, Francfort, Städel. Inst.) se situent entre les impressionnistes (évocation de l'atmosphère collective) et Lautrec (acuité expressive des types), même si la vigueur de l'exécution est toute septentrionale. Cette attention spontanée pour la vie immédiate explique la prédilection d'Evenepoel pour le portrait, et ceux qu'il a laissés de sa cousine Louise (qu'il aima d'un amour partagé) et de ses deux

Henri Fantin-Latour
Un Atelier
aux Batignolles, 1870
204 × 273 cm
Paris, musée d'Orsay

Delacroix (1864), *Un Atelier aux Batignolles* (1870), *Coin de table* (1872), *Autour du piano* (1885) montrent l'image véridique·d'artistes et d'écrivains.

Mais l'art de Fantin trouva deux autres formes d'expression : la nature morte et la composition poétique. Les natures mortes témoignent, comme les portraits, d'un sentiment réaliste. Il s'attache à les rendre d'un pinceau minutieux, en serrant la forme des fleurs, des fruits et des objets placés dans une lumière claire et subtile. La *Nature morte des fiançailles* (1869, musée de Grenoble) est sans doute le plus émouvant de ces tableaux. À l'opposé, il créa dans ses compositions un monde irréel et féerique peuplé de nymphes vêtues de voiles, qui prolongea le souvenir de Prud'hon en y mêlant une influence préraphaélite. La majeure partie de ces œuvres fut suscitée par sa passion pour la musique. Fantin emprunta ses thèmes à Schumann, à Wagner, à Berlioz, et voulut magnifier ce dernier dans l'allégorie du musée de Grenoble, l'*Anniversaire* (1876). C'est également son engouement pour l'opéra qui inspira ses importantes séries de lithographies, plus spécialement vouées à Berlioz et à Wagner.

Si Fantin fut étroitement lié avec les impressionnistes, qu'il retrouvait au café Guerbois et qu'il admirait, il se dissocia de leur mouvement par un métier traditionnel, une réserve, une recherche psychologique dans ses portraits, un dessin précis dans ses natures mortes, un goût des noirs et des gris, des harmonies sombres. Il fut aux côtés de Carrière un des derniers « intimistes ».

FATTORI Giovanni,
peintre italien
(Livourne 1825 - Florence 1908).

Il étudie d'abord à Livourne, puis à Florence (1846-1848) à l'Académie des beaux-arts auprès de Giuseppe Bezzuoli, portraitiste et peintre d'histoire de tendance romantique. Cette formation le marquera longtemps (*Marie Stuart au camp de Crookstone*, 1859, Florence, G.A.M.), même après l'époque où il commence à fréquenter, au café Michel-Ange, le cercle des premiers Macchiaioli, auquel il n'adhère, poussé par Giovanni Costa, qu'après 1859. Dans son tableau le *Camp italien après la bataille de Magenta* (1861-62, Florence, G.A.M.), avec lequel il remporta le concours Ricasoli, se manifestent les résultats de ses plus récentes recherches. Toutefois, sa nouvelle manière, fondée sur le contraste des zones de couleurs claires et sombres schématisant les masses, est mieux adaptée à ses tableaux de petites dimensions. D'abord traitées comme des esquisses, ces peintures deviennent ensuite des œuvres indépendantes, conçues pour elles-mêmes (les *Soldats français*, 1859, Crema, coll. part.). Parallèlement à l'exécution de ses grands tableaux de bataille (*Bataille de Montebello*, 1862, Livourne, musée Giovanni Fattori ; *Assaut à la Madonna della Scoperta*, 1864, *id*.), Fattori réalise aussi une importante série de petits formats, souvent étirés en longueur, proportion soulignée par un jeu de bandes de couleurs contrastées. C'est avec des compositions de ce type que Giovanni Fattori trouve ses meilleurs accents, riches d'un discret lyrisme (*Cabanon en bord de mer*, Florence, coll. part. ; la *Rotonde Palmieri*, 1866, Florence, G.A.M. ; *Repos*, 1887, Brera), particulièrement dans ses toiles peintes à Castiglioncello en 1867, où Fattori se repose chez son ami Diego Martelli, après la mort de sa femme (*Pinède à Castiglioncello*, Milan, coll. part. ; la *Meule*, musée de Livourne ; *Madame Martelli à Castiglioncello*, *id*.).

Il est nommé professeur à l'Académie de Florence en 1869. Au cours des décennies suivantes, il continue à peindre des tableaux militaires (*Bataille de Custoza*, 1876-1880, Florence, G.A.M.) et des scènes rustiques (le *Marquage des taureaux*, Gênes, coll. part.). En 1873, il est présent au Salon de Paris, où

Giovanni Fattori
La Rotonde des bains Palmieri, 1866
12 × 35 cm
Florence, Galleria d'Arte moderna

il fait la connaissance de Degas, qu'il considère comme un de ses amis. Il reçoit deux médailles d'or : l'une en 1876 à l'Exposition internationale de Philadelphie, l'autre en 1900 à l'Exposition universelle de Paris. Son langage pictural est alors marqué par une accentuation de la construction graphique, à laquelle s'ajoutera, un peu plus tard, une tendance sentimentale propre au vérisme social (l'*Estafette*, 1882 ; le *Cheval mort*, 1903), surtout après son séjour chez le prince Orsini dans les Maremmes en 1882. Il laisse également des portraits (*Portrait de la première femme du peintre*, 1864, Rome, G.A.M. ; *Diego Martelli à Castiglioncello*, Milan, coll. Jucker ; *Portrait de la belle-fille du peintre*, 1889, Florence, G.A.M.), qui rappellent parfois les modèles de Bezzuoli, ainsi qu'une importante production de gravures (*Bœufs tirant une charrette*, Florence, cabinet des Estampes) qui contribuèrent à le faire considérer comme la plus forte personnalité du mouvement des Macchiaioli. La G.A.M. de Florence conserve un bel ensemble de ses œuvres, ainsi que le musée G. Fattori de Livourne, la G.A.M. de Rome et la Pin. di Brera de Milan.

FAURE Jean-Baptiste,
chanteur et collectionneur français
(Moulins 1830 - Paris 1914).

La collection de Corot, de Delacroix, de paysagistes de l'école de Barbizon vendue en juin 1873 par le célèbre chanteur

Jean-Baptiste Faure avait conféré à celui-ci la réputation d'être un amateur d'art averti ; aussi, lorsque, quelques mois plus tard, Faure acheta 5 tableaux de Manet, alors objet des plus vives polémiques, l'événement eut-il un retentissement considérable ; parmi ces tableaux figuraient le *Bon Bock,* exposé au Salon de la même année (auj. au Museum of Art de Philadelphie), *Lola de Valence* (musée d'Orsay) et le *Déjeuner* (Munich, Neue Pin.). Par goût, mais non sans esprit de spéculation, Faure, sur les conseils de Durand-Ruel, continua à acheter des Manet au point d'en posséder 35, c'est-à-dire presque toutes les œuvres les plus célèbres de l'artiste ; beaucoup d'entre elles figurèrent à l'exposition rétrospective de Manet en 1884 à l'École des beaux-arts ; citons le *Chemin de fer* et le *Toréador mort* (Washington, N.G.), le *Chanteur espagnol* et *Mademoiselle V. en costume d'Espada* (Metropolitan Museum), la *Musique aux Tuileries* (Londres, N.G.), la *Chanteuse des rues* (Boston, M.F.A.) et enfin le *Fifre* et le *Déjeuner sur l'herbe* (musée d'Orsay). Jean-Baptiste Faure acheta aussi des toiles d'autres impressionnistes, de Degas (*Aux courses,* id.) et de Monet (*Pont d'Argenteuil,* id.).

FAUVISME.

Le Fauvisme doit son nom à Louis Vauxcelles, critique du *Gil Blas* : rendant compte du Salon d'automne de 1905, il qualifiait de « cage aux fauves » la salle centrale, où les innovations formelles et les audaces chromatiques de Matisse, Marquet, Derain se trouvaient confrontées au *Lion ayant faim* du Douanier Rousseau. L'exemple de Van Gogh (« J'aime Van Gogh mieux que mon père », s'écriait Vlaminck, sortant en 1901 de la rétrospective de ce peintre) et celui de Gauguin ont joué un rôle dans la formation du Fauvisme ; il convient d'y ajouter l'enseignement, à l'E.N.S.B.A., de Gustave Moreau, conseillant à ses élèves, parmi lesquels Matisse, Marquet, Rouault, de ne croire, en fait de réalité, qu'à celle du « sentiment intérieur » et de saisir « chez les Anciens [...] le transformé imaginaire de

la couleur ». Matisse et ses amis convertirent à cette doctrine Dufy et Friesz ; ce dernier déjà incité à des audaces de coloris par sa rencontre avec Guillaumin en 1901. De leur côté, à Chatou, Vlaminck et Derain s'engageaient instinctivement sur la même voie, ce que faisait également, avant même d'arrivée à Paris, le Hollandais Van Dongen.

Le Fauvisme tendit à tout exprimer par l'orchestration de couleurs pures, et au premier chef le sentiment et la pensée de l'artiste devant les spectacles de la nature, considérés comme des thèmes à développer dans ce sens et non pas à imiter formellement. Après avoir ainsi contribué à ouvrir la voie au Cubisme, au Surréalisme, à l'Abstraction, la plupart des fauves, dès 1908, se sont engagés dans d'autres directions. En plus des peintres précités, Valtat, dont les travaux préludent au Fauvisme dès 1892, Camoin, Braque (passagèrement), Manguin, Jean Puy ont fait partie de cette école, à laquelle on rattache aussi Auguste Chabaud et R. Seyssaud.

FAYET Gustave,
peintre et collectionneur français
(Béziers 1865 - Narbonne 1925).

Biterrois, d'une famille d'artistes (son père, Gabriel Fayet, et son oncle Léon Fayet étaient peintres), il fut peintre, illustrateur (saint Jean de la Croix, Mistral) et décorateur (cartons de tapis exécutés dans les ateliers de la Dauphine à Paris). La collection qu'il réunit à partir de 1899 à Béziers, puis à Igny, dans la vallée de Chevreuse, comptait des œuvres impressionnistes (Renoir, Cézanne), mais apparaît surtout comme l'une des plus importantes en France pour la période postimpressionniste (Van Gogh, Gauguin, Redon et Bonnard). Dès 1900, il est en relation, à Tahiti, avec Gauguin qui exécute pour lui des monotypes et des bois sculptés (la *Guerre* et la *Paix*) et dont il réunit un remarquable ensemble de peintures, de céramiques et de sculptures. Pour l'abbaye de Fontfroide, près de Narbonne, qu'il restaure et qui accueille, à partir de 1909, ses amis, écri-

André Derain
Les Deux Péniches, 1906
80 × 97,5 cm
Paris, musée national d'Art moderne

vains, artistes et musiciens, il demande à Odilon Redon les décorations de la bibliothèque (le *Jour* et la *Nuit*, 1910-11).

FÉNÉON Félix,
critique d'art et collectionneur français
(Turin 1861 - Châtenay-Malabry 1944).

Secrétaire de rédaction à *la Libre Revue* dès 1883, il fonde l'année suivante – avec G. Chevrier – *la Revue indépendante*, qui, très rapidement, groupe les symbolistes. En 1886, il dirige *la Vogue* avec Gustave Kahn

et y publie des poèmes de Verlaine et de Rimbaud. Chroniqueur littéraire, théâtral et artistique d'une rare perspicacité, il collabore à maintes revues. D'une prose contournée, au verbe impeccable et précis, il fustige la niaiserie des peintres officiels et défend avec lucidité et intelligence les artistes importants de la fin du siècle. C'est dans *l'Art moderne* de Bruxelles que, le 19 septembre 1886, il emploie, à propos de la seconde exposition des Indépendants, l'expression « méthode néo-impressionniste ». Dès 1884, il avait remarqué *Une baignade à Asnières*, dont il rencontre l'auteur, Seurat, ainsi que Pissarro, Signac, Dubois-Pillet. Il se fait le champion de ce groupe et voit dans Seurat l'initiateur d'une réforme de l'Impressionnisme permettant, par l'application d'une technique nouvelle fondée sur les travaux scientifiques de Rood, de Chevreul et de Helmholtz, de parvenir à « un art à grand développement décoratif, qui sacrifie l'anecdote à l'arabesque, la nomenclature à la synthèse, le fugace au permanent, et, dans les fêtes et les prestiges, confère à la nature, que lassait à la fin sa réalité précaire, une authentique réalité ». Ses écrits sont réunis au moment de la huitième exposition impressionniste dans une plaquette intitulée *les Impressionnistes en 1886*. Sa participation à des revues anarchistes lui vaut d'être inculpé, en 1894, au procès des « Trente » ; acquitté, Fénéon devient conseiller littéraire et secrétaire de rédaction à *la Revue blanche* (1894-1903). En 1904, il est le préfacier de l'exposition Van Dongen chez Vollard. En 1906, il est appelé à gérer la section d'art moderne à la gal. Bernheim-Jeune. À partir de 1919, il est codirecteur du *Bulletin de la vie artistique*, que publie la galerie et où il fait paraître quelques brefs articles. Il abandonne ses activités en 1925. Sa collection, composée d'œuvres modernes (en particulier de Seurat, dont les trois petites *Poseuses* acquises par le Louvre [auj. à Orsay], et de Signac, dont le *Portrait de Fénéon sur l'émail d'un fond rythmique de mesures et d'angles, de tons et de teintes* [1890, New York, M.O.M.A.]) et de sculptures de l'Afrique noire, a fait l'objet d'une vente de son vivant. Deux ans après sa mort, la vente du reste de sa collection devait permettre à sa femme d'instituer l'Université de Paris légataire universelle, à charge pour elle de créer, sous le nom de Fondation Fénéon, des prix qui seraient annuellement décernés à de jeunes écrivains et à de jeunes peintres ou sculpteurs de moins de 35 ans.

FERENCZY Károly,
peintre hongrois
(Vienne 1862 - Budapest 1917).

Il étudia d'abord à Munich, puis de 1887 à 1889 à Paris, où il fréquenta l'Académie Julian et suivit parallèlement l'enseignement de Bastien-Lepage (*Jeune Jardinier*, 1891, Budapest, G.N.). Après une période naturaliste à Szentendre (1889-1892), il retourna à Munich et évolua vers un style personnel plus décoratif et aux couleurs éclatantes (*Au jardin de Neuwittelsbach*, 1894, coll. part.), dont les développements donneront naissance à l'école de Nagybánya ; l'un des premiers à s'installer à Nagybánya, il en devint non seulement le maître le plus important, mais celui qui, par son talent, l'a définitivement imposée, assurant un foyer central à la peinture hongroise renaissante. Préoccupé par les problèmes du plein air, d'abord voilé de nuages, puis radieusement ensoleillé (les *Trois Mages*, 1898, Budapest, G.N.H. ; *Harmonie du soir avec chevaux*, 1899, id. ; *Femme peintre*, 1903, id. ; *Matin ensoleillé*, 1905, id.), il traduisit de plus en plus la lumière puissante, envahissante, de la plaine hongroise. Sa conception synthétique s'opposait à la touche divisée de l'Impressionnisme français, sa facture recherchait de larges accents et aboutit dans sa dernière période à un style dont la force évocatrice ne le cédait en rien à l'efficacité décorative (*Double Portrait*, 1908, id. ; *Béni avec barbe*, 1912, id.). Il eut une influence déterminante sur les peintres nés à la fin du siècle.

FEYDEAU Georges,
écrivain et collectionneur français
(Paris 1862 - Rueil 1921).

La collection de ce célèbre auteur dramatique fut dispersée à l'hôtel Drouot le 11 février 1901 et le 4 avril 1903. Son grand intérêt résidait surtout dans une série remarquable de paysages des plus grands artistes de la seconde moitié du XIXᵉ s. Citons, pour les deux ventes – quelques œuvres ayant été rachetées lors de la première –, une quarantaine de toiles de Boudin, plusieurs Jongkind, Courbet, les *Peupliers* de Cézanne (musée d'Orsay), 7 Monet (dont le *Champ de coquelicots*, Moscou, musée Pouchkine), 3 Renoir, une série de Pissarro, Sisley (dont la *Neige à Louveciennes*, léguée au Louvre par Moreau-Nélaton, auj. au musée d'Orsay, Guillaumin, Lebourg. En dehors de ces paysages,

Karoly Ferenczy
Matin ensoleillé, 1905
Budapest, Nationalgalerie

G. Feydeau posséda également plusieurs Daumier, à propos desquels les critiques du temps ne manquèrent pas de noter combien l'esprit du peintre et celui de l'écrivain pouvaient se rejoindre.

FILIGER Charles,
peintre français
(Thann 1863 - Plougastel-Daoulas 1928).

Cet artiste doux et mystique, admirateur des primitifs italiens, rejoignit Gauguin au Pouldu en 1890. Ses gouaches naïves et ferventes, qui représentent des landes sinueuses et des figures enluminées, sont exposées aux Indépendants (1889-90), aux Vingt à Bruxelles (1891), au Salon de la Rose-Croix (1892), chez Le Barc de Boutteville (1892-1894) et Durand-Ruel (1899) [la *Côte bretonne* (v. 1892, New York, coll. part.) ; la *Madone et l'Enfant* (v. 1892, *id.*)]. Ami d'Alfred Jarry, de R. de Gourmont, dont il illustre *l'Ymagier* (1844), il est soutenu par A. de La Rochefoucauld jusqu'à la mort de celui-ci, en 1900. Vagabond méfiant, il peint alors de curieuses notations chromatiques où des visages expressivement stylisés sont enserrés dans une mosaïque géométrique

de couleurs (1893, Paris, coll. part. ; 1903, Orsay) et dans lesquelles André Breton, qui possédait plusieurs de ses œuvres, trouvait un accent précurseur du Surréalisme.

FINCH Willy, Alfred William, dit,
peintre belge d'origine britannique
(Bruxelles 1854 - Helsinki 1930).

Il se forme à l'Académie des beaux-arts de Bruxelles, où il connut Ensor, qui fit autour de 1880 plusieurs portraits de lui. Il fut en 1884 l'un des fondateurs du groupe des Vingt et participa à l'introduction du Néo-Impressionnisme en Belgique. À Londres en 1886, il rencontra Whistler, mais ce fut la connaissance de Seurat en 1887 qui eut un effet décisif sur son art. En 1890, attiré par la vogue des arts décoratifs, Finch devint peintre-décorateur aux faïenceries Boch et s'adonna à la création de céramiques, auxquelles il appliqua le principe division-niste. Il fut appelé en 1897 à diriger une usine de céramique près d'Helsinki et ne revint à la peinture qu'en 1905, exécutant des paysages finlandais dans une facture néo-impressionniste qui influença la jeune école finlandaise. Professeur à l'école des

Arts décoratifs d'Helsinki, où il organisa en 1904 la première exposition consacrée à ce mouvement, Finch fonda en 1912, avec Enckell et le critique Frosterus, le groupe Septem, qui chercha à nouer des relations plus étroites avec la France.

Parmi les peintures pointillistes de l'artiste, on peut citer celles qui sont aujourd'hui conservées en Belgique au musée d'Ixelles (les *Meules*, 1889) et surtout au musée de Tournai *(Effet de neige, Barques échouées sur la grève)* et en Finlande, à l'Athenaeum d'Helsinki (*Course de chevaux à Ostende*, 1888 ; *Verger à La Louvière*, 1890-91 ; les *Falaises de Douvres*, 1891-92).

FLOCHETAGE.

Terme utilisé par Delacroix pour désigner une technique picturale proche de la division des tons telle qu'il la pratique à la fin de sa vie, dans des œuvres comme la *Lutte de Jacob avec l'Ange* (Paris, église Saint-Sulpice, chapelle des Saints-Anges, 1861) : « Au lieu de poser la couleur juste à sa place, brillante et pure, il entrelace les teintes, les rompt et, assimilant le pinceau à une navette, cherche à former un tissu dont les fils multicolores se croisent et s'interrompent à chaque instant » (Villot).

FONTANESI Antonio,
peintre italien
(Reggi Emilia 1818 - Turin 1882).

Après des études à Reggio et à Turin, les troubles du Risorgimento conduisent Fontanesi à Genève (1850), où il fréquente l'école du paysagiste romantique Alexandre Calame, au métier nerveux et brillant et dont il subit l'influence. Il s'en détache au cours de la décennie suivante sous l'impulsion d'expériences nouvelles, comme son voyage à Paris (1855) et sa rencontre avec Auguste Ravier, de l'école lyonnaise (1858).

Il peint alors des paysages larges et paisibles, que baigne une lumière dense et pathétique et dans lesquels on retrouve l'impression suscitée par les œuvres de Corot, de Daubigny et des peintres de Barbizon (l'*Étang*, le *Matin*, 1856-1858, Turin, Museo Civico).

Ses œuvres de maturité sont marquées par une technique plus animée, par des compositions plus recherchées visant un effet de solennelle mélancolie et par une atmosphère dramatique obtenue par le jeu du clair-obscur qui n'est pas étrangère au souvenir des tableaux de Constable et de Turner, qu'il avait vus à Londres en 1866 (le *Gué*, 1861 ; *Avril*, 1872-73 ; l'*Étable* 1872-73). Fontanesi est de retour en Italie en 1867, fréquente le groupe des Macchiaioli et obtient la chaire de paysage à l'Accademia Albertina de Turin (1869), où il travaille et enseigne jusqu'à sa mort (à l'exception d'un passage à l'Académie de Tōkyō en 1875-1879). La plupart de ses œuvres sont à Turin (Museo Civico), qui a rendu en 1971 un « hommage à Fontanesi » à la gal. Narciso.

FORAIN Jean-Louis,
peintre et graveur français
(Reims 1852 - Paris 1931).

Cet artiste à l'esprit caustique fut le plus féroce des successeurs de Daumier. Comme lui, il observa avec ironie l'égoïsme sordide d'un certain monde bourgeois, de vieux messieurs concupiscents, de petits rats ambigus, de maquerelles et de jeunes femmes sans scrupules (*Dans les coulisses*, 1906, Londres, Courtauld Inst. ; le *Repos du modèle*, musée de Dunkerque). Le succès de Forain comme caricaturiste mondain fait trop oublier qu'il fut surtout un dessinateur politique et social, imposant avec force ses idées humanitaires. Il collabora à l'illustration de tous les journaux satiriques de l'époque, le *Scapin* (1876), le *Courrier français*, le *Fifre* (1889-90), les *Temps difficiles* (1893), le *Figaro* (jusqu'en 1925). Il y fustigeait les affameurs, les parlementaires véreux, les juges et les avocats dans d'amers croquis incisifs et des lithographies vivantes, presque toujours soulignées d'une courte légende cruelle. Il y exprima aussi ses révoltes de polémiste lors du scandale de Panama et, paradoxalement, dans le *Pss't* (1898-99) ses opinions antidreyfusardes virulentes durant l'Affaire Dreyfus. Si les affiches de Forain ont le plus souvent la vigueur de ses charges (*la Bohème*, de Puccini), ses pastels sont très influencés par Degas, qu'il admirait vivement. Il exposa d'ailleurs assez régulièrement avec les impressionnistes entre 1879 et 1886. Son œuvre peint est moins connu et mérite pourtant l'admiration. Ses tableaux montrent une mise en page étudiée (le *Veuf*, 1884, Louvre), un coloris sombre éclairé par endroits de lumières crues et une pâte épaisse, posée en touches larges et espacées (la *Plaidoirie*, 1907, *id.*). Il s'y éleva parfois jusqu'à un romantisme douloureux (la *Maison retrouvée*, 1918, musée de Nantes). Très lié avec J.-K. Huysmans, dont il avait illustré *les Croquis parisiens* (1880), Forain réalisa aussi de belles eaux-fortes religieuses (le *Calvaire*, 1909 ; *Pietà*, 1910), très marquées par Rembrandt, et des toiles fortes inspirées par l'Évangile (le *Repas à Emmaüs*, 1926, coll. part.). Une exposition au musée Marmottan, à Paris, a présenté en 1978 les différents aspects de son œuvre en insistant sur les œuvres moins connues de la fin de sa vie, d'une facture à la fois plus mouvementée et plus elliptique.

Jean-Louis Forain
L'Absinthe, v. 1885
aquarelle
Paris, musée Marmottan

FORNARA Carlo,
peintre italien
(Prestinone 1871 - id. 1968).

Ce divisionniste se forme dans l'école d'art de Sainte-Marie-Majeure, où enseigne Enrico Cavalli (un élève de Guichard), qui lui fait découvrir les grands maîtres de la Renaissance mais également Corot, Rousseau, Millet, Courbet et Monticelli. Sa première exposition a lieu en 1891 à l'occasion de la Triennale de Milan (qui est à l'origine de la polémique divisionniste en Italie). À Milan, il découvre les œuvres de Segantini et de Fontanesi, deux représentants du nouveau courant ; il restera étroitement lié à Segantini au point de peindre comme lui. En 1894, il se rend à Paris pour voir les travaux impressionnistes. À son retour, il se lie avec les représentants du « nouveau » courant et adhère définitivement au Divisionnisme. Il peindra jusqu'à sa mort. Toute sa vie, Fornara tentera de traduire efficacement les sensations lumineuses par la décomposition de la couleur, ses thèmes favoris étant les paysages des Alpes (*Pomerigio estivo*, 1898, coll. part. ; *Tristezza invernale*, 1901, coll. part.).

FRIANT Émile,
peintre français
(Dieuze 1863 - Nancy 1932).

Originaire de la Lorraine annexée, sa famille se fixa à Nancy après le traité de Francfort. Ses études à l'école de dessin de la ville lui valurent une bourse municipale pour Paris. Il fut admis dans l'atelier de Cabanel et conseillé par Bastien-Lepage. Sa grande composition la *Toussaint* (musée de Nancy), présentée au Salon de 1889, lui valut le succès : il fut l'un des fondateurs de la Société nationale des beaux-arts

(1890). Le dessinateur, qui se réclame d'Ingres, ne dépasse que rarement la précision minutieuse d'un naturalisme trop confiant en lui-même (portraits de Barrès, Gallé, Poincaré). Le peintre sait ajouter, en les limitant, les acquis de l'Impressionnisme : *Autoportrait* (1895, *id.*), et alterne scènes de genre, scènes de sport, paysages tunisiens, scènes tragiques comme la *Fine capitale ou l'Expiation* (1908, coll. part.). Des qualités de métier certaines témoignent de dons peut-être compromis par le souci – et la réussite – d'une carrière officielle qui le conduisit à l'Institut. Friant exécuta à Nancy plusieurs décorations, dont les *Jours heureux* (1895, hôtel de ville, salle des séances du conseil municipal). Il est représenté dans les musées de Nancy, de Toul et de Montpellier. Le musée d'Orsay possède la *Toussaint* (1888), copie autographe de l'esquisse du tableau de Nancy.

FRIESEKE Frederick Carl,
peintre américain
(Owosso, Michigan, 1874 -
Mesnil-sur-Blangy 1939).

D'abord élève de l'Académie de Chicago (1893-1896) puis de l'Art Students' League de New York, Frieseke travailla en France – à l'Académie Julian sous la direction de Jean-Paul Laurens et de Benjamin Constant – et y vécut durant quarante ans. Attiré par l'Impressionnisme, il part vivre à Giverny en 1906 et se distingue alors du reste du groupe des artistes américains par une peinture délicate baignée de lumière, avec un goût inné de l'harmonie des lignes et des tons redevables à l'art de Monet (*Bonjour*, v. 1910, the Buttler Institute of American Art, Youngstone, Ohio), mais qui annonce déjà un talent de décorateur, pleinement exploité à l'hôtel Shelbourne de la plage d'Atlantic City. En 1904, le musée du Luxembourg acheta une de ses toiles et la Biennale de Venise lui consacra une exposition personnelle en 1909. L'exposition des impressionnistes américains qui eut lieu au Petit Palais en 1982 fit une place d'honneur à l'œuvre de ce peintre.

FRY Roger Eliot,
critique d'art, peintre
et érudit britannique
(Londres 1866 - id. 1934).

Il étudia l'art et son histoire à Paris et en Italie après des études scientifiques à Cambridge. Auteur d'un essai sur Bellini (1899), il surprit ses contemporains en organisant en 1910, à Londres, aux Grafton Galleries, une grande confrontation internationale, « Manet et les post-impressionnistes », qui, renouvelée en 1912, provoqua une prise de conscience des évolutions de la peinture moderne. Fry promut ainsi, avec le New English Art Club, une influence de la peinture française sur l'art anglais du début du XXᵉ s. Il fut aussi l'instigateur des Omega Workshops (1913-1919), ateliers créés dans la tradition des Arts and Crafts (1861) ; ils proposaient de nouvelles formules décoratives appliquées au mobilier et préfiguraient le Bauhaus (1919).

Depuis 1888, Fry pratiquait une peinture qui relevait d'un cézannisme mêlé au souvenir de Friesz (décoration de la salle à manger de la Borough Polytechnic, fragments à la Tate Gal. de Londres), et, en 1927, il consacra une étude à Cézanne (*Cézanne, a Study of his Development*). Familier du Bloomsbury Group, très informé de l'art ancien grâce à ses nombreux voyages en Italie et en France (*Giotto*, 1900-1901), mais aussi ouvert à tous les courants contemporains (Seurat, 1926), il exposa ses théories dans *Vision and Design*, édité à Londres en 1920. Ses titres de conservateur du Metropolitan Museum (1905-1910), de rédacteur du *Burlington Magazine* (à partir de 1903) et de professeur à Oxford (1933) lui conférèrent une grande autorité, à laquelle porta atteinte l'inimitié de Wyndham Lewis, qui lui opposa dès 1913 le Rebel Art Center. La publication, par Denys Sutton, en 1972, de ses *Lettres* permit la réhabilitation du critique. Sa collection, léguée au Courtauld Inst. de Londres, comprend un choix de ses propres peintures et des œuvres importantes de Bonnard, Rouault, Derain, Seurat, Sickert et Duncan Grant. □

G

GACHET Paul,
médecin et amateur d'art français
(Lille 1828 - Auvers-sur-Oise 1909).

Après avoir fait une partie de ses études médicales à Paris, il y ouvrit son cabinet en 1859. Il fréquenta assidûment les artistes (Courbet, Bresdin, Bonvin) dès sa jeunesse et devint par la suite un véritable ami des impressionnistes. Il acheta en 1872 une demeure à Auvers-sur-Oise, où il accueillit notamment Guillaumin, Pissarro, Cézanne et Van Gogh. Pratiquant lui-même la peinture et la gravure, il exposa à partir de 1891 au Salon des indépendants et adopta en 1905 le pseudonyme de Van Ryssel. Il a fait un croquis au fusain de Van Gogh sur son lit de mort. La plus grande partie de sa magnifique collection (notamment son *Portrait*, l'*Autoportrait* et l'*Église d'Auvers* exécutés par Van Gogh en 1890) a été donnée au Louvre par ses enfants en 1954 et se trouve auj. au musée d'Orsay.

GAUGUIN Paul,
peintre français
(Paris 1848 - Atuona,
îles Marquises, 1903).

Il est né juste avant les journées révolutionnaires de juin 1848. Son père, obscur journaliste libéral, s'exile après le coup d'État de 1851 et meurt à Panamá, tandis que sa famille rejoint Lima, au Pérou. Sa mère, fille d'une saint-simonienne exaltée, Flora Tristan, avait, d'après l'artiste, des ascendances péruviennes nobles. Marqué, dès l'enfance, par le caractère messianique et fantasque de son milieu familial, Gauguin gardera des souvenirs étranges et somp-tueux de son séjour chez l'oncle de Lima, Don Pio de Tristán Moscoso. Revenu à Orléans en 1855, il entretient, écolier, des rêves d'évasion et s'engage de 1865 à 1868 comme pilotin dans la marine marchande, il fait le tour du monde, puis de 1868 à 1871 il est militaire dans la marine et va en Scandinavie. Poussé par son tuteur G. Arosa, Gauguin commence en 1871 une brillante carrière chez l'agent de change Bertin. Il épouse en 1873 une Danoise, Mette Gad. **Les débuts.** Arosa collectionne la peinture avec goût ; son exemple, l'amitié de Pissarro encouragent Gauguin à acheter, surtout entre 1879 et 1882, des tableaux impressionnistes (Jongkind, Manet [*Vue de Hollande*, pastel, auj. au Museum of Art de Philadelphie], Pissarro, Guillaumin, Cézanne, Renoir, Degas, Mary Cassatt), puis à peindre et à sculpter en amateur : modelage et taille directe chez le praticien Bouillot, tableaux dans le goût de Bonvin et de Lépine (la *Seine au pont d'Iéna*, 1875, Orsay) ; il présente dès 1876 une toile au Salon officiel. Bientôt influencé par Pissarro, il expose avec les impressionnistes de 1879 à 1886, recueillant en 1881 l'approbation enthousiaste de Huysmans pour un *Nu* solide et réaliste (Copenhague, N.C.G.). Ces relatifs succès et la crise financière le conduisent à abandonner en 1883 les affaires pour se consacrer entièrement à la peinture. Pendant deux ans, de Rouen à Copenhague, Gauguin cherche un équilibre illusoire qui aboutit, avec le retour à Paris en juin 1885, au naufrage de sa vie familiale et à la misère.

Il présente cependant à la huitième exposition impresionniste, en 1886, 19 toiles où son originalité s'affirme déjà dans les inquiétantes harmonies de ses paysages.

Premier séjour à Pont-Aven. — La Martinique. Après un séjour d'été à Pont-Aven, où il a rencontré E. Bernard et Ch. Laval, Gauguin revient à Paris, réalise chez Chaplet des céramiques aux intéressantes simplifications et rencontre Van Gogh. Le voyage de 1887, à la Martinique, en compagnie de Laval, lui révèle la valeur synthétique des couleurs et ravive les influences concomitantes de Cézanne et de Degas. **Deuxième séjour à Pont-Aven (1888).** Il peut à son retour et lors de son deuxième séjour à Pont-Aven, en 1888, apporter son génie et son autorité aux différentes recherches entreprises au même moment par Anquetin et Bernard, sous l'influence de Puvis de Chavannes et l'exemple des estampes japonaises. Moment décisif pour Gauguin, qui, à quarante ans, élabore un style original en intégrant le Cloisonnisme et le Symbolisme de ses amis à son expérience de la couleur. La « simplicité rustique et superstitieuse » de la *Vision après le sermon* (1888, Édimbourg, N.G.) ou l'harmonie écarlate de la *Fête Gloanec* (musée d'Orléans) témoignent dès lors de sa prééminence. **Arles et Van Gogh.** Gauguin retrempe dans le Symbolisme diffusé par Aurier ses prétentions rédemptrices et partage avec Van Gogh ses utopies phalanstériennes, bientôt déçues par leur rencontre dramatique à Arles, d'octobre à décembre 1888. Au-delà des oppositions de tempéraments, Gauguin s'affirme, comme le montre sa vue « composée » des *Alyscamps* (Orsay), avant tout classique, soucieux d'équilibre et d'harmonie. À Paris, il réalise de nombreuses céramiques aux curieux décors anthropomorphes et exécute sous l'influence de Bernard une série de 11 lithographies. **Troisième séjour à Pont-Aven. — Le Pouldu.** Son marchand Théo Van Gogh organise une présentation de ses œuvres récentes chez Boussod et Valadon en novembre 1888 ; puis il participe aux expositions collectives des vingt à Bruxelles et à celle du café des Arts chez Volpini pendant l'Exposition universelle à Paris. Ces manifestations révèlent, malgré l'indifférence et les sarcasmes, la place de Gauguin dans le groupe artificiellement nommé « école de Pont-Aven ». Une vitalité intacte, l'absence de É. Bernard, l'accord de disciples plus modestes renforcent la liberté et la confiance manifestées par Gauguin dans les œuvres peintes à Pont-Aven, puis au Pouldu en 1889 et 1890. C'est avec aisance qu'il assimile les leçons de Cézanne (*Portrait de Marie Derrien*, Chicago, Art Inst.) ou celles des arts primitifs, fréquentés depuis l'enfance et retrouvés dans l'art breton (*Christ jaune*, Buffalo, Albright-Knox Art Gal.), unissant le mysticisme égocentrique (*Christ au jardin des Oliviers*, musée de Palm Beach) au goût de l'étrange (*Nirvana*, Hartford, Wadsworth Atheneum). Gauguin retrouve dans le bois sculpté la force des bas-reliefs primitifs (*Soyez amoureuses et vous serez heureuses*, Boston, M.F.A. ; *Soyez mystérieuses*, Paris, musée d'Orsay).

Revenu à Paris, il devient l'artiste recherché des réunions littéraires du café Voltaire. Il peint alors une grande toile symbolique, la *Perte du pucelage* (Norfolk, The Chrysler Museum) et, soutenu par ses amis, prépare son premier exil tahitien. **Premier voyage à Tahiti (1891-1893).** Le succès relatif d'une vente aux enchères, le 23 février 1891, lui permet de s'embarquer le 4 avril après avoir reçu en un banquet amical l'hommage des symbolistes. Son unique eau-forte, gravée avant son départ, est un portrait de Mallarmé. Ébloui par la beauté des indigènes et des paysages polynésiens, Gauguin retrouve d'emblée à Tahiti les larges rythmes classiques des bas-reliefs égyptiens (*Te Matete*, musée de Bâle), la tendre spiritualité des primitifs italiens (*La orana Maria*, Metropolitan Museum) et les aplats contournés des estampes japonaises (*Pastorales tahitiennes*, Moscou, musée Pouchkine), qu'il utilise avec une suprême liberté plastique et chromatique (la *Sieste*, 1891-92 ?, coll. Annenberg). Exaltant la luxuriance des couleurs tropicales, il confère souvent à leur ténébreuse incandescence le symbolisme mystérieux des mythes païens (la *Lune et la Terre*, New York, M.O.M.A.) et des terreurs superstitieuses et sensuelles

Paul Gauguin
Nave Nave Mahana (Jour de fête), 1896
95 × 130 cm
Lyon, musée des Beaux-Arts

(*L'esprit des morts veille*, Buffalo, Albright-Knox Art Gallery). Au jour le jour, l'artiste consigne impressions et documents dans plusieurs récits illustrés : l'*Ancien Culte mahorie* et *Noa Noa* (Louvre, C.D.D.), qui, revu par Charles Morice, sera publié dans *la Revue blanche* en 1897.

Retour en France (1893-1895). De nouveau sans ressources matérielles, Gauguin revient en France de 1893 à 1895 ; déprimé par l'isolement, cultivant avec ostentation et mépris un exotisme désormais artificiel, il expose chez Durand-Ruel, n'obtenant qu'un succès de curiosité. Les toiles qu'il

peint alors sont un rappel agressif et nostalgique de son expérience tahitienne (*Aita tamari vahina Judith*, coll. part. ; *Mahana no Atua*, Chicago, Art Inst.).

Gauguin retourne au Pouldu et à Pont-Aven, où, blessé dans une rixe, il est contraint à l'immobilité. Il réalise alors un étonnant ensemble de gravures sur bois où il exprime l'effroi silencieux des cultes tahitiens dans une technique contrastée et précise renouvelée des xylographies primitives.

Second séjour à Tahiti (1895-1903). Après une lamentable liquidation de son atelier en salle des ventes, Gauguin regagne Tahiti en mars 1895. Solitaire, endetté, malade, dépressif, il traverse dès son retour une terrible crise, aggravée par la mort de sa fille Aline. Les inquiétudes de la destinée humaine, un besoin encore accru de solidité plastique et de rythmes classiques marquent plus que jamais son art (*Nevermore*, 1897, Londres, Courtauld Inst. ; *Maternité*, v. 1896, coll. part.). Avant son suicide manqué de février 1898, il exécute une large composition. *D'où venons-nous ? Que sommes-nous ? Où allons-nous ?* (1897, Boston, M.F.A.), testament pictural où « le hâtif disparaît et la vie surgit » dans la somptuosité d'une matière austère. À partir de 1898, réguièrement soutenu par Vollard, puis par quelques fidèles amateurs tels que Fayet, Gauguin retrouve une certaine aisance matérielle, constamment compromise par la lutte procédurière contre les autorités civiles et religieuses de l'île. Il exprime son messianisme de persécuté agressif dans deux feuilles, les *Guêpes* et le *Sourire* « journal sérieux » illustré de gravures sur bois, et dans les bois sculptés qui ornent sa case, « la Maison du Jouir » (1902, Paris, musée d'Orsay). Peints en 1899, les *Seins aux fleurs rouges* (Metropolitan Museum) et les *Trois Tahitiens* (Édimbourg, N.G.) témoignent encore du charme secret et étrange de ses larges volumes. Après son installation en 1901 à Atuona, dans l'île marquisienne de Hivaoa, Gauguin, de plus en plus affaibli, accentue en touches vibrantes le profond raffinement de ses accords verts, violets et roses (*Et l'or de leur corps*, 1901, Orsay ; l'*Appel*, 1902, musée de Cleveland ; *Cavaliers sur la plage*, 1902, coll. Niarchos). Pendant ces dernières années, il écrit beaucoup : lettres à ses amis, étude sur *l'Esprit moderne et le catholicisme* et *Avant et après*, importante méditation anecdotique et romancée sur sa vie et sur son œuvre. Il meurt à Atuona le 8 mai 1903.

L'influence de Gauguin. Divulguée par les expositions organisées après sa mort, son influence ne tarda pas à s'étendre au-delà du cercle des artistes qui l'avaient côtoyé à Pont-Aven ou des Nabis, qui, à l'Académie Ranson, avaient reçu son message par l'intermédiaire de Sérusier. Les œuvres de Willumsen au Danemark, de Munch en Norvège, de Modersohn Becker en Allemagne, de Hodler en Suisse, de Noñell en

Espagne et du Picasso de ses débuts annoncent les emprunts encore plus significatifs de fauves et de cubistes français comme Derain, Dufy et La Fresnaye ou d'expressionnistes allemands tels que Jawlensky, Mueller, Pechstein ou Kirchner.

Gauguin est représenté dans tous les grands musées ; celui d'Orsay conserve un bel ensemble du maître. Un musée Gauguin inauguré à Tahiti en 1965 contient de nombreux documents sur l'artiste. Une importante rétrospective a été présentée à Washington, Nat. Gal. of Art, 1988 ; à Chicago, Art Institute, 1989 ; à Paris, Grand Palais, 1989.

GAUSSON Léo,
peintre français
(Lagny, Seine-et-Marne, 1860 - 1942).

Il reçut tout d'abord une formation de sculpteur sur bois, puis étudia la gravure, avant de s'orienter vers la peinture. Il se rallia alors au groupe, néo-impressionniste et se lia notamment avec Camille Pissarro, Signac et Maximilien Luce, qui le favorisa de ses conseils. Dès lors, son œuvre peint se développe et il témoigne, dans la fameuse technique divisionniste, de fort beaux dons de coloriste. Il n'en abandonne pas pour autant la gravure, soit qu'il crée des œuvres personnelles, soit qu'il s'inspire des tableaux les plus connus de J.-F. Millet, peintre dont il a gravé un excellent portrait. Il expose à plusieurs reprises avec le groupe des néo-impressionnistes et donne une exposition personnelle au Théâtre-Antoine à Paris en 1899. Plus tard, Léo Gausson s'engage dans l'administration coloniale et passe de nombreuses années en Afrique. Des œuvres de l'artiste sont notamment conservées au musée du Petit Palais à Genève.

GERVEX Henri,
peintre et pastelliste français
(Paris 1852 - id. 1929).

Créateur de mythologies galantes aux formes suaves (*Diane et Endymion*, 1875, musée d'Angers), il peignit aussi des tableaux de genre : avec une brillante facilité :

Communiantes à l'église de la Trinité (1976, musée de Dijon) ou le *Jury de peinture du Salon* (1885, musée de Reims). Mais Gervex exécuta des œuvres d'un réalisme plus puissant comme *Autopsie à l'Hôtel-Dieu* (1876, disparu), le *D' Péan enseignant à l'hôpital Saint-Louis sa découverte du pincement des vaisseaux* (1887, Orsay) et comme ce *Rolla* (1878, musée de Bordeaux) aux souples effets de blancs qui fit scandale par la modernité de son sujet et provoqua l'agacement de Manet devant la récupération des novateurs. Ses décorations officielles sont tantôt sincères et sobres (le *Bureau de bienfaisance*, 1883, Paris, mairie du XIXᵉ arrondissement), tantôt enlevées et d'un luminisme influencé par l'Impressionnisme (la *Foire de Saint-Laurent*, Paris, grand foyer de l'Opéra-Comique ; la *Musique à travers les âges*, Paris, salle des fêtes de l'Hôtel de Ville). Gervex fut aussi un portraitiste fort prisé du public parisien élégant, surtout féminin (*Madame Valtesse de La Bigne*, 1889, Orsay) et exécuta pour l'Exposition universelle de 1889, en collaboration avec Alfred Stevens, le célèbre *Panorama du siècle* (Bruxelles, M.R.B.A.). Les expositions « The realist tradition. French painting and drawing 1830-1900 » (Cleveland, Museum of Art, 1980-81) et « Rural and Urban Images : British and French Painting 1870-1920 » (Londres, 1984, Pyms Gal.) l'ont situé dans l'influence de Zola.

GIACOMETTI Giovanni,
peintre et graveur suisse
(Stampa, Grisons, 1868 - Glion 1933).

Père d'Alberto, élève à l'Académie de Munich, il se lia d'amitié avec Cuno Amiet, en compagnie de qui il gagna Paris (1888) et fréquenta l'Académie Julian. Rentré à Stampa, il rencontre en 1894 Giovanni Segantini, qui l'initie à la technique impressionniste, qu'il utilisera, au niveau même de la touche, dans de violents contrastes de couleurs élémentaires. La découverte des œuvres de Gauguin, de Van Gogh et de Cézanne confirmera ces recherches, axées sur la lumière et la couleur (la *Lampe*, 1912, Zurich, Kunsthaus). Ses compositions de plus en plus simplifiées et monumentales (*Autoportrait dans la vallée de Brega-*

Aleksander Gierymski
Marchande de citrons, 1881
63,5 × 47,5 cm
Cracovie, Nationalmuseum

lia, 1899, Genève, musé d'Art et d'Histoire) deviennent quasiment abstraites (*Arc-en-ciel*, 1916, Berne, Kunstmuseum). Après 1925, l'éclairage, adouci, devient plus intime, la matière plus compacte ; le dessin reprend de l'importance alors que Giovanni ne se consacre pratiquement plus qu'au paysage (*Première Neige à Stampa*, 1930, musée de Lucerne).

GIERYMSKI Aleksander,
peintre polonais
(Varsovie 1850 - Rome 1901).

Il commence ses études à Varsovie en 1867 et les poursuit à Munich de 1868 à 1873. Au cours de longs séjours en Italie, il étudie la peinture de la Renaissance italienne, dont l'influence est visible dans ses tableaux : *Sieste italienne* (1876, musée de Varsovie), la *Tonnelle* (1882, *id.*). De retour en Pologne (1880-1888), il s'inspire directement de la vie et des paysages urbains de Varsovie : *Marchande de citrons* (1881, Cracovie, Nm), *Trompettes, fête religieuse juive* (1884, *id.*), les *Sablonniers* (1887, *id.*). Observation de la nature et interprétation psychologique sont associées dans ces images de sa ville natale. La lumière préoccupe avant tout Aleksander, dont la rencontre avec l'Impressionnisme et le Néo-Impressionnisme à Paris de 1890 à 1893 (le *Crépuscule sur la Seine*, 1893, musée de Cracovie) n'est que le prolongement de ses recherches assidues des effets de soleil couchant, entreprises sur les bords de la Vistule. Il donna dans ses nombreuses vues urbaines des études nocturnes inédites (l'*Opéra la nuit*, 1891, *id.*). Déjà malade, l'artiste passe ses dernières années en Italie ; sa palette s'éclaircit et il exécute plusieurs vues de Rome et de Vérone dans une tonalité plus claire et plus lumineuse : *Pinède à la Villa Borghèse à Rome* (1895, 1900, *id.*) ; *Vue de Vérone* (1901).

GILMAN Harold,
peintre britannique
(Road, Somerset, 1876 - Londres 1919).

Fils d'un pasteur, il fut élève à la Slade School de Londres, où il rencontra Gore. Admirateur de Goya et de Velázquez, il se rendit en Espagne (1904) avant de voyager aux États-Unis (1905). De retour en Angleterre, il fréquenta le cercle de Sickert, qui fonda avec lui et Gore le groupe de Camden Town en 1911. Il fut élu premier président du London Group en 1913. Peintre de paysages, de portraits, de scènes intimistes, comme Sickert, Gilman fut brièvement influencé par Gauguin, Matisse, Van Gogh et Cézanne, dont il avait pu voir les œuvres lors d'un séjour à Paris en 1910. Mais il revint, en 1914, à ce qu'il appelait le « Néo-Réalisme ». Il vécut à Londres, où il mourut prématurément de la grippe espagnole. Il est représenté à la Tate Gal. : *Mrs. Mounter au petit déjeuner*, 1917 ; le *Pont du canal*.

GIVERNY.

Au S.-E. de Vernon, dans l'Eure, à mi-chemin entre Paris et Rouen, Giverny doit sa célébrité à Monet, qui s'y installe en 1883 et y meurt 43 ans plus tard (le *Jardin de l'artiste à Giverny*, 1900, Paris, Orsay). Avec l'aide d'un jardinier recommandé par son ami Mirbeau, il transforme le verger initial en jardin d'agrément et aménage en « jardin d'eau » l'île aux Orties située à l'embouchure de l'Epte, qui traverse le terrain. Le bassin aux Nymphéas, rendant plus manifeste encore l'influence exercée sur le peintre par l'Extrême-Orient et ses estampes, permet à Monet la répétition d'un même thème qui aboutit aux célèbres séries des Nymphéas (le *Bassin aux Nymphéas*, 1895-1900, Chicago, The Art Institute).

Devenue propriété de l'Institut, la maison de Monet et son célèbre jardin sont aujourd'hui ouverts au public.

GOENEUTTE Norbert,
peintre et graveur français
(Paris 1854 - Auvers-sur-Oise 1894).

Il est élève en 1872 de Pils à l'École des beaux-arts, où il se lie avec Cordey. Goeneutte est un des jeunes artistes qui se sont intéressés très tôt aux recherches des impressionnistes. Il les rencontre souvent au café de la Nouvelle-Athènes en compagnie de son ami Renoir, qui l'a représenté dans de nombreux tableaux (la *Tonnelle*, 1876, Moscou, musée Pouchkine ; le *Moulin de la Galette*, 1876, Paris, Orsay). Il reste cependant influencé par la tradition réaliste et se spécialise, à la manière de Raffaelli et de J. de Nittis, dans des scènes anecdotiques de la rue de Paris : le *Boulevard de Clichy par temps de neige*, 1876, Londres, Tate Gal. Malade, il part pour Auvers dans les années 1890, en compagnie du Dr Gachet, avec lequel il peint (*Portrait du Dr Gachet*, 1891, Paris, Orsay).

GOLA Emilio,
peintre italien
(Milan 1851 - id. 1923).

Issu de la bourgeoisie milanaise, Gola étudie d'abord avant d'être en 1878 l'élève de Sebastiano de Albertis à l'Académie de Milan. Il débute au Salon de 1889 à Paris, où il obtient une médaille, puis expose à Turin, Rome et Milan des œuvres aux touches morcelées qui cherchent la dissolution des formes. On peut voir des toiles de l'artiste au musée Mesdag de La Haye et un très beau *Portrait de l'artiste par lui-même* aux Offices de Florence.

GORE Spencer,
peintre britannique
(Epsom, Surrey, 1878 -
Richmond, Surrey, 1914).

Élève de Harrow (1892-1896), il étudia ensuite à la Slade School de Londres (1896-1899). Il s'y lia avec W. Lewis et se rendit avec lui en Espagne (1902). En compagnie de Sickert — qu'il rencontra à Dieppe en 1904 et avec qui il voyagea en France (1904-1905) — et de Gilman, il créa en 1911 le groupe de Camden Town dont il devint le premier président. Paysagiste et intimiste comme Sickert (*Nu étendu sur un lit*, Bristol, City Art Gal.), il fut, à partir de 1911, fortement influencé par Gauguin et Cézanne. Très lié aux milieux d'avant-garde (il participa à la seconde exposition de Fry en 1912), il peut être considéré comme l'un des peintres les plus novateurs du début du siècle. Il mourut prématurément d'une pneumonie. Il est représenté à la Tate Gal. de Londres par le *Parc de Richmond*, le *Fourneau à gaz* (1913).

GOUPIL (galeries).

Fondée en 1827 par Adolphe Goupil (Paris 1806 - *id.* 1893) et spécialisée, à l'origine, dans le commerce des estampes et des gravures de reproduction, la maison Goupil et Ritter, boulevard Montmartre à Paris, prit le nom de « galeries Goupil » ; celles-ci se consacrèrent bientôt aux maîtres officiels, comme Horace Vernet, Gérôme, Cabanel, Meissonier. Cette firme, très importante, qui avait des succursales à New York, à Berlin, à Londres et à La Haye (où Vincent Van Gogh fut employé), fut reprise en 1875 par Boussod et Valadon, qui, conservant l'orientation traditionnelle de la galerie principale, 2, place de l'Opéra, permirent aux directeurs de leur galerie annexe (19, boulevard Montmartre), Théo Van Gogh, puis, après 1890, Maurice Joyant, d'accueillir les peintres impressionnistes et post-impres-

sionnistes (Monet, Guillaumin, Pissarro, Raffaelli, Gauguin, Berthe Morisot, Lautrec) et d'en faire ainsi l'un des principaux foyers de l'art vivant de cette époque.

GRABAR Igor Emmanouilovitch,
peintre russe
(Budapest 1871 - Moscou 1960).

Étudiant à l'Académie des beaux-arts de Saint-Pétersbourg, puis chez Ažbe à Munich, il adhéra au groupe Mir Iskousstva en 1901. Ses activités multiples — histoire de l'art (il est l'auteur d'un livre précieux sur l'histoire de l'art russe rédigé de 1909 à 1916), critique d'art, organisation des musées (il dirige la galerie Tretiakov de 1913 à 1924 puis prend la direction des Ateliers nationaux de restauration) — ne l'empêchèrent pas de peindre. Il puise son inspiration dans la nature, qu'il reproduit avec une palette délicate (*Jour ensoleillé d'hiver*, 1941, Moscou, Tretiakov Gal.) ; c'est aussi un bon portraitiste (*Portrait de l'académicien N. D. Zielinski*, 1932, id.). Il fut, de 1944 à sa mort, directeur de l'Institut d'histoire de l'art de l'Académie des sciences de l'U.R.S.S.

GRANT Duncan,
peintre britannique
(Rothiemurchus, région d'Inverness, 1885 -
Aldermaston, Berkshire, 1978).

Il se forma à Londres et à Paris, où il travailla avec J.-É. Blanche à l'Académie de la Palette en 1907. Par l'entremise de son cousin, Lytton Strachey, Grant se joignit au groupe de Bloomsbury, formé par Roger Fry, Clive, Vanessa Belle et Virginia Woolf. En 1909, il visita Gertrude et Michael Stein à Paris et rencontra Matisse et Picasso. Mais ce n'est qu'en 1910-1912 qu'il change de technique en découvrant les deux expositions post-impressionnistes organisées par Fry à Londres et les mosaïques byzantines lors d'un voyage en Turquie. Ses œuvres de 1910-1916 furent influencées par Matisse (*The Blue Sheep*, 1913, Londres, V.A.M.) et par la période nègre de Picasso (le *Tub*, 1913, coll. part.). Il peignit également des œuvres abstraites (*Abstract*, 1915, Courtesy Anthony d'Offay Gal., Londres). Après 1916, il adopta un style d'un réalisme impressionniste haut en couleur (*Nymphes et satyre*, 1925, coll. part.).

Grant exécuta aussi des peintures murales, souvent en collaboration avec Vanessa Bell, réalisa des décors de théâtre et fournit des modèles de tissus et de poteries pour les Omega Workshops de Fry de 1913 à 1919. Entre 1927 et 1938, il séjourne régulièrement en France, à Cassis. Il est représenté notamment à Londres, à la Tate Gal. et au Courtauld Inst., à Birmingham (City Museum). La Tate Gal. lui a consacré une rétrospective en 1959.

GRENOUILLÈRE (la).

Signalée dans tous les guides du second Empire et de la IIIe République comme un lieu un peu canaille, la Grenouillère, située sur l'île de Croissy près de Bougival, est une célèbre guinguette doublée d'un établissement de bains. Le thème des bains de la Grenouillère est sans précédent dans la peinture de genre et c'est pendant l'été de 1869 que Monet et Renoir appliquèrent pour la première fois la technique impressionniste : la *Grenouillère*, le *Ponton*, 1869 (Oxford, coll. part.), les *Bains de la Grenouillère*, 1869 (Londres, N.G.), de Monet ; *À la Grenouillère*, 1879 (Paris, Orsay), de Renoir.

GREZ-SUR-LOING.

Situé à quelques kilomètres de Marlotte, en lisière de la forêt de Fontainebleau, Grez-sur-Loing attire dans les années 1870-1880 les peintres étrangers séjournant en France et désirant s'initier à l'Impressionnisme. Les paysagistes avaient pris l'habitude de s'installer en groupe à la campagne pour y travailler ; ainsi, les impressionnistes de l'école de Glasgow – Dow, Kennedy, Paterson, O'Meara –, ceux de la colonie scandinave – Nordström, Larsson, J. Beck, K. Bergöö – et quelques Américains – Harrison, Lawson... – trouvent à Grez l'atmosphère nécessaire à l'épanouissement de leur art.

GRIGORESCU Nicolae Ion,
peintre roumain
(Pitaru-Dambovitza 1838 - Cimpina 1907).
Il se forme chez Anton Chladek, peintre de miniatures, de portraits et d'icônes, et, à partir de 1853, exécute le décor de l'église d'Agapia (1858-1860). Il se rend en 1861 à Paris, où il travaille dans l'atelier de Sébastien Cornu, puis à Barbizon et à Marlotte, et ne rentre à Bucarest qu'en 1869. Il participe en 1867 à l'Exposition universelle de Paris, en 1868 à l'exposition des peintres de Fontainebleau. Il prend position contre l'enseignement académique et introduit en Roumanie la peinture de plein air et l'art indépendant.

Après un voyage en Italie (1873-74), il s'établit pour quelques mois à Bacău, en Moldavie (1874), où il peint plusieurs portraits de *Juifs* qui comptent parmi ses meilleures toiles. En 1876-77, de nouveau en France, il rencontre les impressionnistes et éclaircit sa palette tout en confirmant son goût pour l'expression spontanée de ses sensations visuelles.

La guerre d'indépendance contre les Turcs (1877-78), à laquelle il participa, fit de Grigorescu non pas un peintre militaire, mais un témoin de la souffrance humaine, qu'il dépeint avec une saisissante et profonde vérité. De 1879 à 1886, il revint à plusieurs reprises en France, peignit en Bretagne et les bords de la Seine. Il s'établit en 1887 définitivement en Roumanie, dont les paysages continuèrent à lui offrir d'innombrables motifs.

Les années 1880 marquent le sommet de sa production. Sa technique s'élargit et se simplifie : pâtres et Bohémiens sont brossés dans une pâte souple et large alliée à des couleurs intenses (*Fillette à la cruche*, Bucarest, GN ; *Char à bœufs*, musée Simu). Vers 1900, ses couleurs s'estompent dans une gamme de camaïeu vibrants et subtilement nuancés, les proportions de ses personnages s'allongent, ses compositions s'organisent selon une ordonnance décorative où une sorte de symbolisme personnel se fait jour (la *Rêveuse*, musée Simu).

N. I. Grigorescu
Paysanne au châle
Bucarest, musée national de Roumanie

Ses tableaux figurent principalement au musée de Bucarest. Un musée Grigorescu est installé dans la dernière demeure de l'artiste, à Cimpina.

GROHAR Ivan,
peintre yougoslave
(Sorica 1867 - Ljubljana 1911).

Issu d'une famille de paysans, il commence ses études à Zagreb, puis à Graz (1888-1895), avant de se rendre à Munich dans l'école de son compatriote Anton Ažbé (1895-96). De 1896 à 1900, il partage son temps entre Sorica, Ljubljana et Munich. À partir de 1904, il s'installe à Škofja Loka. Son développement artistique est parallèle à naissance et à l'évolution de l'art moderne en Slovénie, à la charnière des XIXᵉ et XXᵉ s. D'abord auteur de tableaux religieux d'un réalisme idéalisé, Grohar s'enthousiasme un moment pour le romantisme böcklinien, mais, depuis 1900 et grâce à l'amitié du peintre Jakopič, il s'oriente définitivement vers l'Impressionnisme, travaillant et exposant (Vienne, 1905 ; Belgrade, 1904, 1907 ; Londres, 1906 ; Trieste, 1907) avec le groupe des impressionnistes slovènes. La connaissance de l'œuvre de l'Italien Segantini influence fortement son évolution, de même que les toiles des impressionnistes français contemplées aux expositions de la Secession à Munich et à Vienne. Grohar se consacre à l'étude de la lumière et recherche l'expression picturale du paysage slovène, qu'il interprète en visionnaire inspiré : *Škofja Loka sous la neige*, 1903, Ljubljana, G.A.M. ; *Stara Loka*, 1907, *id.* ; le *Semeur*, 1907, *id.* ; les *Pommes de terre*, 1909, *id.* ; *Berger*, 1911, *id.* Appartenant à la première génération des créateurs de l'art moderne en Yougoslavie, il reste le plus grand poète de son sol natal. Deux rétrospectives de l'œuvre de Grohar ont eu lieu à Ljubljana (G.A.M.) en 1958 et à Belgrade (Nm) en 1959. Ces deux musées conservent la plupart des toiles de cet artiste.

GROUPE DES DIX ou TEN AMERICAN PAINTERS.

En 1898, 11 artistes américains ayant voyagé en Europe et voulant manifester leur libre attachement à l'Impressionnisme français se réunirent sous le nom d'Eleven Painters Secede (Sécession des 11 peintres) et organisent leur première exposition la même année chez Durand-Ruel à New York. Le onzième, Abbott H. Thayer, qui côtoie l'Impressionnisme sans vraiment l'adopter, démissionne après l'exposition ramenant à dix le nombre des représentants. Ce sont : F. Benson, T. Dewing, F. Hassam, J. Weir, J. Twachtman, de Camp, W. Metcalf, E. Simons, R. Reid et E. Tarbell.

GRUBICY DE DRAGON Vittore,
peintre italien
(Milan 1851 - id. 1920).

D'une famille attirée par l'art, il commence à voyager en Europe à partir de 1870 (surtout à Londres), jouant les intermé-

Paul Guigou
*Paysage de Provence – Vue de
Saint-Saturnin-Les-Apt, 1867*
bois, 27,6 × 45,8 cm
Paris, musée du Petit Palais

diaires pour son frère Alberto, grand marchand d'art, qui soutient de jeunes artistes italiens comme Cremona, Ranzoni, Segantini. Au cours d'un séjour en Hollande (1882-83) et sous l'influence des peintres Israëls et Anton Mauve, il décide alors de se lancer dans la peinture et délaisse peu à peu le commerce de l'art (surtout après 1889) ; adoptant le pointillisme, il amène ses amis (Segantini, Morbelli, Previati) à cette technique, nouvelle en Italie. Devenu critique d'art à *La Riforma* de Primo Levi et à *La Cronache d'arte* en 1886, il organise diverses expositions, comme celle sur le Divisionnisme lombard à la Triennale de la Brera à Milan en 1891 et la manifestation itinérante sur la peinture de Previati en 1901, tout en partageant son temps entre Miazzina, Milan et le lac de Lecco. Là, il exécute le plus souvent de petits paysages poétiques, combinés en polyptyques, dans une palette aux tons de brun et d'orange qui n'est pas sans évoquer celle de Millet et des peintres de Barbizon (*De la fenêtre, Miazzina*, 1898 ; *Quelle paix à Valganna !*, v. 1894 ; l'*Été sur le lac de Côme*, 1897-1901, triptyque, Rome, G.A.M. ; *Hiver en montagne, poème panthéiste en huit tableaux*, 1894-1911, polyptyque, Milan, G.A.M. ; la *Montagne de Tremezzo*, 1897, coll. part.).

Ses œuvres, qui figurent à l'Internationale de Venise et à de nombreuses expositions à Munich et à Düsseldorf (1904), influenceront des artistes comme Romani et Carrà. Il a été représenté dans des expositions collectives sur le Divisionnisme italien à Washington (N.G.) en 1980 et à Londres (Royal Academy of Arts) en 1979. Ses toiles se trouvent principalement dans les G.A.M. de Venise, de Rome et de Milan, mais aussi à Paris (M.A.M. de la Ville).

GUERBOIS (le).

Ce café parisien, situé, au XIXᵉ s., au 11, Grande-Rue des Batignolles (auj. avenue de Clichy), fut fréquenté par Manet entre 1866 et 1874. Monet, Renoir, Sisley, Pissarro, Degas, Bazille Guigou, etc., et des critiques (Armand Silvestre, Burty) l'y retrouvaient souvent et formèrent le groupe dit « du Café Guerbois ».

Le lithographe Émile Bellot y posa pour le *Bon Bock* de Manet (Philadelphie, Museum of Art), exposé au Salon de 1873.

GUIGOU Paul,
peintre français
(Villars, Vaucluse, 1834 - Paris 1871).

Né dans une famille aisée, Guigou était clerc de notaire à Apt quand s'éveilla sa vocation artistique (1851). Il usait de ses moments de liberté pour peindre des paysages sur le motif. Il s'installa en 1854 à Marseille où il reçut les conseils de Loubon, et participa à partir de cette date aux expositions de la Société artistique des Bouches-du-Rhône, où, parmi des peintres locaux, figuraient Corot, Rousseau, Diaz, Puvis de Chavannes. Un voyage à Paris lui fit connaître les peintures de Courbet, qui l'influencèrent fortement. La *Route de la Gineste* (1859), la *Lavandière* (1860) et le *Paysage de Provence*

Armand Guillaumin
La Pêcherie à Crozant
75 × 102 cm
Rouen, musée des Beaux-Arts

(id.), tous trois au musée d'Orsay, Paris, témoignent de la sensibilité avec laquelle l'artiste rendit dans un profond réalisme la sèche limpidité provençale. En 1862, il rompit avec la carrière notariale et, sous-estimé de ses compatriotes, se fixa à Paris, en réservant de longs séjours à son pays natal. Il figura à tous les Salons à partir de 1863. Son premier envoi, les *Collines d'Allauch* (1862, musée de Marseille), prouve sa science à conserver, dans une œuvre de grandes dimensions, l'émotion des études exécutées en plein air. Si les environs de Paris l'inspirèrent parfois (*Vue de Triel*, musée de Marseille), Guigou demeura l'interprète fidèle et tendre des sites provençaux. Souvent accompagné dans ses promenades par Monticelli, son art revêtit un aspect très différent. Peintre de la réalité, Guigou s'apparente plutôt à Bazille, avec qui il retrouvait les impressionnistes au café Guerbois. Leur commune origine méridionale les tint écartés de l'école naissante, qui exprimait la luminosité de l'atmosphère par une vibration mouvante.

Engagé comme professeur de dessin par la baronne de Rothschild en 1871, le peintre entrevoyait un répit à ses années de gêne pécuniaire, quand il fut frappé par une congestion cérébrale. L'artiste est représenté dans les musées de Marseille, d'Aix-en-Provence, d'Avignon, de Montpellier, de Toulon et de Périgueux, et à Paris au musée du Petit Palais.

GUILLAUMIN Armand,
peintre français
(Paris 1841 - Orly, Val-de-Marne, 1927).
Fonctionnaire de son état, Guillaumin étudia la peinture à l'Académie Suisse, où il rencontra Cézanne en 1863, puis se lia avec Pissarro. Avec ses amis « naturalistes », il pratique la peinture de paysages en plein air, qui lui permet d'exercer ses talents de coloriste, avec une prédilection pour le monde ouvrier. Il exposa au Salon des refusés (1863), participa aux expositions du groupe impressionniste en 1874, 1877, 1880, 1881, 1882, 1886 et au Salon des indépendants en 1886 et 1891. Grand admirateur de Cézanne, il peignit souvent avec lui au bord de la Seine v. 1873 et séjourna avec lui à Auvers-sur-Oise, chez le Dr Gachet, où il se lia d'amitié avec Van Gogh. En 1891, il gagna dans une loterie une importante somme d'argent, qui le rendit indépendant. Il voyagea dans le Midi, en Auvergne, en Hollande, puis se fixa à Crozant, dans la Creuse (1893). Attiré d'abord, comme Pissarro, par la manière vigoureuse de Courbet, il exécuta ensuite avec Cézanne quelques paysages parisiens nuancés, aux tons clairs : le *Pont Louis-Philippe* (1875, Washington, N.G.), la *Route tournante* (1875-1877, Essen, coll. D.J. Schröder), le *Port de Charenton* (1878, Paris, musée d'Orsay). Après 1885, où il fait la connaissance de Signac, qui s'enthousiasme de l'esthétique picturale de

son aîné, ses tons deviennent de plus en plus vifs et arbitraires (les *Bords de la Creuse à Crozant*, 1894, coll. du comte A. Doria) mais sans subir d'aucune façon l'influence du Pointillisme. Il exécute de nombreux pastels des paysages limousins (*Crozant*, 1897, musée de Limoges ; *Neige fondante dans la Creuse*, 1898, Genève, Petit Palais, fondation Ghez), et ses paysages de *Crozant* ou des *Ruines de Crozant* (1920, musée de Guéret) sont caractéristiques de sa dernière manière : touches plus serrées, contrastes parfois violents des couleurs, dont l'intensité enthousiasmera le jeune Othon Friesz (rencontré à Crozant en 1901) et les fauves. Cette polychromie, qu'on considéra longtemps comme excessive, empêcha Guillaumin de se hausser au rang des plus grands impressionnistes. Il est représenté au musée d'Orsay à Paris et dans de nombreux musées de province.

GUYS Constantin,
dessinateur français
(Flessingue, Pays-Bas, 1802 - Paris 1892).

On sait qu'il était le fils d'un commissaire de la marine, mais on a peu de précisions sur son enfance et sa jeunesse. À vingt ans,

Guys combattit en Grèce aux côtés de Byron, puis s'engagea dans un régiment de dragons, pour démissionner v. 1830. De 1842 à 1848, il fut précepteur des petits-enfants de l'aquarelliste anglais Girtin. C'est à ce moment qu'il devint correspondant de l'*Illustrated London News*, pour le rester jusqu'en 1860. Il adressa ainsi, au journal illustré le plus lu de l'époque, des croquis de la révolution de 1848, puis des études recueillies dans les voyages que son métier de reporter lui imposa. Il parcourut les rives de la Méditerranée et l'Allemagne et assista, envoyé par son journal, à la campagne de Crimée. Il laisse un nombre considérable de dessins exécutés d'un trait rapide au crayon, à la plume, au pinceau, souvent lavés d'aquarelle, inspirés par la vie quotidienne. Scènes de guerre, attelages fastueux, bouges ou maisons closes, dandys, élégantes, lorettes ou filles trouvèrent auprès de lui un infatigable historiographe. Loué par Théophile Gautier et par Baudelaire, qui lui consacra une étude en 1863, Guys connut cependant une fin misérable. À Paris, le Petit Palais et le musée Carnavalet conservent d'importantes séries de ses œuvres. □

H-K

HAES Carlos de,
peintre espagnol
(Bruxelles 1829 - Madrid 1898).

Fils d'un banquier belge d'origine hollandaise qui, ayant fait banqueroute à Bruxelles, s'établit comme commerçant à Málaga, le jeune Carlos y reçoit les leçons d'un peintre et miniaturiste canarien, Luis de la Crus y Rios, et termine ses études en Belgique avec Quiniaux. Revenu en Espagne et naturalisé, il devient en 1857 professeur à l'École des beaux-arts de Madrid, où il enseigne la peinture de paysages, et en 1860 membre de l'Académie de San Fernando. Il expose à Paris en 1878, à Vienne et à Munich (1882-1888). Paysagiste à la mode des années 80, dans le Madrid de la restauration monarchique, il a une production considérable qui peut être évaluée à 4 000 toiles ou études.

Sa peinture marque une réaction contre le paysage romantique et pittoresque, dont Perez Villaamil avait été pendant de longues années l'incarnation. De facture plus lourde et sombre, elle introduit en Espagne l'atmosphère des peintres de Barbizon et des paysagistes hollandais – avec une précision un peu sèche, presque de géologue ou de naturaliste, dans l'étude des rochers, des arbres, des plantes. Haes se montre beaucoup plus sensible à l'Espagne verte et brumeuse des monts Cantabriques, des sommets découpés émergeant des nuages, des pâturages et des forêts (*Pics d'Europe*, Madrid, M.A.M.) qu'à la lumière diaphane de la Castille (*Côtes de la Méditerranée*, musée de Fomento). Il eut pour élèves les créateurs du paysage impressionniste en Espagne, parmi lesquels Beruete, Regoyos,

Riancho. Les musées espagnols de Madrid (M.A.M.) et de Fomento conservent la plupart de ses œuvres. En France, le musée Bonnat de Bayonne possède quelques dessins de Haes.

HAIDER Karl,
peintre allemand
(Neuhausen, près de Munich, 1846 - Schliersee 1912).

Il fréquenta l'Académie de Munich de 1861 à 1865 et conçut pour Holbein et Ruisdael une vive admiration. Dans le choix de ses thèmes, consacrés aux paysage et aux gens du peuple, il demeure fidèle à sa Haute-Bavière natale sans tomber, toutefois, dans l'anecdote folklorique. Ses œuvres de jeunesse s'inspirent de Courbet, qui, en 1869, exposa à Munich. Plus tard, il poursuivra la tradition de Leibl en s'orientant vers le genre naturaliste (*Der neue Stutzen*, 1880, Dresde, Gg). Cependant, contrairement à ce dernier, il s'attache surtout à rendre l'« ambiance psychologique », se rapprochant ainsi davantage de son ami Ludwig Thoma (*Die Moni*, 1883, Coire, Suisse, canton des Grisons, coll. part. ; *Jeune Fille à la fenêtre*, 1888, Munich, Neue Pin.). Au cours d'un séjour à Florence, il fait la connaissance de Böcklin, dont l'influence se fera jour dans son œuvre tardive, empreinte d'un symbolisme néo-romantique (*Charon*, 1902 ; *Burg Arco*, 1904, coll. part.).

Son style, qui présente maint point commun avec l'Art nouveau, s'inspire des maîtres de la Renaissance allemande, dont Haider adopte, avec une saveur quelque peu naïve, la rigueur de composition et la précision du graphisme. Ses chefs-d'œuvre sont les panoramas stylisés des années 1890 (Munich, Neue Pin. ; musées de Mannheim, de Karlsruhe, d'Essen), dont le plus significatif est un paysage conçu uniquement dans un plan horizontal (*Über allen Gipfeln ist Ruh, II,* 1908 [*Au-dessus de tous les sommets, le calme*], Vienne, Osterr. Gal.). L'exposition « Die Münchner Soule, 1850-1914 » (Munich, 1979) a permis de voir rassemblées quelques-unes de ses œuvres provenant de coll. part.

HALE Philip Leslie,
(Boston 1865 - id. 1931).

Élève de J. Alden Weir à l'Art Students' League de New York, Hale séjourne en Europe (1885-1888) et entre avec Buttler dans l'atelier de Boulanger à l'Académie Julian (*Autoportrait,* Boston, M.F.A.).

La composition soigneuse, presque décorative de ses œuvres est assez caractéristique de l'Impressionnisme américain (l'*Ornithologue,* 1888, coll. part.).

HANSEN Peter Marius,
peintre danois
(Faaborg 1868 - ? 1928).

Peintre impressionniste de la deuxième génération, que l'on dit aussi influencé par Gauguin, mais de façon plus lointaine (par l'intermédiaire de Philipsen), il recherche les tons francs au soleil et les contrastes. Il expose à Paris en 1900 *Une fruiterie* et rapporte des paysages méditerranéens (Cagnes, 1923). Sa facture souple, avec sa touche un peu épaisse, l'apparente alors aux recherches de Marquet. Le musée de Copenhague possède *Sur la glace* et *Mendiants devant une église* ; celui de Göteborg, *Bal dans une ville de province.*

HARPIGNIES Henri,
peintre français
(Valenciennes 1819 - Saint-Privé 1916).

Élève d'Achard qui lui apprit à peindre sur nature, il fut un des paysagistes les plus féconds du XIXᵉ s. Fervent des forêts (Ana-

tole France le surnomma avec beaucoup d'outrance le « Michel-Ange des arbres ») et des campagnes paisibles, il ne se soucia pas, à l'exemple des peintres de Barbizon, d'intentions métaphysiques. La manière d'une œuvre qu'il poursuivit, quasi centenaire, n'évolua guère en dépit des mouvements révolutionnaires de son siècle. Le meilleur y réside dans des peintures notées sur le motif : vues d'Italie où il effectua deux longs séjours, en 1850 puis en 1854, ou vues de la campagne française aux environs de Saint-Privé, dans l'Yonne, où il se fixa en 1878 (la *Cour Chaillot,* 1886, musée de Reims), ou encore vues de la Côte d'Azur d'une sereine clarté, et souvent traitées dans des aquarelles d'une grande liberté d'exécution (Louvre, Petit Palais). Les sites urbains ne le retinrent guère ; citons pourtant le *Pavillon de Flore* (1875, musée de Nevers). Cependant, cédant à son succès auprès d'une clientèle d'amateurs, une large part de sa production est encombrée de paysages « commerciaux » élaborés à l'atelier qu'un agencement artificiel, des tons plats sans résonance, une lumière mensongère, apparenté à des décors de théâtre (l'*Aube,* 1890, musée de Reims). Ses œuvres sont conservées en grand nombre dans les musées français, en particulier au Louvre, au musée d'Orsay, au Petit Palais, et dans les musées de Bordeaux, Douai, Grenoble, Lille, Montpellier, Reims et Valenciennes.

HASSAM Childe,
peintre américain
(Dorchester 1859 - East Hampton 1938).

Il commence sa carrière comme illustrateur commercial pour diverses revues de Boston. Par la suite, il étudie au Boston Art Club, au Cornell Inst. et avec l'artiste allemand Ignaz Gaugengigl (1855-1932). Dès cette période, ses scènes de rues de Boston montrent son intérêt pour les effets de lumière et d'atmosphère. En 1883, il se rend en Europe. Il revient à Paris en 1886 et suit les cours de Boulanger et de Lefebvre à l'Académie Julian. Il adopte rapidement les théories impressionnistes sur la couleur et la composition. Ses toiles, telles que le *Jour du grand prix* (1887, Boston, M.F.A.) ou l'*Hiver à l'Union Square* (1890, New York, Metropolitan Museum of Art), illustrent son adaptation de la mise en page des maîtres français. En 1889, il retourne aux État-Unis, où il diffuse les techniques impressionnistes, alliées à une sensibilité personnelle typiquement américaine. Il a notamment une grande influence sur la colonie d'artistes de Old Lyme (Twachtman, Weir, etc.). En 1898, il se réinstalle à New York et fonde le groupe des Dix avec Benson, De Camp, Dewing, Hassam, Metcalf, Reid, Simons, Tarbell, Twachtman. Entre 1916 et 1919, il peint une série de « Drapeaux », dont l'inspiration est sans doute due à l'entrée des États-Unis dans la guerre et aux manifestations qu'elle engendre. Ces toiles montrent une influence post-impressionniste : l'*Union Jack, New York, matin d'avril*, 1918, Washington, Hirshorn Museum and Sculpture Garden, Smithsonian Inst.

HAUPTMANN Ivo,
peintre allemand
(Erkner 1886 - Hambourg 1973).

Fils de l'écrivain Gerhart Hauptmann, il débute très tôt dans la peinture, mis en contact en 1903 à Paris avec les grands maîtres, Maillol, Vuillard, Bonnard et Maurice Denis. Élève de L. von Hofmann à l'école d'art de Weimar (1904-1908), il y devient l'ami de H. Van de Velde, Hans Arp et Edvard Munch. Mais c'est à Paris, où il se trouve de nouveau entre 1909 et 1912, qu'il fait, à l'Académie Ranson, la rencontre décisive des néo-impressionnistes, qui le convertissent au Pointillisme. Ses premiers essais en la matière (dessins et aquarelles) sont exposés au Salon des indépendants (1911-12). Puis il s'établit à Dockenhuden près de Hambourg, où il exécute surtout des marines dans une atmosphère transparente et baignée de lumière (*Port de Hambourg*, 1912, coll. part.). À partir de 1920, il s'éloigne toutefois de plus en plus du Pointillisme, s'interrogeant sur la construction des formes. Natures mortes, fleurs, compositions avec figures, paysages et portraits témoignent alors d'un expressionnisme coloré aux contours appuyés, proche du mouvement Die Brücke (*Agnetendorf*, 1935, Hambourg, Kunsthalle ; *Alfred Kubin*, 1943, coll. part. ; *Fer et acier*, 1952, coll. part.). Il participe tour à tour aux expositions annuelles de Leipzig, aux manifestations de la Libre Sécession de Berlin et de l'Association des artistes de Dresde et devient, à partir de 1945, maître de conférences à l'École nationale d'Art de Hambourg à Lerchenfeld. Ses œuvres sont conservées principalement à Hambourg (*Hans Arp*, 1905, Kunsthalle). Le musée d'Orsay à Paris possède également un portrait de sa mère, *Marie Hauptmann* (1907).

HAVEMEYER (les),
collectionneurs américains.

Louisine Waldron Elder *(Philadelphie 1855 - New York 1929)* manifesta dès sa jeunesse une passion très vive pour la peinture. En 1874, au cours de l'un des nombreux séjours qu'elle fit à Paris, elle rencontra Mary Cassatt, qui eut une influence décisive sur sa sensibilité artistique et orienta définitivement son goût vers la peinture française du XIXe s. Mary Cassatt lui fit connaître l'école impressionniste, encore dédaignée par le grand public et totalement inconnue aux États-Unis. C'est à cette époque qu'elle acheta son premier Degas : *Répétition de ballet*.
En 1885, elle épousa **Henry Osborne Havemeyer** *(1847-1907)* qui jouissait déjà à New York d'une situation confortable. Héritier de magnats de l'industrie sucrière, il accrut encore considérablement sa fortune en créant, en 1887, le trust des sucres. H. O. Havemeyer était lui-même un collectionneur, il aimait notamment les objets du Proche- et de l'Extrême-Orient. Sa femme sut lui faire partager son goût pour la peinture. Possédant désormais des moyens financiers pratiquement illimités, Louisine, Havemeyer constitua avec son mari une collection de peintures de diverses écoles,

mais où la peinture française du XIXe s. occupait une place prépondérante. La générosité des Havemeyer commença tôt – dès 1888, H.O. Havemeyer faisait don au Metropolitan Museum d'un *Portrait de Washington* par Gilbert Stuart – et s'étendit au-delà même de leur pays (ils firent don au Louvre du *Portrait de Clemenceau* par Manet, qui se trouve auj. au musée d'Orsay).

En 1929, Mme Havemeyer léguait au Metropolitan Museum 142 peintures et laissait à ses enfants le soin de disposer à leur gré du reste de la collection. Conscients sans doute de répondre au désir de leur mère, Horace Havemeyer et ses sœurs prirent une décision généreuse. Le Metropolitan Museum reçut 1 967 objets de toute nature, dont 99 peintures, pastels et dessins, et 185 estampes, dont 34 Rembrandt. La collection comprend essentiellement des œuvres françaises du XIXe s. On ne compte pas moins de 18 toiles de Courbet, qui fut, avec les impressionnistes, l'un des peintres le plus appréciés des Havemeyer ; elles représentent plusieurs aspects du génie de l'artiste : nus (la *Source, Femme au perroquet*), paysages de Franche-Comté, portraits *(Madame de Brager)*. On peut admirer plusieurs Corot (surtout des figures), des Daumier, une cinquantaine de peintures, pastels et dessins de Degas *(Femme aux chrysanthèmes, Portrait de M*lle *Dihau*, et plusieurs œuvres sur le thème de la danse), 9 Manet (le *Canotier*), des Monet (la *Grenouillère*), Renoir, quelques Cézanne *(Paysage au viaduc)*, tout un groupe de dessins d'artistes moins connus aux États-Unis, tels que Barye et Constantin Guys. Il faut ajouter quelques œuvres d'Ingres *(Monsieur Moltedo)*, Delacroix, Decamps. Au cours d'un voyage en Espagne, les Havemeyer découvrirent la peinture espagnole ; quelques œuvres de qualité témoignent de cette admiration, notamment le *Portrait du cardinal Fernando Nino de Guevara* et la *Vue de Tolède* de Greco, les *Femmes au balcon* de Goya. Enfin, quelques *Portraits* et dessins de Rembrandt, des œuvres de Pieter de Hooch (la *Visite)*, Hals, Rubens, Bronzino complètent la collection.

HAYASHI Tadamara,
marchand et collectionneur japonais
(1853 - 1906).

Hayashi connaît parfaitement l'art européen pour l'avoir étudié à Paris. Sa réputation se fonde lors de l'Exposition universelle de 1878, où il entre en contact avec les amateurs d'art japonais, Goncourt, Bing, Montesquiou, et avec les impressionnistes, avec qui il effectue des échanges. Ainsi, Monet, Degas, Pissarro obtiennent des estampes ou des poteries contre certaines de leurs toiles.

Sa collection ainsi constituée se compose pour l'essentiel de 4 Monet (dont *Côte rocheuse*, 1886), de 4 Pissarro (dont *Faneuses au repos*, 1891), de Renoir, Sisley, Raffaeli, Blache, de 17 Guillaumin (dont *Soleil couchant à Charenton*, 1891), d'aquarelles de Constantin Guys et de pastels de Degas, Renoir, Mary Cassatt, etc. Hayashi joua un rôle très important dans la diffusion de l'Impressionnisme au Japon ; désirant léguer sa collection à l'État, il mourut malheureusement avant d'avoir pu le faire et celle-ci fut dispersée à New York en 1913.

HAYET Louis,
peintre français
(Pontoise 1864 - Cormeilles-en-Parisis 1940).

Fils d'un entrepreneur en peinture et décoration, Hayet suit v. 1880 des cours à l'école des Arts décoratifs et se lie d'amitié avec Camille Pissaro et son fils Lucien en peignant aux environs de Pontoise. Adoptant les théories néo-impressionnistes de Seurat dès 1887, il fait de nombreuses études de cercles chromatiques essayant les pigments et les supports les plus divers (la *Place de la Concorde*, 1888, disparu). Sollicité par les XX en 1890, il accepte de participer aux expositions du groupe impressionniste de 1894 à 1897 et travaille durant 30 ans pour Lugné-Poe, le fondateur du théâtre de l'Œuvre, pour lequel il exécute de nombreux décors. Une exposition des œuvres de l'artiste a eu lieu au musée Tavet de Pontoise durant l'été 1991.

HELLEU Paul César,
peintre et graveur français
(Vannes 1859 - Paris 1927).

Après avoir été élève de Gérôme à l'École des beaux-arts de Paris, où il se lia avec Sargent, Helleu travailla pour vivre (1884) chez le céramiste Deck, où il peignait des décors de plats. Dès 1885, et jusqu'en 1900, il exécuta, à l'eau-forte ou à la pointe sèche, de très nombreuses gravures : figures féminines ou croquis d'intimité familiale. Ses portraits mondains évoquent irrésistiblement les salons parisiens de la fin du XIXᵉ s., les silhouettes flexibles des femmes à la mode, les élégances aristocratiques et surannées des soirées de la duchesse de Guermantes. En effet, Helleu, très lié avec Robert de Montesquiou, connut assez vite Proust, à qui il inspira en partie le personnage d'Elstir. Il pénétra dans le cercle choisi de la belle comtesse Greffulhe, dont il grava, en 1891, au château de Boisboudran, 100 études différentes. Esthète fêté, il connut alors le Tout-Paris de la Belle Époque, la grande noblesse *(Portrait de la duchesse de Marlborough*, 1901, Paris, B.N.), les demi-mondaines *(Portrait de Liane de Pougy*, 1908, *id.)* ou les poètes symbolistes *(Portrait de la comtesse de Noailles*, 1905, *id.).* Il en fut le chroniqueur fidèle, sachant rendre à merveille une attitude alanguie soulignée de fourrure, la ligne exquise d'un chignon, l'ambiguïté d'un regard à l'ombre d'une voilette ou d'une capeline. Mais sa femme fut toujours un de ses modèles préférés, et ses pointes-sèches familiales, au charme discret, sont peut-être ses meilleures réussites. Il y associait, avec un attendrissement ravi, les frimousses potelées de ses enfants *(Madame Helleu et sa fille Paulette*, 1905, Bayonne, musée Bonnat). Grâce à ses dons, puis à ceux de sa fille et de deux autres donateurs, le cabinet des Estampes de la B.N. de Paris possède un ensemble incomparable de 500 pièces. Curieusement, ce graveur virtuose, au trait ferme et précis, peignait des toiles impressionnistes, raffinées, floues jusqu'à l'évanescence. Ce sont des intérieurs d'église, où il étudiait le poudroiement coloré de la lumière à travers les vitraux *(Vitraux de Saint-Denis*, 1890-1892, Boston, M.F.A). Ce sont aussi des fleurs et des paysages – marines ou vues du parc de Versailles lorsque se confondent les feuilles mortes des arbres et celles tombées, qui recouvrent le sol *(Automne à Versailles*, v. 1897, Paris, musée des Arts décoratifs).

Anglomane, passionné de yachting, Helleu exécuta aussi, sur son bateau, des compositions plus audacieuses, où, à travers les drapeaux et les rocking-chairs, il se souvient de Whistler, de Sargent et de Degas (le *Yacht à Deauville*, à Rouen, musée de Rouen). Il fut soutenu par Edmond de Goncourt, qui écrivit pour lui, lors d'une exposition à Londres en 1895, une préface élogieuse, complétée en 1913, après ses séjours brillants à New York, par l'hommage lyrique de Robert de Montesquiou.

HERRMANN Cürt,
peintre allemand
(Merseburg, Saxe, 1854 - Pretzfeld 1929).

Il suit tout d'abord les cours de Karl Steffeck à l'Académie de Berlin (1874-1877) puis ceux de Lindenschmidt à l'Académie des beaux-arts de Munich (1883-84). Portraitiste mondain renommé dans les années 1880, il reçoit en particulier de nombreuses commandes à Prague en 1889 *(Robert Franck*, 1886, musée de Halle) et ouvre à Berlin une école d'art privée en 1893. À partir de 1897, il séjourne fréquemment à Pretzfeld, qui lui inspire de nombreux paysages *(Matin d'été : le vieux pont en bois de Pretzfeld*, 1901, Angleterre, coll. part.). En 1898, à la suite de la lecture du traité de Signac et d'une visite à l'exposition néo-impressionniste de la Kessler Gal. à Berlin, il est le premier peintre allemand à adopter la technique du Pointillisme. Il marque alors une prédilection pour les paysages d'hiver et les natures mortes, étalant des couleurs pures et lumineuses en de courtes touches verticales *(Village italien*, 1911, coll. part. ; le *Lac de Brisago*, 1910, *id.* ; *Rue enneigée*, 1905, Dantzig, Städtisches Mu-

Adrien-Joseph Heymans
Le Retour du berger, 1880
158 × 216 cm
Genève, musée du Petit Palais

seum). Devenu membre fondateur de la Sécession de Berlin en 1898, il fait la connaissance d'Henry Van de Velde, qui restera un de ses meilleurs amis.

Après avoir décoré les murs de sa maison, il voyage en sa compagnie au cours de l'année 1903 en Grèce, en Turquie et dans les pays de l'Est.

Il expose tour à tour à Berlin en 1906 (éventails peints) et au Salon des indépendants de Paris l'année suivante. En 1911, il publie son traité d'art *le Combat pour le style*. Deux expositions personnelles ont été consacrées à Herrmann à Stuttgart (Bühler Gal.) en 1985 et à Emden (Kunsthalle) en 1989. Ses œuvres sont conservées dans les musées allemands de Munich (Neue Pin.), de Pretzfeld (musée du Château), de Krefeld (Kaiser Wilhelm Museum), de Hagen (Folkwang Museum), de Dantzig (Städtisches Museum) et de Halle.

HERVIER Adolphe,
peintre et graveur français
(Paris 1818 - id. 1879).

Après avoir été l'élève de son père et celui d'Isabey, il commence à vingt ans une vie itinérante qui le conduira en Bretagne, en Normandie et dans le sud de la France, travaillant seul et manifestant déjà une irréductible indépendance. En 1843, il fait paraître un album, *Croquis de voyage*, 8 planches gravées sur acier, où le souvenir de Bonington et de Rembrandt est sensible. Soutenu dès 1852 par les Goncourt et par Th. Gautier au moment de la publication d'un recueil de 12 lithographies, *Paysages, marines, baraques*, Hervier est pourtant souvent refusé aux Salons. Ses 8 ventes aux enchères (hôtel Drouot, de 1856 à 1878) lui apportèrent peu de succès, malgré l'appui de Gautier, de Burty et de Corot ; il vit misérablement. Ses aquarelles, alertes et transparentes, témoignent également de l'influence des paysagistes anglais, qui leur confère un caractère pré-impressionniste.

En juin 1848, il avait peint, aquarellé, gravé et lithographié une suite très homogène inspirée par les barricades (Paris, coll. part.), et ce souci réaliste – sur lequel se greffe la découverte de l'école néerlandaise du XVIIᵉ s., remise en honneur par Thoré-Bürger – se manifeste jusqu'à la fin de sa carrière. Après sa mort, le libraire Joly publie en 1888 l'*Album Hervier*, suite de 43 planches, gravées de 1840 à 1860 (eau-forte, aquatinte et roulette), dans lesquelles le graveur atteste une rare virtuosité et atteint parfois une poésie à la limite du fantastique. Hervier est représenté à Paris (B.N., cabinet des Estampes ; Louvre, cabinet des Dessins [*Église de Pont-sur-Seine* ; *Marché de village à Quevilly*, 1855] ; musée Carnavalet) et dans les musées de Dijon, Montpellier, Bagnères-de-Bigorre *(Village de Normandie)*, Blois, Reims, La Haye (musée Mesdag et Gemeentemuseum), Gouda, Rotterdam (B.V.B.), Glasgow (Art Gal.), San Francisco et surtout dans de nombreuses coll. part.

HEYMANS Adrien-Joseph,
peintre belge
(Anvers 1839 - Schaebeek 1921).
Élève de l'Académie d'Anvers, il séjourne à Paris de 1855 à 1858, où il subit l'influence de Corot, de T. Rousseau et de Daubigny. Dans un style réaliste touché par l'Impressionnisme, il peint les paysages de dunes et d'herbages de la Campine, animant avec Théodore Baron (l'« école de Calmpthout », puis il se lie au groupe de Termonde *(Bruyère campinoise*, musée de Liège ; *Bruyère*, Bruxelles, M.R.B.A.). À Bruxelles en 1869, il adhère à la Société libre des beaux-arts, puis au groupe des Vingt. Il fonde en 1904, avec Émile Claus, le cercle Vie et lumière. Il adopte tardivement le Pointillisme (*Ciel lunaire*, 1907, Bruxelles, M.R.B.A. ; les *Toits rouges*, musée d'Ixelles), tout en gardant parfois le souvenir des traditions flamandes (*Chasseurs dans la neige*, Bruxelles, musée Charlier). De belles toiles ont été montrées au musée d'Ixelles lors de l'exposition « l'Impressionnisme et le Fauvisme en Belgique » (1990).

HILL Carl Fredrik,
peintre suédois
(Lund 1849 - id. 1911).
Après ses études à l'école des Beaux-Arts de Stockholm, il se rendit en 1873 à Paris, où il travailla dans un isolement presque total. S'inspirant de Corot et de Daubigny, il se consacra à la peinture de paysage en une série de toiles représentant la forêt de Fontainebleau au crépuscule ou au clair de lune, peintes dans une gamme sombre. Sa rencontre avec les impressionnistes, lors de leur deuxième exposition de 1876, transforma son style. Avec de vives couleurs, en des lignes souvent audacieusement dépouillées et en une écriture tantôt brutale, tantôt douce et insinuante, Hill peignit des motifs de rivage à Luc-sur-Mer (Calvados), des arbres fruitiers en fleurs à Bois-le-Roi (Seine-et-Marne) et d'harmonieux bords de rivière de la vallée de la Seine (*Vue de Loing*, 1877, Stockholm, Nm). Certains des derniers paysages de cette période révèlent, par le travail du pinceau et du couteau à palette, dans une pâte consistante et généreuse, une rare volonté d'expression, que l'on retrouve dans l'atmosphère mélancolique de ses toiles *Kyrkogården* (le *Cimetière*, musée de Malmö) et *Det ensamma trädet* (l'*Arbre solitaire*, coll. part.), avec leur dépouillement sévère et leur coloris suggestif. En 1878, Hill fut frappé de schizophrénie chronique et fut transporté en Suède (1880). À partir de 1883, soigné dans sa famille à Lund, il dessina tous les jours en dépit de sa maladie. Il laissa plusieurs milliers de dessins (Stockholm, Nm et plus de 2 000 au musée de Malmö), réalisés à la craie de couleur, à la craie noire, à l'encre, à l'encre de Chine ou au crayon, dans lesquels il réussit, avec une grande puissance d'expression, à matérialiser ses fantaisies visionnaires et hallucinatoires : architectures de rêve, scènes irréelles de la nature, somptueuses débauches orientales, images d'apocalypse, visions féminines et d'animaux étranges (*Un cerf qui rugit*, Suède, musée de Malmö). Ses dessins à l'encre de Chine ou à la plume sont, en particulier, d'une ligne subtile rejoignant

l'arabesque. Son art fut peu connu de son vivant. Après une exposition commémorative à Lund, en 1911, Hill apparut, avec Josephson, comme l'un des artistes le plus doués de l'art suédois ; son œuvre de « malade mental » eut, un peu plus tard, une grande valeur anticipatrice et une importance capitale dans l'évolution de l'art moderne en Suède.

HOLLÓSY Simon,
peintre hongrois
(Máramarossziget 1857 - Técső 1918).

Il fait ses études à Budapest, puis à Munich. Influencé par un tableau de Bastien-Lepage, découvert en 1883, il abandonne l'Académisme pour un art naturaliste qui obtient un vif succès (l'*Égrenage du maïs*, 1885, Budapest, G.N.H.). Il ouvre alors une école de peinture qui rivalise rapidement avec l'Académie des beaux-arts de Munich. En 1896, sur les instances de deux de ses élèves (I. Réti et J. Thorma), Hollósy décide de s'installer avec eux durant l'été à Nagybánya. Quelques peintres indépendants, dont Károly Ferenczy et Béla Iványi Grünwald, se joignent encore au maître, leur intérêt se portant également sur les problèmes de la peinture en plein air. En 1901, Hollósy installe son école à Fonyód, au bord du Balaton, puis en Transylvanie, à Valdjahunyad et, finalement, à Técső, au pied des Carpates. Mais il reste fidèle au style des paysages peints à Nagybánya. Vers la fin de sa vie, il abandonne l'enseignement pour se consacrer totalement à la peinture (*Autoportrait*, 1916, Budapest, G.N.H. ; *Atmosphère de printemps*, 1916, *id.*).

HOMER Winslow,
peintre américain
(Boston 1836 - Prout's Neck, Maine, 1910).

Apprenti lithographe (1854-1857), puis illustrateur (jusqu'en 1875) de la revue newyorkaise *Harper's Weekly*, pour laquelle il exécute des reportages dessinés pendant la guerre de Sécession, Homer n'aborde la peinture à l'huile que vers la trentaine avec des tableaux de genre inspirés par la guerre de Sécession et la vie militaire (les *Prisonniers revenant du front*, 1866, Metropolitan Museum) ainsi que par la campagne (la *Cloche du matin*, New Haven, Yale University Art Gal. ; *Partie de croquet*, 1866, Chicago, Art Inst.). Après un voyage à Paris (1866-67), où ses *Prisonniers* furent remarqués à l'Exposition universelle, sa manière se rapproche de celle des débuts de l'Impressionnisme : les sujets de plein air (scènes de la vie campagnarde, plages, scènes maritimes) sont traités par larges taches claires, cernées par un dessin nerveux (*Long Branch, New Jersey*, 1869, Boston, M.F.A. ; *Snap the Whip !*, 1872, Youngstown, Ohio, Butler Inst. of American Art). Il subit également l'influence des estampes japonaises. À partir de 1881 (en 1881-82, il fait un long séjour en Angleterre du Nord, sur la côte, à Tynemouth), ses tableaux s'assombrissent et s'empâtent. Il est alors installé à Prout's Neck, sur la côte du Maine, d'où il partira tous les ans pour des voyages d'été dans les Adirondacks ou le Canada, d'hiver à Nassau, à Cuba, en Floride ou aux Bermudes. Il peint la vie rude des marins, en mettant l'accent sur l'héroïsme de l'homme en lutte avec les éléments (la *Corde de sauvetage*, 1884, Philadelphia Mus. of Art ; la *Corne de brume*, 1885, Boston, M.F.A. ; *Herring Net*, 1885, Chicago, Art Inst. ; *Eight Bells* [les *Heures*], 1885, Andover, Phillips Academy ; le *Tocsin*, 1886, Metropolitan Museum), la puissance de la mer (le *Soleil sur la côte*, 1890, Toledo, Ohio, Museum of Art ; *The Gulf-Stream*, 1899, Metropolitan Museum) ou un insolite poésie (*Nuit d'été*, 1890, Louvre) ; il décrit aussi la chasse (le *Cerf*, 1892, Washington, N.G.), les animaux sauvages (*Doublé*, 1909, *id.*). À la même époque, cependant, ses aquarelles (il avait exécuté les premières en 1873 et devint en Amérique un des maîtres du genre), qui évoquent ses voyages ou préparent ses compositions (Boston, M.F.A. ; Chicago, Art Inst. ; Metropolitan Museum ; New York, Cooper Union Museum et Brooklyn Museum), restent très fluides et vivement colorées. Homer pratiqua aussi l'eau-forte (*Saved* 1889). De son

Winslow Homer
Breezing up (A Fair Wind), 1870
61,5 × 97 cm
Washington, National Gallery of Art

vivant déjà, Homer était considéré comme le type même de l'artiste américain ; le réalisme est l'expression spontanée de son génie, mais il est mis au service d'une haute conception de la valeur humaine.

HONFLEUR (école de).

On peut considérer que l'école de Honfleur (port de la Manche) eut pour premier représentant Auguste-Xavier Leprince, qui envoya au Salon de 1824 un *Embarquement de bestiaux à Honfleur sur le « Passager »* (Louvre). À la même époque, ce sont les peintres romantiques qui découvrent la Normandie, et la « côte de Grâce » en particulier. Dès 1821, Bonington connaît l'estuaire de la Seine et, peu avant sa mort (1828), il revient en Normandie avec Paul Huet. Ce dernier, ainsi qu'Isabey, seront les premiers fidèles à cette partie du littoral (Huet : *Grande Marée d'équinoxe à Honfleur*,

1838 ; version plus tardive au Louvre). Après son premier voyage en Italie, Corot se rend à Honfleur en 1830 et le port lui inspire une toile d'une harmonie discrète, comme étouffée (*Honfleur, maison sur les quais*, États-Unis, coll. part.). Boudin, surtout, devient par excellence le peintre de Honfleur ; il est d'ailleurs retenu davantage par l'étude du ciel, de la luminosité atmosphérique (Baudelaire l'appelait le « roi des ciels ») que par la mer elle-même, les marées basses monotonement grises (que remarquera Seurat) ou le pittoresque des vieux quartiers, et ce changement d'intérêt prélude à l'Impressionnisme. La ferme Saint-Siméon (bordant la route de Trouville, auj. hostellerie de luxe) est le rendez-vous des peintres, désormais séduits par le site. En 1850, Jongkind est amené par Isabey ; l'aquarelliste hollandais revient en 1860 et de 1862 à 1866. En 1858, Boudin travaille avec le jeune Monet ; 1859 est l'année des rencontres : Boubin, Baudelaire, Courbet sont à la ferme Saint-Siméon. Courbet exécute 4 toiles, dont *Embouchure de la Seine* du musée de Lille. Cals (fixé à Honfleur en 1870), Dubourg, Diaz, Daubigny, peut-être

Eugène Boudin
*Les Falaises de Dieppe
et du Petit Paris*
Dieppe, musée municipal

Hervier ont fréquenté Honfleur, auquel s'est attaché Lebourg après 1890. Seurat y passe l'été de 1886 (la *Grève du Bas-Butin à Honfleur*, musée de Tournai). Mais, à la fin du siècle, l'époque de la découverte est révolue, et Gauguin cherche en Bretagne un lieu de séjour moins fréquenté. Au début du siècle encore, les Havrais Dufy et Friesz, comme Marquet, que les ports ont tant sollicités, ont installé leur chevalet à Honfleur.

Le musée Eugène-Boudin, situé depuis 1924 dans l'ancien couvent des Augustines, a été créé en 1868 sur l'initiative de Boudin et de Dubourg. Il abrite une collection importante d'œuvres de Boudin (le fonds provient du legs de 1899, après la mort du maître) et de ceux qui ont restitué le charme et la poésie du site. Des tableaux de qualité sont entrés au musée, notamment des *Falaises par temps d'orage*, de Georges Michel, peut-être un souvenir du voyage de l'artiste en Normandie en 1783.

HORMANN Sophie Fessy,
peintre et sculpteur allemand
*(Blisholz-Scharnbeck,
près de Hanovre, ? - ?).*

Partageant son temps entre Munich et Paris, Sophie Hormann expose tour à tour dans les deux villes, le plus souvent des natures mortes à l'atmosphère douce et mélancolique : à la Société nationale des Beaux-Arts de Paris en 1893 *(Pavots)* et 1896, à la Sécession de Munich en 1893, 1895 *(Adagio)* et 1896. En 1903, elle attire l'attention en présentant en tant que sculpteur à la maison des artistes de Munich un projet de fontaine. S'intéressant par la suite aux techniques de la peinture à fresque, à travers une étude des ruines de Pompéi, elle développe dans son atelier une manière originale de les appliquer : en 1907, elle montre ainsi à l'exposition d'Art international de Mannheim des carreaux peints dont les motifs évoquent des animaux ou des personnages mythologiques et qui, rassemblés, constituent de grandes fresques murales.

HORNEL Edward Atkinson,
peintre anglais
*(Bacchus Marsh, Victoria, Australie, 1864 -
Kirkcudbright, Écosse, 1933).*

Enfant, il habite au milieu d'une colonie d'artistes à Kirkcudbright, en Écosse. Après un séjour à Édimbourg (1881-1883) puis à Anvers (1883-1885), où il étudie la peinture à l'Académie des beaux-arts auprès de Verlat, il décide de s'installer définitivement à Kirkcudbright, qui lui inspire de nombreux paysages, proches de ceux de Jacob

Maris et d'Anton Mauve (*Troupeau de chèvres*, 1913, Paris, Orsay). Il fait alors la connaissance de George Henry, avec qui il exécute quelques toiles, dont les *Druides rapportant le gui* (1890, Glasgow, Art Gal. and Museum), qui eurent un certain succès à l'exposition de la Grosvenor Gal. à Londres en 1890. De 1893 à 1895, il voyage en compagnie de Henry au Japon, qui l'impressionne fortement et d'où il ramène de nombreuses esquisses. Élaborant à son retour un style poétique et coloré dans une technique proche de la mosaïque, il prend pour thème favori son jardin de Kirkcudbright, traité à la manière d'un paysage japonais : là s'ébattent de jeunes enfants dans des scènes de genre décoratives et extrêmement stylisées (la *Cueillette des perce-neige*, 1917, Paris, Orsay ; *Cinq Fillettes japonaises parmi les arbres en fleur*, 1921, *id.* ; les *Œufs de Pâques*, 1905, *id.*). Un voyage d'études à Ceylan en 1907 engendre des scènes de la vie quotidienne, idéalisées dans un style ornemental (*Pilage du grain, Ceylan*, 1907, *id.*).

Hornel est bien représenté aux États-Unis (Buffalo, N.Y., Albright-Knox Art Gal. ; Saint Louis, Mo., Gal. of Art), au Canada (Montréal, M.F.A. ; Toronto, Art Gal. of Ontario), en Australie (Adélaïde, Art Gal. of South Australia), en Angleterre (Édimbourg, N.G. ; Glasgow, Art Gal. and Museum ; Leeds, City Art Gal.). À Paris, le musée d'Orsay conserve plusieurs toiles de ce peintre.

HOSCHEDÉ Ernest,
collectionneur français
(1838 - 1891).

Parmi les premiers amateurs de peintures impressionnistes, il faut compter le financier Hoschedé, directeur d'un grand magasin parisien, le Gagne-Petit, qui reçut souvent, dans sa propriété de Montgeron, Manet, Monet, Sisley, avec qui il était lié. 85 peintures lui ayant appartenu furent vendues le 13 janvier 1874 ; en dehors des Corot, Diaz, Courbet, Ch. Jacque et G. Michel, y figuraient 6 Pissarro, 3 Monet, 3 Sisley et 1 Degas, qui atteignirent des prix

relativement élevés. Ce succès inespéré fut une des raisons qui déterminèrent les artistes à organiser au printemps de la même année, chez Nadar, une exposition de leurs œuvres, à propos de laquelle fut forgé, par dérision, le terme d'*Impressionnisme*. Par contre, l'effet de la vente judiciaire (Hoschedé avait fait faillite) qui eut lieu les 5-6 juin 1878 fut désastreux ; en effet, malgré les efforts de Durand-Ruel, le marchand des impressionnistes, et d'amateurs comme le chanteur Faure, le banquier Hecht, le critique Théodore Duret, les prix restèrent ridiculement bas. Pourtant, 5 œuvres importantes de Manet figuraient à cette vente ; citons le *Jeune Homme en costume de majo* et la *Femme au perroquet* du Metropolitan Museum, la *Chanteuse de rue* du M.F.A. de Boston et le *Chiffonnier* d'une collection particulière genevoise. Parmi les 16 Monet figuraient des panneaux décoratifs destinés au château de Montgeron (dont 2 sont maintenant à l'Ermitage) et le célèbre *Impression, soleil levant* du musée Marmottan de Paris. Furent encore vendus 3 Renoir, 13 Sisley, dont la *Barque pendant l'inondation* du Jeu de paume, et enfin 9 Pissarro. En tout, 48 œuvres impressionnistes furent brusquement jetées sur le marché, faisant tomber les prix déjà fort bas, et les artistes furent cruellement touchés par cette défaite. La femme d'Ernest Hoschedé, Alice, épousa plus tard, en secondes noces, le peintre Claude Monet.

Blanche Hoschedé-Monet *(1888-1947)*, fille d'Ernest et d'Alice Hoschedé, épouse de Jean Monet, fils du peintre, fut elle-même peintre.

HUET Paul,
peintre français
(Paris 1803 - id. 1869).

Il manifesta dès l'adolescence des dons de paysagiste, peignant en plein air à Paris et dans ses environs (les *Moulins*, 1816 ; la *Barrière de la Cunette*, 1816, Paris, musée Carnavalet), particulièrement à l'île Seguin, où sa famille séjournait souvent. Deux brefs passages, en 1818 et 1819, dans les ateliers

Paul Huet
Les Enfants à Chaville, 1856
bois, 26 × 35 cm
Sceaux, musée de l'Île-de-France

de Guérin et de Gros le marquèrent moins que la leçon reçue de Watteau et de Fragonard, qui inspira ses premiers essais : les *Ormes de Saint-Cloud* (1823, Paris, Petit Palais). Puis l'influence de Géricault l'emporta, et surtout celle des paysagistes anglais. Étroitement lié avec Bonington, Huet peignit aux côtés de celui-ci et il est parfois malaisé de distinguer l'œuvre de chacun tant la proximité est grande.

En 1824, enfin, la découverte de Constable détermina l'orientation définitive de Huet, qui assombrit sa palette, monta ses tons jusqu'à la stridence, alourdit sa pâte. Si la *Vue de Rouen* (1831, musée de Rouen) montre un horizon paisible sous un vaste ciel qui rappelle les peintres hollandais du XVIIe s., Huet, l'un des premiers, trouva l'expression romantique du paysage et *Soleil se couchant derrière une abbaye* (1831, musée de Valence) fut suscité par un poème de Victor Hugo.

Mais plus encore que par des allusions littéraires ou des hallucinations visionnaires, son romantisme s'exprima par la représentation véhémente et réaliste d'une nature farouche. Au cours de ses voyages en France (Normandie, Auvergne, Nice, Pyrénées, Fontainebleau) et à l'étranger (1841-42, Italie ; 1862, Londres ; 1864, Belgique et Hollande), sa prédilection alla vers les sites rendus mystérieux par de violents contrastes d'ombre et de lumière (le *Château d'Arques*, 1838, musée d'Orléans ; le *Lac*,

1840, musée du Puy ; *Vue de Spolète*, 1841, musée de Bourges), le caractère d'impénétrabilité des forêts (*Fraîcheur des bois ; fourré de la Forêt*, 1847-1855, Louvre), les tempêtes et les cataclysmes (les *Brisants à la pointe de Granville*, 1853, *id.* ; l'*Inondation à Saint-Cloud*, 1855, *id.* ; *Grande Marée d'Équinoxe aux environs de Honfleur*, 1861, *id.*). Novateur du paysage romantique en France, Huet prolongea cette manière tard dans le siècle, outrant à la fin de sa vie un emportement dédaigné de ses contemporains ; le *Gouffre* (1861, Paris, coll. part.).

Ami intime de Delacroix, loué par la critique d'avant-garde, Huet resta méconnu, puis tomba dans un injuste oubli. Nous savons aujourd'hui son rôle de précurseur tant par sa conception du paysage que par ses recherches luministes. Ses esquisses peintes, ses études à l'aquarelle et au pastel (Louvre) annoncent, en les précédant d'une génération, les travaux des impressionnistes. Les peintures de Paul Huet sont conservées au Louvre, au musée de l'Île-de-France à Sceaux (série de paysages des environs de Paris), dans de nombreux musées de province : Avignon (*Souvenir d'Avignon*, 1838 ; *Torrent en Italie*, 1840 ; *Avignon*, 1841), Bordeaux (*Houlgate*, 1861), Caen, Carcassonne, La Rochelle, Lille, Montauban, Montpellier, Nantes (*Parc de Saint-Cloud*, 1848), Orléans (*Château d'Arques*, 1840), Reims (*Val d'Enfer*, 1847), ainsi que dans des coll. part.

IBELS Henri-Gabriel,
peintre dessinateur et lithographe
français
(Paris 1867 - id. 1936).

Il fit partie du groupe des Nabis, dès sa
formation, à l'Académie Julian. Ses pastels,
vivement colorés, représentent des militaires ou des forains, ses lithographies pour
les programmes du Théâtre-Libre de Lugné-
Poe, ses dessins-charges (publiés dans *le
Siècle, le Cri de Paris, l'Escarmouche* de
l'écrivain anarchiste Georges Darien, et
surtout dans son propre journal, *le Sifflet*)
dépeignent toujours avec verbe et un grand
sens de la simplification le peuple de Paris
et les scènes de la vie quotidienne à la fin
du siècle. Délibérément « dreyfusardes »
pendant la fameuse Affaire, les caricatures
d'Ibels répondaient à celles de l'autre parti,
signées Caran d'Ache et Forain. On lui doit
également des affiches *(Jane Dehay au
Trianon-Concert).*

IMPRESSIONNISME ET LUMIÈRE.

Les influences les plus décisives pour la
naissance de l'Impressionnisme sont, vers
1860, celle de Boudin, qui encourage Monet,
sur les côtes de la Manche, à peindre ses
tableaux mêmes sur le motif, usage pratiqué auparavant par le seul Daubigny, puis
celle de Jongkind, dont le pinceau, nerveux
et fluide, rend sans apprêt la mobilité des
paysages marins. Aussi la première
conquête des impressionnistes est-elle la
spontanéité de la sensation dans la clarté
du plein air. Entre 1864 et 1870, Monet,
Pissarro et Sisley observent les variations
des couleurs locales selon l'environnement
et découvrent le principe des ombres
colorées, qu'ils appliquent, entre autres, aux
effets de neige. Mais les couleurs gardent
encore une certaine opacité et les formes
des contours définis. C'est entre 1869 et
1875 que Monet et Pissarro, notant les
reflets sur la Seine, en particulier à Bougival, où les aide le tempérament plus sensuel
de Renoir, parviennent à une dissociation
vibrante de la touche – en virgules ou en
points de plus en plus menus –, qui
décompose la lumière solaire selon les
couleurs pures du prisme, mais qui permet,
par l'accord des complémentaires, la re-
constitution à distance de l'impression
première. En 1873, Sisley et Cézanne adhèrent à ce mode révolutionnaire, capable
d'atteindre le secret même de la vision. Peu
importe le motif, puisqu'il ne vaut que par
son enveloppe atmosphérique : à part
quelques suggestions du Midi, de l'Afrique
du Nord ou de l'Italie, les paysages des
environs de Paris suffisent à Monet, qui
habite de 1872 à 1878 à Argenteuil, où il
attire Renoir et Sisley, qui vit surtout à
Louveciennes, ainsi qu'à Pissarro, qui, dans
sa retraite de Pontoise, restera plus attaché
à la robustesse des masses. Paris participe
à cette fête de lumière. Dans les vues de
Monet, de Pissarro et de Renoir, les surfaces
perdent la précision topographique des
générations précédentes. Cependant, dans
cette peinture des apparences qui désa-
grège même la ligne, il y a un principe
négatif, qu'illustrent les paysages de Monet
après 1890 : « séries » des *Meules,* des
Cathédrales, des *Nymphéas,* où s'exaspère
l'étude de l'instantané, la lumière prenant
en outre une valeur mystique, signe de
l'époque.

INNESS George,
peintre américain
*(Newburgh, New York, 1825 -
Bridge of Allan, Écosse, 1894).*

Aux environs de 1839, son premier maître
fut John James Baker (1815-1856), un
peintre itinérant. Il travailla aussi avec les
graveurs Sherman et Smith à New York,
ainsi qu'avec le Français Régis Gignoux
(1816-1882), établi à Brooklyn ; dès 1842,
Inness prit l'habitude de dessiner et de
peindre en plein air. Ses premières toiles
montrent l'influence de Durand, de Cole et
des autres peintres de la Hudson River
School. Mais c'est surtout l'influence des
maîtres anciens (qu'il connaissait par la
gravure) que l'on voit s'y manifester. Ce
penchant allait s'accentuer avec les nom-

Eugène Isabey
Bateaux dans un orage
ou *Matelots sortant du port
de Saint-Valéry, v. 1867*
40,5 × 61 cm
Caen, musée des Beaux-Arts

breux séjours que Inness fit au cours de sa vie en Europe, durant lesquels il devint familier des peintres de l'école de Barbizon, Rousseau, Daubigny et surtout Corot, dont l'influence se retrouve tant dans son *Saint Peter's, Rome* de 1857 (New Britain, Conn., Art Museum) que dans des compositions plus tardives (*In the Woods, Montclair*, 1890, Davenport, Iowa, Municipal Art Gal. ; *Harvest Moon*, 1891, Washington, Corcoran Gal.) ; les formes s'y dissolvent dans la lumière, rappelant d'autre part les dernières toiles de Turner ou de Whistler.

Malgré l'éclaircissement de sa palette à la fin de sa vie, Inness n'adopta jamais la touche ni la manière impressionnistes, dont il avait cependant eu connaissance lors de ses séjours en Europe.

Ses paysages, dont le plus célèbre est sans doute *Peace and Plenty* (1865, Metropolitan Museum), traduisent un sentiment intime et subjectif de la nature. Il évolua à la fin de sa vie vers l'abstraction, dans une vision très personnelle de la nature où les formes s'annihilent ; on peut y voir, outre un souvenir de l'Impressionnisme, une vision de la philosophie de Swedenborg, dont il était adepte, ou de sa propre personnalité (il souffrait d'épilepsie) : *The Home of the Heron*, 1893 (Chicago, Art Institute). Inness laissa une œuvre considérable (plus de 600 tableaux se trouvaient dans son atelier après son décès), aujourd'hui répartie dans de nombreuses collections particulières et publiques, telles que celles du musée de

Cleveland (Ohio), de l'Albright-Knox Art Gal. de Buffalo, du musée de Providence (Rhode Island) et de l'Art Inst. de Chicago.

ISABEY Eugène,
peintre français
(Paris 1803 - Montévrain, près de Lagny, Seine-et-Marne, 1886).

Fils de Jean-Baptiste Isabey, Eugène Isabey fut contraint par son père d'embrasser une carrière de peintre. Sa vie se déroula sans épisodes dramatiques, le peintre cherchant son inspiration dans les sites et les régions que ses voyages l'amenèrent à visiter : la Normandie (où il revint sans cesse), la Bretagne, l'Auvergne, le midi de la France, l'Algérie (il accompagna l'expédition d'Alger comme peintre officiel), la Hollande et l'Angleterre. Il débuta au Salon de 1824 avec des marines et ne cessa de pratiquer ce genre (ports, scènes de plage, tempêtes en mer, scènes de pêche), où se trouve le meilleur de sa production (au Louvre et dans les musées suivants : Amiens, Béziers, Caen, Dieppe, Honfleur, Laval, Le Havre, Marseille, Montpellier, Nantes, Perpignan, Reims, Toulouse). Dans ces peintures se manifeste l'influence reçue des paysagistes anglais, et plus précisément de Bonington. Isabey apprit de celui-ci le jeu des demi-teintes blondes et des gris subtils suscitant une lumière nacrée (le *Pont de bois*, Louvre), ajoutant souvent à ces calmes mouvances l'emportement d'un tempérament romantique (le *Port de Dieppe*, 1842, musée de Nancy) et s'élevant parfois jusqu'à une grandeur pathétique (l'*Embarquement des Cendres à Sainte-Hélène*, 1842, Versailles). Mais il prit aussi de lui le goût de l'intimiste (*Madame Isabey et sa fille*, Paris, musée Carnavalet) et surtout celui des scènes de genre situées dans les siècles passés. Traitées à l'huile ou à la gouache d'un pinceau minutieux, ces scènes évoquent les peintures hollandaises du xvIIe s., dont elles reprirent souvent la composition et les décors (*Un mariage à Delft*, 1847, Louvre). Par la diversité de son art et de ses moyens d'expression, Isabey fut un des plus grands parmi les petits maîtres romantiques. Par l'influence directe exercée sur Boudin et sur Jongkind, à qui il enseigna à traduire la luminosité de l'atmosphère, il constitua un des chaînons reliant l'école des paysagistes de 1830 à l'Impressionnisme.

ISAKSON Karl,
peintre suédois
(Stockholm 1878 - Copenhague 1922).

Il étudia à l'Académie des arts de Stockholm de 1897 à 1901 et demeurera de 1902 à sa mort à Copenhague, où il mena une existence très retirée. Il fit plusieurs voyages d'études à Paris (1905, 1907, 1911 et 1913-14). Il emprunta les thèmes de ses premières œuvres, pour la plupart détruites, à la mythologie nordique et exécuta des compositions allégoriques dans l'esprit « fin de siècle ». Ses premiers séjours à Paris l'orientèrent vers les problèmes de couleur et de construction. De 1905 à 1907, il étudia attentivement Delacroix et Manet ; durant sa période dite « grise », sa peinture est toute en valeur : gris, ocre et brun (études de modèles, natures mortes, portraits). Sa découverte à Paris, en 1911, de l'art de Cézanne, de Matisse et des cubistes fut déterminante pour son évolution.

Isakson peignit des natures mortes, intérieurs, nus (*Modèle nu debout dans un intérieur*, 1918-1920, Copenhague, N.C.G.), paysages (entre autres des îles de Bornholm et de Christiansø), construits en plans clairs,

où les couleurs complémentaires et contrastées, subtilement graduées, se rapprochent de plus en plus de la gamme pure du spectre. Ces peintures, où les mêmes motifs se répètent avec d'infinies variations, étaient considérées par le peintre comme de simples exercices pour un grand projet sur un thème biblique que des esquisses, hautes en couleur et d'une suggestion visionnaire, annonçaient dès 1920 (la *Résurrection de Lazare*, versions au musée de Göteborg et au Moderna Museet de Stockholm).

L'art d'Isakson, qui, de son vivant, était complètement inconnu en Suède, a eu, par la pureté de ses lignes et son pouvoir expressif, une très forte influence sur la peinture suédoise et danoise du xxe siècle. Isakson est représenté notamment à Stockholm (Nm et Moderna Museet), au Louisiana Museum (Danemark).

ISRAELS Isaac Lazarus,
peintre néerlandais
(Amsterdam 1865 - La Haye 1934).

Fils de Jozef Israels, qui l'influença beaucoup, il débute comme élève dans les Académies de La Haye (1878-1880) et d'Amsterdam (1886-87), où il séjourne jusqu'en 1903. Dès 1878, il accompagne son père dans ses voyages à Paris, fait la connaissance de Manet et de Lieberman, avec lesquels il peindra souvent plus tard, et pratique à ses débuts un réalisme influencé par Bastien-Lepage ; ses portraits et scènes militaires sont bien accueillis au Salon de Paris en 1885 (le *Départ des coloniaux*, 1883, Otterlo, Rijksmuseum Kröller-Müller ; *Portrait de Jozef Israels*, 1887, coll. part.). Épris de modernité, il devient à Amsterdam, avec son compagnon Breitner, le meilleur représentant de l'« Impressionnisme néerlandais », associant habilement la leçon parisienne à celle du Réalisme traditionnel de la Hollande (les *Trieuses de café*, 1893-94, La Haye, Gemeentemuseum). Son style et ses préoccupations esthétiques se fixent v. 1895 et l'artiste n'évoluera guère malgré la diversité de ses fréquentations (Mallarmé, Huysmans, Zola, Redon, Van Dongen). À Paris de 1904 à 1913, Isaac prolonge la tradition des Nabis, dans des couleurs et une touche chaleureuses (*Au bois de Boulogne*, 1906, Zeist, coll. part.; *Prête à sortir*, 1911, Otterlo, Rijksmuseum Kröller-Müller). Exilé quelques temps à Londres durant la guerre, il s'intéresse au thème de la boxe (*Boxeur*, 1915, Utrecht, Centraal Museum) et, après un voyage en Indonésie (1921-22), s'installe définitivement à La Haye (1923). Il est représenté dans les musées hollandais d'Amsterdam (Rijksmuseum et Stedelijk Museum), d'Otterlo (Rijksmuseum Kröller-Müller), d'Utrecht (Centraal Museum), de Groningue et de Rotterdam (B.V.D.) et particulièrement au Gemeenstemuseum de La Haye. L'œuvre d'Isaac Israels a figuré dans quelques expositions particulières comme au musée de Groningue en 1956, à Amsterdam (Stedelijk Museum) en 1958-59 et à Paris (Inst. néerlandais) en 1959.

ITURRINO Francisco,
peintre espagnol
(Bilbao 1864 - Cagnes-sur-Mer 1924).

Basque comme son ami Zuloaga, bien que né en Castille, cet artiste bohème, enfant gâté, inquiet et fantasque, a joué un rôle important dans l'histoire de la peinture espagnole moderne ; il y fut en quelque manière l'introducteur du Fauvisme. Mais il passa hors de la Péninsule — et notamment en France — la plus grande partie de sa carrière. Dès 1900, sa haute silhouette efflanquée était familière aux peintres d'avant-garde, à Bruxelles et à Paris ; le tableau d'Evenepoel, l'*Espagnol à Paris* (1899, musée de Gand), contribua à la populariser, et son *Portrait* par Derain (1914) est au M.N.A.M. de Paris. Mais, après une période de peinture sombre en Belgique, il allait exposer aux Indépendants et au Salon d'automne, évoluant vers un chromatisme exalté. Plus encore que les influences de Renoir et de Cézanne, il subit celle de Matisse (qu'il devait en 1911 accompagner en Andalousie). Tempérament d'improvisateur, fougueux et capricieux, il délaissa le Réalisme, terrien ou maritime, des peintres basques de sa génération, pour évoquer une Andalousie où gitans, cavaliers, toreros, très peu « folkloriques », ne sont que prétexte à des toiles d'inspiration fauviste et qu'il peuple aussi de nus féminins d'une puissante sensualité, souvent disposés en groupes tourbillonnants. Francisco Iturrino fut également un remarquable aquafortiste. Installé en 1920 à Madrid, il effectuera de nombreux séjours dans le sud de la France. Le M.A.M. de Madrid possède de lui une œuvre importante, les *Femmes à la campagne*, transposition hispanique du *Déjeuner sur l'herbe* de Manet. Le musée de Bilbao — où eut lieu en 1926 une rétrospective — lui a consacré une salle groupant une douzaine de ses meilleures toiles.

JAKOPIČ Rihard,
peintre yougoslave d'origine slovène
(Ljubljana 1869 - id. 1943).

Après des études secondaires à Ljubljana, il s'inscrit à l'Académie des beaux-arts de Vienne en 1887, puis, après un an passé à Munich, il pousse son compatriote Anton Azbé à ouvrir une école de peinture, qui devient, à partir de 1890, l'une des plus réputées de Munich. De 1870 à 1900, il passa ses étés à peindre les paysages de Slovénie, travaillant le reste de l'année à Munich chez Azbé. Il se consacrait avec enthousiasme à la peinture de plein air.

Sa personnalité fit de lui, dès 1900, le chef de file des impressionnistes slovènes (Grohar, Jama, Sternen), avec lesquels il travailla et exposa (Vienne, 1904-1905 ; Belgrade, 1904, 1907 ; Berlin, 1905 ; Londres, 1905 ; Sofia, 1906). Jakopič organisa la première exposition d'art slovène à Ljubljana en 1900, ouvrit une école de peinture en 1907 avec Sternen, qu'il dirigea seul ensuite jusqu'en 1914, et construisit en 1908, par ses propres moyens, le premier pavillon d'exposition de Slovénie. Son évolution comporte 3 phases : l'Impressionnisme pur jusqu'en 1906 (*Bouleaux en automne*, 1902, Ljubljana, N.G. ; *Hiver*, 1905, *id.*), puis un réalisme poétique, de facture encore impressionniste, où alternent paysages et figures jusqu'en 1917

Vincent Van Gogh
*Le Pont sous la pluie,
d'après Hiroshige*
73 × 54 cm
Amsterdam,
Stedelijk Museum

(*Baigneuse*, 1910, Ljubljana, G.A.M.; *Bouleaux*, 1910, Belgradè, M.N.; *Souvenirs*, 1912, Ljubljana, N.G.; *Verger*, 1913, Ljubljana, G.A.M.). La 3e époque se distingue par un expressionnisme vivement coloré (la *Save*, 1922; *Dans la chambre bleue*, 1923; le *Soir sur la Cave*, 1926; tous à la G.A.M. de Ljubljana). Cet art constitue, avec celui de Nadežda Petrović, l'un des fondements de la peinture contemporaine en Yougoslavie.

JAPONISME.

Avant la réouverture des relations commerciales Japon-Occident (1853-54), les rares exemples d'objets d'art japonais étaient confondus avec la production chinoise. Les Expositions internationales de 1862 à Londres, de 1867 et 1878 à Paris en rendront la connaissance publique. Écrivains et critiques, Baudelaire, les Goncourt, Zola, Th. Gautier, E. Chesneau, Ph. Burty, Th. Duret, ont été, avec les peintres, les initiateurs de cette vogue. La découverte des estampes japonaises (de Moronobu, Hokusai, Hiroshige, Utamaro) a bouleversé la vision des artistes. Les uns (A. Stevens, Tissot) utilisent éventails, porcelaines ou paravents comme motifs décoratifs sur leurs toiles, les autres assimilent des éléments plastiques qui seront un ferment pour l'Impressionnisme : asymétrie, univers sans profondeur, vues angulaires, couleurs vives. Whistler est, avec le graveur Bracquemond, l'un des promoteurs de cette inspiration, à laquelle Manet doit une manière plus plate (portrait de *Zola*, 1868, Louvre), Degas ses mises en pages décentrées, Caillebotte ses perspectives obliques, Monet sa pratique des séries (Meules, Nymphéas, Cathédrales), Toulouse-Lautrec son graphisme, Van Gogh une part de ses théories esthétiques *(le Pont sous la pluie, d'après Hiroshige)*. L'exposition d'art japonais organisée en 1883 par L. Gonse, puis celles de S. Bing, fondateur de la revue *le Japon artistique* (1888), ont été déterminantes pour le cloisonnisme d'Anquetin, le synthétisme de Gauguin (*la Vision après le sermon*, 1888, Édimbourg) et de É. Bernard. Elles ont également influé sur le néo-impressionnisme de Seurat et de Signac, les aplats des nabis Bonnard et Vuillard. Enfin cette influence a été essentielle sur l'apparition de l'Art nouveau, tant dans le domaine des arts plastiques (Beardsley en Angleterre, Charley Toorop aux Pays-Bas, Alfons Mucha en Tchécoslovaquie et en France) que dans celui des arts décoratifs, avec Émile Gallé, H. Vever, L. C. Tiffany.

JEFFERYS Marcel,
peintre belge
(Milan 1872 - Bruxelles 1924).

La formation de Marcel Jefferys, un temps élève d'Henriette Ronner, est celle d'un autodidacte. Il commence par peindre des œuvres qui se réfèrent au luminisme alors à la mode. Cosmopolite, il plante son chevalet dans divers lieux d'Europe : en Hollande, en Angleterre, en Italie, etc. Ses sujets privilégiés, qui le rapprochent de Renoir, sont les parcs et les fêtes publiques (la *Fête des ballons*, 1905, Bruxelles, M.R.B.A. ; *Préparatifs de fête*, Liège, M.A.M.). La Première Guerre mondiale l'envoie en Angleterre, ses tons deviennent plus sourds, le blanc domine. S'il a cherché toute sa vie à rendre les variations de l'atmosphère au moyen de couleurs claires, ce n'est que dans ces années-là que Marcel Jefferys obtient les tons nacrés, sans empâtements, qui permet-

tent de donner une aération lumineuse. Le thème est traité rapidement, par quelques touches délicates, le support visible remplaçant les couches de blanc (*Nu*, Bruxelles, gal. Patrick Derom).

En 1924, quelque temps avant sa mort, la gal. Giroux, à Paris, organise une rétrospective de son œuvre.

JONGKIND Johan Barthold,
peintre néerlandais
(Latdorp, Overijsel, 1819 - Grenoble 1891).

Il passe son enfance à Vlaardingen et, bien qu'il soit destiné au notariat, son goût pour le dessin le décide à suivre une carrière artistique. Il se rend à La Haye (1837) et y reçoit l'enseignement du paysagiste Andreas Schelfhout. De 1838 à 1842, il travaille assidûment le dessin à Massluis et à La Haye et obtient en 1843 une bourse dont il bénéficiera pendant dix ans.
Il fait la connaissance d'Eugène Isabey à La Haye (1845) et fréquente à Paris l'année suivante son atelier ainsi que celui de François-Édouard Picot. Jusqu'en 1855, Jongkind s'inspire surtout de Paris (nombreuses vues des quais, telles que l'*Estacade* [1853, musée d'Angers], le *Quai d'Orsay* [1852, musée de Bagnères-de-Bigorre]) et des ports de la Normandie (Honfleur, Fécamp, Le Havre, Étretat), où il séjourne dès 1849 ; ses aquarelles et ses tableaux le montrent en possession d'un métier accompli, respectueux du motif, mais sans servilité, dans la tradition du paysage hollandais (le *Pont Marie*, 1851, Paris, coll. part. ; *Étretat*, 1851, Orsay).
Son échec à l'Exposition universelle de 1855 le décide à retourner en Hollande, où il réside (à Rotterdam, à Klasswall, à Overschie) jusqu'en 1860. Mais il regrette Paris et, à l'instigation de ses amis (Cals, le comte Doria), qui redoutent pour lui les résultats de son intempérance, il regagne la capitale. Il rencontre alors une compatriote, Mme Fesser, au dévouement de laquelle il s'abandonne désormais. De 1862 à 1866, il réside l'été en Normandie. En 1862, il exécute ses premières eaux-fortes,

Johan Barthold Jongkind
Le Quai d'Orsay, 1852
Bagnères-de-Bigorre,
musée Saliès

Six Vues de Hollande (il laissera 27 planches gravées), et participe l'année suivante au Salon des refusés (*Ruines du château de Rosemont*, 1861 (Paris, Orsay). En 1864, il rencontre Claude Monet à Honfleur, où les deux hommes travaillent ensemble. Après 1860, sa facture s'allège, la touche se fragmente, divise spontanément les tons pour suggérer la vibration de la lumière (*Effet de lune sur l'estuaire*, 1967, coll. part. ; la *Rade d'Anvers*, 1867).

Au cours de ses nombreux déplacements (Belgique, Hollande, Normandie, Nivernais), il pratique surtout l'aquarelle, souvent à titre d'étude pour un tableau, mais de plus en plus pour elle-même (*Le Havre, plage de Sainte-Adresse*, 1863, Orsay). Il fréquente le Dauphiné à partir de 1873 et s'installe à La Côte-Saint-André (Isère), ville natale de Berlioz, en 1878. En 1880, il fait un voyage dans le Midi (Marseille, Narbonne, La Ciotat) et, de 1881 à 1891, revient travailler l'hiver à Paris. L'aquarelle devient alors sa technique de prédilection ; d'un dessin très sûr, suggérant rapidement et avec une vérité intense le lieu et le moment, la tache de couleur fluide, ménageant beaucoup les blancs, ajoute d'abord une dimension complémentaire ; elle s'épanouit librement, sans soutien graphique préalable, utilisant une gamme réduite où dominent les jaunes et les ocres (*Paysage de neige en Dauphiné*, 1885, coll. part.). L'art de Jongkind est dû à la fraîcheur d'une vision que matérialisent un crayon ou un pinceau extrêmement subtils, et c'est surtout peut-être par cette attitude devant la nature que l'artiste est le précurseur des impressionnistes. À la fin de sa vie, l'abus de l'alcool provoqua un traumatisme psychologique ; Jongkind mourut à l'asile de Grenoble et fut inhumé à La Côte-Saint-André.

L'artiste est représenté en particulier dans les musées hollandais (Rijksmuseum ; Rotterdam, B.V.B. ; La Haye, Gemeentemuseum), français (Paris, Orsay, Petit Palais ; Grenoble, Aix-les-Bains, Reims) et dans de nombreuses coll. part.

En 1899, Durand-Ruel consacre à Jongkind une importante exposition où l'artiste apparaît comme l'initiateur du mouvement impressionniste. Deux récentes initiatives l'ont confirmé : celle du Smith College Museum of Art de Northampton (Massachusetts) en 1976 et celle du musée de Dordrechts (Hollande) en 1982.

JOSEPHSON Ernst,
peintre suédois
(Stockholm 1851 - id. 1906).

Issu d'une famille bourgeoise aisée de Stockholm, il étudia à l'Académie des beaux-arts de 1867 à 1876 et visita Paris en 1873-74. De 1877 à 1879, il séjourna aux Pays-Bas et en Italie, où il copia assidûment

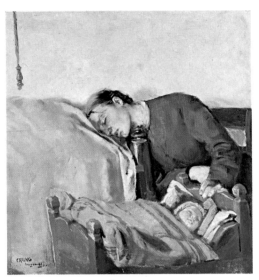

Christian Krohg
Mère et enfant, 1883
Oslo, Nasjonalgalleriet

qu'il monumentalise avec des cieux lourds et un fin chromatisme (*Pardubice sur le motif,* 1854, *id.*). Ses derniers tableaux (*Noce paysanne, id.,* et *Paysage de Bohême,* 1858, *id.*) comptent parmi les grandes œuvres du paysage tchèque : à la vérité de l'observation s'ajoute une poésie pleine de retenue, suggérant les liens qui unissent l'homme à sa terre natale selon un thème que l'on retrouve en musique chez Smetana.

KRAFFT Carl,
peintre américain
(Reading, Okla., 1884 - 1938).

Élève de l'Art Institute de Chicago puis de l'Art Students' League de New York, Krafft, comme beaucoup de ses compatriotes, vécut et étudia à Paris à l'Académie Julian dans l'atelier de Boulanger. Recherchant les harmonies calmes et les tons lumineux de l'Impressionnisme, il obtient une médaille d'argent à la Société des artistes de Chicago en 1921. Ses œuvres se trouvent réparties dans de nombreuses collections particulières américaines.

KROHG Christian,
peintre norvégien
(Oslo 1852 - id. 1925).

Il se forma d'abord en Allemagne avec Hans Gude et Karl Gussov à Karlsruhe puis à Berlin et devint un adepte convaincu du Naturalisme. Un séjour à Paris (1881-82) attira son attention sur les impressionnistes et plus particulièrement sur Manet et Caillebotte (*Karl Nerdotröm à Grez,* 1882, Oslo, N.G.). Au cours de vacances d'été dans le petit port de pêche danois de Skagen, dans les années 1879-1884, Krohg interpréta la vie quotidienne des pêcheurs, sur mer ou dans leurs foyers. Alliant à un puissant réalisme une grande richesse de coloris, il peignit alors quelques-unes de ses meilleures toiles : *Femme coupant le pain* (1879, Bergen, Billedgalleri), *A bâbord, un peu* (1879) et *On natte les cheveux* (1882, Oslo, N.G.), *Mère endormie* (1883, Bergen, Billedgalleri, Rasmus Meyers Samlinger). Parallèlement à ses peintures de mer et à une suite d'excellents portraits, il se consacra, dans les années 1880, à des interprétations de la vie citadine moderne, souvent à tendance sociale. La prostitution constitue le thème de son roman *Albertine* (1886), ainsi que celui de son œuvre manifeste : *Albertine dans la salle d'attente du médecin de la police* (1886-87, Oslo, N.G.). À cette époque, Krohg était la figure centrale d'un cercle d'artistes et d'écrivains norvégiens radicaux appelés « les bohèmes de Christiania ». À partir de 1890, il se consacra davantage au journalisme et se fit connaître par ses remarquables interviews.

En 1901, il s'établit à Paris avec sa femme, la portraitiste Oda Krohg, et il y professa, de 1902 à 1909, à l'Académie Colarossi, où son fils Per reçut une formation artistique. Il se rend à la Closerie des Lilas, où il retrouve peintres et poètes. De 1909 à 1925, il fut professeur et directeur de l'Académie des beaux-arts d'Oslo, qui venait d'être fondée. Un choix important, richement illustré, de ses œuvres littéraires fut édité (1920-21) en 4 volumes, sous le titre de *la Lutte pour la vie* (nouvelle éd. en 1952).

Vincent Van Gogh
La Route aux cyprès, 1890
92 × 73 cm
Otterlo, Rijksmuseum Kröller-Müller

KRÖLLER-MÜLLER (les),
collectionneurs et industriels néerlandais.

Célèbre homme d'affaires néerlandais, A.G. Kröller (1862-1941) épouse en 1888 Mlle Müller, passionnée de peinture. Ils confient ensemble à leur ami et compatriote le peintre Hendrik Bremmer l'établissement de leur collection. Cette dernière, acquise en partie avant la Première Guerre mondiale, rassemble, selon l'influence de leur conseiller artistique, un grand nombre d'œuvres néo-impressionnistes françaises et hollandaises, dont 3 Cross, 2 Luce, 5 Seurat (parmi lesquels le *Chahut*, 1890), 10 Signac (dont *Vue de Collioure*, 1887, le *Port de Marseille*, 1897), 15 Van Rysselberghe. Les impressionnistes et leurs précurseurs sont amplement représentés avec Cézanne, Gauguin, Pissarro, Renoir et surtout Van Gogh, dont la collection compte 91 tableaux de ses débuts à La Haye à sa mort. Le musée Kröller-Müller, construit par l'architecte H. Van de Velde et donné en 1935 à l'État néerlandais, fut ouvert au public en 1938.

KRØYER Peder Severin
peintre danois
(Stavanger, Norvège, 1851 - Skagen 1909).

Formé à l'Académie de Copenhague (1864-1870), puis chez Bonnat à Paris (1877-1879), il s'installa à Skagen en 1882. Il a laissé des scènes de la vie collective des artistes à Skagen, traitées avec objectivité et selon une technique inspirée de l'Impressionnisme : le *Déjeuner des artistes scandinaves à Skagen* (1883, musée de Skagen). La Hirschsprungske Samling de Copenhague conserve nombre de ses tableaux.

KURODA Seiki,
peintre japonais
(Kagoshima 1866 - 1924).

En 1884, il se rend à Paris pour étudier le droit et, le soir, suit des cours à l'Académie Colarossi en même temps que son ami Kume Keiichirô. C'est avec ce dernier et Yamamoto qu'il formera en 1896 le groupe des artistes Hakuba-Kaï, qui aura une influence importante dans le monde des doit également à La Farge des essais et écrits sur l'art, parmi lesquels *Considerations on Painting* (1895) et *An Artist's Letters from Japan* (1897).

LA HAYE (école de).

Ce nom a été donné à un groupe de peintres néerlandais dont la principale période d'activité s'étend de 1870 à 1890 environ. Si le fondateur, Johannes Bosboom, s'est fait surtout apprécier par ses intérieurs d'église et Jozef Israels par des scènes de genre entachées de sentimentalité, le mérite essentiel des peintres de La Haye, qui n'ignoraient pas l'école de Barbizon française, est d'avoir renouvelé en Hollande la conception du paysage, en lui offrant d'autres motifs de prédilection : les vues de mer ou de plage à marée basse – appréhendées avec un sens de la réalité plus moderne, dégagé des formalismes classiques et romantiques –, dont les sites des environs de La Haye, Scheveningen en particulier, furent les modèles. Y furent attirés H. W. Mesdag (en 1868), Anton Mauve (en 1874), Jacobus Maris (en 1871), mais ses frères cadets Matthijs et Willem furent davantage retenus par le paysage traditionnel, rustique et urbain. Le meilleur peintre du groupe, J.H. Weissenbruch, connut pourtant une évolution analogue à celle de ses amis, d'une objectivité responsable d'un métier tout classique à une interprétation du sujet servie par une technique beaucoup plus libre. L'école de La Haye eut une influence importante, et les grands artistes de la fin du XIXᵉ s. (Breitner, Van Gogh) partirent de ses leçons.

LAPRADE Pierre,
peintre français
(Narbonne 1875 -
Fontenay-aux-Roses 1931).

Élève de Henri Marre et de Bourdelle à Montauban, il travailla ensuite à l'Académie Carrière à Paris, exposa au Salon de la Nationale des beaux-arts en 1899, au Salon des indépendants en 1901 et au Salon

d'automne en 1903. Trois séjours en Italie (de 1908 à 1914) l'influencèrent fortement. Contemporain et parent spirituel des Nabis, Laprade fut un des plus sensibles intimistes modernes. Il a peint des intérieurs à l'atmosphère fraîche et musicale, des jardins, des paysages découverts de ses fenêtres ou rappelant ses nombreux voyages en France et en Italie. Ses tons assourdis, ses blancs argentés, sa touche légèrement brouillée expriment l'air dans sa fluidité et confèrent aux paysages une note de mélancolie familière (les *Blés*, 1919, Paris, M.N.A.M.). Laprade a illustré divers ouvrages, notamment les *Fêtes galantes* de Verlaine et *Manon Lescaut* de l'abbé Prévost. Il est représenté à Paris (M.N.A.M.) et dans les musées de Bagnols-sur-Cèze, Grenoble, Lyon, Nantes et Nice.

LARSEN Johannes,
peintre et aquarelliste danois
(Kesterminde 1867-1961).

Il fait le lien en Scandinavie entre l'Impressionnisme et la peinture contemporaine. À l'Exposition universelle de 1900, il est représenté par des aquarelles figurant des oiseaux : *Corneilles* et *Canard sauvage*, thème qu'il faut rattacher aux traditions de la peinture hollandaise. Le musée de Copenhague possède *Paons*.

LARSSON Carl Olof,
peintre aquarelliste et graveur suédois
(Stockholm 1855 - id. 1919).

Après ses études à l'école des Beaux-Arts de Stockholm, il vient partager à partir de 1878 la vie communautaire de la petite colonie scandinave établie à Grez-sur-Loing (près de Fontainebleau) et, jusqu'en 1885, revient peindre la vie de ses amis, de leurs épouses et de leurs enfants, dans des aquarelles anecdotiques sur les joies simples de la vie en plein air et dans un style proche de l'illustration anglaise. En 1885, il crée, avec notamment E. Josephson et R. Bergh, le mouvement d'opposition contre l'Académie de Suède. En 1894, il peint la *Fille d'Ève* (coll.

Pierre Laprade
Pastorale, v. 1922
Bagnols-Sur-Cèze,
musée Léon-Alègre

Zorn, Mora), influencé par le Symbolisme et un goût à la mode du voluptueux « Belle Époque », et, en 1900, *Devant la glace, autoportrait* (Göteborg, musée d'Art). Professeur à l'école d'Art de Göteborg, il est l'illustrateur de Strindberg notamment, et son œuvre graphique est très abondant ; son amour du détail, des contours sombres soulignant les formes claires et leurs arabesques révèle la double influence du Symbolisme et de l'art ancien des écoles du Nord, familier de la gravure. Il réalise des décors pour le Musée national de Stockholm, influencé par Gauguin et le « Symbolisme synthétique », avec pour thèmes ceux des vieilles sagas ; curieusement, le passage à la dimension monumentale ne modifie en rien son style d'illustrateur et peut gêner. Le décor lumineux et équilibré de sa propre maison en Décarélie, sujet d'une série d'aquarelles, aura des répercussions évidentes sur l'évolution de l'architecture d'intérieur scandinave. En 1882, il écrivait déjà : « Je suis suédois et – tenez-vous bien ! – socialiste. Je veux faire profiter, je veux réjouir, non pas un seul être, mais tous. »

Cet optimisme serein, qui inclut la fantaisie, se retrouve dans toute son œuvre. L'exposition Lumière du Nord (Paris, 1987) a rappelé l'importance historique de cet artiste pour la Suède.

LA TOUCHE Gaston,
peintre et sculpteur français
(Saint-Cloud 1854 - Paris 1913).

Interprétant systématiquement l'Impressionnisme en tons très chauds, il peignit des paysages assez poétiques (les *Cygnes*, 1898, Versailles) et des scènes de genre charmantes ou attendries (l'*Accouchée*, 1888, musée de Sydney). Certaines toiles assez prétentieuses évoquent les fêtes galantes à la Watteau (*Fête de nuit*, 1906, Limoges, hôtel de ville) et des singeries qui se souviennent trop du XVIIIe s. Il réalisa aussi des panneaux décoratifs pour la mairie de Saint-Cloud (*Allégorie de la Paix*, 1897), le ministère de la Justice à Paris (le *Poète*, le *Peintre*, le *Sculpteur*, 1910, auj. au Sénat) ou la villa Arnagua d'Edmond Rostand à Cambo-les-Bains (la *Fête chez Thérèse*, 1906). La Touche grava à la pointe sèche les illustrations de l'*Assommoir* de Zola (1879). Cinq de ses œuvres (dont *Jalousie*, *Une loge*) se trouvent auj. conservées au musée d'Orsay.

L'ensemble de son œuvre fut exposé en 1908 à la galerie Georges Petit à Paris et en 1979 à la Bury Street Gallery de Londres.

LAUGÉ Achille,
peintre français
(Arzens 1861 - Cailhau, Aude, 1944).

Néo-impressionniste tardif, il fit ses études à Toulouse, puis à Paris de 1881 à 1888. Lié avec Maillol et Bourdelle, il fréquenta alors les milieux avancés, exposa aux Indépendants, puis rentra à Carcassonne avant de s'installer définitivement à Cailhau en 1895. Ses meilleures œuvres, d'un divisionnisme précis aux harmonies délicates, furent peintes entre 1900 et 1905 (*Paysage de la Gardie*, 1902, musée d'Orsay). Il est surtout représenté à Montpellier (l'*Hort à Cailhau*, musée Fabre), à Toulouse (musée des Augustins), qui organisa en 1961 une rétrospective de son œuvre, et à Carcassonne (*Madame Astre*, 1892 ; l'*Allée de saules*, 1896 ; *Route à Cailhau*, 1910, musée des Beaux-Arts), qui reçut en août 1990 l'exposition itinérante de l'artiste venant de Saint-Tropez (musée de l'Annonciade).

LAVAL Charles,
peintre français
(Paris 1862 - Le Caire 1894).

Compagnon de Gauguin à la Martinique (1887) et à Pont-Aven (1888), il subit son influence et expose avec lui au café Volpini en 1889. Dispersée après sa mort, son œuvre est mal connue : *Autoportrait* dédié à Van Gogh (1888, Amsterdam, M.N. Van Gogh), *Paysage breton* (1889, Orsay), *Autoportrait* (1889, *id.*).

LAWSON Ernest,
peintre américain d'origine canadienne
(Halifax 1873 - Coral Gables 1939).

Élève de Twachtman à New York puis à Cos Cob (Connecticut), c'est sous l'égide de ce dernier qu'il réalise ses premières œuvres impressionnistes. En 1893, comme beaucoup de ses compatriotes, il vient parfaire sa formation à Paris et s'inscrit à l'Académie Julian. Il se rend régulièrement à Moret-sur-Loing, où il rencontre Alfred Sisley, qui a une profonde influence sur son évolution (*Église à Moret-sur-Loing*, New York, coll. part.).

En 1898, il se fixe à New York et peint des paysages urbains souvent enneigés avec des tons amortis qui révèlent l'influence de ses deux maîtres, l'américain et le français. Lawson fréquente Glackens, qui l'introduit auprès de Luks, de Shinn, etc. Ensemble, ils fondent le groupe des Huit (The Ash Can School), qui a pour but de décrire le réalisme social, le déclin de l'environnement urbain. Mais, au lieu de rendre le misérabilisme des sites, Lawson s'attache plutôt à leur lumière (*Wet Night*, Gramercy Park, 1907, Washington, Hirshorn Museum). Il expose avec le groupe en 1908 (*Winter on River*, 1907, New York, Whitney Museum)

Henri Lebasque
Maternité (Mme Lebasque et ses enfants), 1905
63 × 74 cm
Genève, musée du Petit Palais

puis en 1910 aux Indépendants et en 1913 à l'Armory Show. En 1916, il voyage en Espagne et donne à ses toiles un accent nouveau : il traite ses paysages en aplats, travaille par couches épaisses (*Ségovie*, 1916, Minneapolis, Inst. of Arts). En 1926, il s'installe à Kansas puis se rend dans le Colorado et en Floride, où il applique son expérience espagnole sur des paysages locaux (*Gold Mining*, Cripple Creek, v. 1926, Washington, Smithsonian Inst.).

LEBASQUE Henri,
peintre français
(Champigné, Maine-et-Loire, 1865 -
Le Cannet, Alpes-Maritimes, 1937).

Élève de Bonnat à l'E.N.B.A., il débuta au Salon des artistes français en 1896, mais exposa bientôt au Salon des artistes indépendants et au Salon d'automne. Il travailla d'abord sous l'influence des impressionnistes et trouva sa propre voie entre celles de Matisse et de Bonnard. En de nombreux tableaux aux couleurs claires, il a été le peintre de la vie heureuse dans les villas, les jardins, les plages de la Côte d'Azur (*Vue de Saint-Tropez*, 1906, Saint-Tropez, musée de l'Annonciade). Il a participé à la décoration du Théâtre des Champs-Élysées (Paris) ; il est représenté aux musées d'Angers, de Nantes, de Lyon, de Strasbourg, de Detroit (États-Unis) ainsi qu'au musée d'Orsay (la *Cigarette*, 1921). En 1957, une rétrospective lui rendit hommage à Nice (musée des Ponchettes) avant l'importante vente de ses toiles à l'hôtel Drouot en 1983.

LEBOURG Albert,
peintre français
*(Montfort-sur-Risle, Eure, 1849 -
Rouen 1928).*

Élève de l'École des beaux-arts de Rouen,
puis de celle de Paris, il partit pour Alger,
où il fut nommé professeur de dessin à
l'École des beaux-arts (1872-1876). En Afrique, il se consacra au paysage de plein air.
Rentré à Paris, il travailla auprès de Jean-
Paul Laurens, mais se rallia vite à la cause
des impressionnistes, et, par deux fois, en
1879 et 1880, participa aux expositions de
leur groupe. Dès lors, il peint d'un pinceau
habile, qui juxtapose et parfois brouille les
tons, des vues, surtout de Paris, des régions
parisienne et rouennaise, paysages lumineux et tranquilles où les formes sont
souvent dissoutes par le soleil ou la brume.
Il est représenté dans de nombreux musées
de Paris (Orsay, Petit Palais, musée Carnavalet) et de province (Agen, Lille, Lyon, Rouen,
qui conserve une importante série de ses
paysages inspirés par les sites et les côtes
de la Normandie).

LEGA Silvestro,
peintre italien
(Modigliana 1826 - Florence 1895).

Il étudia à l'Académie de Florence et fut
jusqu'en 1848 disciple du puriste Luigi
Mussini, qui, parallèlement aux préraphaélites anglais, l'initia au Maniérisme toscan.
Fréquentant le café Michelangelo, centre
florentin de l'avant-garde politique et intellectuelle, il abandonne v. 1860 le genre
allégorique et historique (*Bersaglieri conduisant des prisonniers autrichiens*, 1861, Florence, G.A.M.) pour la peinture de plein air,
plus proche de la réalité. Dans la campagne
florentine de Piagentina avec ses amis
Borrani, Abbati et Signorini, il oriente ses
recherches vers la nouvelle technique de
la « macchia » (tache), dont il devient l'un
des plus importants et des plus intransi-
geants représentants. C'est dans les scènes
quotidiennes de la vie provinciale, aux
atmosphères ouatées et intimistes, que Lega

Silvestro Lega
La Visite, 1868
31 × 60 cm
Rome, Galleria d'Arte Moderna

exprime le mieux sa sensibilité, assez proche de l'Impressionisme (*l'Aumône*, 1864,
Pistoia, coll. part. ; la *Chanson de l'étourneau*,
1867, Florence, coll. part. ; la *Visite*, 1868,
Rome, G.A.M. ; la *Tonnelle*, 1868, Brera). En
1872, la mort à Piagentina de son amie
Virginia Batelli et des troubles importants
de la vue vont modifier ses intérêts artistiques : le sentiment idéaliste et poétique
disparaît de ses œuvres, qui deviennent
alors presque exclusivement un support
technique à ses recherches « tachistes »
(*Clementina Bandini et ses filles à Poggiopiano*,
1887, Gênes, coll. part. ; *Mme Tommasi au
jardin*, 1882, Crema, coll. part.). Après une
brève tentative en 1878 d'ouvrir une galerie
d'art pour ses amis Macchiaioli, Lega ne
laisse à la fin de sa vie qu'une production
uniforme où l'intensité et la véhémence des
accents chromatiques sont totalement dé-
pourvues d'illusions.

Une grande exposition a regroupé son
œuvre à Bologne en 1973, révélant notamment la sensibilité et la fraîcheur des
pochades et des esquisses de cet artiste. Un
hommage lui a été rendu en 1981, au musée
des Beaux-Arts de Lyon.

LE HAVRE.

Sous le second Empire, Le Havre prend un essor économique considérable et ses alentours deviennent alors les lieux de vacances favoris de la bourgeoisie du Havre et des touristes parisiens. Monet, dont les parents habitent Sainte-Adresse (*Terrasse à Sainte-Adresse*, 1867, New York, Metropolitan Museum ; *Vue de la côte au Havre*, Minneapolis, Institute of Arts), y fait ses débuts dans l'atelier de Ochard (1800-1870) et, dès 1860, invite ses amis Renoir, Sysley, Bazille (la *Plage à Sainte-Adresse*, 1865, Atlanta, The High Museum of Art) et Jongkind, qui aura une profonde influence sur son art. C'est en 1874 qu'il exécute *Impression, soleil levant*, à laquelle le mouvement impressionniste doit son nom.

LEIBL Wilhelm,
peintre allemand
(Cologne 1844 - Würzburg 1900).

Il fut l'élève du peintre polonais Hermann Becker de 1861 à 1864 à Cologne. De 1864 à 1867, il fréquenta l'Académie de Munich et fit connaissance de Hirth, de Haider et de Sperl. Il fut l'élève d'Arthur von Ramberg de 1866 à 1868 et de Piloty en 1868. Il exposa sa première œuvre importante à l'Exposition internationale de Munich (*Madame Gedon*, 1869, Munich, N. P.) où il vit les tableaux de Manet, Corot, Miller et Courbet, qui l'impressionnèrent vivement. La même année, il fit la connaissance de ce dernier et le suivit à Paris, où il exécuta la *Cocotte* (Cologne, W.R.M.). De 1870 à 1873, il s'installe de nouveau à Munich. En 1871, il rencontre Schuch et Trübner, qui forment autour de lui le « cercle Leibl » avec Sperl et Alt. L'année suivante, il exécuta sa première grande composition à plusieurs personnages : *Die Tischgesellschaft* (la *Tablée*, id.). À partir de 1873, il vécut dans différents villages des environs de Munich. Il exécuta en 1876-77 les *Politiciens de village* (Winterthur, Fond. Oskar Reinhart), première représentation d'un intérieur de paysans où le réalisme achevé de chaque détail atteste la maturité de l'artiste, puis entre 1878 et 1882 les *Trois Femmes à l'église* (musée de Hambourg), toile qui correspond à l'apogée de sa manière : la fermeté des contrastes, la technique libre et minutieuse à la Memling, l'originalité de la mise en page, la raideur silencieuse de la composition allient de robustes qualités d'exécution à une forte intensité psychologique. Les *Braconniers* furent peints de 1882 à 1886, mais l'artiste détruisit le tableau, mal accueilli à Paris (fragment à Berlin, N.G.). La vie paysanne lui fournit les modèles de portraits et les motifs des scènes de genre, qu'il traduisit avec une fidélité dénuée d'anecdotisme, ce qu'il dut à son étude des peintres néerlandais, notamment Rembrandt et Ter Borch. À Munich, Leibl s'opposa aux peintres de sujets historiques tels que Piloty et il rencontra de plus en plus l'hostilité du public et de la critique, dénoncé comme apôtre du laid. Un faire plus large marque sa dernière période (les *Fileuses*, 1892, musée de Leipzig). Le W.R.M. de Cologne conserve la plus grande partie de son œuvre. Leibl demeure avec Menzel le plus célèbre représentant de la peinture réaliste allemande du XIXᵉ s. La Neue Pin. de Munich possède plusieurs de ses tableaux.

LEMMEN Georges,
peintre, graveur et décorateur belge
(Schaerbeck 1865 - Uccle 1916).

Après de brèves études à l'école de dessin de Saint-Josse-ten-Noode (Bruxelles), où ce fils d'architecte est l'élève de Hendrickx et d'Amédée Bourson, il participe à divers mouvements d'avant-garde. En 1889, il est admis dans le groupe des Vingt, en même temps que Van de Velde, qui, en 1893, l'invite à Anvers aux manifestations de l'Association pour l'art. Simultanément, il expose à Paris – de 1889 à 1893 – au Salon des indépendants et se lie avec les artistes du groupe néo-impressionniste (Seurat, Signac), dont il applique librement la technique jusqu'en 1895 (le *Carrousel*, Toulon, coll. part. ; *Portrait de Mᵐᵉ G. Lemmen*, 1895, *id.*) ; il devient en Belgique, avec William Finch et Théo Van Rysselberghe, l'un des premiers adeptes du Divisionnisme et contribue, dès cette époque, au renouveau des arts graphiques et décoratifs – affiches (musée

Georges Lemmen
Nus dans un paysage, 1895
150 × 90,5 cm
Genève, musée du Petit Palais

d'Ixelles), livres, papiers peints, tissus, céramique – en créant un style d'arabesque, interprétation originale des modèles orientaux et anglais ; il reste en cela fidèle à l'idéal social de la Libre Esthétique, dont il se montre, dès sa fondation en 1894, l'un des ardents défenseurs. Artiste sensible, passionné par toutes les techniques, il est ensuite influencé – dans ses dessins, ses gravures et ses peintures – par Bonnard et Vuillard, et, comme eux, montre une prédilection pour les paysages lumineux et les sujets intimistes (la *Chambre des enfants*, aquarelle, Bruxelles, M.R.B.A. ; *Nu debout se peignant*, Brême, Kunsthalle). Vers la fin de sa vie, après un voyage dans le midi de la France en 1911, Lemmen s'enthousiasme pour l'art de Renoir et peint *Jeune Fille au bord de la mer* (1913, Bruxelles, M.R.B.A.). Il expose avec succès en 1906 et 1908 à la gal. Druet à Paris, mais ce n'est que trois ans avant sa mort, en 1913, qu'est organisée sa première exposition particulière à Bruxelles, chez Georges Giroux, qui lui apportera la notoriété. Ses œuvres sont conservées dans les musées d'Ixelles, de Bruxelles (M.R.B.A.), de Chicago (Art Inst.), de Providence, de Brême (Kunsthalle). Une rétrospective lui a été consacrée en 1968 au Guggenheim Museum.

LENBACH Franz Seraph von,
peintre allemand
(Schrobenhausen, Haute-Bavière, 1836 - Munich 1904).

Autodidacte, il réalisa dès 1852 divers travaux de peintre, puis entra chez Piloty à Munich en 1857. À partir de 1858, il peignit des paysages, animés le plus souvent de petits personnages anecdotiques, très admirés pour leur réalisme puissant et la recherche d'effets intenses de couleur et de lumière. En 1858-59, il séjourne à Rome. De 1860 à 1862, il travaille avec Böcklin et Begas à l'École des beaux-arts de Weimar. C'est alors qu'il peint l'une de ses meilleures œuvres, d'un franc naturalisme, le *Jeune Berger* (1860, Munich, Schackgal.). Il exécute pour le comte Schack de Munich, jusqu'en 1866, un grand nombre de copies d'après les maîtres et acquiert un style de portraitiste en étudiant Rembrandt, Rubens, Titien et plus tard Velázquez. En 1867, il part pour Madrid ; en 1875-76, il séjourne en Égypte. À partir de 1880, son style de portraitiste devient très personnel ; l'artiste sait allier une certaine spiritualité à l'élégance et à l'expression, ce qui correspondait pleinement à la conception que la société bourgeoise de la fin du XIXᵉ s. avait d'elle-même. Ses succès et la rapidité avec laquelle il travaillait expliquent le nombre de ses

œuvres. C'est à partir de 1878 qu'il commence sa série de portraits de Bismarck. Parmi les personnages illustres qu'il représenta, on peut citer *Louis Iᵉʳ de Bavière* (1868, Munich, Neue Pin.), *Liszt* (1884, Dresde, Gg), *Léon XIII* (1885, Munich, Neue Pin.), le *Kaiser Guillaume Iᵉʳ* (musée de Leipzig). La plupart de ses œuvres sont présentées à Munich, dans l'ancienne demeure de l'artiste.

LEPIC Ludovic-Napoléon,
peintre, graveur et sculpteur français
(Paris 1839 - id. 1890).

Étudiant en droit, il interrompt ses études pour se consacrer à l'art et entre à l'École des beaux-arts (1862) et dans les ateliers libres de Gleyre et de Cabanel. Peintre de plein air, il s'intéresse à la mouvance atmosphérique et affectionne particulièrement la mer. Lepic va souvent sur les côtes de la Manche (*Bateaux à marée basse à Berck*, 1879, musée de Valenciennes). Ami de Degas, qui le représente dans de nombreux tableaux, il participe à la première exposition du groupe impressionniste. Il fait beaucoup d'« eaux-fortes mobiles », procédé de son invention qui, par une variation d'encrage, permet de diversifier les éclairages à chaque épreuve et de rendre les sensations fugitives dans une même épreuve. Ainsi, le *Lac de Nemi* (1870, Paris, B.N.) est tiré à quatre épreuves différentes. Le paysage est vu à l'aube, dans la journée, le soir et la nuit. Ses gravures sont impressionnistes. Il est également connu comme costumier pour l'Opéra, peintre du ministère de la Marine (1883) et il est le fondateur (1872) du musée d'Aix-les-Bains.

LÉPINE Stanislas,
peintre français
(Caen 1835 - Paris 1892).

Arrivé de Normandie en 1855, il fréquente à Paris l'atelier de Corot entre 1860 et 1875 et copie certains de ses tableaux. Très attaché à sa ville natale et à ses environs, il eut une vie modeste et travailla dans l'isolement, ne parvenant qu'à grand-peine à vendre ses tableaux. Il fut pourtant soutenu par Fantin-Latour et par des collectionneurs comme le comte Armand Doria et Ricada. Les paysages de Lépine sont le plus souvent des vues des bords de Seine et des vues de Paris ; la figure humaine en est totalement exclue. Le peintre aime à jouer de tons gris délicats, qui lui suffisent pour noter avec exactitude la qualité de la lumière ; sa palette est ainsi plus claire que celle des peintres de Barbizon, et l'on considère souvent Lépine, avec Cals et Boudin, comme de ceux qui préparèrent la voie aux paysagistes impressionnistes (il participa d'ailleurs avec eux à la première exposition organisée par Durand-Ruel aux États-Unis en 1886). L'artiste est représenté à Paris, musée d'Orsay (le *Port de Caen*, 1859 ; le *Marché aux pommes*, 1889 ; *Portrait du fils de l'artiste*) et au Petit Palais (le *Pont des Arts*, 1875) ; l'Hôtel de Ville conserve d'autre part (salle des Sciences) le panneau décoratif (la *Seine près du Pont-Neuf*) qui lui avait été commandé en 1888 et qu'il termina en 1892, peu avant sa mort. Les musées de Reims, Rouen, Saint-Étienne, Angoulême, Caen (*Rue à Montmartre*, la *Seine*), Chicago (Art Inst.), Édimbourg (N.G.), Londres (Tate Gal.) possèdent aussi des œuvres de l'artiste. En 1968, à Paris, la galerie Schmit exposa une partie de l'œuvre du peintre.

LEROLLE Henry,
peintre français
(Paris 1848 - id. 1929).

Il étudie avec Henry Lamothe (1864), un ancien élève d'Ingres et professeur de Degas, puis à l'Académie Suisse, où il retrouve Forain et Besnard. Lerolle débute au Salon en 1868 et exposera régulièrement jusqu'en 1922 (il fut un des fondateurs de la Société nationale des Beaux-Arts). Il organise des soirées musicales où il réunit des musiciens avec d'autres artistes (Dukas, Debussy, Degas, Renoir, Lenoir, Claudel, Gide, etc.). Sa vie sera tout autant liée à la musique qu'à la peinture et Lerolle aura

pour beau-frère Ernest Chausson. Tôt, il a su reconnaître la valeur de l'Impressionnisme, et ses travaux rappellent parfois les audacieuses compositions de Degas ; ses personnages délicats dans leur forme et sans mouvement sont proches de la manière de Seurat (*Une répétition au Choir Loft*, 1885, New York, Metropolitan Museum of Art). S'il peint des scènes de genre et des portraits, ce sont ses scènes religieuses qui remportent le plus de succès (l'*Adoration des bergers*, 1883, musée de Carcassonne).

LE ROUX Charles,
peintre français
(Nantes 1814 - id. 1895).

Paysagiste de plein air, ami et condisciple de Théodore Rousseau, il accompagna celui-ci dans son voyage de Vendée, en 1837, et copia souvent ses œuvres. C'est chez Charles Le Roux, au château de Souliers-en-Cérisay, que Rousseau entreprit en 1837 son *Allée de châtaigniers* (1841) du Louvre. Le Roux travailla aussi sous la direction de Corot, à qui sont attribuées les figures de son grand paysage du musée d'Orsay : les *Prairies de Corsept* (1859). Il est représenté par plusieurs tableaux au musée de Nantes (*Bords de la Loire au printemps*, 1857 ; l'*Erdre, l'hiver*, 1857 ; *Source en forêt*, 1869 ; *Prairies au bord de la Loire*).

LE SIDANER Henri,
peintre français
(Île Maurice 1862 - Versailles 1939).

D'abord élève de Cabanel en 1884, il s'installa à Étaples (Pas-de-Calais) et y travailla seul durant cinq ans. Représentant de l'Intimisme et du Symbolisme fin de siècle, il exposa au Salon à partir de 1887 (la *Communion in extremis*, Douai, musée de la Chartreuse). Il était lié avec Ernest Laurent et Henri Martin, et certaines de ses compositions rappellent Maurice Denis (le *Dimanche*, 1898, musée de Douai). Influencé par l'Impressionnisme et le Néo-Impressionnisme, il fut surtout apprécié pour des vues de Venise, où il séjourna en 1905, et de villes

Henri Le Sidaner
Intérieur à la nappe rose, 1930
Cambrai, musée municipal

belges, notamment Bruges. Ses évocations de la poésie discrète des béguinages peuvent prendre place à côté de celles des symbolistes belges (Degouve de Nuncques, Khnopff) : le *Pont des soupirs* (Paris, Petit Palais). L'artiste est représenté au musée de Gand (la *Table au jardin*, 1904), au musée de Tourcoing (la *Place de la Concorde*, 1910), en Belgique et aux États-Unis (Chicago, gal. Sternberg). Deux expositions importantes ont été consacrées au Sidaner, l'une en 1974 au musée de Dunkerque, l'autre en 1989 à la Bibliothèque Marmottan à Boulogne.

LÉVITAN ou **LEVITANE** Isaak Ilitch,
peintre russe
(Kibartaï, Lituanie, 1860 - Moscou 1900).

Élève de Polenov et de Savrassov à l'école des Beaux-Arts de Moscou (1873-1884), il devient membre de la Société des expositions ambulantes, puis du groupe Mir Iskousstva, expose pour la Société des amateurs d'art de Moscou et devient bientôt le meilleur interprète de la nature russe. Son séjour à Paris en 1889 lui révèle l'école de Barbizon et les impressionnistes, dont il acquiert la technique qu'il emploie afin d'exprimer son sens du « paysage-état d'âme » russe, pénétré tantôt de poignante mélancolie *(Journée d'automne à Sokolniki*, 1879, Moscou, Tretiakov Gal. ; *Route de Vladimirka*, 1892, id. ; *Au-dessus du repos éternel*, 1894, id.)*, tantôt d'élégiaque sérénité (l'*Angélus du soir*, 1892, Moscou, Tretiakov Gal. ; *Brise fraîche sur la Volga*, 1891-1895, id. ; *Automne doré*, 1895, id. ; *Crue de printemps*, 1897, id. ; le *Lac*, 1900, Leningrad, M.N. russe). Membre de l'Académie des beaux-arts de Moscou en 1898, il enseignera jusqu'à sa mort l'art du paysage (1898-1900). Ses œuvres sont conservées dans les musées russes de Moscou (Gal. Tretiakov) et de Saint-Pétersbourg (M.N. russe).

LEWIS Percy Wyndham,
peintre, romancier, critique
et écrivain politique britannique
(Amherst, Nouvelle-Écosse, Canada, 1882 - Londres 1957).

De père américain et de mère anglaise, il est à Londres élève de la Slade School. Puis, de 1902 à 1909, il voyage en Allemagne, en Hollande, en Espagne et en France et se familiarise avec les écrivains dénonciateurs du Romantisme. De retour en Angleterre en 1909, il continue à se rendre tous les ans à Paris, publie ses écrits dans *The English Review*, tandis qu'il expose régulièrement avec le Camden Town Group et l'Allied Artists Association : il présente en 1912, lors de la seconde exposition « Manet et les Post-Impressionnistes », les illustrations pour son ouvrage *Timon d'Athènes*. Fortement marqué par le Cubisme et le Futurisme, il rompt avec ces groupes, déçu par leur manque d'ambition. Soutenu par le philosophe Hulme, Ezra Pound et un noyau d'artistes désireux d'implanter un nouvel esprit dans l'art anglais, il fonde en 1913 le Rebel Art Center puis, en 1914, le Vorticisme, tout en participant au London Group Show. Avec les peintres Edward Wadsworth,

Léon Lhermitte
La Paye des moissonneurs, 1882
215 × 272 cm
Paris, musée d'Orsay

David Bomberg, Christopher Nevinson et les sculpteurs Henri Gaudier-Brzeska et Jacob Epstein, il va faire du Vorticisme le premier mouvement d'avant-garde anglais, avec lequel il parvient à l'Abstraction en 1913. S'inspirant des formes de la machine, ses œuvres montrent bientôt un enchevêtrement de structures géométriques qui expriment des rythmes puissants et fortement contrastés (*The Crowd*, 1915, Londres, Tate Gal.). En juin 1915, il participe à l'exposition du Vorticisme à la Doré Gallery de Londres, puis il publie au cours de l'été 1914 le premier numéro de la revue *Blast*, qui contient le manifeste du Vortex anglais et associe littérature et arts plastiques. Le second et dernier numéro paraît un an plus tard, en 1918, Londres, entièrement consacré à l'engagement dans la guerre. Peintre des armées jusqu'en 1917, Lewis adapte son style aux tableaux de batailles et retrouve une appréhension plus directe du sujet (*Battery Position in a Wood*, 1918, Londres, Imperial War Museum). La participation de l'artiste aux activités du Ten Group confirme ce retour à la Figuration et l'orientation vers le portrait et l'autoportrait (*Self Portrait*, 1921, Manchester City Art Gal. ; portrait d'*Edith Sitwell*, 1923-1935, Londres, Tate Gal. ; *Ezra Pound*, 1939, *id.*). Abandonnant progressivement la peinture au profit de préoccupations politiques et littéraires, Lewis ne reprend celle-ci que pour illustrer ses écrits

(*Reddition de Barcelone*, 1936, *id.* ; *Inferno*, 1937, Leicester Art Gal.). Il se consacre surtout à des autobiographies (*Blasting and Bombardiering, 1914-1923*, publié en 1937 ; *The Artist from Blast to Burlington House*, publié en 1939) dans lesquelles il se justifie et revendique la paternité du Vorticisme. Devenu aveugle en 1954, il publie la même année son dernier essai, *The Demon of Progress in the Arts*. Wyndham Lewis est surtout représenté à la Tate Gal. de Londres.

LHERMITTE Léon,
peintre français
(Mont-Saint-Père, Aisne, 1844 - Paris 1925).

Élève de Lecoq de Boisbaudran, il prolongea jusqu'au XXᵉ s. le mouvement réaliste. Ses vastes compositions, largement popularisées par l'imagerie (la *Paye des moissonneurs*, 1882, Paris, Orsay ; les *Halles*, 1895, Paris, Petit Palais ; le *Christ visitant les pauvres ou Chez les humbles*, 1905, Metropolitan Museum ; la *Messe pour les enfants*, coll. part.), répondent aux tendances naturalistes qui fleurirent en littérature avec Zola. Lhermitte retient davantage par des études au pastel et au fusain, où, sans atteindre au génie de Millet, il se voulut le continuateur de celui-ci (série au musée de Reims). Il fut en 1890 l'un des fondateurs de la Société nationale des beaux-arts. Des fusains de Léon Lhermitte comme l'*Atelier des charpen-*

tiers, 1884, ou *Intérieur de boucherie* ont été récemment exposés dans le cadre de « The Realist Tradition : French Painting and Drawing 1830-1900 » (Cleveland, 1980-81) ainsi qu'à Dublin (1980), à Newcastle (1981), et dans des expositions sur le monde rural au XIXᵉ s.

LIBRE ESTHÉTIQUE.

Ce salon annuel bruxellois prit la suite de celui des Vingt et se tint de 1894 à 1914. Pour éviter les différends que le principe de l'association des artistes avait naguère entraînés, son animateur, Octave Maus (1856-1919), décida seul désormais des programmes d'exposition et des artistes à inviter. La Libre Esthétique étendit le rayon d'action des Vingt, ce qui apparut clairement dès son premier Salon, qui fit écrire à Gustave Geffroy : « Ce n'est pas d'art belge qu'il s'agit, mais d'un commencement d'art européen en Belgique. » Les ultimes années du XIXᵉ s. virent en effet à la Libre Esthétique l'apogée (suivi d'un déclin rapide) du Symbolisme et de l'Art nouveau grâce à une participation étrangère importante (les préraphaélites sont accueillis à côté de Redon, de Puvis de Chavannes, et, en 1898, G. Mourey consacre une conférence à D. G. Rossetti) et à la place considérable accordée aux arts graphiques et décoratifs : illustrations de Beardsley, Ricketts, Housman, affiches de Lautrec, Grasset, Chéret, estampes des Nabis, reliures de W. Morris et de Cobden-Sanderson, batiks de Thorn-Prikker, orfèvreries d'Ashbee, verreries de Baum, porcelaines de Copenhague ; en 1895, Georges Serrurier présente son *Intérieur d'artisan*, Henry Van de Velde une *Salle de five o'clock* en 1896. Concerts et conférences (celles-ci jusqu'en 1907) sur les questions de littérature et d'art accompagnaient comme au temps des Vingt ces manifestations. La peinture fut à nouveau privilégiée au début du XXᵉ s. (ensemble rétrospectif d'Evenepoel en 1900, Hommage à Lautrec en 1902) et surtout à partir de 1904 avec la vaste exposition des Peintres impressionnistes inaugurant le cycle des expositions méthodiques, que complétait l'année suivante l'Évolution externe de l'Impressionnisme. Dès 1906, les fauves sont invités (Matisse, Marquet, Manguin, Puy ; Derain et Vlaminck en 1907). En 1910, l'Évolution du paysage offrit un ample panorama de Corot et Courbet à Matisse et préludait à l'exposition de 1913 sur le thème des « Interprétations du Midi » (Boudin, Cross et Van Gogh bénéficiaient à cette occasion d'ensembles rétrospectifs). La Libre Esthétique a donc assuré en Belgique, après l'effervescence du renouvellement des formes décoratives à la fin du XIXᵉ s., le triomphe du style pictural issu de l'Impressionnisme, et elle accueillit toutes les expressions artistiques originales nées en France, en Belgique, en Angleterre et en Hollande. Mais elle ignora tout à fait l'Expressionnisme des pays germaniques, qu'Octave Maus, homme de culture surtout française, ne pouvait guère apprécier, et ne prêta point, d'autre part, grande attention aux peintres belges qui résidaient depuis les premières années du siècle dans le village de Laethem-Saint-Martin.

LIEBERMANN Max,
peintre allemand
(Berlin 1847 - id. 1935).

Il est à Berlin l'élève de Steffeck de 1863 à 1868, puis il fréquente de 1868 à 1872 l'École des beaux-arts de Weimar. Sa rencontre avec Munkácsy à Düsseldorf (1871) sera l'événement le plus important des débuts de sa carrière. L'impulsion donnée par ce maître est sensible dans sa première œuvre capitale, les *Plumeuses d'oies* (1872, Berlin, N.G.). Lors de ses voyages d'étude en Hollande, où il retournera souvent à partir de 1872 et pendant ses séjours à Paris de 1873 à 1878, Liebermann – sous l'influence de Millet et de Frans Hals – s'efforce de créer un style réaliste personnel, avec pour thèmes de prédilection des scènes de la vie paysanne et de la vie ouvrière (*École de couture en Hollande*, 1876, Wuppertal, von der Heydt Museum). À partir de 1878, il travaille à Munich (les *Blanchisseuses*, 1882,

Max Liebermann
Papageinallee, Amsterdam, 1902
Brême, Kunsthalle

Cologne, W.R.M.), où il subit alors l'influence de Leibl et son *Christ au Temple* (1879, Hambourg, Kunsthalle) déchaîne la critique ; puis, en 1884, il s'installe à Berlin, où il devient membre de l'Académie et, de 1899 à 1912, président de la Sécession berlinoise, récemment fondée. Les principales œuvres de sa première époque berlinoise (*Ravaudeuse de filets*, 1889, Hambourg, H. K.) sont composées seulement de quelques figures et d'un paysage simple, mais d'un effet monumental. La technique est libre, les ciels lourds sont brossés avec violence, les couleurs sont denses et sourdes. Tirant parti des contre-jours, Liebermann cherche à éviter toute joliesse et crée parfois un sentiment d'étrangeté dans ses scènes calmes et silencieuses. Par la suite, ses rapports avec l'Impressionnisme français seront de plus en plus étroits ; ses couleurs deviennent plus lumineuses et librement disposées dans ses sujets favoris, paysages (*Papageienallee, Amsterdam*, 1902, Brême, K. ; la *Mer à Scheveningen*, Wuppertal, von der Heydt Museum) et portraits

(l'*Homme aux perroquets*, 1902, Essen, M.F. ; le *Bourgmestre Petersen*, 1891, Hambourg, H.K. ; *A. von Berger*, 1905, *id.* ; *Autoportrait*, 1908, musée de Sarrebruck). Les coloris somptueux y engendrent une vibration qui lui est propre.

Liebermann est représenté notamment aux N.G. de Berlin, à Cologne (W.R.M.) et à Hambourg (H.K.) ainsi qu'au Metropolitan Museum de New York. Il a laissé de belles gravures et des lithographies. Il défendit Munch et Böcklin mais s'opposa à Nolde et à Die Brücke.

Une exposition lui fut consacrée de son vivant, en 1917, à Berlin (191 œuvres) ; il fut exclu de l'Académie en 1933. Il est, avec Lovis Corinth et Max Slevogt, le représentant le plus marquant de l'« Impressionnisme allemand ».

LOISEAU Gustave,
peintre français
(Paris 1865 - id. 1935).

Paysagiste autodidacte, il séjourna en 1890 à Pont-Aven, où il rencontra Gauguin, Maufra et Émile Bernard. Il exposa de 1890 à 1896 avec les post-impressionnistes chez Durand-Ruel et Le Barc de Bouteville. Mais il s'inspira surtout des impressionnistes, et plus particulièrement de Monet. Il laissa de nombreuses vues de Normandie, de Pontoise, de Dieppe, de la Dordogne, de Bretagne et de Paris (musées de Pau, Reims, Rennes, Rouen).

LOUBON Émile,
peintre français
(Aix-en-Provence 1809 - Marseille 1863).

Élève de Constantin, il accompagna Granet à Rome en 1829. Peignant sur le motif, il rapporta d'Italie des études dont il tira des tableaux sa vie durant. Venu à Paris en 1831, il y reçut une forte influence des peintres de Barbizon et plus particulièrement de Troyon. On soupçonne qu'il effectua un voyage en Orient, ce qui expliquerait certains aspects de son art, apparenté à celui de Decamps (*Razzia par les chasseurs d'Afri-*

que, 1857, musée de Rouen). Nommé en 1845 directeur de l'École de dessin de Marseille, il se fixa dans le Midi. Il traduisit par ses paysages, souvent animés de troupeaux, la lumière crue de la région écrasant le sol brûlé de soleil (*Marseille vue des Aygalades*, 1853, musée de Marseille ; le *Col de la Gineste*, 1855, musée d'Aix-en-Provence). Il fut à l'origine d'une véritable école provençale du paysage, qu'illustrèrent à sa suite ses élèves et ses amis, Guigou, Engalière, Grésy, Monticelli. Le musée d'Aix-en-Provence conserve un ensemble de ses œuvres, qui figurent également dans les musées de Chalon-sur-Saône, Hyères, Le Puy, Marseille, Montpellier (*Choléra à Marseille*, 1850), Nîmes et Perpignan.

LOUVECIENNES.

Petit village situé sur les coteaux de la Seine à l'ouest de Paris, Louveciennes se développe au XVIIIᵉ s. grâce au voisinage de Marly, demeure royale. Dès 1868, Pissarro quitte Pontoise pour Louveciennes, où il s'installe au 22, route de Versailles (*Paysage, Louveciennes*, 1870, Paris, Orsay). Monet y habite de décembre 1868 à juin 1869 (*Route à Louveciennes, effet de neige*, 1869-70, Chicago, coll. part.) et accueille fréquemment Sisley, qui restera le plus fidèle à la région (*Premières Neiges à Louveciennes*, 1870, Boston, M. F. A. ; *Une rue à Louveciennes*, Paris, Orsay), y exécutant plusieurs séries sur un même thème.

LUCE Maximilien,
peintre français
(Paris 1858 - id. 1941).

De milieu modeste, il est, dès 1872, mis en apprentissage chez le graveur sur bois Hildebrand. Ouvrier qualifié en 1876, il est engagé chez E. Froment. L'amitié du peintre Léo Gausson, le soutien de Carolus-Duran, dont il suit les cours du soir à l'Académie Suisse jusqu'en 1885, lui permettent de s'orienter vers la peinture après son service militaire (1879-1883), au moment où l'adoption de la zincographie provoque le chô-

mage des artisans graveurs sur bois. Dès 1887, il expose aux Indépendants et, bientôt reconnu comme l'un des chefs du Néo-Impressionnisme, est invité comme tel au Salon des Vingt à Bruxelles (1889-1892) et à la Libre Esthétique (1895, 1897, 1900). Ami de J. Grave, Luce soutient les journaux anarchistes et socialistes, comme *la Révolte, le Père Peinard, l'En dehors, le Chambard, la Voix du peuple, la Guerre sociale*, et est enfermé un mois à Mazas, au moment du procès des Trente (1894). Aussi s'est-il engagé d'emblée dans la description réaliste (le *Cordonnier*, 1884, coll. part.). La découverte de l'art de Seurat, en 1885, et l'adoption d'un Divisionnisme assez rigoureux ne font qu'accentuer cette exaltation du quotidien (la *Cuisine*, 1888-89, Paris, coll. part. ; le *Bain de pieds*, 1894, coll. part.). Paysagiste comme tous ses camarades, Luce peint Paris, la Seine (la *Seine à Herblay*, 1890, Paris, musée d'Orsay) et se passionne vite pour les sites industriels, voyage à Londres avec Pissarro (1892) et, en 1895, visite la région de Charleroi, le « Pays noir », où il reviendra souvent. Son admiration pour Constantin Meunier le confirme dans sa recherche d'un lyrisme du prolétariat. L'esthétisme abstrait n'a jamais prévalu dans son œuvre : les rythmes précieux observés à Camaret (le *Port de Camaret, crépuscule*, 1894, États-Unis, musée de Springfield) sont peuplés de travailleurs. L'artiste veut dénoncer l'horreur des travaux et exalter la noblesse de l'homme (la *Fonderie*, 1899, Otterlo, Kröller-Müller) avant de perpétuer les épisodes de la Commune (*Une rue à Paris*, 1905 ; le *Mur*, 1915 ; la *Mort de Varlin*, 1918 ; donnés à la C.G.T.). Négligeant, vers 1900, le Divisionnisme pour une touche impressionniste un peu lâche, il aime, comme tous ses contemporains, paysages et jeux des corps nus dans la nature (Rolleboise, Yvelines), mais reste avant tout le témoin de la cité industrielle et du monde ouvrier. Il est représenté à Paris (musée d'Orsay) et au musée de Mantes (créé par une importante donation de son fils en 1975), ainsi que dans les musées de Nevers (*Portrait de Fénéon*, 1903), Saint-Tropez, Bagnols-sur-Cèze, Gre-

noble, Morlaix, Rouen, Saint-Denis (série de peintures). Son historiographe Jean Sutter estime à plus de quatre mille toiles la production de Maximilien Luce, dont les musées de Genève (Petit Palais) en 1972, d'Albi en 1977 et de Boulogne-sur-Seine en 1983 ont présenté une rétrospective.

LUCHIAN Stefan,
peintre roumain
(Stefanesti 1868 – Bucarest 1916).

Il fit ses études à l'École des beaux-arts de Bucarest (1883-1888), à Munich et à l'Académie Julian de Paris (1891-92) et fut l'un des fondateurs du Salon des artistes indépendants de Bucarest (1896) et de l'association la Jeunesse artistique, où il exposa de 1902 à 1914. Terrassé en 1901 par une terrible maladie, menacé de cécité, il livra, pendant les quinze dernières années de sa vie, un combat acharné contre la mort. Une paralysie progressive l'immobilisa. Il se fit attacher le pinceau aux doigts et poursuivit son

Maximilien Luce
Bord de mer en Normandie, 1893
65 × 92 cm
Genève, musée du Petit Palais

travail malgré ses souffrances. Son *Autoportrait* (musée d'Art de Bucarest) de 1907 est un témoignage de ce martyre. Ses chefs-d'œuvre – portraits, fleurs, paysages – appartiennent à cette dernière période de sa vie. Par l'éclat de la lumière incorporée à la couleur, par l'intensité dramatique du langage pictural, par la modulation des tons chauds et froids, ses tableaux nous révèlent la dimension poétique du réel. L'artiste a défini lui-même son esthétique en déclarant : « Nous, les peintres, nous regardons avec nos yeux, mais nous peignons avec notre âme. » Toute la peinture roumaine de la première moitié du xxᵉ s. est marquée par l'influence de Luchian, qui lui a enseigné la ferveur lyrique, l'audace et la liberté d'un art vivant. Les œuvres de l'artiste se trouvent dans la plupart des musées de Roumanie. □

MN

MACCHIAIOLI (les).

Ce groupe de peintres italiens, parmi les plus notables de la seconde moitié du XIXᵉ s., représente une tendance antiacadémique opposée au « purisme » des ingristes italiens. Leur nom, apparu pour la première fois dans la presse à l'« Exposition Promotrice » de Florence en 1862, dérive du mot « macchia » (tache) qui leur servait à définir leur manière.

Ils se réunissent dans la capitale toscane au café Michelangelo (Michelangiolo), que fréquentent les partisans de l'unité italienne, à laquelle tous apportent leur soutien. Telemaco Signorini, Vincenzo Cabianca (1827-1902), Odoardo Borrani (1834-1905), puis Serafino De Tivoli (1826-1892), Giuseppe Abbati (1836-1868), Raffaello Sernesi (1838-1866), le Français Stanislas Pointeau (1833-1907), le Romain Giovanni Costa (1826-1893), etc., constituent ce groupe, que dominent Fattori et Lega et auquel appartiendront des artistes qui feront carrière en France, Boldini, le Napolitain De Nittis, le Vénitien Zandomeneghi. Les théoriciens en sont Signorini et le sculpteur Adriano Cecioni (1836-1886). Le plus acharné de leurs propagandistes, le critique Diego Martelli, les accueille à Castiglioncello, la famille Batelli à Pergentina (ou Piagentina), M. Desboutin à l'Ombrellino. De nombreux Français ont en effet été en contact avec eux, Degas, J. Tissot, G. Moreau.

La visite de Signorini et de quelques amis à l'Exposition universelle de Paris (1855), un séjour de travail en plein air à La Spezia (1858) marquent les débuts des macchiaioli. D'abord influencés par Decamps, Delaroche et Corot, ils trouvent rapidement un ton personnel. Leurs œuvres, souvent de petites dimensions (Fattori : *la Rotonde des bains Palmieri*, 1866, palais Pitti, Florence), cherchent à rendre par des taches de couleur les impressions qu'ils reçoivent de la réalité. Leur naturalisme prélude à l'impressionnisme (Fattori : *Diego Martelli à Castglioncello*, 1867, coll. Jucker, Milan), mais avec un sens plus soutenu de la psychologie (Lega : *Curiosité*, id.).

Giovanni Fattori
Madame Martelli à Castiglioncello, 1867-1870
Livourne, musée Fattori

MACCOLL Dugald Sutherland,
peintre et critique d'art écossais
(Glasgow 1859 - id. 1948).

Il visite l'Europe pour apprendre l'art de
1887 à 1889 et revient étudier avec Frédéric
Brown. Élève de la Slade School à Londres,
il rejoint ensuite le groupe du New English
Art Club (Maccoll est le premier du groupe
dont un tableau soit entré à la Tate Gal.).
Il suit l'évolution de l'art français et tient
en haute estime l'Impressionnisme comme
le montre son livre *Nineteenth Century Art*,
publié en 1902. En 1906, il dirige la Tate
Gal., où il fait beaucoup de réformes et
surtout achète des œuvres modernes ; en
1911, il est à la tête de la Wallace Collection.
Peintre de paysages et de natures mortes,
son style est proche de celui de Degas.

MAILLOL Aristide,
sculpteur et peintre français
(Banyuls-sur-Mer 1861 - Perpignan 1944).

Avant de se consacrer à la sculpture, en
1898, à la suite de troubles oculaires,
provisoirement croyait-il, Maillol fut, pendant plus de dix ans, peintre et cartonnier.
Ce fils de paysans languedociens, doué très
jeune pour le dessin, put, grâce à une
bourse départementale, « monter » à Paris.
Il s'inscrit à l'École des beaux-arts en 1884
dans les ateliers de Gérôme et de Cabanel ;
le musée du Luxembourg lui révèle
l'Impressionnisme, qui l'enthousiasme. Par
son ami Daniel de Monfreid, Maillol connaît
la peinture de Gauguin et d'Émile Bernard ;
et c'est à la suite de ce dernier qu'il a l'idée
de ses premiers cartons de tapisserie. En
1893, Rippl-Rónai le met en relation avec
les Nabis, et Maillol se lie particulièrement
avec Maurice Denis. Ses tapisseries s'apparentent aux compositions symbolistes
contemporaines de ce dernier, ainsi qu'en
témoigne celle que lui commanda la princesse Bibesco : *Musique pour une princesse
qui s'ennuie* (v. 1895, Copenhague, musée
des Arts décoratifs), où une atmosphère à
la Maeterlinck surprend chez le futur poète
des nudités rustiques. Sa peinture, dépouil-

lée, aux couleurs suaves, évoque un Puvis
de Chavannes ou un préraphaélite qui
aurait connu l'école de Pont-Aven : *Femme
à l'ombrelle* v. 1895, musée d'Orsay), la *Mer*
(Paris, Petit Palais), la *Côte d'Azur* (1895, *id.*),
Profil de femme (musée de Perpignan).
Maillol a illustré des œuvres littéraires : les
Églogues de Virgile (publiées en 1925), l'*Art
d'aimer* d'Ovide (1935), *Chansons pour elle*
de Verlaine (1939), *Daphnis et Chloé* de
Longus (1937) et les *Géorgiques* de Virgile
(publiées en 1950).

De nombreuses expositions lui ont été
consacrées, notamment aux États-Unis, au
Japon, en Europe. Parmi les plus importantes, citons celles de Paris en 1937 (Petit
Palais) et en 1961 (M.A.M.), de Zurich
(Kunsthaus) en 1947 et de Perpignan (musée Hyacinthe Rigaud) en 1979. Grâce à ses
héritiers, le jardin des Tuileries s'est peuplé
de Maillol et, en 1992-1993, s'ouvre à Paris
un musée consacré à l'artiste.

MALIAVINE Filipp Andreïevitch,
peintre russe
*(Kazanki, province de Samara, 1869 -
Nice 1940).*

Après avoir abandonné le noviciat du mont
Athos pour étudier la peinture à l'Académie
des beaux-arts de Saint-Pétersbourg dans
l'atelier de Répine (1892 à 1899), il découvrit
les vigoureuses « babas » aux couleurs
éclatantes, au visage rubicond, dont il fit des
portraits folkloriques (*le Rire*, Moscou, Tretiakov Gal.). La clé de son art est le thème
de la Russie représentée par des sujets
paysans. Cependant, il ne montre jamais les
conditions difficiles du peuple. Sans le
vouloir, il se rapproche des impressionnistes par une habileté à utiliser le clair-
obscur et par l'instantanéité de son image :
la Fille lisant, 1895, Moscou, gal. Tretiakov.
Sa peinture est, au fil du temps, de plus en
plus colorée avec des oppositions de couleurs très fortes et une prédominance du
rouge. Mais il ne sut pas dépasser le
pittoresque, et sa peinture lassa rapidement.
Il se tourna alors vers la décoration. Il
émigra en 1925.

Édouard Manet
Le Déjeuner
sur l'herbe, 1863
208 × 264 cm
Paris, musée d'Orsay

MANET Édouard,
peintre français
(Paris 1832 - id. 1883).
Il est le fils d'Auguste Manet, chef du personnel au ministère de la Justice, et d'Eugénie Désirée Fournier, fille d'un diplomate et filleule du maréchal Bernadotte. C'est un enfant de la haute bourgeoisie, distinguée, cultivée, mais aussi conservatrice. Il étudie avec nonchalance et, très respectueusement, se heurte aux idées de son père, qui veut le voir magistrat, puis qui accepte qu'il entre dans la marine ; mais, en 1848, il échoue au concours du Borda. Le 9 décembre, il s'embarque comme pilotin sur le transport « Le Havre-et-Guadeloupe » et, à son retour, il échoue une seconde fois au concours du Borda. Il s'inscrit alors dans l'atelier de Thomas Couture, assez bon pédagogue, mais contre l'enseignement de qui il se dresse. Son condisciple et ami Antonin Proust a rapporté clairement ce que le jeune Manet cherchait en peinture : « Pour un peu, écrit-il, il aurait supprimé les demi-teintes. Le passage immédiat de l'ombre à la lumière était sa constante recherche. Chez Titien, les ombres lumineuses l'enthousiasmaient. Les primitifs l'affolaient. » De son côté, Manet affirmait : « Il n'y a qu'une chose de vraie : faire du premier coup ce que l'on voit », et il ajoutait : « J'ai horreur de ce qui est inutile. La cuisine de la peinture nous a pervertis. Comment s'en débarrasser ? Qui nous rendra le simple et le clair, qui nous délivrera du tarabiscotage ? »

Désespérant de l'enseignement qui lui est prodigué, Manet se forme au Louvre, où il copie Titien et Velázquez. En 1855, il rend visite à Delacroix pour lui demander l'autorisation de copier au musée du Luxembourg *Dante et Virgile aux Enfers* (Metropolitan Museum et musée de Lyon). Il voyage également à La Haye et à Florence pour peindre d'après Rembrandt et Titien. Ses copies sont déjà des transpositions où il s'applique à définir les structures sans s'attarder à des nuances inutiles.

En 1859, avec ses amis, il tente d'exposer au Salon, qui a lieu tous les deux ans seulement. Malgré le suffrage de Delacroix, son *Buveur d'absinthe* (Copenhague, N.C.G.), qu'il présente, est refusé. Son envoi de 1861, composé du *Portrait de ses parents* (Paris, musée d'Orsay) et d'une autre toile, le *Chanteur espagnol* (Metropolitan Museum), est bien accueilli et remporte même la mention « honorable ». Son amitié avec Baudelaire, rencontré deux ans plus tôt chez un ami commun, devient très étroite. En fait, toute l'œuvre de l'artiste durant ces années s'inscrit dans l'optique baudelairienne : lorsque le poète proclame la modernité de la vision et la substitution des éléments du présent aux conventions de la fiction, il trouve aussitôt un écho chez Manet. « Celui-là serait le peintre, le vrai peintre, avait écrit Baudelaire, qui saurait nous faire voir combien nous sommes grands dans nos cravates et nos bottes vernies. »

La *Musique aux Tuileries*, peinte en 1862 (Londres, N.G.), répond à cette injonction. Malgré la liberté du traitement, on est frappé par les verticales pressées les unes contre les autres, par la répartition animée des cylindres, les chapeaux hauts de forme groupés autour des corolles légèrement épanouies des vêtements féminins, peints en larges aplats clairs rehaussés de quelques notes tranchantes de couleurs. Manet est parvenu à donner ici une vision d'ensemble d'une société dont l'apparence concrète est traduite par une vision pure. Dans cette œuvre apparaissent pour la première fois une certaine simultanéité des sensations (au lieu d'une hiérarchie de composition) et, dans cette soumission à leur puissance, de nécessaires déformations. Cette toile peut être considérée, plus justement que le *Déjeuner sur l'herbe* (1863, refusé au Salon ; Paris, musée d'Orsay) ou qu'*Olympia* (1863, *id.*), comme la première œuvre de la peinture moderne. Cette manière de voir soulèvera chaque fois qu'elle se manifestera un violent scandale. Mais les jeunes peintres, écœurés de l'art officiel, y trouveront les signes du renouvellement. Manet exercera sur eux pendant plusieurs années son ascendant et sera malgré lui le porte-drapeau de la révolution qui se prépare. Il peint alors des compositions fort différentes : sujets espagnols (*Lola de Valence*, 1862, Paris, musée d'Orsay ; le *Ballet espagnol*, 1863, Washington, Phillips Coll. ; le *Torero mort*, 1864, Washington N.G.), marines (*Combat des navires Kearsage et Alabama*, 1864, Philadelphie, Museum of Art), scènes de plein air (*Courses à Long-

champ*, 1864, Chicago, Art Inst.), tableau d'histoire contemporaine (l'*Exécution de Maximilien*, 1867, musée de Mannheim ; fragments à Londres, N.G.), natures mortes (Paris, musée d'Orsay ; Chicago, Art Inst.) et même sujets religieux (le *Christ mort*, 1864, Metropolitan Museum).

En 1866, par son refus du *Fifre* (Paris, musée d'Orsay) et de l'*Acteur tragique* (Washington, N.G.), le jury manifeste à l'égard de Manet une injustice flagrante. Zola, dans les articles retentissants de l'*Événement*, prend sa défense, mais doit, sous la pression des abonnés, cesser sa publication. Un an plus tard, avant l'ouverture de l'Exposition universelle, il publie une longue étude sur son ami. Pour lui, le mérite de Manet est de peindre par masses, d'avoir découvert la tache, de partir toujours d'une note plus claire que celle qui existe dans la nature.

De 1868 datent le *Déjeuner* (Munich, Neue Pin.) et le *Balcon* (Paris, musée d'Orsay), où figure la belle-sœur de Manet, Berthe Morisot, dont celui-ci fera plusieurs fois le portrait (musée de Cleveland ; Paris, coll. Rouart ; musée de Providence, Rhode Island ; Berne, coll. Hahnloser).

Si Manet fréquente les jeunes peintres animés d'autres convictions, il refuse pourtant de s'engager ouvertement avec eux. La toile le *Ton Bock* (Philadelphie, Museum of Art), qu'il expose au Salon de 1873 et qui reçoit un accueil favorable, paraît à tous une concession regrettable. Car, dès 1872, Manet s'était rapproché de Monet et de Renoir. Il avait même tenté de peindre en plein air en représentant *Monet dans sa barque au bord de la Seine* (1874, Munich, Neue Pin.) et avait magnifiquement réussi. Ces rencontres l'avaient néanmoins incité à éclaircir sa palette. C'est l'époque où il peint certains de ses chefs-d'œuvre, les plus lumineux ; le *Chemin de fer* (1873, Washington, N.G.), *En bateau* (1874, Metropolitan Museum), *Argenteuil* (1874, musée de Tournai). Mais, en 1874, lorsque ses amis décident d'exposer ensemble, Manet se récuse, laissant à Monet la place de chef de file, qu'il a tenue pendant longtemps. Davantage marqué par le naturalisme de Zola

Édouard Manet
En bateau, 1874
97,2 × 130,2 cm
New York, Metropolitan Museum of Art

(dont il a peint le *Portrait* en 1868, Paris, musée d'Orsay) et de Maupassant, il réalise une suite de toiles : *Nana* (1877, musée de Hambourg), la *Serveuse de bocks* (1879, Londres, N.G.), *Chez le père Lathuille* (1879, musée de Tournai), *Dans la serre* (1879, Berlin, N.G.), le *Bar des Folies-Bergère* (1881, Londres, Courtauld Inst.), où il pousse toujours plus loin l'expression de la sensation visuelle. On peut parler, à propos de certaines d'entre elles, d'abolition du sujet, tant est géniale l'improvisation avec laquelle sont traités les visages et l'atmosphère.

Dans le *Bar des Folies-Bergère*, exposé au Salon de 1882, il parvient à synthétiser, non sans mélancolie, le charme de la vie montmartroise, à laquelle il fut longtemps attaché. En effet, à cette époque, il est immobilisé à Rueil, malade, peignant son jardin (Berlin, N.G.) ou des natures mortes de fleurs, recevant la visite de belles amies, dont il fait au pastel des portraits pleins d'acuité (Paris, musée d'Orsay ; musée de Dijon ; Washington, N.G.). Après avoir subi

une opération, il meurt le 30 avril 1883.

À la fin de sa vie, Manet a été lié d'une étroite amitié avec Mallarmé. Il a exécuté pour lui diverses illustrations, notamment pour sa traduction du *Corbeau* de Poe et pour un de ses poèmes les plus importants, l'*Après-midi d'un faune*, ainsi que son *Portrait* (1876, Paris, musée d'Orsay), qui compte parmi ses chefs-d'œuvre. Une grande exposition s'est tenue à Paris et à New York pour le centenaire de sa mort (1983).

MANGUIN Henri Charles,
peintre français
(Paris 1874 - Saint-Tropez 1949).

Il entre à l'École des beaux-arts en 1894, où il fréquente l'atelier de Gustave Moreau et se lie d'amitié avec Matisse, Puy, Rouault

Henri Manguin
Nu à la fenêtre, 1904
collection particulière

et surtout Marquet. Il débute au Salon de la Société nationale des beaux-arts en 1900, expose à partir de 1902 au Salon des indépendants puis est admis au Salon d'automne, où il figure, en 1905, dans la fameuse « cage aux fauves ». Coloriste aux tons acides, il prend rarement, à l'égard de la réalité sensible, les mêmes libertés que ses amis (*14-Juillet à Saint-Tropez*, 1905, Paris, coll. part.) ; s'il transpose, c'est modérément, sans perdre de vue la vérité objective qu'il ressent directement. Calme et équilibré, son art exalte imperturbablement la joie de vivre (paysages, scènes familières, natures mortes, nus). Il travaille principalement à Paris et, dès 1905, à Saint-Tropez et en Provence, tout en voyageant beaucoup tant en France qu'à l'étranger (Italie, Suisse, Allemagne). On lui doit aussi quelques portraits : *Maurice Ravel* (1902, Paris, M.N.A.M.), *Jean Puy* (1905, New York, M.O.M.A.). En 1909, il fait la connaissance de Vallotton et de Charles Montag, qui l'introduisent auprès de grands amateurs suisses, notamment les Hahnloser. Il

est représenté au musée des Beaux-Arts de Neuchâtel (la *Coiffure*, 1904), à l'Ermitage (*Saint-Tropez*, 1905 ; l'*Allée à Saint-Tropez*), au Petit Palais de Genève, fondation Ghez (*Nature morte aux huîtres*, 1908), à la Fondation Pierre Gianadda de Martigny (la *Femme à la grappe, villa Demière*, 1905) et à Saint-Tropez (musée de l'Annonciade). Outre le portrait de Ravel, le M.N.A.M. de Paris conserve de lui un *Paysage de Saint-Tropez* (1907). Manguin est également l'auteur de lumineuses aquarelles (*Souvenir de Livourne*, 1908, coll. part.). De nombreuses rétrospectives ont été consacrées à Manguin, comme celles de Nice (palais de la Méditerranée) en 1969, de Berlin (Neuer Berliner Kunstverein) en 1970, de New York (Cultural Center) en 1974 et de Paris (musée Marmottan) en 1989.

MANZI Michel,
marchand et collectionneur français
(Naples 1849 - Paris 1915).

Officier de l'École polytechnique de Turin, Michel Manzi s'était intéressé aux possibilités offertes par la photographie lorsqu'il était chef de section à l'Institut géographique de Florence. Ayant quitté le service, installé en France (il fut plus tard naturalisé français), il entra en 1881 chez Goupil pour diriger les travaux de reproduction, se spécialisant et perfectionnant les procédés de chromotypogravure en noir et en couleurs. Il travailla ainsi pour différentes revues, dont le *Figaro illustré* (1883-1896), avant d'éditer la revue *les Arts*, fondée en 1902. En effet, dès 1893, il s'était associé avec Maurice Joyant, ami et, plus tard, historiographe de Toulouse-Lautrec, avec qui il devait fonder la galerie portant leur nom de la rue Ville-l'Évêque.

Excellent connaisseur, il rassembla à son domicile, rue Pigalle, une très importante collection, qui, outre des tableaux et des dessins, comptait de nombreux objets d'art (japonais en particulier), des sculptures médiévales et modernes ainsi que du mobilier. En dehors de quelques primitifs espagnols et d'œuvres de Ribera, de Boilly, de

Daumier ou de Corot, l'essentiel de sa collection était consacré à ses contemporains, surtout Degas, son ami intime (dont il publia en 1890 un album de dessins) : la plupart des plus beaux Degas acquis par les Havemeyer *(Portrait de Mme Gobillard,* la *Classe de danse)* ou le comte Isaac de Camondo (les *Repasseuses, Femme à la potiche)* le furent par l'entremise de Manzi ou du moins figurèrent dans la collection particulière de ce dernier *(Portrait du violoniste Pillet,* Orsay). Manzi posséda également le *Ia Orana Maria* de Gauguin (auj. Metropolitan Museum), plusieurs Toulouse-Lautrec, une belle série de Carrière et de Boldini ainsi que nombre d'œuvres d'artistes secondaires.

Cet ensemble fut dispersé en six ventes, qui eurent lieu à Paris (gal. Manzi-Joyant) de mars 1919 à décembre 1921.

MAŘÁK Julius,
peintre, dessinateur et graveur tchèque
(Litomyšl 1832 - Prague 1899).

Après une année d'études de la peinture paysagiste à l'Académie de Prague, chez Max Haushofer, il se rendit à Munich, où, durant deux années, il fut l'élève de Leopold Rottmann. Il entreprend de nombreux voyages en Bohême, en Slovaquie et dans les Alpes autrichiennes, d'où il rapporte une abondante moisson d'études d'arbres et d'intérieurs de forêts axées sur le pittoresque. Il évolue petit à petit de cette conception romantique vers une approche plus simple du travail sur le motif et reçoit une médaille d'or à Vienne en 1873, ville qu'il habite peu pour des raisons financières. Dans ses fusains, d'une mise en page sûre (cycles des *Quatre Saisons,* des *Solitudes de la forêt,* 1880), comme dans ses peintures, aux tons assourdis *(Soir d'automne,* 1888, musée de Prague), il se révèle luministe délicat et note les différents moments de la journée *(Forêt le matin, le Soir, Lever de Lune, id.),* non sans nostalgie du passé devant le nouveau monde industriel et l'absolutisme viennois. Représentant de la génération patriotique dite « du Théâtre national

de Prague », il participe à sa décoration par des compositions sur le thème des châteaux et sites de Bohême *(Rip, Blaník, Kradčany, Vyšehrad,* 1882-83). Il est nommé, en 1887, professeur à l'Académie de Prague, où il forme de nombreux paysagistes : A. Slaviček, Le Geda, etc. L'œuvre de ce néoromantique constitue un trait d'union entre le paysage idéalisé de Kosárek et le réalisme moderne de Chittussi. Sa production fut abondante. L'exposition « Tchechische Kunst 1878-1914 » (Malthidenhöhe, Darmstadt, 1985) a permis de resituer cette génération « du Théâtre national », à laquelle a appartenu Mařák.

MARIN John,
peintre américain
(Rutherford, New Jersey, 1870 - Cape Split, Maine, 1953).

Il commença tard ses études artistiques après avoir voulu être ingénieur et travaillé comme architecte. De 1899 à 1901, il suivit les cours de Thomas Anshutz à la Pennsylvania Academy of Fine Arts et effectua un court passage à l'Art Students League de New York en 1905. Cette même année, il arriva à Paris et resta six ans en Europe. Au contraire de la plupart de ses compatriotes, il ne se soucia pas de suivre un enseignement académique et ne prit pratiquement aucune part aux discussions qui animaient alors le milieu artistique parisien. Admirateur de Whistler, il acquit à Paris une certaine réputation en gravant des vues de villes européennes à la manière de ce peintre. Il exposa à Paris au Salon d'automne en 1907, 1908 et 1910 ainsi qu'au Salon des indépendants de 1909. Le gouvernement français lui acheta alors une toile, *Moulins à Meaux* (auj. disparue). La même année commençait la longue association de Marin avec Stieglitz, qui exposa ses premières œuvres avec celles d'Alfred Maurer. Enfin, toujours en 1909, un voyage à New York marqua un tournant décisif dans son style. Le désir de transcrire dans ses aquarelles les rythmes de New York obligea le peintre à simplifier sa manière, à la

John Marin
Coucher de soleil, 1914
New York, Whitney Museum
of Americain Art

rendre plus allusive et à trouver des formules proches de celles de Cézanne, à qui il avait accordé peu d'attention en Europe (*Brooklyn Bridge,* 1910, Metropolitan Museum). En 1910, Marin rentra définitivement aux États-Unis. En 1913, il participa à l'Armory Show et, l'année suivante, il découvrit le Maine ; il partagea son temps entre cette région et New York jusqu'à la fin de sa vie. Les côtes rocheuses de cet État devinrent l'un de ses sujets favoris. Marin jouit d'un assez grand succès grâce à Stieglitz. Il exposa régulièrement dans les différentes galeries de ce dernier, dont 291 et An American Place.

En 1936, le M.O.M.A. lui consacrait une première rétrospective. Son style évolua peu entre les années 20 et sa mort. Toute l'œuvre de Marin tend à être une notation rapide et aérée où l'écriture « moderne » n'est pas une fin en soi, mais un moyen pour recréer une impression momentanée. Il est particulièrement bien représenté dans les musées américains.

MARIS Jacobus-Hendrikus,
peintre néerlandais
(La Haye 1837 - Karlsbad 1899).

Il fut l'élève de J.A.B. Stroebel et de Huib Van Hove puis, de 1854 à 1856, il résida à Anvers avec son frère Matthijs et étudia à l'Académie royale. Il travailla d'abord à Oosterbeek et à La Haye (1861-1865) et il fit ensuite un long séjour à Paris (1865-1871). Il travailla quelques mois avec Ernest Hébert et participa régulièrement aux Salons. Puis il subit l'influence des paysagistes de Barbizon et celle de Corot et se retourna vers la peinture de paysage, genre qu'il ne quittera jamais (*Vue de Montigny-sur-Loire*, Rotterdam, B.V.B.). De retour à La Haye, il associa cette leçon à celle du paysage hollandais, rustique et urbain, traditionnel (*Canal sous la lune*, 1882, Rijksmuseum) ; il a laissé également des scènes de genre (Londres, N.G.).

MARIS Willem,
peintre néerlandais,
(La Haye 1844 - id. 1910).

Peintre paysagiste et animalier, Willem Maris fut d'abord l'élève de ses frères (Jacobus, 1837-1899, et Matthijs, 1839-1917) avant d'être celui de Stortenbeker à l'Académie de La Haye. En 1863, il expose ses premières œuvres, aux couleurs un peu sourdes mais d'une facture précise et délicate qui dénote l'influence de Matthijs (*Deux taureaux sur la côte rocheuse*, 1864, musée de Groningue). Son amitié avec Anton Mauve, fondateur du groupe de Laren et impressionniste convaincu, l'amène à éclaircir sa palette en utilisant les modulations infinies des jeux de lumière sur la couleur (*Paysage d'hiver*, 1875, Amsterdam, Stedelijk Museum ; *Canal en Hollande*, 1899, New York, coll. part.). Il adopte alors la technique luministe des impressionnistes français et devient vers 1880, avec son frère Jacob, l'un des chefs de ce groupe d'artistes qui représentent aux Pays-Bas l'école de La Haye. Son œuvre fut amplement représentée à Manchester en 1980 (Whitworth Art Gal.) lors de l'exposition « Mondrian et l'école hollandaise ».

MARLOTTE.

En 1865, Renoir et Sisley, désireux de trouver de nouveaux motifs en peinture, se rendent à Marlotte, petit village au bord du Loing, au S.-E. de Fontainebleau, que fréquentent déjà Corot, Daubigny et Jules Breton. Renoir fait poser ses amis Monet, Pissarro, Sisley au *Cabaret de la mère Anthony* (musée de Stockholm) et Sisley envoie au Salon de 1866 une *Rue de village à Marlotte* (Buffalo, Albright Art Gal.). Cézanne, Maupassant, Zola, qui y écrit *l'Assommoir*, sont également familiers de ce lieu.

MARLY-LE-ROI.

Marly-le-Roi, demeure favorite de Louis XIV située à l'ouest de Paris, attire au XIXe s. les peintres paysagistes par son emplacement unique sur les coteaux de la Seine. Si Pissarro, qui habite non loin de là de 1862 à 1872, s'en inspire parfois (l'*Inondation à Port-Marly*, Boston, musée des Beaux-Arts), Marly fut véritablement le domaine de Sisley (la *Route à Marly-le-Roi*, 1875, Paris, Orsay). Les inondations de Port-Marly et la diversité de son activité fluviale lui inspirèrent entre 1871 et 1875 quelques-unes de ses peintures les plus célèbres : la *Barque pendant l'inondation*, l'*Inondation à Port-Marly* (1876, Paris, Orsay).

MARQUET Albert,
peintre français
(Bordeaux 1875 - Paris 1947).

Il a quinze ans lors de l'installation de sa famille à Paris, où sa mère tient, rue Monge, un modeste commerce. Il se lie avec Matisse à l'École des arts décoratifs en 1890 et le suit en 1896 à l'École des beaux-arts, où tous deux deviennent élèves de Gustave Moreau. Sur le conseil de celui-ci, Marquet exécute au Louvre des copies d'après Poussin, Lorrain, Watteau. En compagnie de Matisse, il va écouter, à l'Académie Ranson, Paul Sérusier parler d'Émile Bernard et de Gauguin. Mais Marquet leur préfère Corot. Quant aux impressionnistes, Cézanne, Van Gogh et Seurat, c'est chez Durand-Ruel, rue Laffitte, que Marquet et Matisse en ont la révélation, ce qui les conduit à peindre, en 1897, à Arcueil et dans le jardin du Luxembourg, des paysages transposés en couleurs pures et que l'on considère avec raison comme les annonciateurs du Fauvisme (*Maison rose à Arcueil*, v. 1899, coll. part.). Marquet demeure fidèle à ce style jusqu'en 1906, mais avec une modération d'ores et déjà significative de son propre tempérament (la *Plage de Fécamp*, 1906; Paris, M.N.A.M.). Admis au Salon de la Société nationale des beaux-arts en 1900, il expose au Salon des indépendants à partir de 1901, au Salon d'automne en 1903 et participe en 1905 au coup d'éclat de la salle des fauves. Son portrait par Matisse (Oslo, N.G.) date de cette époque. Marquet, de son côté, a peint en 1904, avec une certaine brusquerie, celui d'*André Rouveyre* (Paris, Orsay, dépôt du M.N.A.M.) et en 1904-1905 *Matisse peignant dans l'atelier de Manguin* (Paris, M.N.A.M.) À plusieurs reprises entre 1904 et 1908, il séjourne en Normandie avec Dufy. De cette époque date *Quatorze-Juillet au Havre* (1906, musée de Bagnols-sur-Cèze), chef-d'œuvre fauve de l'artiste.

En 1907, la gal. Druet présente la première exposition particulière des œuvres de Marquet. La même année, celui-ci exécute le *Sergent de la coloniale* (1906, Bordeaux, musée des Beaux-Arts), d'un coloris encore contrasté, mais avec toutefois plus de souplesse dans le graphisme et de délicatesse dans le nuancement des couleurs, ainsi que des paysages de Paris en perspective plongeante, évoquant le spectacle qu'il voit se dérouler quotidiennement sous les fenêtres de ses ateliers successifs : quai des Grands-Augustins, quai des Orfèvres, quai Saint-Michel, qu'il a représentés sous divers éclairages diurnes et nocturnes, au fil des saisons (*Notre-Dame sous la neige*, 1905, Lausanne, musée cantonal des Beaux-Arts ; le *Quai Bourbon*, 1908, Bordeaux, musée des Beaux-Arts ; le *Pont Saint-Michel et le quai des Grands-Augustins*, 1910-11, Paris, M.N.A.M.). L'originalité de Marquet réside moins dans l'invention de nouveaux modèles plastiques que dans l'observation subtile de la réalité, qui lui permet d'associer à travers la sérénité de ses tableaux la vérité des formes à celle de l'atmosphère miroitante où elles se poétisent. Sa palette aux tons assourdis, sa touche synthétique et nerveuse, son dessin vif et souple confèrent à sa peinture une sobriété qui l'éloigne des Nabis. Son Fauvisme n'aura duré qu'un temps très court. S'il en a fait la traversée, c'est sans perdre de vue ni Corot ni Monet.

Entre 1910 et 1914, il peint, sans complaisance, avec autant de lucidité que d'ironie, quelques nus ou déshabillés féminins (les *Amies*, 1912, Besançon, musée des Beaux-Arts ; la *Femme blonde*, 1912, Paris, M.N.A.M.). On lui doit aussi des portraits (*Madame Marquet*, 1894, San Francisco, coll. part. et 1904, Bordeaux, musée des Beaux-Arts). Il est l'auteur de nombreux dessins, paysages au trait, résumés dans une intense palpitation de la lumière (l'*Élégante*, 1905, Montpellier, musée Fabre). À travers les villes, dans les rues, il prend sur le vif des croquis d'après les gens du peuple et s'en sert pour agrémenter de menus personnages et de scènes pittoresques ses vues de Paris et d'ailleurs, ce qui le fait surnommer, par Matisse, « notre Hokusai ».

Marquet, qui effectue de nombreux voyages à l'étranger jusqu'à sa mort, est surtout célèbre comme paysagiste : « De Paris à Hambourg, a écrit son ami George Besson, de Naples à Oslo, de Marseille au Pirée, de Venise à Alger, dans cent villes d'Europe et d'Afrique où se dressent des grues et des docks, fument des remorqueurs, s'allongent des quais et des rives, oscillent des mâts et naissent des reflets, partout où la splendeur de l'eau répond à la mobilité des ciels, Marquet, créateur tyrannique, impose le pathétique ou le charme de sa vision au point de la substituer à la nôtre. » De ces villes parcourues, il rapporte de multiples vues, utilisant les couleurs telles qu'elles sortent du tube, en les additionnant parfois d'un peu d'essence ou d'huile (*Port d'Hambourg*, 1909, Troyes, M.A.M. ; *Rotterdam*, 1914, Paris, M.N.A.M. ; *Paquebot à Venise*, 1936, Ville de Genève, musée d'Art et d'Histoire). L'Algérie, surtout, où il effectue de nombreux et longs séjours, a sa préférence : les *Femmes de Laghouat*, 1921, Paris, M.N.A.M. ; le *Port d'Alger*, 1935, Saint-Tropez, musée de l'Annonciade. À partir de 1925, il pratique l'aquarelle avec une égale maîtrise (*Petit Pont sur le Danube*, 1933, Genève, coll. part.). Les musées de Suisse (Zurich, Kunsthaus ; Lausanne, mu-

Albert Marquet
Abside de Notre-Dame, 1901
Besançon, musée
des Beaux-Arts

sée cantonal des Beaux-Arts ; Genève, musée d'Art et d'Histoire de la ville) et d'U.R.S.S. (Ermitage ; Moscou, musée Pouchkine) conservent quelques œuvres de Marquet. En France, il est bien représenté à Paris (M.N.A.M.), Troyes (M.A.M.), Saint-Tropez (musée de l'Annonciade), Montpellier (musée Fabre) et dans les musées des Beaux-Arts de Bordeaux, de Lyon, de Besançon et de Bagnols-sur-Cèze.

Plusieurs expositions personnelles lui ont été consacrées, parmi lesquelles celles de Zurich (Kunsthaus) et de Paris (M.N.A.M.) en 1948, de Bordeaux (gal. des Beaux-Arts) en 1974 et de la gal. Wildenstein à Londres et à New York en 1985.

MARTELLI Diego,
critique d'art italien
(Forence 1838 - id. 1896).

Théoricien et mécène du mouvement des macchiaioli, partisan de Garibaldi, fondateur des revues *Gazzettino delle arti del Disegno* (1867) et *Giornale artistico* (1873), il fut aussi, à Paris, en 1878-79, le correspondant de journaux italiens. Lié avec Degas (qui a fait son portrait), il a été le premier défenseur de l'Impressionnisme en Italie.

MARTIN Henri,
peintre français
(Toulouse 1860 –
Labastide-du-Vert, Lot, 1943).
Comme le montrent ses premières toiles et ses académies, ce Toulousain fut d'abord un fidèle disciple de Jean-Paul Laurens (*Paolo di Malatesta et Francesca da Rimini aux enfers*, 1883, musée de Carcassonne). En 1885, un séjour en Italie lui fit découvrir des paysages lumineux et l'équilibre serein de Giotto, mais l'artiste vit aussi les tableaux des Macchiaioli et de Cremona et rencontra Segantini, dont la singulière technique vermiculée et vibrante l'a sans doute autant influencé que le pointillisme de Seurat. Martin peignit dès lors par petites touches hachées et parallèles. Il réalisa en 1889 sa grande évocation historique de la *Fête de la Fédération* (Toulouse, Faculté des lettres), puis il se tourna vers le Symbolisme, exécutant de préférence des toiles allégoriques aux figures poétiques, aux apparitions célestes parmi des arbres vaporeux (*Sérénité, le bois sacré*, 1899, musée d'Orsay). Son désir d'expression mystique (l'*Inspiration*, 1895, musée d'Amiens) transparaît aussi bien dans ses beaux portraits symbolistes

(*Portrait de Mme Sans*, 1895, Toulouse, musée des Augustins) que dans ses décorations murales aux allégories élégiaques (1893-1895, Paris, Hôtel de Ville, salon d'entrée sud). Il avait choisi Jean-Paul Laurens et Dampt pour incarner la *Peinture* et la *Sculpture*.

Henri Martin transformait ainsi la « modernité » en idées générales : Jean Jaurès et Anatole France devinrent aussi symboles dans les *Bords de la Garonne* (1906, Toulouse, Capitole) ou l'*Étude* (1908, Paris, Sorbonne).

Henri Martin s'est également intéressé à la vie contemporaine plus populaire, peignant des paysans (les *Faucheurs*, 1903, Toulouse, Capitole ; les *Vendanges*, 1925-1928, et le *Labour*, 1929, Cahors, Préfecture du Lot), des ouvriers (le *Travail*, 1914, Paris, Palais de justice) ou les promeneurs du dimanche (le *Luxembourg*, 1935, Paris, mairie du Ve arrondissement).

Ses œuvres sont alors de plus en plus marquées par le Fauvisme, et ses études de figures aux zébrures de couleurs pures ont une grande force (*Gustave Charpentier*, v. 1931, Paris, musée du Petit Palais). D'autre part, cet artiste fut un paysagiste très sensible aux couleurs et aux vibrations de sa terre languedocienne. Il nous a laissé de nombreuses évocations de villages perdus,

Henri Martin
Les Faucheurs, 1903
(détail)
Toulouse, Capitole

de vieux clochers et de ponts croulants, en particulier des vues du gros bourg où il termina ses jours, de sa maison et de son jardin (le *Village de Labastide-du-Vert*, 1903-1909, musée de Lyon).

MARTIN Homer Dodge,
peintre américain
(Albany 1836 - Saint Paul 1897).

Apprenti chez son père charpentier, il apprend seul la peinture, aidé par les conseils du sculpteur E.D. Palmer et du peintre James Mac Dougall Hart, avec lequel il partage son atelier v. 1852. Il peint alors des paysages rigoureux et fouillés de lacs et de montagnes de l'État de New York et de la Nouvelle-Angleterre (*Sur l'Hudson supérieur*, v. 1860, Omaha, Nebraska, Joslyn Art Museum). Un premier voyage en Europe en 1876, puis surtout un second en 1881-1886 le mettent en contact avec les impressionnistes français et britanniques (Corot, Boudin, Sisley). Installé près de Honfleur, il compose ainsi des marines aux tons sombres, lumineuses et romantiques (la *Harpe des vents*, Metropolitan Museum), particulièrement réussies lorsqu'il utilise l'aquarelle. Il poursuit cette tendance, qui l'apparente à l'Hudson River School, dans les paysages peints à Saint-Paul à partir de 1893. Ses œuvres sont conservées dans la plupart des musées américains.

MARTIN-FERRIÈRES Jac,
peintre français
(Saint-Paul, Tarn, 1893-1972).

Jac Martin-Ferrières, fils d'Henri Martin, s'est surtout spécialisé dans le paysage et le portrait ; il s'est acquis une réputation enviable par un art à la fois mesuré et personnel, dans lequel la nature apparaît sous des dehors agréables et toujours véridiques. Les paysages, dont il recherche l'inspiration dans les petits villages, les bourgs de province et les coins de campagne un peu abandonnés, ont une réelle poésie et ses portraits intéressent par la façon dont il dégage la psychologie des personnages. Certaines œuvres ont été traitées selon les traditions impressionnistes ou néo-impressionnistes, tout en obtenant des effets très personnels. L'artiste, qui fut l'élève de Cormon et de plusieurs autres maîtres importants de l'école de Paris, exposa régulièrement au Salon d'automne, aux Tuileries et au Salon des artistes français. Il a obtenu plusieurs récompenses, dont le Prix national en 1925. Certaines de ses œuvres sont conservées notamment au musée d'Art moderne de Paris et au musée du Petit Palais à Genève.

MAUFRA Maxime,
peintre français
(Nantes 1861 - Poncé-sur-le-Loir, Sarthe, 1918).

Après un voyage en Angleterre (1880-1883), où il découvre Turner, il suit l'enseignement du peintre C. Le Roux et expose au Salon de 1886, où il est remarqué par Mirbeau. Pendant un séjour à Pont-Aven, puis au Pouldu (1890), il rencontre Gauguin et

travaille au décor de l'auberge de Marie Henry. Il expose avec le groupe de Pont-Aven aux Indépendants de 1891, puis chez Le Barc de Boutteville (1894) et reste néanmoins fidèle dans ses nombreux paysages à un impressionnisme issu de Monet. Il est représenté au musée de Nantes (la *Pointe du Raz*, 1895), au M.F.A. de Boston (*Crépuscule à Douarnenez*), au musée de Quimper (*Paysage de la région de Pont-Aven*), au musée de Brest (*Pont-Aven, ciel rouge*, 1892) et à Orsay (les *Bords du Blavet*). Une exposition organisée en 1986 par les musées de Pont-Aven et de Saint-Germain-en-Laye (Prieuré) l'a remis à l'honneur.

MAUVE Anton,
peintre néerlandais
(Zaandam 1838 - Arnhem 1888).

Élève du peintre animalier Van Os puis du paysagiste W. Verschuur, il rencontre les frères Maris à Oosterbeek v. 1858 et commence une carrière de paysagiste, séjournant d'abord à Haarlem (1858-1868), puis à La Haye (1874-1885), dont il devient l'un des principaux artistes. Dès 1880, il découvre le Réalisme français (Corot, Millet) et enseigne la peinture durant quelques semaines à son cousin Van Gogh, qui lui voue une grande admiration. En 1885, il fonde avec ses amis l'école de Laren (sorte de Barbizon hollandais) et obtient une réputation internationale. Ses thèmes, rustiques (vues de campagne, vaches au pré), sont toujours traités de manière simple et harmonieuse (le *Retour*, La Haye, musée Mesdag ; le *Ramassage du goémon*, Paris, musée d'Orsay) tout en conservant un dessin très vigoureux. Ses œuvres figurent au Rijksmuseum, à Rotterdam (B.V.B.) et à La Haye (musée Mesdag).

MEIER-GRAEFE Julius,
écrivain et critique d'art allemand
(Reschitza 1867 - Vevey 1935).

Interrompant ses études commencées à l'École des mines de Liège, il se rend en 1889 à Paris. Sa découverte de l'art français du XIXe s. décidera de sa carrière. Tout en suivant des cours de philosophie et d'histoire à Berlin, Meier-Graefe se lie avec des écrivains et des artistes, notamment Strindberg et Edvard Munch, à qui il dédie son premier texte esthétique. Cofondateur de la revue *Pan*, il soutient dans celle-ci les idées de l'architecte Henry Van de Velde. Il est à Paris au début du XXe s. et prend conscience du changement qui a eu lieu dans la peinture depuis l'Impressionnisme. En 1902 paraissent ses livres *Eduard Manet und sein Kreis* et *Der Impressionismus*, puis en 1903 paraît la monumentale *Entwicklungsgeschichte der modernen Kunst (Histoire et évolution de l'art moderne)*. À côté des grands chapitres sur Delacroix, Daumier, les Impressionnistes, Seurat et Cézanne, on y trouve aussi une réhabilitation des peintres allemands du XIXe s. : les Nazaréens, les réalistes — Leibl en particulier — et Hans von Marées, à qui Meier-Graefe consacrera plus tard la première monographie importante. Cette prédilection pour le XIXe s. allemand s'accentue dans les années suivantes avec les livres sur *Böcklin* (1905) et *Menzel* (1906). Entre-temps, Meier-Graefe signe un contrat avec l'éditeur munichois Piper. Il est le plus brillant auteur de cette maison prestigieuse (*William Hogarth*, 1907), et fait des études sur la peinture anglaise, sur Corot et sur Courbet. Après la guerre de 1914, qu'il passe en partie en Russie, il écrit sur Vincent Van Gogh et Beckmann, mais il se consacre surtout à une refonte complète de l'*Entwicklungsgeschichte*, qu'il achève en 1924 et qui est désormais un ouvrage de référence. Pour la première fois, un esprit synthétique embrasse tout le XIXe s. et le début du XXe s. dans une histoire condensée qui relie les grands créateurs modernes —, l'auteur s'arrête à Picasso et à Klee — au passé, et montre leur apport à la tradition.

Meier-Graefe n'est pas un penseur systématique, mais il possède une culture vaste ; sa critique d'art naît de l'enthousiasme qu'il éprouve devant les œuvres (il posséda le *Chahut* de Seurat) et qu'il communique au lecteur. C'est un essayiste qui a le goût des images et des formes frappantes.

MEIFREN Y ROIG Eliseo,
peintre espagnol
(Barcelone 1859 - id. 1940).
Élève d'Antonio Caba y Casamitjana à l'école des Beaux-Arts de Barcelone, il passe sa vie à voyager, travaillant à Paris, où il expose au Salon et dans la gal. de Georges Petit, en Italie, aux Canaries, aux Baléares, où il dirige l'école des Beaux-Arts, en Espagne et aux États-Unis. Il ne cesse d'exposer à Madrid, Barcelone, Valence, Bruxelles, Venise, Liverpool et obtient de multiples récompenses. Peintre très apprécié de marines, il adopte une touche rapide et spontanée dans une palette claire qui rend à merveille les impressions fugitives des reflets de la lumière sur l'eau (*Contrejour à Aranguez*, Barcelone, M.A.M. ; *Mer et port*, Saint-Sébastien, musée municipal de San Telmo ; le *Lac de Côme*, Madrid, M.A.M.). Ses œuvres sont conservées dans la plupart des musées espagnols. Le M.A.M. de Barcelone lui a consacré plusieurs rétrospectives, en 1972, 1975, 1977.

MENGARINI Pietro,
peintre italien
(Rome 1869 - id. 1924).
Le comte Pietro Mengarini appartenait à une famille aristocratique de Rome. Élève de Giulio Rolland, avec qui il collabora pour la décoration du théâtre municipal de Macerata, il joua un rôle à Rome dans une certaine avant-garde artistique, fit partie du groupe des Luministes, avec lesquels il exposa ses œuvres à mainte reprise, et fut l'un des précurseurs en Italie du Divisionnisme.

Artiste raffiné et exigeant, d'une très grande rigueur intellectuelle, il détruisit beaucoup de ses tableaux qui ne résistaient pas à sa propre critique, et ses œuvres, de ce fait, sont rares et recherchées des amateurs. Dès le début du siècle, il représenta des nus avec la technique typiquement pointilliste dont il avait une maîtrise absolue. Les couleurs mauves de ces nus absolument remarquables font penser aux tonalités employées par Bonnard à une date bien postérieure. L'artiste est notamment représenté au musée du Petit Palais (Genève).

MESDAG Hendrick Willem,
peintre et collectionneur hollandais
(Groningue 1831 - La Haye 1915).

Employé à la banque de son père, il décide en 1866 de se consacrer à la peinture et se rend à Bruxelles, où il étudie auprès de son cousin Alma Tadema et suit les conseils de Roelofs. Résidant à La Haye à partir de 1869, il peint des paysages de la mer du Nord et du Zuiderzee aux ciels orageux dans des tons bruns et ocre qui rappellent le réalisme de Th. Rousseau *(Feux du couchant,* 1911, La Haye, Panorama Mesdag ; le *Village de Schéveningue,* 1873, *id.).* Président de l'association Pulchri Studio, il défend de jeunes artistes hollandais (Mauve, Israels, Maris), dont il collectionne les œuvres ainsi que celles de pré-impressionnistes français (Courbet, Millet, Corot, Diaz, Daubigny...). En 1903, il fait don à l'État avec sa femme, le peintre Sientje Mesdag-Van Houten, de sa collection, conservée au Rijksmuseum H.W. Mesday de La Haye. Ses propres toiles se trouvent à Amsterdam (Stedelijk Museum), Anvers, Gand, Groningue, Rotterdam (B.V.B.) et dans les musées d'Allemagne et d'Angleterre.

MÉSZÖLY Géza,
peintre hongrois
(Sárbogárd 1844 - Jobbágyi 1887).

Après des études à l'Académie de Vienne (1869-1871). Mészöly est l'un des premiers Hongrois à pratiquer la peinture de plein air *(Panorama de Szigetvár,* 1871, Budapest, G.N.H.), traduisant, dans un style intime et poétique, la simplicité de la vie et des paysages quotidiens *(Pont de pierre, 1872, id. ; Pêcherie au bord du Balaton,* 1877, *id.).* Lors de ses séjours à l'étranger (Munich, 1872 et 1877 ; Paris, 1882), il peint en général des sujets hongrois d'après des ébauches. On lui doit cependant quelques paysages exécutés en Italie *(Lido,* 1883, *id.).* Il est largement représenté à la G.N.H. de Budapest.

METCALF Willard Leroy,
peintre américain
(Lowell, Mass., 1858 - New York 1925).

Élève de George Brown, peintre paysagiste formé en Italie, et du Lowell Institute de Boston, Metcalf entre à l'Académie Julian à Paris en 1883. L'année d'après, il séjourne à Giverny, peignant des paysages aux couleurs riches certainement inspirées par son contact avec le père de l'Impressionnisme *(Premières Neiges,* Boston, M.F.A.). Mais ses sujets se rapprochent plus de la tradition de Barbizon. Puis il voyage en Afrique du Nord et revient aux États-Unis en 1889, s'inscrit au groupe des Dix et enseigne à l'Art Students' League de New York. Metcalf reste célèbre pour ses peintures de paysages *(Après-midi de printemps à Central Park,* 1911, New York, Brooklyn Museum).

MEYER DE HAAN Jacob,
peintre néerlandais
(Amsterdam 1852 - id. 1895).

Ami de Pissarro, il rencontre Gauguin à Paris au début de 1889 et le suit à Pont-Aven, puis au Pouldu. Devenu son compagnon fidèle, son soutien financier et l'un de ses modèles favoris, il subit fortement son influence *(Cour de ferme au Pouldu,* 1889, Otterlo, Kröller-Müller), évoluant vers un synthétisme japonisant raffiné, proche de celui de ses amis les Nabis *(Autoportrait,* v. 1890, coll. part. ; *Maternité,* New York, coll. Josefowitz ; *Natures mortes, id.,* et musées de Rennes et de Quimper). Gauguin a exécuté 2 portraits peints de Meyer de Haan (Boston, coll. Shaw Mac Kean, et Hartford, Wadsworth Atheneum) et un portrait sculpté de l'artiste (Ottawa, N.G.).

MILLER Richard Emil,
peintre américain
(Saint Louis, Montana, 1875 - Provincetown, Mass., 1943).

Élève de l'école des Beaux-Arts de Saint Louis de 1893 à 1897 puis reporter d'art au *Saint Louis Post Dispatch,* Miller étudie à l'Académie Julian à Paris sous la direction de Jean-Paul Laurens et de Benjamin Constant (1888-1901). Comme beaucoup de ses compatriotes, il fait partie du groupe de Giverny et adopte la technique impressionniste (*Intérieur*, v. 1910, Chicago, coll. part.). Certaines de ses œuvres dénotent toutefois une influence de l'art japonais. Le musée d'Orsay à Paris conserve *Portrait de femme*, les *Vieilles Demoiselles*, la *Toilette* et la *Tasse de thé*, qui ont été réalisés lors d'un séjour du peintre en Bretagne. Douze œuvres de l'artiste sont passées en vente publique (Bayeux, 1991).

MILLET Jean-François,
peintre français
(Gruchy, près de Cherbourg, 1814 - Barbizon 1875).

Les débuts. Souvent appelé le « peintre des paysans », Millet fut un enfant précoce qui, tout en menant une existence campagnarde, fit ses humanités et travailla avec les peintres Mouchel et Langlois à Cherbourg de 1833 à 1837. Grâce à une bourse municipale, il vint à Paris et fréquenta quelque temps l'atelier de Paul Delaroche. En 1840, il gagnait sa vie comme portraitiste, et l'une de ses toiles fut acceptée, la même année, au Salon.

Les portraits les plus anciens (*Autoportrait, Pauline Ono*, 1841, musée de Cherbourg), avec leurs francs contrastes d'ombre et de lumière et leur modelé sculptural, reflètent un goût néo-classique provincial. La prédilection de Millet pour la peinture espagnole, notamment, le conduisit à adoucir progressivement son style. C'est de 1843 à 1846 que datent ses meilleurs portraits, exécutés dans une manière fleurie où les couleurs sont posées en touches séparées, imbriquées comme des écailles, de manière à former de riches et sensuelles surfaces régies par une vigoureuse structure (*Pauline Ono*, 1843, musée de Cherbourg ; *Armand Ono, id.* ; *Deleuze*, Brême, Kunsthalle ; *Antoinette Hébert*, États-Unis, coll. part. ; *Officiers de marine*, 1845, musées de Rouen et de Lyon).

Le peintre passait la plus grande partie de son temps à Cherbourg et, après la mort de sa première femme (1844), il séjourna plusieurs mois au Havre en 1845 avant de retourner à Paris. Outre ses portraits, il peignait alors des scènes bucoliques qui doivent beaucoup à son contemporain Diaz et à la tradition illustrée par Prud'hon et Corrège.

La période parisienne et la révolution. Le style et les sujets de Millet, après son installation à Paris à la fin de 1845, vont subir une autre métamorphose. Une admiration nouvelle pour Poussin et Michel-Ange, qui n'était pas incompatible avec son estime pour le contrepoint énergique et les raccourcis de Delacroix, se manifesta dans divers sujets, dont les formes devinrent rapidement plus sculpturales et plus héroïques que celles de naguère.

De 1846 à 1848, les portraits sont peu nombreux (les commandes étaient sans doute difficiles à trouver dans la capitale) et les principaux thèmes sont *Saint Jérôme, Agar* (1849, La Haye, musée Mesdag), *Œdipe détaché de l'arbre* (Salon de 1847, Ottawa, N.G.) ainsi que des nus bien campés et des tableaux de genre. Les nus, peints à l'huile et dessinés (Paris, musée d'Orsay et Louvre), sont d'une rare beauté et comptent parmi les meilleurs ouvrages de Millet. Les sujets de genre, femmes donnant du grain aux poulets ou femmes de pêcheurs désespérées, annoncent la première figure monumentale de paysan, le *Vanneur* (présenté au Salon de 1848, Londres, N.G.).

Comme bien des artistes, Millet fut ému par la révolution de 1848 ; et, conséquence de ce nouveau triomphe de l'homme du peuple, les paysans prennent une place sans précédent dans son art. Grâce au gain provenant d'une commande gouvernementale, il put s'établir, à la fin de 1849, à Barbizon, où il passa le reste de sa vie, sauf quelques voyages dans sa Normandie natale ou en Auvergne.

Thèmes rustiques et idéal social. La figure héroïque du *Semeur* (Philadelphie, Provident Bank), exposé au Salon de 1850-51, valut à Millet la notoriété, et ses envois successifs au Salon ou à l'Exposition univer-

Jean-François Millet
La Naissance du veau, 1864
81,6 × 100 cm
Chicago, The Art Institute

selle, tels le *Repas des moissonneurs* (1853, Boston, M.F.A.), le *Greffeur* (1855, États-Unis, coll. part.), les *Glaneuses* (1857, Paris, musée d'Orsay), la *Mort et le bûcheron* (refusée en 1859, Copenhague, S.M.f.K.), l'*Homme à la houe* (Malibu, The J. Paul Getty Museum), devinrent les manifestes de l'histoire sociale et artistique du second Empire. L'œuvre de Millet joua un rôle décisif, car, aux yeux de la critique bourgeoise, le paysan était le symbole de 1848 et de la misère qui régnait dans les campagnes désertées. Millet était associé, dans l'esprit du public, à Courbet dans l'élaboration d'un nouveau Naturalisme pouvant rivaliser avec les styles établis du Classicisme et du Romantisme. Bien que Millet fût plus fataliste que vraiment socialiste, son désir de montrer le caractère éternel de la lutte de l'homme pour son existence coïncidait avec le profond bouleversement social qui accompagnait le transfert massif des populations rurales vers les cités industrielles en pleine expansion. Après 1865, pourtant, la vie laborieuse des paysans que Millet représentait répondit à un engouement teinté de nostalgie pour les thèmes qui excluaient tout allusion à la vie industrielle. Ce fut le début d'une popularité qui fit de l'artiste, après sa mort, un des peintres les plus célèbres du siècle. Grâce à plusieurs peintres et amateurs américains, surtout originaires de Boston, il fut très tôt apprécié aux États-Unis, ce qui explique qu'une importante partie de son œuvre se trouve aujourd'hui dans les musées et les collections de ce pays. Le M.F.A. de Boston possède le plus bel ensemble de tableaux et de pastels de l'artiste.

Un Naturalisme classique. Dans les années 50, les peintures et les dessins de Millet étaient peuplés d'images puissantes d'hommes et de femmes au travail, aux champs ou dans la forêt, les traits tendus par l'effort. Elles donnèrent naissance, v. 1860, à des formes plus monumentales dans des poses statiques qui rappellent Poussin et la tradition classique (l'*Angélus*, 1858-59, Paris, musée d'Orsay ; la *Grande Tondeuse*, 1860, États-Unis, coll. part. ; les *Planteurs de pommes de terre*, 1861-62, Boston, M.F.A. ; la *Grande Bergère*, 1863-64, Paris, musée d'Orsay ; la *Naissance du veau*, 1864, Chicago, Art Inst.). Deux silhouettes ou davantage se détachent, suivant le rythme harmonieux d'une frise, sur l'étendue des plaines de la Brie ; leur monumentalité s'exprime dans la noble simplicité presque primitive de leur présentation, dont l'essentiel réside dans l'archétype sculptural qu'elles constituent ; leur éloquence tient à la grande tradition française, qui évite toute trivialité au bénéfice d'une vision aux formes sculpturales.

Au cours de la même période, Millet exécuta également des dessins et des peintures de plus petit format que les tableaux présentés au Salon. Ses intérieurs domestiques évoquent ceux des Hollandais et de Chardin par la dignité de leur mise en scène et la simplicité de leur composition. Les dessins (le Louvre en conserve un ensemble capital) sont peut-être aussi importants que les peintures : le jeu du crayon engendre des gris et des noirs veloutés, qui donnent à l'image sa force et au motif sa mystérieuse suggestion. L'art de Seurat, de Redon, de Pissarro et de Van Gogh procédera, plus tard, des dessins de Millet.

Pastels et paysages après 1860. On constate plusieurs changements importants après 1860. D'abord presque exclusivement peintre de figures, Millet se tourne, de plus en plus, vers le paysage, en partie grâce à son long compagnonnage avec Théodore Rousseau, qui était avec lui le chef de file de l'école de Barbizon.

Les paysages peints par Millet représentent les vastes terres cultivées près de Barbizon (l'*Hiver aux corbeaux*, 1862, Vienne, K.M.) et plus souvent les villages et les collines couvertes de pâturages sur le littoral de son Cotentin natal (*Hameau Cousin*, musée de Reims ; l'*Église de Gréville*, 1871-1874, Paris, musée d'Orsay), tableaux dont la perspective impressionnante et la

densité spirituelle impliquent la présence de l'homme et son étroite communion avec la nature. Des séjours de l'artiste à Vichy, de 1866 à 1868, datent ses petits dessins de paysages les plus connus, exécutés à l'encre et à l'aquarelle, merveilles de sensibilité évocatrice.

Un autre aspect du changement des années 60 consiste dans la production de grands pastels. À partir de 1865 env., Millet réalisa dans cette technique de très beaux paysages et des études de paysans, que beaucoup regardent comme le sommet de son art (Boston, M.F.A.) et qui illustrent ses dons exceptionnels de dessinateur. Sur un dessin préliminaire à la craie noire, il pose les couleurs en accents séparés qui leur permettent de garder leur autonomie (annonçant ainsi Van Gogh), tandis que les blancs construisent des formes denses et synthétiques.

Les dernières années et l'héritage de Millet. Les pastels de Millet correspondent aussi à une période de succès dans sa vie, grâce à des achats réguliers qui le libérèrent des conditions difficiles de ses débuts. La Légion d'honneur, en 1868, consacre une reconnaissance officielle. Il passe à Cherbourg la période de la guerre franco-prussienne et de la Commune, brossant quelques-uns de ses plus beaux paysages. Au cours de ses dernières années à Barbizon, son activité embrassa toutes les techniques. Il exécuta alors des paysages d'un violent lyrisme (le *Coup de vent*, musée de Cardiff), l'étonnant nocturne de la *Chasse aux oiseaux* (1874, Philadelphie, Museum of Art) et l'admirable suite des *Quatre Saisons* (le *Printemps*, Paris, musée d'Orsay) ; l'*Automne*, Metropolitan Museum ; l'*Été*, M.F.A. de Boston ; l'*Hiver, les bûcheronnes*, musée de Cardiff). Sa santé l'empêcha d'accepter la commande d'une peinture décorative au Panthéon en 1874, et il mourut quelques mois plus tard à Barbizon.

Millet, sa vie durant, puisa son inspiration dans Virgile, La Fontaine et la Bible et l'exprima dans une nostalgie orgueilleuse du terroir en des formes qui transposaient les pulsions créatrices issues du passé, émanant à la fois du Classicisme français et de la tradition des Pays-Bas, particulièrement celle de Bruegel. Son rôle fut de transmettre ce flux créateur à Pissarro, à Van Gogh, à Seurat, à Léger, matérialisé dans des formes qui révèlent sa dette envers l'histoire et la morale, mais surtout la puissance et l'harmonie d'un des plus grands talents de peintre du XIXᵉ s.

MILOVANOVIĆ Milan,
peintre yougoslave d'origine serbe
(Kruševac 1876 - Belgrade 1946).

Il commence ses études chez le peintre Kirilo Kutlik, à Belgrade, puis en 1907 se rend à Munich, où il est l'élève d'Anton Ažbé, puis de l'Académie des beaux-arts. Les tableaux de cette époque, exécutés dans la manière munichoise, sont marqués par une forte influence de Manet. En 1902, à Paris, il s'inscrit à l'Académie Colarossi, puis en 1903 à l'École des beaux-arts, chez Bonnat. Dans ses paysages parisiens (*Carrousel*, 1906, Belgrade, M.A.M.), les couleurs plus claires, l'atmosphère poétique et lumineuse témoignent de son admiration pour Corot, tandis que ses beaux portraits peints en Serbie, après 1906, sont d'un coloris sombre et doré (*Autoportrait à la cravate rouge*, *Hélène*, *Ma mère*, musée de Belgrade). Au cours de ses voyages à travers la Serbie, la Macédoine et au mont Athos, il réalise ses premiers tableaux franchement impressionnistes (le *Pont du Dušan à Skopje*, 1907, Zagreb, G.A.M.) et fait même quelques expériences néo-impressionnistes (*Manasija*, 1910, Belgrade, musée de la ville).

Pendant les guerres balkaniques et la Seconde Guerre mondiale, Milovanović peignit de nombreux portraits de soldats et des sites – œuvres qui ont valeur documentaire. De 1916 à 1918, il suit l'armée serbe en Italie et dans le midi de la France ; il peint alors ses meilleures œuvres, dans une conception toujours impressionniste (*Paysage de Capri*, 1917, musée de Belgrade ; la *Porte bleue*, 1917 ; *Terassa*, 1917).

Après la guerre, l'artiste séjourne brièvement sur la côte dalmate, d'où il rapporte la dernière série de ses tableaux, d'un chromatisme pur (*Une rue à Dubrovnik*, 1920, musée de Sarajevo ; *Chemin de Gruž*, 1920, Belgrade, M.N.). Nommé professeur à l'Académie des beaux-arts de Belgrade, il cesse de peindre et se consacre uniquement à ses nouvelles fonctions. À l'époque du commencement de l'art moderne en Serbie, Milovanović est le représentant de l'Impressionnisme.

MIRBEAU Octave,
écrivain et critique d'art français
(Trévières 1848 - Paris 1917).

Critique dramatique à *l'Ordre*, il collabora au *Figaro* et fonda en 1882, avec Hervieu, Groselande et Capus, *les Grimaces*, pamphlet hebdomadaire. D'abord royaliste et catholique, puis naturaliste aux amitiés anarchistes, il soutint avec conviction plus d'un artiste moderne. Ami de Pissarro et de Monet, il consacra un article important à Van Gogh en mars 1891, au moment de la rétrospective de l'artiste aux Indépendants, et contribua, cette même année, au succès de la vente Gauguin par un article très flatteur paru dans *l'Écho de Paris*. Ses articles de critique d'art ont été réunis dans *Des artistes* (1922).

MIR-TRINXET Joaquín,
peintre espagnol
(Barcelone 1875 - id. 1941).

L'un des paysagistes les plus originaux de l'école catalane au début de notre siècle, il fut aussi l'un des rares à n'avoir pas complété sa formation à Paris. Rebelle à l'enseignement de l'École des beaux-arts de Barcelone, il n'obtint jamais la pension à Rome qu'il ambitionnait et dut gagner d'abord sa vie comme courtier en mercerie. La première influence qui l'aida à trouver sa voie fut celle de Velázquez, sa grande admiration, dont les paysages l'orientèrent vers une sorte d'Impressionnisme spontané. Ses premières œuvres sont des dessins au fusain, représentation de scènes barcelonaises destinées à la revue *l'Esquella de la*

Torratxa. En 1902, il découvre Majorque et rencontre dans l'île le peintre belge Degouve de Nuncques, dont la technique et les idées l'inspirent. Peintre instinctif et ingénu qui fut appelé le « faune de la peinture catalane », Mir-Trinxet est le peintre de Majorque, il exprime la lumière méditerranéenne au travers de subtiles variations chromatiques. Ses paysages se fondent dans une lumière éclatante : on peut le rapprocher à cet égard de son compatriote Anglada, mais Mir-Trinxet demeura exclusivement paysagiste. La prédominance de la couleur efface peu à peu les formes, et ses paysages sont parfois aux frontières de l'abstraction (*Cova*, Barcelone, coll. J. Vriach). Le M.A.C. de Barcelone possède une vingtaine de toiles caractéristiques, et d'autres sont exposées au Prado (salles du Casón) : le *Chêne et la Vache*, 1917 ; le *Jardin* et l'*Ermitage*, v. 1899 ; les *Eaux de Mogueda*, 1917. Ses œuvres sont aussi présentes dans les musées de Montserrat, Madrid et Montevideo.

MODERN STYLE. → ART NOUVEAU.

MONET Claude,
peintre français
(Paris 1840 - Giverny 1926).

Les débuts. Il entre au collège de La Mailleraye au Havre et, très jeune, atteint une certaine réputation en faisant des caricatures de personnages ; plusieurs d'entre elles se trouvent actuellement à Chicago (Art Inst.). Vers 1858, Monet rencontre Boudin, dont les œuvres ne l'enthousiasment guère d'abord ; mais celui-ci l'encourage et lui apprend à peindre d'après nature, en plein air. Plus tard, Monet dira : « J'avais compris, j'avais saisi ce que pouvait être la peinture par le seul exemple de cet artiste épris de son art et d'indépendance ; ma destinée de peintre s'était ouverte. » Reconnaissant ses dispositions pour la peinture, son père demanda à la municipalité du Havre (6 août 1858) de lui accorder le titre de pensionnaire des beaux-arts de la

ville afin de lui permettre de se rendre à Paris. La nature morte qui accompagnait cette demande fut refusée. Sans attendre la réponse, Monet était parti pour Paris en mai 1859, afin de voir l'exposition au palais de l'Industrie, qui devait fermer en juin. Il rend visite à Amand Gautier, ami de sa tante Lecadre, et à Troyon, qui l'encouragent. Au Salon, il admire les Daubigny, les Corot, les Rousseau, et Monginot (peintre de natures mortes et d'animaux) ; ce dernier met son atelier à sa disposition. Cependant, Monet n'entre pas à l'École des beaux-arts comme le voudrait son père, qui lui coupe alors les vivres ; il fréquente l'Académie Suisse, où il rencontre sans doute Pissarro, qui travaille alors dans le goût de Corot.

En 1861, son père ayant refusé de payer la somme nécessaire pour l'exonérer du service militaire, Claude doit partir en Algérie dans les chasseurs d'Afrique, où il reste deux ans, au terme desquels il est rapatrié. Il garda pourtant un bon souvenir de cette période.

« Je ne me rendis pas compte d'abord, les impressions de lumière et de couleur que je reçus là-bas ne devaient que plus tard se classer ; mais le germe de mes recherches futures y était. » En acceptant que son fils se consacre à la peinture, Adolphe Monet mettait comme condition qu'il entrât dans l'atelier d'un peintre en renom. Après un court séjour au Havre, où il travaille avec Boudin et Jongkind (qui a sur lui une influence profonde : « C'est à lui que je dois l'éducation définitive de mon œil », dira-t-il), Claude entre en 1862 chez Gleyre, peintre suisse établi à Paris, où il est introduit par son parent Toulmouche.

Élaboration de l'Impressionnisme. Il rencontre là Bazille, Lepic, Renoir, Sisley, qu'il retrouvera à la brasserie des Martyrs, où s'élaboreront les fondements de leur association.

À Pâques de 1863, Monet et Bazille passent leurs vacances à Chailly, petit village proche de Barbizon, à la lisière de la forêt de Fontainebleau. Ils y peignent dans la tradition de Daubigny, de Diaz et de Millet. C'est aussi l'année où, à Paris,

Monet découvre Manet, lors de l'exposition de 14 de ses toiles chez Martinet, boulevard des Italiens, et, avec Renoir, il a la révélation des maîtres anciens au Louvre. Sur sa carte d'élève, il désigne Amand Gautier comme son maître.

En 1864, Monet emmène Bazille à Honfleur ; ils travaillent avec Jongkind et Boudin et se retrouvent à la ferme Saint-Siméon. Monet, qui envoie un tableau de fleurs à l'exposition de Rouen, passe l'été dans la propriété de ses parents à Sainte-Adresse et, à la fin de cette année 1864, il regagne Paris.

En janvier 1865, il rejoint Bazille dans son atelier de la rue de Furstenberg, où il reverra Pissarro en compagnie de Cézanne. En avril, il retourne à Chailly dans le dessein d'entreprendre une grande toile, un *Déjeuner sur l'herbe* « dans l'esprit de celui de Manet, mais peint dans la nature ». Bazille, sur sa demande, le rejoint et pose pour lui. Monet se blessa malencontreusement à la jambe, accident que Bazille fixe sur la toile

Claude Monet
Déjeuner sur l'herbe, 1866
130 × 181 cm
Moscou, musée Pouchkine

(Paris, musée d'Orsay). Entre-temps, il allait à Marlotte en compagnie de Pissarro. Il y retrouvait Renoir, Sisley et Courbet à l'auberge de la mère Anthony.

À Chailly, il poursuit ses études pour son grand tableau. Courbet lui venait financièrement en aide et lui donnait des conseils, ce qui l'importunait parfois. Sa toile, modifiée sur les conseils du maître, ne lui plaisant plus, il renonça à la présenter au Salon et la laissa roulée dans son atelier. Elle fut par la suite remise sur châssis (la partie principale et celle de gauche sont au musée d'Orsay, Paris, l'esquisse au musée Pouchkine de Moscou).

Monet peignit plusieurs vues de la forêt de Fontainebleau et un portrait de Camille Doncieux, qu'il devait épouser quatre ans plus tard (*Camille ou la Robe verte*, Brême,

Kunsthalle). Ces tableaux reçurent les éloges de la critique au Salon de 1866. Au Salon de 1865, il exposa 2 marines (l'*Estuaire de la Seine*, la *Pointe de la Hève à marée basse*), tableaux qui furent attribués par certains critiques à Manet.

Libéré de la tutelle de Courbet, il peint en plein air dans une gamme lumineuse sur des fonds clairs une grande toile où il représente dans son jardin de Ville-d'Avray plusieurs jeunes femmes, dont le modèle unique sera Camille (*Femmes au jardin*, Paris, musée d'Orsay). Durant son séjour parisien, il travaille dans l'atelier de Bazille, aux Batignolles, où se trouvent Renoir et Sisley. Mais il quitte à l'automne de 1866 Ville-d'Avray, où il s'est installé afin d'échapper à ses créanciers. Il lacère des toiles qu'il ne peut emporter (elles seront malgré tout saisies et vendues par lots). Du Havre, où il avait rejoint sa famille, il supplia Bazille de lui envoyer une série de tableaux qu'il avait laissés à Paris, afin de se servir des toiles pour y peindre d'autres compositions. Bazille lui vint en aide en lui achetant sa grande toile des *Femmes au jardin* pour 2 500 F, payables en versements mensuels de 50 F. En 1870, le père de Bazille échangea le tableau contre le portrait de son fils peint par Renoir, en possession de Manet. Redonné par ce dernier à Monet, il fut acquis par l'État en 1921. Décidant de faire des « études de ville », il peint en 1867, du balcon du palais du Louvre, une *Vue de l'église Saint-Germain-l'Auxerrois* (Berlin-Ouest, N.G.), le *Quai du Louvre* (La Haye, Gemeentemuseum) et le *Jardin de l'Infante avec le Panthéon dans le fond* (Oberlin, Allen Memorial Art Museum). En juin 1867, Monet est à Sainte-Adresse. Il écrit à Bazille qu'il a une vingtaine de toiles en train : « Des marines, des figures, des jardins, et enfin, parmi mes marines, je fais les régates du Havre avec beaucoup de personnages sur la plage » (*Terrasse à Sainte-Adresse*, Metropolitan Museum). Monet dut interrompre son travail en plein air par suite de troubles de la vue. Il revint à Paris, où son fils Jean venait de naître, et apprit que les *Femmes au jardin* étaient refusées au Salon.

En 1868, grâce à Boudin, il participe avec Courbet et Manet à une exposition maritime internationale au Havre. Après la clôture de l'exposition, ses créanciers saisissent ses toiles, qui, selon Boudin, furent achetées pour Gaudibert, armateur du Havre, 85 F chacune. Daubigny intervint auprès du jury du Salon de 1868 pour faire accepter une grande toile de Monet, *Navires sortant des jetées au Havre*. Avec Camille et son fils Jean, il part pour Fécamp. Monet a recours à Gaudibert, qui lui commande le portrait de sa femme (Paris, musée d'Orsay) et lui fait une petite pension lui donnant la possibilité de travailler : *Portrait de son fils*, *Intérieurs*, *Natures mortes*, le *Déjeuner* (Francfort, Städel. Inst.). Au début de 1869, Monet revient à Paris et se joint aux artistes qui fréquentent le café Guerbois. Il part ensuite travailler à Bougival, où il retrouve Renoir à la Grenouillère (restaurant Fournaise), et tous deux interprètent les mêmes sujets : la *Grenouillère* (Monet, Metropolitan Museum ; Renoir, Winterthur, coll. Oskar Reinhart, et Stockholm, Nm).

En octobre 1869, Monet part pour Étretat et, en novembre, il vient s'installer à Saint-Michel, près de Bougival, avec Camille et son fils. Il se voit refuser sa toile au Salon de 1870, ce qui décide Daubigny à se retirer du jury. Lors de la déclaration de guerre, il est à Trouville (la *Plage à Trouville*, Londres, Tate Gal. ; Metropolitan Museum ; Paris, musée Marmottan ; l'*Hôtel des roches noires*, Paris, musée d'Orsay). Il se réfugie alors au Havre avec sa femme et son fils, avant de gagner Londres en septembre 1870, où il retrouve Pissarro et Daubigny. Ce dernier le présente à Durand-Ruel, qui lui achète plusieurs toiles. À son tour, il devait présenter Sisley au grand marchand. À Londres, Monet découvre Turner et les paysagistes anglais (*Hyde Park*, musée de Providence, Rhode Island), mais les toiles qu'il présente à la Royal Academy sont refusées. Sans doute sur les conseils de Daubigny, il rentre en France par la Hollande, où il peint plusieurs paysages de Zaandam (Paris, musée d'Orsay). Il passe par Anvers et, à la fin de l'année, réside à Argenteuil.

À l'exemple de Daubigny, Monet installera son atelier dans une barque et sillonnera la Seine jusqu'à Rouen, pour capter les fluctuations et subtiles de l'atmosphère (*Chasse-marée à l'ancre*, Paris, musée d'Orsay). La période d'Argenteuil sera le moment culminant de l'Impressionnisme, et tous les jeunes artistes viendront y peindre : Manet, Renoir, Sisley, Caillebotte. Ils confrontent leurs idées, leurs recherches. Ils décident de s'unir et d'exposer leurs toiles chez Nadar en 1874. Une peinture de Monet de 1872, *Impression, soleil levant* (Paris, musée Marmottan), suscitera les commentaires ironiques du critique Leroy, qui, par dérision, créera le terme « impressionniste ». Parmi les vues d'Argenteuil, citons le *Pont*, les *Régates*, *Voiliers*, le *Déjeuner* (Paris, musée d'Orsay), l'*Été* (Berlin-Ouest, N.G.).

Le 24 mars 1875, Durand-Ruel organise à l'hôtel Drouot une vente (il y avait 73 œuvres, dont 20 de Monet) qui fut un échec. La situation financière de l'artiste étant de plus en plus critique, il fit appel à ses amis, Manet, Caillebotte, de Bellio et Zola.

Au cours de l'exposition chez Durand-Ruel en 1876, Monet présente 18 toiles, dont *Madame Monet en costume japonais* (Boston, M.F.A.). La même année, il ira à Montgeron, chez Ernest Hoschedé, pour lequel l'artiste exécuta quatre grands panneaux décoratifs (dont les *Dindons*, Paris, musée d'Orsay). De retour à Paris, il est séduit par l'architecture de la gare Saint-Lazare et exécute plusieurs études de cette grande ossature de fer vue à travers la fumée. Pour la première fois, il répète un même sujet en diversifiant les aspects selon la lumière. À l'exposition de 1877 chez Durand-Ruel, il présente 30 toiles, dont 7 vues de la *Gare Saint-Lazare* (Paris, musée d'Orsay ; Paris, musée Marmottan ; Chicago, Art Inst. ; Cambridge, Mass., Fogg Art Museum). En mars 1878, Camille met au monde un second fils, Michel. Ernest Hoschedé, en faillite, est obligé de vendre sa collection d'impressionnistes à l'hôtel Drouot (les 5 et 6 juin). Les toiles de Monet font des prix dérisoires. Il peint alors des vues de la capitale : la *Rue Saint-Denis* (musée de Rouen) et *Rue Montorgueil* (Paris, musée d'Orsay).

Vétheuil. Manet, en achetant des tableaux à Monet, permet à celui-ci de s'installer en 1878 sur les bords de la Seine, à Vétheuil, où il peindra ce village et ses environs (Buffalo, Albright-Knox Art Gal. ; Boston, M.F.A. ; Paris, musée Marmottan). Plusieurs feront partie de la quatrième exposition impressionniste en 1879. Camille meurt à Vétheuil le 5 septembre 1879.

Sur le conseil de Renoir, Monet présente 2 toiles au Salon officiel, dont une seule est acceptée. Plus par désir de s'isoler après la mort de Camille que par désir de se desolidariser du groupe (ce que croyait Degas, qui le qualifiait de renégat), il organise en juin 1880 une exposition particulière à la Vie moderne, mais expose de nouveau à la septième exposition impressionniste en 1882, où il montre 30 toiles, paysages et natures mortes, qui reçoivent un avis favorable de la critique.

En 1883, Monet s'installe à Giverny. Durand-Ruel organise des expositions des œuvres du groupe à l'étranger : Boston, Rotterdam, Londres et Berlin. En décembre 1883, il fait en compagnie de Renoir un voyage sur la Côte d'Azur. Enthousiasmé, il décide d'y retourner seul l'année suivante ; il séjourne à Bordighera et à Menton et rapporte des toiles d'une grande intensité de couleur : *Bordighera* (Chicago, Art Inst.). Il fait entre-temps de brefs séjours en Normandie et en Bretagne : *Étretat*, *Belle-Île* (Paris, musée d'Orsay ; Paris, musée Marmottan), *la Manne Porte*, *Étretat* (Metropolitan Museum). Il prend part aux quatrième, cinquième et sixième Expositions internationales de peinture.

En 1886, Durand-Ruel présente « trois cents œuvres à l'huile et au pastel des impressionnistes de Paris ». Monet participe aussi à Bruxelles à l'exposition des Vingt. D'un rapide voyage en Hollande, il rapporte quelques toiles représentant les champs de tulipes. À Giverny, il peint des panneaux décoratifs, pour lesquels Suzanne Hoschedé lui sert de modèle (*Femme à l'ombrelle*, Paris, musée d'Orsay). En 1888, il se lie par contrat avec Théo Van Gogh. Il séjourne au château de la Pinède à Antibes (*Saint-Jean-Cap-Ferrat*,

Claude Monet
Les Nymphéas. Reflets verts
197 × 847 cm, détail
Paris, musée de l'Orangerie

1888, Boston, M.F.A.), à Fresselines et Crozant, dans la Creuse, en 1889. À la gal. Georges Petit, il organise avec Rodin une grande rétrospective (65 toiles) qui remporte enfin un vif succès.

En 1889, il prend l'initiative d'ouvrir une souscription afin de donner à l'État l'*Olympia* de Manet.

De 1890 à 1894, il retrouve à Paris, au café Riche, ses amis impressionnistes.

Les séries : les « Nymphéas ». Monet, qui résidait depuis sept ans à Giverny, fit l'acquisition de sa maison en 1890. Il remplira son vaste jardin des fleurs et des plantes les plus rares et fera construire un petit pont japonais au-dessus d'un étang où s'étalent des nymphéas. Il trouvera là l'objet de ses recherches sur l'« instantanéité », ce qui le conduit à entreprendre de grandes séries sur un même sujet. Il expose chez Durand-Ruel, en 1891, 15 toiles des *Meules,* des *Peupliers* du bord de l'Epte. En juillet 1892, il épouse Alice Raingo, veuve d'Ernest Hoschedé. Lors du choix des artistes pour décorer l'Hôtel de Ville de Paris, en 1892, Monet recueille quatre voix. En 1894, Cézanne vient s'installer à l'auberge de Giverny, et, en février 1895, Monet part pour la Norvège, où il restera quelques mois près de Christiania : *Mont Kolsaas* (Paris, musée d'Orsay ; Paris, musée Marmottan). Du 10 au 31 mai 1895, il expose 49 toiles chez

Durand-Ruel, dont *20 Cathédrales* et 8 toiles de Norvège. En 1896 et en 1897, il fait plusieurs séjours en Normandie (Pourville, Dieppe, Varengeville, Honfleur) et peint des paysages et des natures mortes.

Chez Georges Petit en 1897, il expose une série d'études sur les *Nymphéas.* En 1900, Monet se rend à Londres – où il reviendra d'ailleurs à plusieurs reprises – pour peindre une série de toiles sur la Tamise. À son retour, 37 d'entre elles seront exposées chez Durand-Ruel. De son voyage à Venise en 1908, il rapporte 29 toiles, exposées en 1912 chez Bernheim : le *Palais ducal* (New York, Brooklyn Museum), le *Grand Canal* (Boston, M.F.A.). Les 48 paysages d'eau aux *Nymphéas,* peints entre 1904 et 1906 et exposés chez Durand-Ruel du 5 mai au 5 juin 1909, remportèrent un grand succès.

Le 19 mai 1911, sa femme, Alice, meurt à Giverny. Sa belle-fille, Blanche Hoschedé-Monet, épouse de son fils Jean et peintre elle-même, veillera sur le maître et l'entourera d'affection jusqu'à sa mort.

En 1914, Monet fait construire dans son jardin de Giverny un grand atelier lumineux pour y peindre de vastes tableaux sur le thème des *Nymphéas* (un certain nombre, restés dans cet atelier, se trouvent maintenant au musée Marmottan à Paris). En novembre 1918, à l'instigation de Clemenceau, il décide de remettre à la France

plusieurs de ces toiles, formant une grande décoration. L'Orangerie des Tuileries est choisie. Monet désigne l'emplacement des panneaux dans les deux salles du rez-de-chaussée et signe l'acte de donation le 12 avril 1922. Retardé dans l'achèvement de cet immense travail par une opération de la cataracte, il termine cette œuvre magistrale avant de mourir, le 5 décembre 1926. L'inauguration de cet ensemble aura lieu le 17 mai 1927. Monet est un des rares peintres, avec Renoir et Degas, qui put voir ses tableaux exposés au Louvre de son vivant : 14 Monet de la collection Camondo y furent en effet exposés en 1914.

Une grande partie des études des *Nymphéas* fut présentée chez Katia Granoff en 1956 et 1957. Dès lors, les critiques considérèrent Monet comme l'un des précurseurs de l'Abstraction lyrique et notamment du Paysagisme abstrait. Tous les grands musées du monde possèdent des tableaux de Monet ; parmi les plus importants, citons le musée d'Orsay à Paris (72 toiles), le musée Marmottan (75 toiles léguées par le fils de l'artiste en 1968 ou provenant de la coll. de Bellio), le Metropolitan Museum de New York (30 toiles), le M.F.A. de Boston (près de 30 toiles) et l'Art Inst. de Chicago (plus de 30 toiles). Une exposition, « Les *Nymphéas* avant et après », est programmée à Paris (musée de l'Orangerie) en 1992-93.

MONFREID Georges Daniel de, peintre et graveur français
(Paris 1856 - Vernet-les-Bains, Pyrénées-Orientales, 1929).
Ancien élève de l'Académie Julian et de l'atelier Collarossi, il devient en 1887 l'ami de Paul Gauguin et de Maillol, qu'il aide tous deux financièrement, et emprunte au premier un coloris sourd et chaud et des tons « tissés » ; mais son dessin reste naturaliste. Les *Lettres de Paul Gauguin à Daniel de Monfreid*, publiées en 1918, sont un document souvent cité. Dans une lettre à Mette Gauguin (1907) restée longtemps inédite, il explique : « Le grand et terrible bonhomme que fut votre mari a perturbé beaucoup d'existences autour de lui. [...] Et si l'on peut tenir tête à ce déchaînement, on n'en reste pas moins meurtri longtemps, pour toujours. » Des nus en plein air montrent une évolution du Néo-Impressionnisme (1890) au Symbolisme (1914). Monfreid fit un portrait de Victor Segalen et illustra de bois, d'après Gauguin, la première édition de *Noa-Noa* (1929). En 1951, la famille de Monfreid donne au Louvre une importante collection de peintures et de sculptures. Le musée d'Orsay possède le *Thé dans l'atelier*, *Intérieur d'atelier à la chatte siamoise* ; le Petit Palais, une *Nature morte aux Giroflées* et un *Portrait de femme (Souve-*

nir de la Joconde). Monfreid est également représenté au musée de Perpignan. Le musée de Narbonne prépare une exposition rétrospective de son œuvre.

MONTÉZIN Pierre,
peintre français
(Neuilly-sur-Seine 1874 - id. 1946).

Après des études de décoration, il est initié au dessin et à la peinture à l'huile par Quost. Influencé par Monet, il peint à la colle les paysages de Dreux et de Moret, s'attachant à rendre les variations atmosphériques (les *Peupliers*, M.A.M. de la Ville de Paris ; les *Lavandières*, 1930, Paris, Petit Palais). Refusé par le Salon de 1893 à 1903, sa reconnaissance est tardive, ponctuée par le prix Rosa-Bonheur en 1920 et la nomination à l'Académie des beaux-arts en 1945. Il pratiquera l'Impressionnisme jusqu'à sa mort. Ses toiles sont visibles à Mannheim (Kunsthalle), à Dreux (*Fenaison en Normandie*, 1940, dépôt du M.A.M. de la Ville de Paris), à Paris (Petit Palais ; M.A.M. de la ville), à Marseille (musée Cantini) et dans les musées de Dijon, de Bordeaux et de Lille.

MONTICELLI Adolphe,
peintre français
(Marseille 1824 - id. 1886).

Il appartenait à une famille d'origine italienne fixée à Marseille. En 1843, il remporta le prix de dessin à l'école des beaux-arts de sa ville. Mais le musée l'attirait plus qu'un enseignement scolaire et, quand il vint à Paris, en 1847, pour deux années, c'est au Louvre qu'il trouva ses maîtres en Rembrandt, en Véronèse et en Watteau, plus qu'en Paul Delaroche, dans l'atelier de qui il étudia. Sa formation fut lente et ce n'est qu'en 1856, à l'occasion d'un retour à Paris, que son génie s'éveilla. Il fut apprécié de Delacroix et reçut la commande d'une décoration pour les Tuileries. Sa rencontre avec Diaz décida du choc qui le révéla à lui-même. Mais, s'il découvrit auprès du peintre des *Fêtes galantes*, successeur de Watteau, une affinité et une émulation, il dépassa son modèle aussi bien par l'ardeur d'une exposition visionnaire que par l'audace de sa technique. Il superposa des touches d'une pâte généreuse, dissolvant la forme dans un jaillissement de couleurs pures, créant ainsi un monde enchanté (*Don Quichotte*, v. 1865, Paris, musée d'Orsay). Cette période – dénommée « parisienne » ou « écossaise » à cause de la nationalité de ses amateurs, ou encore « période de l'impératrice » en raison de l'adulation que, selon la légende, l'artiste portait à la souveraine – annonce sa maturité. Elle commença en 1870 quand Monticelli retourna définitivement à Marseille. Celui-ci donna alors la part la plus prestigieuse d'un œuvre fécond et varié. Tout en continuant de produire d'imaginaires féeries, il retrouva un œil réaliste pour peindre des portraits dont les visages sont maçonnés dans un lumineux empâtement (*Madame René*, musée de Lyon ; *Madame Teissier*, Paris, musée d'Orsay ; *Portraits de femme*, Chicago, Art Inst.), des natures mortes (Paris, musée d'Orsay ; musée de Lyon ; Londres, N.G.) et des bouquets aux couleurs éblouissantes, des paysages saturés de soleil. Ses œuvres figurent dans la plupart des grands musées du monde ; mais celui de Marseille et surtout celui de Lyon montrent chacun un ensemble particulièrement important de peintures. En dépit de tant de plagiaires et de faussaires, Monticelli n'eut pas de successeur direct. Artiste d'exception, il joua un rôle complexe, préfigurant à la fois l'Impressionnisme par l'analyse du coloris et la vibration de la touche, le Symbolisme par la rareté ésotérique de l'émotion, Van Gogh et le Fauvisme par la hardiesse des tons et le goût des empâtements, en prolongeant le Romantisme par des thèmes inspirés de la fable et du passé.

MORBELLI Angelo,
peintre italien
(Allesandria 1853 - Milan 1919).

Élève de Bertini et de Casnedi à l'Académie de Brera de Milan (1869-1876), Morbelli s'intéresse rapidement à l'esthétique

Adolphe Monticelli
*Don Quichotte
et Sancho Pança,* 1865
96,5 × 130 cm
Paris, musée d'Orsay

impressionniste et, comme eux, tente avec quelques-uns de ses camarades qui partagent ses goûts picturaux (Previati, Segantini, Grubicy) d'organiser un Salon des refusés. Il expose en France et en Angleterre, dès 1882-1884, des œuvres d'une technique divisionniste (la *Gare centrale de Milan,* 1889, Milan, G.A.M.) qui traduisent une constante mélancolie (*Derniers Jours,* Milan, G.A.M. ; *Jour de fête à l'hospice,* Paris, musée d'Orsay).

MOREAU-NÉLATON Étienne,
peintre, graveur, céramiste, historien d'art et collectionneur français
(Paris 1859 - id. 1927).

Il eut de bonne heure le goût des choses de l'art, auquel le prédisposaient ses origines : son père, Adolphe Moreau fils (Paris 1827 - Fère-en-Tardenois 1882), maître des requêtes au Conseil d'État, collectionnait les meubles et objets du Moyen Âge et de la Renaissance et avait hérité de son propre père, Adolphe Moreau (Paris 1800 – id. 1859), qui était agent de change et l'un des amateurs les plus notables de son temps, une collection de 800 tableaux comprenant des œuvres d'artistes secondaires, mais aussi des toiles importantes de Decamp, Troyon, Corot et surtout Delacroix, avec qui il était lié. Étienne Moreau (qui ajouta à son

nom celui de son grand-père maternel, le chirurgien Auguste Nélaton) se destina d'abord à l'histoire, fut reçu à l'École normale (1878), puis étudia la peinture avec Harpignies et Albert Maignan. Il a laissé des scènes intimistes et des paysages, notamment de la région de Fère-en-Tardenois, où sa famille avait une propriété (la *Place de Fère,* 1886, Orsay). En tout, quelque 800 toiles, estampes et affiches. Il cessa de peintre et de collectionner vers 1907.

En tant qu'historien d'art, on lui doit d'importantes études sur les dessins du XVIe s. (*le Portrait à la cour des Valois,* 1908) et de très précieuses biographies de divers artistes du XIXe s., établies à partir de lettres, notes, journaux intimes patiemment réunis (*l'Histoire de Corot et de ses œuvres,* en introduction au catalogue dressé par A. Robaut, 1905 ; *Delacroix raconté par lui-même,* 1916 ; *Jongkind,* 1918 ; *Millet,* 1921 ; *Daubigny,* 1925 ; *Manet,* 1926 ; *Bonvin,* 1927). É. Moreau-Nélaton est également l'auteur d'ouvrages consacrés à l'Aisne (*Histoire de Fère-en-Tardenois,* 1911 ; *les Églises de chez nous,* 1913-1914).

Sa collection témoigne de ses qualités de connaisseur et de mécène : aux meilleurs tableaux hérités de son grand-père, il adjoignit d'autres peintres remarquables de l'école « de 1830 » et de l'époque impressionniste, et, dès 1906, offrit au Louvre cet ensemble qui constitue la plus belle donation d'œuvres du XIXᵉ s. faite au musée et dont la plupart font aujourd'hui l'orgueil du musée d'Orsay. Celle-ci comprend, outre des dessins, une centaine de toiles, parmi lesquelles 39 Corot, maître préféré d'É. Moreau-Nélaton (le *Pont de Narni*, 1826 ; la *Cathédrale de Chartres*, 1830 ; le *Pont de Mantes, Velléda*, 1868-1870), 14 Delacroix, provenant de la plupart de la collection d'Adolphe Moreau (*Nature morte au homard*, 1826 ; *Musiciens juifs de Mogador*, 1847 ; réplique réduite de la *Prise de Constantinople* 1852), des œuvres de Géricault, Daumier, Carrière, Decamps, Morisot, Puvis de Chavannes, 5 Manet (dont le célèbre *Déjeuner sur l'herbe*, 1863), des Monet (les *Coquelicots*, 1873 ; le *Pont d'Argenteuil*), des paysages de Sisley et de Pissarro (la *Diligence à Louveciennes*, 1870) et l'*Hommage à Delacroix* (1864) de Fantin-Latour. Deux autres donations auront lieu en 1907 et en 1919.

En 1927, il lègue au Louvre une exceptionnelle collection de 6 000 dessins (dont 360 de Corot et 1 500 de Delacroix, etc.), des autographes et quelque 3 000 estampes à la Bibliothèque nationale. Une exposition lui a rendu hommage : De Corot aux impressionnistes, Donations Moreau-Nélaton (Grand Palais, 1991).

MORET Henry,
peintre français
(Cherbourg 1856 - Paris 1913).

Après des études artistiques menées simultanément aux Beaux-Arts, à Paris, en 1876, et chez Ernest Corroller à Lorient, il retourne définitivement peindre la mer en Bretagne : d'abord au Pouldu, dès 1881 ; mais il ne semble faire la connaissance de Gauguin et d'Émile Bernard qu'en 1888-89, lors de séjours à Pont-Aven (*Paysage de Pont-Aven*, vers 1889, Quimper, musée des Beaux-Arts). Gauguin juge sévèrement cet imitateur prudent. Si ses couleurs, d'ailleurs, et ses cernes sont bien d'un style symboliste, sa touche reste fragmentée : *Portrait de femme* (1892, coll. part.), les

Faubourgs de Lorient (id.). Curieusement, c'est après leur séparation que l'influence de Gauguin se fera le plus sentir, dans de belles toiles aux roses et ocres haussés : *Île de Houat* (1893, coll. part.), le *Roulage au Pouldu* ou la *Prairie rose* (1894, *id.*), *Vue de la rade de Lorient* (*id.*). À partir de 1895, sous l'influence du marchand Durand-Ruel, qui écoule ses toiles vers les États-Unis, il retourne à un style plus proche de Claude Monet, bien qu'avec des formes qui restent très architecturées, sous la touche désordonnée, et des verts acides. Il s'installe en 1896 à Doëlan (ou Doueland, Finistère) : *Neige à Doëlan* (1898, Genève, Petit Palais) ; la *Houle de Pen-Men* (1896, coll. part), l'*Île de Croix* (1897, *id.*), et en 1912 peint les côtes de la Manche. De passage à Paris en 1913, il est terrassé par la tuberculose. En 1983, la salle Drouot mettait en vente plus de deux cents dessins, fusains et aquarelles, et le musée de Pont-Aven lui a consacré une grande exposition rétrospective en 1988 ; le musée de Brest possède de nombreux croquis de lui.

MORISOT Berthe,
peintre français
(Bourges 1841 - Paris 1895).

Élève de Guichard, ami et élève de Corot (dont elle copia la *Vue de Tivoli*, en 1863, donnée au Louvre plus tard par la famille Rouart, auj. au musée d'Orsay), elle peignit, sur le conseil de ce dernier, des paysages près de Pontoise, en 1863, et rencontra Daubigny et Daumier. Mais son nom est surtout lié à celui de Manet, qu'elle connut par l'intermédiaire de Fantin-Latour v. 1867 en allant copier des tableaux au Louvre. Celui-ci l'a peinte dans le *Balcon* (1868, Paris, musée d'Orsay) et a même retouché une de ses toiles, la *Sœur de l'artiste, Edma, et leur mère* (1869, Washington, N.G.). Berthe Morisot se convertit à la peinture de plein air, à l'exemple des amis de Manet, Bazille, Renoir, Monet — *Vue du petit port de Lorient* (1869, New York, coll. Mellon Bruce), la *Chasse aux papillons* (1874, Paris, musée d'Orsay), l'*Entrée du port* (1874, musée de Bagnols-sur-Cèze) —, mais continua parallèlement à peindre des por-

traits et des intérieurs : le *Berceau* 1872, Paris, musée d'Orsay), *Dans la salle à manger* (1886, Washington, N.G.).

Bien que régulièrement admise au Salon depuis 1864, cette jeune femme de la meilleure bourgeoisie n'hésita pas à participer à la plupart des expositions impressionnistes en France et à l'étranger (Londres, 1883 ; Bruxelles, New York, 1884), malgré la réprobation de Manet, dont elle épousa le frère Eugène, en 1874. Grâce aux impressionnistes, elle éclaircit sa palette, mais elle ne dut qu'à elle-même la fraîcheur lumineuse de ses tons, sa facture libre et vigoureuse et cette poésie « virginale » qui charma et séduisit Renoir, dont l'influence est assez sensible sur son œuvre. Une touche plus arrondie, un dessin plus ferme caractérisent sa production à partir de 1890

Berthe Morisot
La Chasse aux papillons, 1874
46 × 56 cm
Paris, musée d'Orsay

(la *Cueillette des cerises*, 1891, coll. part.).

Parmi ses œuvres les plus réussies de l'artiste, on peut citer *Cousant dans le jardin* (1881, musée de Pau), *Dans l'herbe à Maurecourt* (1884, Toledo, Ohio, Museum of Art), de nombreuses scènes d'intimité familiale, où l'artiste exprime sa tendresse pour la vie enfantine, et des aquarelles fraîches et elliptiques (coll. Rouart).

Ses peintures se trouvent conservées en partie au musée d'Orsay, à Washington (N.G.), à Chicago (Art Institute), à Copenhague (N.G.) et dans les collections particulières américaines.

MOROZOV Ivan Alexandrovitch,
collectionneur russe
*(Moscou 1871 - Karlsbad
[Karlovy-Vary] 1921).*

On doit à cet industriel moscovite une collection de peinture française moderne qui s'apparente à celle de son ami Chtchoukine. Mais Morozov, moins audacieux, plus traditionaliste que ce dernier, s'attacha surtout à l'Impressionnisme et à ses prolongements. Il avait acquis, notamment dans des galeries parisiennes (Vollard, Bernheim-Jeune), outre des Monet, Renoir, Sisley, Pissarro, 17 Cézanne dont l'*Autoportrait à la casquette* et le *Portrait de Mme Cézanne*, 11 Gauguin, 5 Van Gogh dont la *Ronde des prisonniers*. Il commanda pour son hôtel de Moscou de grands ensembles décoratifs à Maurice Denis (1909) et à Bonnard (1911). Il acheta également quelques toiles de Matisse, de Derain, et surtout, à partir de 1910, rassembla une cinquantaine de Picasso. En 1918, sa collection, nationalisée, forma, avec la collection Chtchoukine, le musée d'Art nouveau occidental de Moscou. Vers 1930, au cours d'un premier partage entre le musée Pouchkine de Moscou et le musée de l'Ermitage de Leningrad, ce dernier reçut un certain nombre d'œuvres françaises provenant de la collection Morozov. En 1948, après la fermeture du musée d'Art occidental, les tableaux furent définitivement répartis entre l'Ermitage et le musée Pouchkine. Le frère d'Ivan Morozov, Michel, mort en 1904, avait commencé lui aussi à réunir des peintures françaises. Ces œuvres, dont le *Portrait de Jeanne Samary* par Renoir, furent léguées par sa veuve, en 1910, à la Tretiakov Gal. En 1925, elles furent transférées au musée d'Art occidental et passèrent en 1948 au musée Pouchkine.

MORRICE James Wilson,
peintre canadien
(Montréal 1865 - Tunis 1924).

Fils d'un riche marchand de Montréal, il abandonne ses études de droit à l'université de Toronto, se rend à Paris en 1889 et s'inscrit à l'Académie Julian. Il prend conseil d'Harpignies, subit l'influence de Whistler, rencontré en 1897, et admire Puvis de Chavannes, Renoir et les post-impressionnistes. Il se lie également avec des artistes américains, M. Prendergast et Ch. Conder, plus tard W. Glackens et R. Henri (1895). Grand voyageur, Morrice revient fréquemment à Montréal pour de courts séjours et peint en Normandie, en Bretagne, à Venise (1896-97), en Belgique et en Angleterre. En 1911-12, il fait un séjour à Tanger avec Henri Matisse, rencontré en 1908 ou 1909, et par la suite visite Cuba, la Jamaïque, la Martinique, Trinidad, la Corse et finalement l'Algérie, où il travaille avec Marquet (1922), et la Tunisie.

L'art de James Wilson Morrice se distingue par l'aspect rêveur et enveloppé de ses compositions, qui le rapproche des Nabis (*Jeune Femme vénitienne*, Ottawa, N.G. ; *Foire de campagne*, v. 1905, Fredericton, New Brunswick, Beaverbrook Art Gal.). Sa peinture est exécutée avec un grand souci d'harmonie et de mise en page dépouillée (le *Ferry, Québec*, v. 1909, Ottawa, N.G. of Art), même apr. 1910, quand, par la couleur et la lumière, il subit l'influence du Fauvisme et rappelle davantage Marquet que Matisse (*Plage à Trinidad*, v. 1927, Ottawa, N.G.). Morrice vécut surtout à Paris mais il est étroitement associé à l'évolution de l'art canadien du début du xxᵉ s. Il est représenté dans les musées de Montréal, Ottawa, Québec, Toronto, Hamilton, Winnipeg, à la Beaverbrook Art Gal. de Fredericton, à la Tate Gal. de Londres et à Paris (M.A.M. de la Ville de Paris).

MUNCH Edvard,
peintre et graveur norvégien
*(Løten, Hedmark, 1863 -
Ekely, près d'Oslo, 1944).*

Sa formation se fait, dans les années 1880, au contact d'un naturalisme assoupli par l'influence impressionniste (Ch. Krong et les artistes de « la Bohème de Christiania ») ; à Paris, où il séjourne de 1889 à 1892, il est marqué par le Néo-Impressionnisme (*Rue*

Edvard Munch
Rue La Fayette, 1891
92 × 73 cm
Oslo, Nasjonalgalleriet

La Fayette, 1891 Oslo N.G.) et surtout par le symbolisme, celui de Gauguin en particulier. Sa peinture se fonde sur l'émotion et sur la recherche de l'expression, adoptant de puissants contours sinueux et des couleurs fortes (*le Cri,* 1893, Oslo N.G.) ; au-delà des acquis du Synthétisme et du Jugendstil, Munch affirme une vision pessimiste, angoissée, voire tragique, du destin (toiles de *la Frise de la vie,* peintes dans les années 1890). En Allemagne, où sa peinture fait scandale en 1892 et favorise l'éclosion de la Sécession berlinoise, il joue sans doute un rôle important dans la gestation de l'Expressionnisme, notamment par la stylisation puissante de ses gravures sur bois. Après les années 1900, il adopte des couleurs plus claires et plus crues (*Cheval au galop,* 1912, Oslo, musée Munch ; *Nu au fauteuil,* 1929 ; *ibid.*), s'ouvre à une sorte de

réalisme social (*Ouvriers rentrant chez eux,* 1912, *ibid.*) ou laisse libre cours à la poésie des paysages nordiques (*Nuit étoilée,* 1923-24, *ibid.*) ; mais l'inquiétude est toujours présente, notamment dans les autoportraits tardifs (*Autoportrait entre le lit et l'horloge,* 1940-1942, *ibid.*). Une exposition, Munch et la France (1991-92, Paris, Oslo, Francfort), a permis de confronter les œuvres de l'artiste (peintures, dessins et estampes) avec celles des artistes français tels que Caillebotte, Monet, Gauguin, É. Bernard, etc.

MUNKÁCSY Michael Lieb, dit Mihály, peintre hongrois
*(Munkacs 1844 – Endenich,
près de Bonn, 1900).*

Après une enfance difficile et misérable, qu'il raconta lui-même dans ses lettres à

Mihaly Munkácsy
*Les Faiseuses
de charpie, 1871*
141,3 × 183,5 cm
Budapest, Galerie
nationale hongroise

Mme Chaplin (1885), il reçut ses premières leçons d'un peintre ambulant, Alexis Szamossy, puis, en 1863, il travailla à Budapest chez Anton Ligeti. Il étudia ensuite à Vienne près de Rahl et de Piloty (1864), puis à l'Académie de Munich (1866). Il fut alors très attiré par l'art de Rembrandt. De passage à Paris en 1867, il découvrit aussi la leçon réaliste et sociale de Courbet. À partir de 1868, il se perfectionna, à Düsseldorf, dans l'atelier de Knaus. Il exposa alors au Salon des artistes français de 1870 son célèbre *Dernier Jour d'un condamné à mort en Hongrie* (1870, Budapest, G.N.H.), qui lui valut la médaille d'or, l'admiration de tous et l'attention de Castagnary. Il peignit ensuite de nombreuses toiles d'un réalisme de plus en plus antilittéraire, révélant un penchant pour l'anecdote. Il s'installa à Paris en 1872 et séjourna aussi à Barbizon en 1874, où il exécuta des paysages sonores d'une belle qualité de coloris (*Route poussiéreuse*, 1881, *id.*; l'*Allée de châtaigniers*, 1886, *id.*). Ayant épousé la veuve du baron de Marches, et lié à plusieurs marchands, il mena à Paris, durant de longues années, une vie d'artiste consacré, opulente et mondaine. S'il réalisa ce milieu des toiles très parisiennes, où il délaissa quelque peu le Réalisme pour le souvenir de Makart et, comme Leibl, se rapprocher des impressionnistes, il se consacra surtout à des œuvres

historiques et religieuses, d'un caractère vigoureux, malgré un accent un peu trop théâtral (le *Christ devant Pilate*, 1881, Budapest, G.N.H., et Paris, musée d'Orsay). Il exécuta, à Budapest, une vaste composition décorative : la *Prise de possession de la Hongrie par les Magyars en 896* (salle de réception du Conseil de présidence).

Munkácsy mourut en 1900 dans un asile d'aliénés. Sa facture à la pâte épaisse, aux tonalités sombres, est relevée de touches d'un blanc pur ou d'un rouge ardent qui font vibrer les camaïeux assourdis de noirs, de bruns et de gris : les *Faiseuses de charpie* (1871, Budapest, N.G.), le *Héros du village* (1875, Cologne, W.R.M.) ou la *Femme à la baratte* (1873, Budapest, G.N.H.).

MUNTHE Gerhard,
peintre norvégien
(*Elverum 1849 - Lysaker, près d'Oslo, 1929*).

Il se forma dans les académies des peintres Johan Fredrik Eckersberg et Knud Larsen Bergslien, à Oslo (1870), puis chez son parent Ludvig Munthe, à Düsseldorf (1874-1876) et enfin à Munich (1877-1882), où il étudia en solitaire les paysages hollandais du XVIIe s. Ses premiers paysages de la Norvège orientale, peints dans des tons assourdis où dominent les gris, représentent des scènes de la vie quotidienne. À partir de 1880, ses couleurs s'éclaircissent, deviennent plus lumineuses et riches (la *Moisson*, 1884) ; en 1886, il rejoint Harriet Backer, Werenstiold et d'autres peintres d'atmosphère de « la ferme de Fleskum », mais il reste plutôt fidèle au Naturalisme : *Soir à Eggedal*, 1888 ; le *Jardin du paysan*, 1888 ; *Printemps*, 1889, Oslo, Ng. Un tout autre aspect de son art apparaît dans des compositions (exposées en 1893) où il exploite des motifs tirés de vieilles ballades, de légendes et de contes norvégiens, le plus souvent librement interprétés, en mettant l'accent sur le rôle décoratif de la surface et la sonorité suggestive de la couleur. Dans ce style volontiers archaïsant, Munthe décora, de 1910 à 1916, la grande salle d'un bâtiment gothique, le Håkonshall de Bergen (détruit en 1944). Il dessina des ex-libris et illustra plusieurs ouvrages, notamment les « sagas royales » norvégiennes de Snorre Sturlason (1896-1899) ainsi que des chansons populaires. Il a également peint des projets (tapisseries, meubles) dans un style proche du Jugendstil, et cette contribution fut déterminante pour l'évolution de l'art décoratif norvégien du xxe s.

MURER Auguste Meunier, dit Eugène, amateur d'art et collectionneur français *(Moulins 1846 - Auvers-sur-Oise 1906)*.

Lorsque, vers 1865, Eugène Murer, pâtissier de son métier, vint s'installer à Paris, il fit la connaissance, par l'intermédiaire de Guillaumin, originaire de Moulins, comme lui, des peintres impressionnistes, Manet, Sisley, Cézanne, et surtout de Pissarro et de Renoir, à qui il commanda des portraits. Autodidacte, épris de peinture et de poésie (lui-même fit paraître en 1877 un recueil de vers, *les Fils du siècle*, et fit une première exposition en 1895), il prit l'habitude de réunir ses amis peintres tous les mercredis dans sa boutique du 95, boulevard Voltaire. En 1881, il vendit son fonds de commerce pour s'installer à Auvers-sur-Oise non loin du docteur Gachet. Il acquit à cette époque – avec sa demi-sœur Marie Meunier – l'hôtel-restaurant « du Dauphin et d'Es-

pagne » à Rouen ; c'est là qu'en 1896 il exposa la « magnifique collection d'impressionnistes » – ainsi avait-il libellé l'affiche qui invitait à voir ses tableaux – qu'il avait rassemblée au fil des années. Cette collection comprenait notamment son propre portrait par Renoir (New York, coll. Haupt), le *Portrait de Paul Murer*, son fils (Baden, coll. part.), de sa demi-sœur, *Marie Meunier, dite Murer* (Washington, N.G.), un *Portrait de Sisley* (Chicago, Art Inst.), le *Harem* (Tōkyō, musée d'Art occidental), la *Tonnelle* (Moscou, musée Pouchkine) ; Murer possédait également plusieurs Pissarro et des Sisley (dont la *Passerelle d'Argenteuil*, musée d'Orsay). La collection, recensée par Paul Alexis en 1887 dans *le Cri du peuple*, fut dispersée en 1897 ; Marie Meunier (qui avait épousé l'écrivain Jérôme Doucet) en possédait la moitié et contraignit Murer à la vendre.

NABIS.

Élèves de l'Académie Julian (Sérusier, Ranson, M. Denis, Bonnard, Ibels, Georges Lacombe [le « nabi sculpteur », 1868-1916]) ou de l'École des beaux-arts (Vuillard, K.X. Roussel, Maillol), les Nabis joignent l'influence de Gauguin, rencontré par Sérusier à Pont-Aven, à celle des estampes japonaises. Tonalités sourdes, lignes sinueuses, couleurs posées en aplats, humour caractérisent le style nabi, pratiqué pendant une dizaine d'années (1888-1898) par ces artistes, qui suivront ensuite leur voie personnelle. Plusieurs étrangers, Jan Verkade (néerlandais), Mogens Ballin (danois), Vallotton (suisse), Rippl-Rónai (hongrois), ont appartenu à ce groupe, qui s'est intéressé à tous les arts plastiques, à la lithographie, à l'affiche, au vitrail, au décor de théâtre.

NADAR, Félix Tournachon, dit, photographe, journaliste, caricaturiste et romancier français *(Paris 1820 - id. 1910)*.

Journaliste depuis l'âge de dix-sept ans, à Lyon, puis à Paris, Nadar collabora à de très nombreux journaux, dont *le Charivari*,

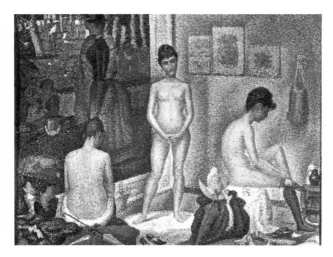

Georges Seurat
Poseuses, 1888
200 × 250 cm
Merion, Barnes Foundation

l'Éclair ; il était surtout connu pour sa verve d'humoriste et ses caricatures ; c'est ainsi que, v. 1851, il entreprit le fameux *Panthéon Nadar*, série de portraits à peine chargés où souhaitaient eux-mêmes figurer les littérateurs, les artistes ainsi que les savants et hommes politiques français contemporains. Il a dit lui-même que son *Panthéon* l'avait conduit à se consacrer au portrait photographique v. 1853-54. En quelques années, utilisant un procédé récemment découvert, l'instantané, il se révèle comme l'un des plus grands photographes de tous les temps. Sa compétence technique (il prit de nombreux brevets de perfectionnement et sa carrière est jalonnée de récompenses officielles), mais plus encore la connaissance intime de ses modèles lui permirent de saisir les portraits célèbres de Baudelaire, Victor Hugo, Delacroix, Lamartine. À partir de 1863 éclate une véritable passion, qui le ruinera, pour l'aéronautique ; Nadar s'illustre à bord de son ballon le *Géant* et, durant le siège de Paris, en 1870, il utilisera les ballons pour la défense de la capitale. Ayant le sens inné de la publicité, il s'introduit dans tous les milieux.

Nadar est également lié au mouvement impressionniste ; il fréquentait le groupe du café Guerbois, et c'est dans son atelier du 35, bd des Capucines, qu'eut lieu la première exposition impressionniste (1874).

NÉO-IMPRESSIONNISME.

Mouvement pictural de la fin du XIXe s., dont Seurat est l'initiateur et Signac l'un des principaux propagateurs. Le Néo-Impressionnisme est l'application à la peinture de la division des couleurs, issue des théories scientifiques de Chevreul (loi du contraste simultané des couleurs), Helmhotz, Ogden N. Rood, Ch. Cros. *Un dimanche à la Grande Jatte* (1884-1886) de Seurat en est le manifeste. Encouragé par les écrits de Fénéon, Ch. Henry, Verhaeren, le groupe néo-impressionniste, qui expose au Salon des indépendants à Paris et aux XX à Bruxelles, comprend Seurat, Signac, C. et L. Pissarro, Dubois-Pillet, Angrand, Luce, H.E. Cross, etc. Certains artistes, Van Gogh, Toulouse-Lautrec, essaient épisodiquement le Divisionnisme, qui connaît une expansion remarquable en Belgique (Van Rysselberghe, Alfred Finch, H. Van de Velde, etc.) ; en Italie il est pratiqué par Segantini, Morbelli, Severini à ses débuts, etc. ; aux Pays-Bas par Toorop et tout un courant « pointilliste », en Allemagne par Rohlfs, notamment.

NEW ENGLISH ART CLUB.

Cette société anglaise, fondée en 1886, groupait des artistes trop audacieux pour pouvoir exposer à la Royal Academy. Des peintres anglais dont la sympathie allait à l'école de Barbizon et aux impressionnistes français, tels que Sickert, Steer et Brown, en furent les premiers membres éminents. Pendant vingt-cinq ans, des expositions annuelles définirent le niveau de l'art moderne en Angleterre et furent défendues par le critique du *Spectator* D. J. McCall, puis par Moore et Fry. En 1911, quelques membres se détachèrent avec Sickert et formèrent le Camden Town Group.

NOMELLINI Plinio,
peintre italien
(Livourne 1866 - Florence 1943).

Élève de Natale Betti à l'école de dessin de Livourne (1878-1884), puis de Fattori à l'Académie des beaux-arts de Florence, il devient très vite le chef de file de la seconde génération des Macchiaioli (M. Puccini, De Albertis, Previati...), soutenu par Lega, Signorini et Diego Martelli. Installé à Gênes (1890-1902), il exprime avec Pellizza da Volpedo ses théories anarchistes dans des toiles pointillistes, inspirées du Néo-Impressionnisme français (l'*Appel du travail*, 1893, coll. part.). À partir de 1902, à Torre del Lago, il compose, sous l'influence de D'Annunzio, des toiles plus romantiques et patriotiques, lourdes de symboles (*Jeunesse victorieuse*, 1903). Puis, en 1908, à Viareggio, il se met à employer des couleurs vives dans des paysages qui s'apparentent au Fauvisme (*Midi*, 1911-12, coll. part.). Résidant à Florence à partir de 1919, il retrouve une certaine vitalité. Ses œuvres sont conservées à Livourne (musée G. Fattori) et dans les G.A.M. de Rome, de Venise, de Florence, de Bologne et de Novare.

NORDSTRÖM Karl,
peintre suédois
(Tjöm, Bohuslän, 1855 - Stockholm 1923).

Après des études à l'Académie des beaux-arts de Stockholm, il vint à Paris en 1880. Avec Josephson et Bergh, il s'oppose au conformisme de l'Académie suédoise des beaux-arts. En 1882 et de 1884 à 1886, il séjourne en France à Grez-sur-Loing au sein de la petite colonie suédoise où il se lie avec Srnòberg, et pratique une peinture de plein air dans des tonalités blondes. Il est l'un des premiers peintres suédois à découvrir l'Impressionnisme, dont la leçon est sensible dans *Jardin à Grez* (1884, musée de Göteborg), dans le portrait de l'écrivain d'art *Klas Fåhraeus* (1886, Stockholm, coll. part.) ainsi que dans quelques toiles vivement colorées, réalisées après son retour en Suède : *Hiver* (1889, Stockholm, Nm), *Soir d'hiver*, *Roslagstull* (1897-1900, Göteborg Kunstmuseum), paysages crépusculaires et mélancoliques. La découverte des œuvres de Gauguin et de Van Gogh, exposées à Copenhague en 1892 et 1893, et celle de l'estampe japonaise précipitent son évolution en faveur de la simplification décorative et de l'expression. Durant les années 1893-1895, il travaille avec ses camarades Richard Bergh et Nils Kreuger, à Varberg (sur la côte ouest de la Suède), et il atteint à un style monumental, aux formes synthétiques et au coloris puissant : *Nuages de mauvais temps* (1893, Stockholm, Nm), le *Fort de Varberg* (1894, musée de Göteborg) et les *Cours mitoyennes* 1894, Stockholm, Nm). Vers 1910, sous l'influence de courants nouveaux, Nordström intensifie son coloris et adopte une touche plus libre (paysages de la province du Bohuslän réputés laids avant lui et vues de Stockholm : la *Prairie de Djurgården*, 1915, Stockholm, Waldemarsudde), mais, dans ses dernières années, il se rapproche de nouveau de l'Impressionnisme, en une série de clairs paysages et de scènes familiales. Il a laissé de puissants dessins au fusain.

Comme peintre et comme chef de file du Konstnärsförbundet (Société des artistes), dont il fut le président de 1896 à 1920, Nordström joua un rôle dominant dans la vie artistique suédoise au début du XXᵉ s. L'exposition « Lumières du Nord » (Petit Palais, 1987) lui a rendu hommage. □

OP

O'CONOR Roderic,
peintre irlandais
*(Roscommon 1860 – Neuil-sur-Layon,
Maine-et-Loire, 1940).*

Ce membre du groupe de Pont-Aven, ami de Gauguin et de Séguin (avec qui il échangera une correspondance précieuse), étudie en Angleterre avant de suivre les cours de l'école des Beaux-Arts de Dublin (1879-1883). Il s'inscrit ensuite aux cours de l'Académie des beaux-arts d'Anvers. Son installation en France sera définitive et, dès 1887, il se trouve à Pont-Aven. O'Conor habite alors Paris et il se rend souvent à Grez-sur-Loing, où il retrouve des artistes étrangers, scandinaves, anglais et américains pour s'initier à l'impressionnisme.

Son art, très personnel, est parfois proche de celui de Gauguin : il simplifie les formes ; cependant, l'utilisation des couleurs pures témoigne de son admiration pour Van Gogh (*River Landscape*, 1887, coll. part. ; la *Colline noire*, 1890-91, Belfast, Ulster Museum). En 1893, au Pouldu, il fait des eaux-fortes sans doute sous l'impulsion de Séguin. Expressionnistes, elles représentent un point capital de son œuvre mais évoluent ensuite vers un style plus conventionnel. Fortuné, il aide souvent ses amis, en particulier Séguin et Filiger. À Paris, O'Conor appartient au groupe d'intellectuels anglo-saxons qui se retrouvent au Chat-Blanc : Alexander Harrison, Clive Bell, Paul Bartlett, le peintre et critique Roger Fry, etc.

À partir de 1905, il ne retournera plus en Bretagne. En 1933, année de son mariage, il achète une maison dans le Maine-et-Loire et partagera désormais son temps entre Paris et Neuil-sur-Layon.

OLEFFE Auguste,
peintre belge
*(Saint-Josse-ten-Noode 1867 –
Auderghem 1931).*

Dessinateur-lithographe à Ixelles, il débute en peinture dans le sillage du Réalisme social. De 1895 à 1906, il séjourne à Nieuport, où Thévenet l'initie à la peinture (l'*Homme au phare*, 1897, Bruxelles, M.R.B.A.). Installé à Auderghem, il va souvent travailler sur la côte et évolue, sous l'influence de l'Impressionnisme et du Fauvisme, vers une manière plus claire, mais toujours respectueuse du sujet (*Printemps*, 1911, Anvers, musée d'Anvers). Il fut l'un des principaux artistes du « Fauvisme brabançon » et sa maison d'Auderghem devint le lieu de ralliement du groupe, qui comptait notamment Woutters et Brusselmans. Il a laissé également d'estimables eaux-fortes (Bruxelles, cabinet des Estampes).

PAÁL László,
peintre hongrois
*(Zám, Hongrie, 1846 –
Charenton, près de Paris, 1879).*

Après des études de droit à Vienne en 1865, il suit des cours de dessin à l'école des Beaux-Arts de cette ville. Parti en Hollande peindre des paysages en plein air, il se fixe ensuite à Düsseldorf v. 1870 à la demande de son ami Michel Munkácsy et le suit de nouveau à Paris quelques années plus tard. Il peint dès lors dans la forêt de Barbizon des paysages sombres, exécutés rapidement et inspirés directement de ceux de Courbet, de Millet et de Th. Rousseau (*Au cœur de la forêt*, Budapest, G.N.H. ; *Paysage*, La Haye,

Rijksmuseum H.W. Mesdag). La majorité de ses toiles sont visibles à la G.N.H. de Budapest, qui en a prêté quelques-unes en 1975 au musée de Barbizon pour une exposition collective. Le musée des Beaux-Arts de Rouen conserve *Clairière à Fontainebleau*.

PALIZZI Filippo,
peintre italien
(Vasto, Chieti, 1818 – Naples 1899).

Il appartient à la famille de peintres qui, par un retour au Réalisme, s'efforça de libérer la peinture napolitaine du Romantisme désormais épuisé qui marquait encore la vaste production mineure de l'école du Pausilippe.

Il fut le plus déterminé des 4 frères Palizzi (Giuseppe, Nicola, Francesco Paulo) en cette action de rénovation. Il comprit qu'une réhabilitation du clair-obscur, tel qu'il entrait dans les compositions du XVIIe s., était

Roderic O'Conor
Marine au clair de lune, 1895
73 × 92 cm
Genève, musée du Petit Palais

le moyen le plus efficace pour prendre le vrai. Il représente de préférence des animaux et des paysages, et, avec ces thèmes humbles, il compose d'admirables toiles, dans lesquelles il atteint souvent des valeurs formelles qui ouvrent à l'art italien de nouvelles possibilités. Sa touche grave et constructive l'apparente aux peintres de genre flamands. Il exerça une grande influence sur la plupart des peintres du XIXe s. napolitain, en particulier sur Morelli, qui fut comme lui, pendant quelque temps, directeur de l'Accademia di Belle Arti de Naples, sur Marco De Gregorio, sur Cammarano, sur Mancini et probablement sur le climat artistique toscan, à travers la présence de Saverio Altamura à Florence. Avec son frère Giuseppe, il se rendit à Paris, où la connaissance de la peinture française le confirma dans ses propres orientations. Un groupe important de ses œuvres se trouve à la G.A.M. de Rome ; d'autres sont conservées à l'Accademia et au Capodimonte de Naples, ainsi que dans des coll. part.

Giuseppe *(Chieti 1812 – Paris 1888)* étudia à l'Accademia de Naples, où, comme son frère Filippo, il s'affirma comme paysagiste et peintre animalier avec des œuvres proches des « vedute » des derniers représentants de l'école du Pausilippe (*Maison campagnarde*, 1841, Naples, Capodimonte). Après 1844, il se fixa en France et se rallia aux modes de l'école de Barbizon. Ses œuvres, de facture libre et agréable, sont conservées dans des musées italiens (*Vue de Fontainebleau*, Rome, G.A.M.) et français (le *Printemps*, v. 1852, Louvre ; l'*Averse*, musée de Dijon).

PANKIEWICZ Jozef,
peintre et graveur polonais
(Lublin 1866 – Marseille 1940).

Il commença ses études à Varsovie en 1884, chez W. Gerson, et les poursuivit à Saint-Pétersbourg en 1885-86. Entre 1897-1906, il fit plusieurs voyages en Hollande, Belgique, Italie, Angleterre, France. Membre de la société Sztuka, il fut nommé en 1906 professeur à l'Académie des beaux-arts de Cracovie. Il séjourna en Espagne pendant la Première Guerre mondiale, s'établit à Paris en 1925, où il dirigea la filiale parisienne de l'Académie des beaux-arts de Cracovie. Il reçut la Légion d'honneur en 1928. Sa peinture, qui connut plusieurs phases et suivit différentes tendances, révèle toujours une grande culture. Admirateur, à ses débuts, de la peinture réaliste d'Aleksander Gierymski, il fut influencé à Paris (1889) par l'Impressionnisme (*Marché aux fleurs près de la Madeleine à Paris*, 1890, musée de Poznań), qu'il introduisit en Pologne avec son ami W. Podkowinski. Ses toiles (les *Cygnes au Jardin de Saxe*, 1896, musée de Cracovie) trahissent ensuite son penchant pour le Symbolisme qui s'exprime en particulier dans des scènes nocturnes usant d'une monochromie nuancée (*Cygnes la nuit*, 1894, Varsovie, M.N.). Pankiewicz est connu aussi comme portraitiste et peintre de scènes d'intérieur : *Visite* (musée de Varsovie). Son œuvre gravé, surtout à l'eau-forte, est de qualité. L'artiste se lia avec Bonnard (dès 1906), Delaunay et Fénéon, qui présenta son œuvre dans le catalogue d'exposition chez Bernheim-Jeune en 1922. Excellent pédagogue – les kapistes étaient ses élèves –, il exerça une influence considérable sur l'évolution du Post-Impressionnisme en Pologne.

PANTAZIS Périclès,
peintre belge d'origine grecque
(Athènes 1849 – Bruxelles 1884).

Il est d'abord à Paris l'élève du peintre paysagiste Chintreuil, mais il est très vite attiré par l'avant-garde impressionniste. Il s'installe en 1877 à Bruxelles – tout en continuant à fréquenter le Midi régulièrement. Il devient l'ami de Guillaume Vogels et fait partie de la première équipe du cercle des XX, qu'unissent le luminisme et un grand pragmatisme. Il meurt prématurément de tuberculose et c'est à titre posthume qu'il participera à la première exposition du petit groupe. Il a peint des paysages, des marines, des scènes de plage (*Plage à Blankenberghe*, Bruxelles, M.R.B.A.), que l'on a justement pu rapprocher de Boudin, des portraits (*Bouderie*, musée d'Anvers ; le *Souffleur de bulle*, coll. part., récemment montré à l'exposition « James Ensor Belgium um 1900 », Munich, 1898). Ensor écrira de la peinture de son camarade qu'elle a « des finesses luisantes d'opale irisée ».

PARIS.

Sous le second Empire, la plupart des artistes habitent la rive droite, qui s'est considérablement développée. Les expositions universelles ont amené à Paris provinciaux et étrangers ; les restaurants et les cafés se sont multipliés où les artistes, qui ont leurs ateliers à proximité, aiment à se rencontrer. Toute la région qui s'étend du boulevard des Italiens, au sud, au sommet de la Butte, au nord, de la gare Saint-Lazare et de la place Clichy à l'ouest au boulevard de Rochechouart à l'est devient, du temps de Manet à celui de Bonnard, le quartier des peintres de toutes tendances. L'atelier de Cormon est situé boulevard de Clichy, celui du Degas, place Blanche, celui de Manet, rue d'Amsterdam ; Horace Vernet et Paul Delaroche habitent rue de la Tour-des-Dames. Si la brasserie des Martyrs accueille, dans la rue de ce nom, les peintres de toutes tendances, le café Guerbois, avenue de Clichy, puis, à partir de 1875, le café de la Nouvelle-Athènes, place Pigalle, où se tient le marché des modèles, sont les lieux de rencontre favoris des impressionnistes. Renoir, Van Gogh, lorsqu'ils sont à Paris, logent sur la Butte, ainsi que Lautrec. Le Moulin de la Galette, le bal de l'Élysée-Montmartre, le cabaret du Chat-Noir, le cirque Fernando, le Moulin-Rouge, le cabaret du Père Lathuile leur procurent à la fois des distractions et le sujet de leurs toiles. Se voulant peintres de la vie moderne, mais presque tous paysagistes aussi, ils peignent la Seine, les Tuileries, Monet la gare Saint-Lazare, Pissarro les boulevards animés par la foule, Van Gogh le maquis de Montmartre. Tous leurs marchands sont groupés près du point de rencontre des boulevards Montmartre et des Italiens, rue Laffitte, près de la Salle des ventes et de l'ancien Opéra, où Degas a peint tant de scènes. C'est encore dans cette région de Paris que Toulouse-Lautrec trouve ses sujets, dans les bars et les maisons closes. Constatation curieuse, presque toutes les vues de Paris peintes par les impressionnistes le sont du haut des toits ou des balcons, et offrent ainsi une vision nouvelle de la ville.

PATERSON James,
peintre britannique
(Hillhead, Écosse, 1854 – Édimbourg 1932).

Employé dans une industrie du textile, il suit des cours à l'école d'Art de Glasgow (1871-1874) puis étudie l'aquarelle deux ans avec A.D. Robertson. À Paris, de 1877 à 1883,

il travaille pour Jacquesson de La Chevreuse puis pour J.P. Laurens, tout en effectuant quelques voyages en Écosse, où il peint en plein air avec les anciens élèves de l'école de Glasgow (*Paysage d'Édimbourg*, Glasgow, Hunterian Art Gal. ; *Édimbourg vu de Craigleith*, Édimbourg, N.G. of Scotland). Installé à Moniaive, Écosse (1884-1906), puis à Édimbourg, il expose fréquemment (au Glasgow Inst., à la Grosvenor Gal. de Londres, au Salon des artistes français de Paris) des paysages solidement composés, influencés par Daubigny et Sisley. Ses œuvres sont conservées dans les musées de Glasgow (Hunterian Art Gal.), de Liverpool (Univ. Art Gal.), de Manchester (Whitworth Art Gal.), de Londres (V.A.M.), de Philadelphie (Museum of Art) et de Melbourne (N.G. of Victoria).

PAYSAGE.

Entre le romantisme le plus pathétique et le naturalisme de Courbet se situent les paysagistes de Barbizon. La forêt de Fontainebleau, qui les réunit vers 1827-1829, répond à la fois à leur amour pour les Néerlandais du XVIIᵉ s. et à celui des motifs « sublimes » – landes sauvages, arbres gigantesques, étangs mélancoliques – mais que ces artistes traitent avec un extrême souci de vérité, exécutant leurs esquisses à l'huile en plein air. Tous excellent dans l'étude des effets momentanés de lumière, et tout particulièrement T. Rousseau, avec sa prédilection pour les soleils couchants, Dupré, affranchi de l'emprise de Claude Lorrain par son voyage en Angleterre, Diaz, dont les scintillements auront quelque importance pour la technique des impressionnistes, et enfin Daubigny, le plus sensible, qui leur apprendra à juxtaposer les touches pour rendre le frémissement de la lumière. Les impressionnistes se réclameront aussi de Courbet, associé par le public aux artistes de Barbizon, bien qu'il ait surtout travaillé isolément. L'originalité des paysages de ce peintre est le refus de toute effusion comme de toute référence à la tradition ; plus qu'à l'atmosphère, Courbet s'intéresse à la matérialité des choses – le vert acide des arbres, la granulation lumineuse de la neige ou de l'écume des vagues –, qu'il rend avec une franchise un peu brutale, simplifiant les formes par de larges hachures aux empâtements écrasés.

En marge de tous ces mouvements, Corot a su concilier une immédiateté de vision par laquelle il s'apparente à ses contemporains ou même les distance, et le respect des maîtres classiques. Dans les études et les petits tableaux exécutés pour lui-même et ses amis, son don de ne retenir que l'essentiel et de le construire en surfaces limpides, modulées par un jeu de valeurs très sûr, oppose sa facture à celle, aux tons sombres et souvent crispée, d'un Rousseau. Lorsque Corot cherche, après 1850, à donner à ses grands tableaux une note lyrique, il tombe dans la facilité, mais sa touche plus fragmentée et ses transparences enchanteront les impressionnistes, comme le chromatisme vif des œuvres antérieures.

PELLERIN Auguste,
industriel et collectionneur français
(Paris 1852 – Neuilly 1929).

Auguste Pellerin, industriel qui créa des usines tant en France qu'en Allemagne, en Angleterre et dans les pays scandinaves, consul général de Norvège à Paris de 1906 à 1929, fut l'un des plus grands collectionneurs du début du siècle. Bien avant 1900, il commença à rassembler des objets d'art (porcelaines et objets de cristal et de verre), puis des tableaux, revendant successivement ses Vollon, ses Henner, ses Corot pour des impressionnistes (Renoir, Degas, Monet, Pissarro, Berthe Morisot, Manet), pour enfin se consacrer au seul Cézanne (il posséda de lui plus de 80 toiles), achetant pourtant quelques œuvres d'artistes contemporains : Vuillard (*Place Vintimille*, Paris, coll. part.) ou Matisse (*Portrait d'A. Pellerin*, 1916, Paris, coll. part.). À sa mort, il légua au Louvre 3 *Natures mortes* de Cézanne (*Nature morte à la soupière*, *Nature morte aux oignons*, *Nature morte au panier*), qui se trouvent aujourd'hui à Orsay, le reste de sa collec-

tion, constitué presque exclusivement de Cézanne, demeurant en la possession de ses enfants. Beaucoup d'œuvres ayant appartenu à Auguste Pellerin ont trouvé place dans des musées ; citons, parmi les Manet, le *Déjeuner dans l'atelier* (Munich, Neue Pin.), *Nana* (Hambourg, Kunsthalle), le *Bar des Folies-Bergère* (Londres, Courtauld Inst.) ; le Renoir, *Baigneuse au griffon* (musée de São Paulo) ; de Sisley, l'*Inondation à Port-Marly* (musée d'Orsay). De la plus belle collection de Cézanne jamais rassemblée, mentionnons le *Portrait de vieille femme* (Londres, N.G.), les *Grandes Baigneuses* (Philadelphie, Museum of Art), les *Baigneuses* (Londres, N.G.), *Portrait du père lisant l'Événement* (Washington, N.G.), *Portrait de Mme Cézanne au fauteuil rouge* (Metropolitan Museum), la *Femme à la cafetière*, le *Portrait d'Achille Emperaire*, le *Portrait de G. Geffroy*, la *Montagne Sainte-Victoire* (musée d'Orsay), œuvres données au Louvre par les héritiers du collectionneur, les deux dernières avec réserve d'usufruit.

PELLIZZA DA VOLPEDO,
Giuseppe Pellizza, dit,
peintre italien
(Volpedo 1868 – id. 1907).

Un des représentants les plus rigoureux des divisionnistes italiens, il se distingue des peintres de ce groupe par son éloignement des tentations mystiques et pathétiques, si courantes chez les interprètes de l'Art nouveau. Élève de l'Académie Brera à Milan, puis des Académies de Florence, de Rome et de Bergame (1883-1888), vériste par formation et enclin aux sujets d'inspiration humanitaire, il adopte entre 1892 et 1895 la technique divisionniste pratiquée par Segantini et Angelo Morbelli : il y trouve un moyen à la fois de simplification presque géométrique et de restitution particulièrement sensible et intense des phénomènes lumineux *(Sur le foin*, 1894 ; le *Pré fleuri*, Rome, G.A.M. ; *Linge au soleil*, 1905, Milan, coll. part. ; le *Soleil*, 1906, Rome, G.A.M. ; la *Ronde*, Milan, G.A.M. ; le *Quatrième État*, ou les *Ambassadeurs de la faim*, 1901).

Pellizza da Volpedo
Fleur brisée, 1896-1902
79,5 × 107 cm
Paris, musée d'Orsay

PERSONNAZ Antonin,
collectionneur français
(Bayonne 1854 – id. 1936).

D'une famille aisée du Sud-Ouest, il vint à
Paris de bonne heure et fut introduit dans
les milieux artistiques par Léon Bonnat,
comme lui originaire de Bayonne, et par son
ami Alphonse Osbert. Il se lia avec Pissarro,
Guillaumin, Degas et, dès 1880 env., constitua une collection riche en œuvres impressionnistes. Après la Première Guerre mondiale, retiré à Bayonne, il assuma les
fonctions de vice-président de la commission du musée Bonnat et consacra ses
dernières années à veiller sur les œuvres
d'art laissées à cette ville par son vieil ami.
Personnaz a lui-même légué aux Musées
nationaux sa collection comprenant
142 peintures, pastels, aquarelles et dessins,
Mme Personnaz conserva la jouissance d'une
quarantaine de ces œuvres (parmi lesquelles 24 Guillaumin), qui furent ensuite
mises en dépôt au musée de Bayonne ; les
autres, affectées au Louvre, y furent présentées dès 1937. Parmi les tableaux et pastels
de cette collection, maintenant exposée au
musée d'Orsay, figurent une série de
14 paysages de Pissarro, résumant l'œuvre
de l'artiste de 1870 à 1902, comme la *Route
à Louveciennes* (1870), *Paysage à Chaponval*
(1880), *Femme dans un clos* (1887), *Paysage
à Éragny* (1895), et 9 Guillaumin, dont la
place Valhubert et le *Port de Charenton* 1878).
Le célèbre *Pont d'Argenteuil* 1874) compte
parmi les 3 Monet, et le *Brouillard* (1874)
parmi les 3 Sisley de cet ensemble, qui
comporte également un pastel de Degas, la
Repasseuse (1869), et 4 peintures de Toulouse-Lautrec, notamment *Jane Avril dansant*
(v. 1892) et le *Lit* (v. 1892-1895).

PETITJEAN Hippolyte,
peintre français
(Mâcon 1854 – Paris 1925).

Formé à l'École des beaux-arts de Paris par Cabanel, Petitjean devait tôt affirmer sa prédilection pour l'art de Puvis de Chavannes. Après des travaux académiques, il adopta progressivement la technique pointilliste et, participant au Salon des indépendants dès 1891, il y exposa en 1892 avec les néo-impressionnistes. C'est de 1890 à 1895 qu'il se rapproche le plus, en effet, de leur technique et de leur esprit : *Portrait de Mme Petitjean* (1898, Los Angeles, County Museum of Art). Ses dessins au crayon Conté rappellent ceux de Seurat (*Autoportrait*, 1897, coll. part.). Mais ses couleurs, tendres, ses compositions, imprégnées des mythologies de Fantin-Latour et de Puvis de Chavannes (*Printemps*, 1913, Genève, Petit Palais, coll. Oscar Ghez), n'échappent pas à quelque fadeur. Après 1912, il retrouve une fraîcheur plus spontanée, dans de vives aquarelles pointillistes. En avril 1955, la gal. de l'Institut à Paris organisa l'exposition du centenaire de Petitjean.

PETROVIĆ Nadežda,
peintre yougoslave d'origine serbe
(Čačak 1873 – Valjevo 1915).

Élève de Djordje Krstić, elle poursuivit ses études à Munich chez Anton Ažbé et Julius Exter. Quatre périodes jalonnent sa carrière : période munichoise (1898-1903), période serbe (1903-1910), période parisienne (1910-1912) et période de la guerre (1912-1915). D'abord, elle complète sa formation avec des tableaux de style impressionniste et surtout post-impressionniste, mais rapidement se révèle une coloriste subtile (l'*Arbre dans la forêt*, 1902, Belgrade, M.N.). De retour d'Allemagne, l'artiste prend conscience de l'écart qui sépare le milieu traditionnel de son pays et celui de l'étranger, cosmopolite, et déploie alors une activité immense, écrivant les premières critiques d'art moderne, organisant des expositions, animant des groupes d'artistes, s'engageant dans les manifestations politiques, voyageant et prenant part à la guerre. Très mal accueillie par la critique, sa première exposition à Belgrade en 1900 marque le point de départ de l'art moderne en Serbie. Pendant la période suivante, elle peint avec enthousiasme des paysages et des figures de son pays avec une pâte grasse, aux couleurs vives inconnues en Serbie, révélant un tempérament puissant (*Resnik*, 1904, Belgrade, M.N. ; la *Gitane*, 1905, Belgrade, G.A.M. ; *Cortège à Sićevo*, 1906, *id.*) ; ces œuvres situent l'art de Nadežda Petrović parmi les tendances de l'avant-garde européenne issues de l'Impressionnisme. La période parisienne marque un épanouissement, déterminant pour l'art serbe, caractérisé par l'emprunt de coloris fauves propres à Nadežda (le *Berger*, 1912, Belgrade, M.N.). Les accents expressifs mis en valeur par une composition de plus en plus simplifiée sont repris dans la dernière période, qui correspond à la guerre avec la Turquie et la Bulgarie, puis à la Première Guerre mondiale, pendant laquelle l'artiste s'engage comme infirmière volontaire dans l'armée serbe (*Prizren*, 1913, coll. part. ; *Gračanica*, 1913 ; Belgrade, M.N. ; les *Tentes de l'hôpital de campagne*, 1915, Belgrade, G.A.M.). Personnalité dominante de la vie culturelle et publique de la Serbie, Nadežda Petrović apparaît surtout comme l'un des pionniers de l'art moderne en Yougoslavie.

PHILIPSEN Theodor,
peintre danois
(Copenhague 1840 – id. 1920).

Comme beaucoup de peintres danois de sa génération, après s'être formé à l'Académie de Copenhague, il fréquenta l'atelier de Bonnat à Paris (1875-76). Animalier, il s'inspira d'abord de Potter et de Rosa Bonheur, puis connut Gauguin à Copenhague (1884-85) et développa un style plus libre de caractère impressionniste. L'île de Saltholm, avec ses troupeaux, fut l'un de ses sujets favoris. Philipsen voyagea beaucoup à l'étranger, notamment en Italie, et laissa une production importante mais d'une qualité inégale. Ses meilleurs tableaux, qui influencèrent l'évolution du paysage au Danemark, permettent de voir en lui un interprète original de la peinture de plein air. Il est surtout représenté à Copenhague (S.M.f.K. [*Une allée à Kastrup*, 1891] ; N.C.G. ; Hirschsprungske Samling).

PIETTE Ludovic,
peintre français
(Niort 1826 – Paris 1877).

Élève de Pils, de Thomas Couture et de l'Académie Suisse, il se consacre avec Chintreuil à la peinture en plein air dans la région parisienne. Là, il fait la connaissance de Pissarro, devenu son grand ami, dont il subira l'influence, tout en demeurant en marge des impressionnistes. À partir de 1864, Piette se rend souvent chez Pissarro à Pontoise et à Louveciennes et c'est chez le premier à Montfoucault que ce dernier viendra se réfugier en 1874, après l'exil forcé de Piette en Angleterre (1870). Il n'exposera qu'à trois reprises au Salon : en 1875, en 1877 et en 1879. S'il traite souvent des mêmes paysages que Pissarro, il conserve toutefois une facture plus traditionnelle : *Place du marché à Pontoise*, 1876, Pontoise, musée Pissarro ; *Camille Pissarro peignant en plein air*, v. 1870, coll. part. Ses œuvres ont été présentées dans des manifestations collectives à Paris (Grand Palais) en 1981 et au musée Pissarro de Pontoise en 1982, 1984, 1985 et 1987. Le cabinet des Dessins du Louvre possède quelques-unes de ses aquarelles.

PINAZO CAMERLENCH Ignacio
(Valence 1849 – Godella, Valence, 1916).

D'origine modeste, il dut d'abord exercer différents métiers (doreur, peintre d'éventails...) pour vivre tout en suivant à partir de 1864 les cours de l'Académie San Carlos de Valence. Il travailla pour plusieurs églises de Valence et décora des demeures. Lors d'un premier voyage en Italie, en 1872, il visite Rome, Naples et Venise, où l'influence de Fortuny le pousse vers la peinture de genre. De retour à Valence, quelques œuvres de qualité (*Mort de Jaime le Conquérant*, musée de Saragosse) lui permettent d'obtenir une bourse pour un nouveau séjour en Italie (1876). L'influence des Macchaioli le pousse à abandonner la peinture d'histoire et à se consacrer au portrait et au paysage. À côté d'une dizaine d'autoportraits (Cason, Prado ; Hispanic Society, New York...), il peint de nombreux portraits de ses enfants, conçus comme des scènes de genre (*la leçon apprise par cœur*, *Petite Fille lisant*, Cason) qui révèlent son talent de coloriste et sa grande liberté de facture. Ses paysages (*Crépuscule*, Madrid, coll. part.) montrent la même liberté, avec des touches larges, épaisses et de beaux effets lumineux. Académicien à Valence et à Madrid, il enseigna mais menait surtout une existence retirée (*Portrait de D. Emilo Alvarez, Cour de jardin*, musée de Valence). Son œuvre appelle des comparaisons avec celle de Fortuny et Sorolla.

PIOT René,
peintre français
(Paris 1869 – id. 1934).

Bien que l'un des premiers (1891) et fidèles élèves de l'atelier Gustave Moreau à l'École des beaux-arts de Paris, qui fut la pépinière du Fauvisme, Piot se rattache davantage au groupe des Nabis. Il subit en effet l'influence de Maurice Denis, dont l'esprit spéculatif et religieux était proche du sien. Il assura en 1893 la première publication du *Journal* de Delacroix, livré clé pour tous les peintres que préoccupaient les problèmes de la couleur à la fin du siècle. Son triptyque du *Martyre de saint Sébastien* (Orsay) témoigne d'un effort pour renouveler l'art sacré.

PISSARRO Camille,
peintre français
(Saint-Thomas 1830 – Paris 1903).

Né dans une île des Antilles alors danoise, il fit ses études à Paris de 1842 à 1847 et revint travailler comme commis dans le magasin de son père. Préférant se consacrer totalement au dessin, il s'enfuit au Venezuela avec le peintre Fritz Melbye en 1853. Son père admit alors sa vocation d'artiste et l'envoya étudier la peinture à Paris, où il arriva en 1855, au moment de l'Exposition universelle, et où il découvrit Courbet, Ingres et surtout Corot, dont il fit la connaissance et qu'il alla voir plusieurs fois. Pissarro travailla successivement dans l'atelier d'Antoine Melbye, aux Beaux-Arts et à l'Académie Suisse, où il rencontra Monet, puis quelques-uns de ceux que l'on allait bientôt appeler les « impressionnistes ». Il peint alors surtout des paysages tropicaux, mais également des études de plein air dans les environs de Paris, et un paysage de Montmorency est accepté au Salon de 1859. En 1860, il fait la connaissance de Ludovic Piette, qui sera un de ses plus fidèles amis et l'hébergera régulièrement avec sa famille dans sa propriété de Montfoucault (Mayenne) jusqu'à sa mort, en 1877. Il ne connaît pas le mépris des milieux officiels, car, bien qu'exposant au Salon des refusés de 1863 et non admis en 1867, il est régulièrement représenté au Salon de 1864 à 1870.

Ses premiers paysages révèlent l'influence de Corot, dont il se déclare l'élève jusqu'en 1865, mais aussi de Courbet, dont il reprend les compositions fermes et les contrastes vigoureux, ce qui lui vaut la désapprobation de Corot. Il utilise même quelque temps le couteau à palette, et une *Nature morte* (1867, Toledo, Ohio, Museum of Art) montre l'influence qu'il pourra exercer sur Cézanne. Il s'installe à Pontoise en 1866, puis à Louveciennes en 1869 et s'attache à représenter le paysage environnant avec une prédilection déjà marquée pour les routes : la *Diligence à Louveciennes* (1870, Paris, musée d'Orsay), *Route à Louveciennes*, (1872, *id.*) ou la *Route de Versailles à Louveciennes* (1870, Zurich, coll. Bührle), où l'on voit au premier plan des personnages, rarement présents alors dans son œuvre.

Pendant la guerre de 1870, il va se réfugier chez Piette, puis à Londres, où il retrouve Monet et fait la connaissance de Durand-Ruel, qui lui achète deux toiles. Dans les musées, il découvre les paysagistes anglais, et Constable l'intéresse particulièrement. À son retour en France, il a la désagréable surprise de trouver sa maison saccagée et un grand nombre de toiles qu'il y avait laissées, détruites.

Pontoise (1872-1882). Il se fixe alors à Pontoise, travaillant aussi à Osny et à Auvers, et connaît une période féconde, ayant atteint la pleine maîtrise de son art. Il poursuit les mêmes recherches que ses amis impressionnistes et participe à toutes leurs manifestations à partir de 1874, mais leurs différences sont profondes. S'il s'intéresse parfois comme eux à l'étude des reflets dans l'eau (la *Seine à Marly*, 1871, Grande-Bretagne, coll. part. ; l'*Oise aux environs de Pontoise*, 1873, Williamstown, Clark Art Inst.), ce sont surtout les aspects changeants du sol et de la nature qui retiennent son attention, peints dans une riche gamme à base de bruns, de verts et de rouges. Parmi les nombreux tableaux de cette époque, citons la *Route de Rocquencourt* (1871, New York, coll. part.), l'*Entrée du village de Voisin* 1872, Paris, musée d'Orsay), la *Route de Louveciennes (id.)*, *Gelée blanche* (1873, *id.*), la *Route de Gisors à Pontoise, effet de neige* (1873, Boston, M.F.A.), la *Moisson à Montfoucault* (1876, Paris, musée d'Orsay), *Potagers, arbres en fleurs* (1877, *id.*), les *Toits rouges. Coin de village, effet d'hiver* (1877, *id.*).

Outre la richesse et la précision de l'observation, ce qui frappe avant tout dans ces œuvres, c'est la magistrale fermeté de l'exécution et de la composition, qui influenceront beaucoup Cézanne, avec qui l'artiste travaille souvent et qu'il encourage à peindre en plein air. Avec simplicité et gentillesse, Pissarro donnait en effet souvent des conseils à ses amis. « Il était si bon professeur, dit Marie Cassatt, qu'il aurait pu apprendre à dessiner aux pierres. » Il fut aussi un des premiers maîtres de Gauguin, qu'il invita à participer à la 4e Exposition impressionniste de 1879. À la tête d'une nombreuse famille, il connaît de graves difficultés matérielles en 1878, et son optimisme naturel est pour la première fois ébranlé. C'est vers cette époque que Pissarro s'adonne d'une manière particulière-

Camille Pissarro
La Brouette. Verger, v. 1881
54 × 65 cm
Paris, musée d'Orsay

ment intense à l'eau-forte, aux côtés de Degas et de Mary Cassatt. Attachantes par la vérité de l'observation et l'esprit de recherche, ses planches comportent souvent une dizaine d'états. Quant à la lithographie, c'est surtout à Éragny, où il installe une presse à bras, qu'il s'y intéressera.
Éragny (1884-1903). Durand-Ruel lui ayant consacré une exposition qui connut un certain succès, Pissarro put s'acheter une maison à Éragny. S'intéressant à toutes les techniques nouvelles, il fait la connaissance de Signac et de Seurat, dont les nouvelles méthodes le séduisent, et commence à peindre des toiles pointillistes vers la fin de 1885, qu'il présente à la 8ᵉ Exposition impressionniste de 1886 aux côtés de celles de ses nouveaux amis. Il continuera dans cette veine encore pendant quelques années : *Femme dans un clos* (1887, Paris, musée d'Orsay), l'*Île Lacroix, Rouen, effet de brouillard,* (1888, Philadelphie, Museum of Art). Ces toiles ne trouvant pas d'acquéreurs, Pissarro connaît de nouveau des difficultés matérielles, compliquées par l'infection chronique d'un œil ; également

gêné par la lenteur d'exécution que lui impose ce procédé, il finit par abandonner le divisionnisme vers 1890 et reprend sa manière ancienne, qui s'est enrichie grâce à cette expérience.
Les séries. Une grande rétrospective chez Durand-Ruel en 1892 connaît un véritable succès, et Pissarro commence à se spécialiser dans les séries d'un même motif, généralement urbain, au cours de ses divers séjours à Paris, à Rouen ou à Dieppe : le *Grand Pont, Rouen* (1896, Pittsburgh, Carnegie Inst.), le *Pont Boieldieu à Rouen, soleil couchant* (1896, Birmingham, City Museum), l'*Église Saint-Jacques à Dieppe* (1901, Paris, musée d'Orsay). Mais les séries les plus importantes restent celles des différents lieux de Paris, qu'il représente successivement à partir de 1893. Ce sont des vues plongeantes prises de chambres donnant sur les rues les plus fréquentées de la capitale : d'abord la rue Saint-Lazare en

1893 et en 1897, et ensuite les Grands Boulevards (*Boulevard des Italiens, Paris, matin, effet de soleil*, 1897, Washington, N.G.). Depuis l'hôtel du Louvre, en 1897-98, c'est la place du Théâtre-Français et l'avenue de l'Opéra qu'il va prendre pour thème : *Place du Théâtre-Français, printemps* (1898, Ermitage), *Place du Théâtre-Français, effet de pluie* (1898, Minneapolis, Inst. of Arts). En 1899-1900, c'est le jardin des Tuileries et le Carrousel qui retiennent son attention, vus d'un appartement du 204, de la rue de Rivoli : le *Carrousel, matin d'automne* (1899, coll. part.), le *Bassin des Tuileries, brumes* (1900, *id.*). L'hiver suivant le voit installé place Dauphine, en face du Pont-Neuf et du Louvre : *Vue de la Seine prise du terre-plein du Pont-Neuf* (1901, Bâle fond. Staechelin), le *Monument Henri-IV et le pont des Arts (id)*. En 1903, il est dans un hôtel du quai Voltaire, sur les bords de la Seine : le *Pont-Royal et le pavillon de Flore* (Paris, Petit Palais). Ces séries présentent de grandes différences avec celles de Monet, car Pissarro s'est surtout efforcé de varier les points de vue et non pas de représenter le même sujet à différentes heures de la journée. D'autre part, sa gamme de couleurs, plus subtile, est beaucoup plus riche. Pissarro allait s'installer boulevard Morland, lorsqu'il meurt, le 13 novembre 1903.

Quand on fait le point sur son œuvre, on en constate tout d'abord l'abondance et la diversité : peintures, dessins et aquarelles, eaux-fortes et lithographies. Cette œuvre est présente dans de nombreuses collections, en particulier au musée d'Orsay, Paris – à laquelle des donations Caillebotte, Camondo, Personnaz –, en Grande-Bretagne (Tate Gal. ; Oxford, Ashmolean Museum), où vivait son fils Lucien, qui y fait un certain nombre de legs, et aux États-Unis (Metropolitan Museum).

Une meilleure connaissance de l'œuvre de Pissarro nécessiterait cependant un catalogue complétant celui qui a été établi en 1939 par son fils Ludovic-Rodo et par Lionello Venturi. On pourrait alors mieux se rendre compte de la place qu'elle occupe au sein de l'Impressionnisme, dont il a certainement été le tenant le plus fidèle.

PISSARRO Lucien,
peintre britannique d'origine française
(Paris 1863 – Hewood 1944).

Naturalisé britannique, en 1916, Lucien, l'aîné des cinq fils – tous artistes – de Camille Pissarro, fut formé par son père, dont il adopta la technique néo-impressionniste (les *Fils de Camille Pissarro*, 1878, France, coll. part. ; la *Forêt de pins*, 1892, Pontoise, musée Pissarro), et joua un rôle de liaison actif entre les avant-gardes artistiques française et anglaise. Exposant avec les impressionnistes, les indépendants et les XX à Bruxelles (1886-1888), il se fixe à Londres en 1890 et se consacre alors à l'illustration de livres. Ancien élève d'Auguste Lepère, il développe une technique de chromolithographie influencée par l'art japonais mais dans laquelle apparaît la manière des préraphaélites anglais (la *Reine des poissons*, la *Belle au bois dormant*, le *Livre de Ruth et d'Esther*, 1896). En 1894, il fonde l'*Eragny-Press* et s'efforce de faire connaître en Angleterre l'Impressionnisme français par l'intermédiaire de son ami Sickert et du New English Art Club. À la mort de son père, en 1903, Lucien acquiert définitivement son indépendance de créateur et, revenant à la peinture, participe pleinement à la vie artistique anglaise : adhésion en 1911 au Camden Town Group ; première exposition personnelle à la Carfax Gal. (1913) ; création en 1919 du Monarro Group. La volumineuse correspondance que son père entretint avec lui (publiée en 1950) est d'un grand intérêt documentaire.

Il est représenté au musée d'Orsay par une toile pointilliste (la *Cathédrale de Gisors*, 1886), à l'Ashmolean Museum d'Oxford (la *Maison de la sourde*, 1886) et dans tous les grands musées d'Angleterre, dont le musée de Londres, qui commémora en 1963 le centenaire de sa naissance. L'œuvre graphique de Lucien Pissarro a été très bien montré lors d'une exposition en 1982 par le musée Pissarro de Pontoise.

PLEINAIRISME.

Le Pleinairisme peut être défini comme la représentation de scènes d'extérieur, s'attachant plus ou moins aux jeux de la lumière naturelle. Il désigne à ce titre spécialement une orientation de la peinture de la seconde moitié du xixᵉ s., située aux confins du Réalisme, de la peinture de genre et de l'Impressionnisme, et dont les paysagistes de Barbizon dans la première moitié du xixᵉ siècle − Corot, Courbet, Rousseau, Jean-François Millet, etc. − font déjà figures de « précurseurs ». Plus tardivement, de nombreux artistes illustrent cette tendance en France (Bastien-Lepage, par exemple), en Italie, en Allemagne et en Europe centrale, en Russie, en Scandinavie, aux États-Unis.

PODKOWIŃSKI Wladyslaw Ladislas, peintre et dessinateur polonais *(Varsovie 1866 − id. 1895).*

Il fit ses études à l'École des beaux-arts de Varsovie chez W. Gerson (1880-1884) et à Saint-Pétersbourg (1885-86). De retour à Varsovie, il devient l'illustrateur de plusieurs revues, dont *Klosy* et *Tygodnik Ilustrowany*. En 1889, au cours d'un séjour à Paris avec J. Pankiewicz, il subit l'influence de l'Impressionnisme et, par la suite, exécuta une série de toiles claires, ensoleillées (le *Village Mokra*, 1892, Poznań Nationalmuseum ; *Enfants au jardin*, 1892, Varsovie, Nationalmuseum. *Paysages*, 1893, *id.*), devenant ainsi avec lui le pionnier d'un mouvement impressionniste polonais, d'ailleurs de brève durée : tuberculeux, il se laisse gagner très vite par l'atmosphère du Symbolisme, son pessimisme apocalyptique et macabre ; il exécuta alors plusieurs tableaux très sombres, « nocturne » de caractère mystérieux et métaphorique (*Marche funèbre*, 1894, musée de Cracovie ; *Conversations ou confidences*, 1894, Poznań, Nationalmuseum). Son tableau l'*Emportement des passions* (1893, *id.*), exposé à Varsovie en 1894, provoqua un scandale comparable à celui du *Déjeuner sur l'herbe* de Manet et assit sa réputation de « peintre maudit », qu'ampli-

fia encore sa mort prématurée venant interrompre l'évolution d'un talent incontestable. Les expositions « Ein seltsamer Garten, Polnische Malerei des 19. Jahrhunderts, Romantic, Realismus und Symbolismus » (Lucerne, Kunstmuseum, 1980) et « Symbolism in Polish Painting, 1890-1914 » (Detroit, Institute of Arts, 1984) lui ont rendu hommage.

POINTILLISME.

Ce procédé, utilisant la juxtaposition de petits points de couleur pure, fut inventé par les néo-impressionnistes et fut fréquemment utilisé par eux pour obtenir une meilleure division des tons et faciliter le mélange optique. Signac, Dubois-Pillet et Camille Pissarro l'employèrent en 1886 dans leurs dessins, obtenant ainsi une répartition plus égale de la lumière et une grande subtilité de modelé. Le pointillisme fut fréquemment employé plus tard par les mouvements artistiques les plus divers, en particulier par les fauves, les cubistes et les futuristes.

POLENOV Dmitry, peintre et décorateur russe *(Saint-Pétersbourg 1844 − Borok 1878).*

Élève de l'Académie d'art de Saint-Pétersbourg et de Ivan Kramskoi, Polenov s'intéresse très tôt à la peinture d'histoire et travaille longuement ses thèmes religieux ou troubadours (l'*Arrestation d'une huguenote*, 1875, Saint-Pétersbourg Musée russe) avant de les exécuter. Avec son fidèle ami Répine, il obtient une bourse pour voyager en Europe. À Paris en 1874, tous deux sont introduits par Tourgueniev dans le cercle de Pauline et Louis Viardot, où ils rencontrent Zola, Gounod, Saint-Saëns et Renan. La même année, ils découvrent les recherches impressionnistes, peut-être à l'occasion de l'exposition impressionniste chez Nadar, et se rendent alors en Normandie, où Polenov tente d'interpréter les variations des couleurs sous le soleil. Il y trouve un moyen pour traduire ses recherches :

Paul Sérusier
Le Talisman,
L'Aven au Bois d'Amour, Pont-Aven, 1888
bois, 27 × 21,5 cm
Paris, musée d'Orsay

l'harmonie de l'homme avec la nature. L'artiste reste cependant traditionnel et s'intéresse avant tout à rendre avec sentimentalisme la psychologie de ses personnages, qu'il retranscrit également par le paysage. Revenu en Russie en 1876, il devient le maître de la peinture en plein air. Polenov participe au cercle d'artistes réunis par les Mamontov, réalise des décors pour l'opéra de Moscou ; il restera toujours très attaché au théâtre. En 1880-1882, il voyage en Égypte, en Syrie, en Palestine et en Grèce : le soleil brûlant l'amène à réaliser de violents contrastes entre les couleurs. À son retour, il enseigne à Moscou : parmi ses élèves se comptent Lévite, Korovin et Golovin. De 1887 à 1908, il peint un cycle de la Vie du Christ, qu'il exposera en 1901 dans de nombreux endroits. Son œuvre est représentée au Musée russe de Saint-Pétersbourg (*The Overgrown Pond*, 1880) et à la galerie Tretiakov (*Arrière-cour à Moscou*, 1877).

PONT-AVEN (école de).

Remarquée par le peintre néerlandais, Hermann Anker et par des amis de Corot, Anastasi et Français, cette bourgade bretonne attire dès les années 1870-1880 des élèves de l'Académie Julian ou de l'E.N.S.B.A., des Américains comme Robert Wylie, des Suédois comme Allan Osterlind, E. Josephson. Elle doit sa gloire à Gauguin, venu pour la première fois en 1886 sur les conseils d'A.M.F. Jobbé-Duval et qui se transforme alors en chef d'école. Passant de l'Impressionnisme au Synthétisme en 1888, en même temps que son jeune camarade É. Bernard, Gauguin convertit Sérusier et ses amis à cette esthétique, dont *la Vision après le sermon* (1888, National Gallery of Scotland, Édimbourg) est le tableau clef. À l'auberge Gloanec ou à celle de Marie Henry au Pouldu, Gauguin est entouré du Néerlandais Jacob Meyer de Haan, de l'Alsacien Filiger, du Polonais Waldyslaw Slevinski, du Danois J. F. Willumsen. À son retour de Tahiti, il séjourne de nouveau en 1894, avec A. Seguin et l'Irlandais Roderic O'Conor, à Pont-Aven, toujours très apprécié des étrangers, tels les Suisses C. Amiet et G. Giacometti, les Anglais Robert Bevan ou David Young Cameron. Deux tendances caractérisent l'école de Pont-Aven. La première (Sérusier, Bernard, Filiger) allie folklore, symbolisme et catholicisme (auquel plusieurs artistes se convertiront, comme Mogens Ballin et Jan Verkade), tandis que la seconde (H. Moret, M. Maufra, Ernest de Chamaillard) relève de l'Impressionnisme.

PONTOISE.

Cette petite ville des environs de Paris, sur les bords de l'Oise, fut fréquentée au XIXᵉ s. par les paysagistes : Corot, Daubigny, Berthe Morisot. Pissarro y vécut la plupart du temps entre 1866 et 1883 et y reçut Guillaumin, Cézanne surtout et Gauguin.

PORT-EN-BESSIN. → *SEURAT.*

PORT MARLY. → *MARLY.*

POST-IMPRESSIONNISME.

Ensemble de tendances artistiques de la fin du XIXᵉ et du début du XXᵉ s. qui soit vulgarisent l'impressionnisme, soit utilisent ses acquis au service d'esthétiques assez différentes (Néo-Impressionnisme, Synthétisme, Nabis, préfigurations de l'Expressionnisme ou du Fauvisme).

POULDU (Le).

Lassé de Pont-Aven, dont le pittoresque devenait frelaté, traversant une grave crise morale et financière, Gauguin s'installa en octobre 1889 avec Meyer de Haan dans ce hameau proche de Pont-Aven à l'écart de la commune de Clohars-Carnoët (Finistère). Il y revint après son séjour à Paris de janvier à juin 1890 et y demeura jusqu'en novembre 1890. Décorée par lui-même et par ses fidèles (Sérusier, Filiger, Chamaillard, Maufra, Roy), l'auberge de Marie Henry fut alors le centre de discussions philosophiques, le lieu expérimental de toutes les techniques, l'asile primitif où l'on rêvait de l'« atelier des Tropiques ».

PRENDERGAST Maurice,
peintre et aquarelliste américain
(Saint-Jean, Terre-Neuve, 1859 –
New York 1924).

Il travailla d'abord en Nouvelle-Angleterre comme peintre de cartes-souvenirs. Plus qu'aucun autre membre du groupe des Huit, Prendergast fut attiré par l'Europe. Il y fit six voyages (le premier en Angleterre, 1886) et y résida suffisamment longtemps pour comprendre et adopter les canons du Néo-Impressionnisme. Lors de son deuxième séjour, de 1891 à 1894, non seulement il fréquenta l'Académie Julian et l'école Colarossi, où il reçut l'enseignement académique dispensé par Laurens, Blanc, Constant et Courtois, mais encore il peignit en plein air, comme le préconisaient les impressionnistes, à Paris (*Seven Sketches of Paris*, 1893, Andover, Phillips Academy), ainsi qu'en Bretagne et en Normandie (*Dieppe*, 1892, New York, Whitney Museum). Whistler et Manet comptaient alors parmi les artistes qui l'influençaient le plus profondément, mais, au cours de sa carrière, ces influences allaient disparaître au profit de celles des Nabis, de Toulouse-Lautrec puis de Seurat. De retour aux États-Unis, Prendergast s'installa à Winchester (Mass.) et obtint en 1896 un certain succès pour ses illustrations de *My Lady Nicotine*. En même temps, il peignit des scènes de plage de la Nouvelle-Angleterre (*Low Tide, Beachmont*, 1897, Worcester Art Museum). En 1898, il retourna pour la troisième fois en Europe, où il resta jusqu'en 1900. Il travailla à Saint-Malo, à Paris et surtout à Venise, où, inspiré par Carpaccio, il exécuta des compositions animées, parfois ponctuées par le flottement de bannières colorées (*Piazza di San Marco*, Metropolitan Museum ; *A Bridge in Venice*, musée de Cleveland ; *The Lagoon, Venice*, New York, M.O.M.A.). Dans ses monotypes de 1899 (*Orange Market, id.*), Prendergast adopta l'espace artificiel de Gauguin et des Nabis et, vers le début du siècle, brisa la surface de ses aquarelles en petites touches parallèles, à la manière des néo-impressionnistes. À la même époque, à New York, il fréquenta Sloan, Glackens, Shinn, Davies (il exposera avec eux lors de l'exposition des Huit en 1908). *East River* (1901, New York, M.O.M.A.) atteste un intérêt, rare dans son œuvre, pour un sujet similaire à ceux que les peintres de l'Ashcan School traitaient volontiers.

En 1913, Prendergast participa à l'Armory Show. Lors des séjours qu'il avait accomplis auparavant en Europe (en 1909 à Paris et à Saint-Malo, en 1911-12 en Italie), il avait expérimenté de nouvelles techniques comme le pastel et avait abordé de nouveaux sujets, nus et natures mortes. À partir de 1913, une certaine tendance au Symbolisme apparut dans ses compositions. Des figures nues côtoient des personnages quotidiens dans *The Promenade* (1914-15, Detroit, Inst. of Arts) ou *The Picnic* (Ottawa, N.G.).

Maurice Prendergast
*Ponte Della Paglio,
Venise, 1899*
Washington, The Phillips
Collection

Vers la fin de sa vie, l'artiste adopta dans ses aquarelles une touche plus large et plus libre, souvent proche de celle de Matisse (*In the Park*, 1918-19, Chicago, Art Inst.). Une rétrospective a été consacrée à l'artiste (Los Angeles, County Museum of Art) en 1991.

PREVIATI Gaetano,
peintre italien
(Ferrare 1852 – Lavagna 1920).

Après avoir fréquenté l'école des Beaux-Arts de Ferrare, il fréquente l'atelier de Cassioli à Florence (1876-77), puis l'Académie de Brera à Milan. En 1879, il gagne le prix Canonica avec les *Otages de Crema* (Brera ; Crema, Museo Civico). En 1889, Vittore Grubicy l'initie au Divisionnisme, sur lequel il publie différents ouvrages théoriques

entre 1905 et 1913 (*La Tecnica della pittura*, 1905 ; *I Principi scientifici del divisionismo*, 1906 ; *Della Pittura technica del arte*, 1913). Previati participe à l'exposition de la Rose-Croix à Paris en 1892 et à l'exposition de la Sécession à Berlin en 1902. En 1907, il organise la salle du Rêve à la Biennale de Venise. Ses œuvres sont marquées par une facture inquiète ; sous les couches épaisses de couleur, l'artiste exprime des intentions symboliques, des mutations sentimentales et mystiques ; *Paolo et Francesca* (Bergame, Accad. Carrara), le *Roi-Soleil* (1893, Bruxelles, M.R.B.A.). La fluidité de ses cadences décoratives, que l'on retrouve dans les premières toiles de Boccioni, le situe dans le cadre de l'Art nouveau : les *Funérailles d'une vierge* (Rome, G.A.M.), les 14 stations du *Chemin de croix* (1902).

PRINS Pierre-Ernest,
peintre, graveur et sculpteur français
(Paris 1838 – id. 1913).

Apprenti chez son grand-père, le peintre flamand Inglebert de Prins, il suit des cours à l'École des arts décoratifs de Paris. En 1863, il rencontre Manet, qui deviendra son ami intime et le poussera à poursuivre la peinture. Après un exil de six ans à Bruxelles, il doit créer des sculptures en ivoire pour subsister mais continue de peintre à Meudon et à l'île Seguin, en compagnie de Sisley, des paysages nuancés aux couleurs sourdes. À partir de 1888, il multiplie les expositions : chez Georges Petit, Durand-Ruel et à Vienne, Munich et Berlin. Après un séjour en Angleterre (l'*Église de Longwiller*, 1895, Cannes, coll. part.), il réside fréquemment à Pont-Aven et au Pouldu, qui lui inspirent huiles et pastels (*Ciel breton au Pouldu*, 1892, Louvre, cabinet des Dessins). Plusieurs expositions particulières lui ont été consacrées : au Louvre (cabinet des Dessins) en 1966 ainsi qu'à Londres et Tōkyō (gal. Wildenstein) en 1975. Ses œuvres sont conservées à Bâle (K.M.), Berlin (N.G.), Édimbourg (N.G. of Scotland), Bordeaux (musée des Beaux-Arts), Fécamp et Charleville.

PUVIS DE CHAVANNES Pierre,
peintre français
(Lyon 1824 – Paris 1898).

Appartenant à une famille de la grande bourgeoisie lyonnaise, il reçut une solide éducation classique. Attiré par la peinture, il passa un an dans l'atelier d'Henri Scheffer, mais ne découvrit sa vocation qu'en voyageant en Italie en compagnie de Bauderon de Vermeron. Celui-ci le présenta à Delacroix, qui l'accepta parmi ses élèves. Le maître ayant dispersé son atelier quelques semaines plus tard, Puvis étudia plusieurs mois chez Couture, puis, en 1852, s'installa dans un atelier de la place Pigalle, où il réunit, pour dessiner le modèle vivant, trois amis convaincus : Bida, Picard et le graveur Pollet.

Cette formation éclectique se retrouve dans ses premières œuvres : ses portraits ont le coloris sombre de Couture, ses toiles romantiques montrent les bleus et les rouges intenses de Delacroix (*Jean Cavalier au chevet de sa mère mourante*, 1851, musée de Lyon). Certaines scènes de genre atteignent même au pathétique expressionniste de Daumier (la *Leçon de lecture*, Brouchy [Saône-et-Loire], coll. part.). Mais Puvis professait aussi une grande admiration pour Chassériau, dont les fresques de la Cour des comptes l'orientèrent vers l'art décoratif mural. C'est en 1854 qu'il réalisa son premier ensemble décoratif, le *Retour de l'enfant prodigue* et les *Quatre Saisons* pour la salle à manger de son frère à Brouchy.

Il devait, durant cette période, être refusé huit fois au Salon, et sa participation à l'exposition des Galeries Bonne Nouvelle lui attira les quolibets. Sans se décourager, Puvis de Chavannes présenta au Salon de 1861 ses grands panneaux *Concordia* et *Bellum*, qui furent acceptés. La *Paix* ayant été achetée par l'État pour le musée d'Amiens, il donna aussitôt son pendant et, deux ans plus tard, le *Travail* et le *Repos*. Puis il composa, pour compléter l'ensemble, son *Ave Picardia nutrix* (1865), hymne aux dons champêtres de la vieille province, et son *Ludus pro patria* (1880-1882), chant de la virilité et du courage serein où il évoquait fugitivement l'amour fier, l'enfance heureuse et la vieillesse recueillie. Puvis de Chavannes réalisa ensuite pour le palais de Longchamp, à Marseille, 2 belles évocations de la cité phocéenne : *Massilia, colonie grecque* et *Marseille, porte de l'Orient* (1869).

En 1874, l'hôtel de ville de Poitiers reçut 2 nouvelles décorations de l'artiste, qui y abordait, pour la première fois, les thèmes religieux : *Charles Martel sauvant la chrétienté par sa victoire sur les Sarrasins* et surtout *Sainte Radegonde écoutant une lecture du poète Fortunat* expriment sa compréhension profane des vertus médiévales.

Devant ces œuvres si nouvelles, la critique réagit avec vigueur : d'aucuns, comme Charles Blanc, About, Castagnary, hurlèrent au barbouilleur ; d'autres, comme Delécluze, Théophile Gautier, Paul de Saint-Victor, Théodore de Banville, le défendirent avec enthousiasme et, plus particulièrement Claude Vignon, une des premières laudatrices de l'artiste à qui elle avait demandé, en 1866, le décor mural du hall de son hôtel parisien : quatre peintures allégoriques aujourd'hui dispersées (trois à Paris, musée d'Orsay, une au musée de Kurashiki, Japon).

Puvis, maintenant sûr de lui, désirait arriver à l'accord parfait entre la surface plane du mur et ses compositions décoratives, où il supprimait volontairement tout modelé, jouant seulement de l'équilibre des masses, de l'arabesque de la ligne et de l'harmonie en camaïeu de couleurs adoucies. Il adaptait pour ces vastes toiles, marouflées sur le mur, mais traitées plastiquement comme des détrempes, la leçon picturale des fresques du quattrocento florentin et de Giotto. Paradoxe, d'ailleurs, que cet intérêt pour les débuts de la conquête de la troisième dimension de la part de l'artiste, qui, le premier, chercha à nier la grande tradition dont il était l'héritier. Il exécuta ensuite successivement ses trois plus célèbres décorations pour le musée de Lyon, la Sorbonne et le Panthéon. Dans son *Bois sacré cher aux Arts et aux Muses*, commandé en 1883 par la ville de Lyon pour le palais des Arts, il exprime ses convictions les plus intimes : les Muses, hiératiques et tendres, confient au poète et à l'artiste adolescents les secrets sublimes de l'esprit. Le peintre compléta cette délicate allégorie par sa *Vision antique*, à la sérénité mélancolique, et par son *Inspiration chrétienne*, où il rend un silencieux hommage à Fra Angelico. Il développa pour le grand amphithéâtre de la Sorbonne ce thème de la culture qu'il avait déjà effleuré dans son *Inter artes et naturam* (1890, musée de Rouen). L'équilibre rythmé de la composition et la beauté grave des figures en font une méditation plastique d'une grande qualité. L'*Enfance de sainte Geneviève*, au Panthéon, commandée en 1874, fut l'œuvre primordiale de sa carrière. Dans ce vaste ensemble décoratif, où l'histoire prime le style, on mesure l'apport original de Puvis

Pierre Puvis de Chavannes
L'Hiver, 1892
53,5 × 85,6 cm
Paris, Hôtel de Ville

de Chavannes, délaissant l'anecdote pour donner toute sa place au mur.

Le peintre atteint, dans ces 3 œuvres, à une solennité calme, à une grâce simple qui font de lui le plus grand des décorateurs de la fin du XIXe s. Mais il y mêlait parfois un peu de cette émotion purificatrice qu'inspirait la nature à Rousseau. Puvis de Chavannes se révéla, en effet, paysagiste sensible : il entourait ses allégories et ses idylles pastorales de paysages de prairies, de vallons et de forêts qui évoquent, transcrits poétiquement, la campagne d'Île-de-France, les molles collines de Picardie et les brumes lyonnaises sur les étangs. Il y plaçait, avec une grande justesse d'observation, le paysan au labour, le bûcheron et sa famille, le pâtre et ses troupeaux ; il ne s'agit pas ici d'un réalisme social à la Courbet, mais plutôt d'une vision virgilienne des travaux des champs.

Puvis peignit aussi, pour la maison de son ami Bonnat, le *Doux Pays* (1882, musée de Bayonne). Il décora ensuite l'Hôtel de Ville de Paris de ses admirables poèmes naturalistes : l'*Été* (1891) et l'*Hiver* (1892), si évocateurs et si subtils. Lorsqu'il eut achevé les *Muses inspiratrices acclamant le génie messager de la lumière* (1894-1896), grand ensemble décoratif pour la bibliothèque publique de Boston, il accepta la commande officielle, pour le Panthéon, de sa seconde série de décorations illustrant la *Vie de sainte Geneviève* et s'y consacra avec la passion d'un artiste qui se sent menacé (*Sainte Geneviève ravitaillant Paris*, esquisse à Paris, musée d'Orsay). Profondément affecté par la mort de sa femme, la princesse Marie Cantacuzène, son amie et inspiratrice de toujours qu'il venait d'épouser en 1897, il lui survécut quelques mois pour terminer sa *Sainte Geneviève veillant sur Paris endormi*, où il l'a représentée dans une composition très stricte, en camaïeu de bleus et de gris, d'une grande noblesse et d'une poésie religieuse un peu triste.

Les très nombreux dessins de l'artiste sont conservés, pour la plupart, dans les collections du Louvre, du Petit Palais à Paris et du musée de Lyon. Ce sont uniquement des études préparatoires pour les grandes décorations, tantôt croquis d'attitudes, tantôt figures plus poussées, inlassablement reprises jusqu'à la perfection. Puvis de Chavannes exécuta aussi des tableaux de chevalet, qui furent souvent blâmés par ses admirateurs, comme Albert Wolff, et, par contre, curieusement loué par J.-K. Huysmans, qui n'appréciait guère ses fresques. À côté de quelques beaux portraits d'un dépouillement déjà moderne (*Portrait de Mme Puvis de Chavannes*, 1883, musée de Lyon), il peignit des toiles essentiellement

symbolistes qui portent, en outre, un message pictural : le *Sommeil* (1867, musée de Lille), les deux versions de l'*Espérance*, d'une synthétique simplicité, montrant une jeune fille naïve et fraîche dans les décombres de la guerre franco-prussienne (1872, Baltimore, Walters Art Gallery, et Paris, musée d'Orsay), l'*Été* (1873, *id.*). Les *Jeunes Filles au bord de la mer* (panneau décoratif, Salon de 1879, *id.*) détachent sur un ciel de soufre et un océan orageux, parmi les bruyères, leurs figures helléniques, verticales ou lovées. Le *Fils prodigue* (1879, Zurich, coll. Bührle) exprime le dénuement moral de l'homme qui a déchu en renonçant à l'idéal. Le *Pauvre Pêcheur* (présenté au Salon de 1881, Paris, musée d'Orsay), qui fut une des œuvres les plus fortement controversées de sa carrière, nous apparaît comme le premier manifeste de l'art symboliste français. Picasso ressentira directement ce message à la fois sur le plan de l'esprit et sur celui de la technique picturale : il n'y a pas loin de ce *Pauvre Pêcheur* à l'homme de la *Tragédie* (Washington, N.G.).

L'œuvre de Puvis de Chavannes eut, en

Jean Puy
Femme à la fenêtre, 1905
collection particulière

effet, un grand retentissement parmi ses contemporains, qui le considérèrent comme le maître du Symbolisme. S'il fut toujours un professeur consciencieux, aimé de ses élèves, Puvis n'eut pas de disciples de grand talent. Paul Baudoin, Ary Renan ou Auguste Flameng ne furent que des épigones. Comme président estimé de la Société nationale des beaux-arts, il marqua cependant Cormon et Ferdinand Humbert et influença profondément non seulement les peintres symbolistes comme Ménard, Redon, Mellery, Vilhelm Hammershøi ou Hodler, mais aussi les académiques convertis, tels Henri Martin ou Osbert. Et même les peintres les plus éloignés des préoccupations académiques et des commandes officielles, tels Gauguin, Seurat, Maurice Denis et les Nabis, trouvèrent dans les subtilités révolutionnaires de l'œuvre classique de Puvis de Chavannes le ferment et la source de leurs audaces.

PUY Jean,
peintre français
(Roanne 1876 – id. 1960).

Après une première formation à Lyon, puis à Paris, à l'Académie Julian, il subit l'influence des impressionnistes. En 1899, il s'inscrit à l'Académie Carrière, où il fait la connaissance de Derain et d'Henri Matisse, dont il restera l'ami. D'abord impressionniste (*Personnages au café-concert*, 1901, Paris, coll. part.), il utilise dès 1903 des couleurs vives, mais cependant moins violentes que chez les autres fauves, et ne pousse jamais très loin la transposition (*Fleurs et fruits*, 1903 ; *Chantier de bateaux*, 1903, Saint-Lô, coll. M.A. Parys) ; il commence aussi à réaliser des décors de céramique pour André Metthey. Il recher-che bientôt ses thèmes dans de nombreux voyages en Bretagne, dans le Midi et dans son Forez natal (*Paysage noble*, 1904, musée de Rouen ; *Paysage de Saint-Alban-les-Eaux*, 1904, Paris, M.N.A.M. ; la *Plage au couchant du soleil*, 1907, Genève, Petit Palais). Il continue à exécuter des nus, des natures mortes, des paysages et des marines avec une palette chaude (des roses, des violets, des ocres et bleus lumineux), utilisant des cernes et des aplats. Son œuvre est très inégale. En 1919, il grave pour Vollard des illustrations du cycle d'Ubu. Il semble surtout représenté au musée de Poitiers. Son frère **Michel** fut un des premiers défenseurs du Fauvisme par ses articles et son livre *le Dernier État de la peinture* (1911), dont plusieurs extraits ont été traduits en allemand dans la revue *Der Sturm* (nº 88, déc. 1911). □

R

RAČIĆ Josip,
peintre yougoslave d'origine croate
(Horvati, près Zagreb, 1885 – Paris 1908).

Lithographe de métier, il part en 1904 pour Munich et commence à peindre chez Anton Ažbé, puis à l'Académie des beaux-arts, chez Herterich et Habermann. Les croquis et esquisses qu'il exécute dans les musées le montrent admirateur de Frans Hals, de Velázquez et surtout de Manet. Račić peint ses premiers portraits en 1906 et 1908 : l'*Oncle*, Zagreb, G.A.M. ; *Vieillard au gilet rouge, id.* ; *Portrait de la sœur de l'artiste, id.* ; *Mère et enfant* (1908, *id.*). On décèle, dans ces œuvres, l'abandon de la convention académique et une tendance à la peinture pure.

En 1908, enthousiasmé par la peinture claire, Račić se rend à Paris, où, après quatre mois de travail et de misère, il se suicide dans un petit hôtel de la rue de l'Abbé-Grégoire. Pendant ce bref séjour, il avait copié Goya et Manet, exécuté un grand nombre d'excellents dessins et d'aquarelles et peint ses meilleurs tableaux : *Pont des Arts* (1908) ; *Autoportrait* (1908, Zagreb, G.A.M.) ; *Place de l'Étoile*, (Sarajevo, coll. part.).

Coloriste sensible, il conçoit la lumière à la façon des impressionnistes, comme en témoignent ses œuvres exécutées à Paris, capitales pour la peinture yougoslave, et point de départ de l'art moderne en Croatie.

RAFFAELLI Jean-François,
peintre français
(Paris 1850 – id. 1924).

Élève de Gérôme, il exposa pour la première fois au Salon de 1870. Après quelques recherches d'un statisme dépouillé, peut-être marqué par Legros (la *Famille de Jean-le-Boiteux, paysans de Plougasnou,* 1876, Le Quesnoy, hôtel de ville), Raffaelli peint des ouvriers ou des pauvres de la banlieue parisienne (le *Chiffonnier,* 1879, Reims, musée Saint-Denis) dans des œuvres naturalistes qu'il définit lui-même comme « portraits types de gens du peuple ». Il ne généralise jamais mais caractérise volontairement l'être humain (les *Déclassés* ou les *Buveurs d'absinthe,* 1881, coll. part.). Son regard se nuance de tendresse lorsqu'il observe les trottins et les petites ouvrières, les rémouleurs et les maraîchers. Sa facture, souple, fut très influencée par la technique des impressionnistes : il rencontrait ces derniers au café Guerbois et, poussé par Degas, participa très largement à leurs expositions en 1880 (40 œuvres) et 1881 (33 œuvres), ce qui accentua les dissensions au sein du groupe. Il exposa aussi à Bruxelles, aux manifestations des XX (les *Forgerons buvant,* 1884, Douai, musée de la Chartreuse). Certaines de ses toiles atteignent, par leur jeu de blanc et de gris, à des effets vigoureux d'un misérabilisme émouvant (les *Vieux Convalescents,* 1892, Paris, musée d'Orsay), d'autres trahissent une verve presque satirique (les *Invités attendant la noce,* av. 1988, *id.*). Il fut aussi le paysagiste des faubourgs, évoquant avec simplicité une rue enneigée, un jardinet ou un mur d'usine, un réverbère sous la pluie. Dans ses portraits (*Portrait de Clemenceau* ou le *Meeting public,* 1885, Versailles, musée du Château) comme dans ses intérieurs de café (les *Bohèmes au café,* 1885, Bordeaux, musée des Beaux-Arts), il emprunte souvent à Degas ses recherches de mise en page et sa technique du pastel ; cependant, sans doute influencé par les toiles claires et légères de Berthe Morisot, Raffaelli sut aussi délaisser les sujets populaires au profit de portraits familiers un peu conventionnels, à la touche aérienne et au charme heureux (les *Deux Sœurs*, 1889, musée de Lyon ; le *Réveil*, Birmigham, City Museum). Caricaturiste âpre et illustrateur de talent (*Types de Paris*, 1889), il exécuta des eaux-fortes raffinées (les *Croquis parisiens* de Huysmans, *Germinie Lacerteux* des Goncourt).

RANSON Paul,
peintre et décorateur français
(Limoges 1862 – Paris 1909).

Après quelques années d'études à l'école des Arts décoratifs de Limoges, puis à celle de Paris, il entra, en 1888, à l'Académie Julian, où il subit fortement l'influence de Sérusier, propagandiste des idées de Gauguin et d'Émile Bernard. L'atelier de Ranson et de sa jeune femme, situé boulevard du Montparnasse, devint, autour de 1890, le centre de réunion des Nabis et prit le surnom de « Temple ». Ranson a obéi jusqu'à l'exclusive au dogme nabi de peintre-décorateur, et l'on retrouve dans son style, mêlées avec plus ou moins de bonheur, les réalisations du Modern Style et les théories de Pont-Aven sur la simplification des formes et l'aplat de la couleur. Influencé par Maillol, il se passionne pour la tapisserie de 1895 à 1903. Son iconographie (*Femmes en blanc*, 1895, laine sur canevas, musée d'Orsay) est empruntée à un Symbolisme un peu étroit, qu'avec plus d'observation et d'esprit Bonnard, Vuillard ou même Maurice Denis avaient évité (les *Sorcières*, 1891, Saint-Germain-en-Laye, musée du Prieuré).

Le nom de Ranson reste associé à celui de l'Académie fondée en 1908, peu avant sa mort précoce, et que sa femme continua de diriger. Les amis de l'artiste, en particulier Sérusier et Maurice Denis, vinrent y enseigner. Située à Paris rue Joseph-Bara, l'Académie a été, en 1968, livrée à la pioche des démolisseurs. Les villes de Milan, de Rome et de Munich proposèrent en 1968 une exposition itinérante de ses œuvres.

RANZONI Daniele,
peintre italien
(Intra, sur le lac Majeur, 1843 – id. 1889).

Portraitiste naturel et nuancé, méconnu de son vivant, il fut remis en lumière par la jeune école italienne (1930). Formé aux Académies de Milan et de Turin, il se fixa à Milan en 1863 et séjourna à Londres en 1877-78. À partir de 1878, il fit partie du groupe romantique de la Scapigliatura, dont il demeure un des représentants les plus caractéristiques, au même titre que ses amis Tranquillo Cremona et Mosé Bianchi. Il peignit des paysages, principalement des vues du lac Majeur, et surtout des portraits : *Portrait de jeune femme*, la *Comtesse Arrivabene* (1880), la *Baronne Francfort* (1880, Milan, G.A.M.), dans un style proche de celui de Cremona, au sfumato dérivé de Corrège.

RAVIER Auguste,
peintre français
(Lyon 1814 – Morestel 1895).

En 1834, il se rend à Paris pour achever ses études de droit. Sa licence acquise, il décide de devenir peintre et suit les cours de Léon Cogniet et de Caruelle d'Aligny à l'École des beaux-arts. Les vues de Montmartre et de Fontainebleau qui datent de cette époque montrent l'influence de ces derniers. Ravier travaille dans divers endroits : le Forez, la Bresse, l'Auvergne. À Royat, il rencontre Corot, qui l'encourage probablement à partir pour Rome en 1840, où il reste deux ans. Peintre de l'aube et du crépuscule, il allie le calme et la limpidité des œuvres de Corot à des hachures colorées pré-impressionnistes (les *Deux Pins parasols*, musée de Lyon). Il partage jusqu'en 1846 son temps entre l'Italie, Lyon et Paris puis travaille dans le Velay et le Forez. C'est à Crémieu, où Ravier retrouve ses amis Daubigny, Corot, Fontanesi, Fleury, Carrand, Appian, qu'il se fixe jusqu'en 1868 (les *Remparts de Crémieu*, v. 1855-1865, Saint-Étienne, musée d'Art moderne), année où il se rend à Morestel. Désormais, l'artiste ne retient de ses sujets que la lumière traduite par la

Odilon Redon
La Nuit, 1910-1911
détrempe, 200 × 650 cm
Abbaye de Fontfroide
(Aude)

couleur, il a une prédilection pour les étangs et cours d'eaux (*Étang à Morestel*, après 1868, Saint-Étienne). En 1879, une attaque ralentit son activité ; en 1884, il perd la vue. Artiste pré-impressionniste, son œuvre presque exclusivement faite de paysages se rapproche de celle de Monet. Cependant, par la violence de la couleur, il est proche de Monticelli.

REDON Odilon,
peintre français
(Bordeaux 1840 – Paris 1916).

Contemporain des impressionnistes, Redon est un indépendant dont l'art, intensément personnel, développa ses recherches à l'écart des mouvements de son temps. Son œuvre, longtemps incomprise, ne s'imposa qu'après 1890. Cet artiste est désormais considéré comme l'une des personnalités les plus riches et les plus complexes du XIXᵉ s., créateur de formes et d'harmonies nouvelles dans le dessin, l'estampe, la peinture et l'art décoratif, grand écrivain dans son *Journal* et ses *Notes*, réunis en 1922 sous le titre de *À soi-même*.

Débuts. Issu d'une famille de la bourgeoisie bordelaise, il naît peu après le retour à Bordeaux de son père, Bertrand, qui s'était établi à La Nouvelle-Orléans et s'y était marié ; son inspiration doit beaucoup aux premières impressions d'une enfance fragile, livrée à elle-même dans le domaine familial de Peyrelebade, aux frontières du Médoc et des Landes. Jusqu'en 1899, l'artiste reviendra chaque année « se mirer à ses sources », dans le lieu de l'enfance devenu lieu de la création. Il est initié au dessin par S. Gorin, élève d'Isabey, l'un des animateurs de la Société des amis des arts fondée à Bordeaux en 1851, qui lui apprend à admirer aux Salons les envois de Corot et de Delacroix, et, plus tard, les débuts de Gustave Moreau. L'adolescent hésite sur sa vocation, abandonne des études d'architecture et de sculpture, passe dans l'atelier de Gérôme, où il se heurte à l'incompréhension du professeur. Sa rencontre avec R. Bresdin à Bordeaux, v. 1863, sera décisive ; auprès de ce dernier, il s'initie aux techniques de la gravure et de la lithographie, mais surtout la personnalité de Bresdin, ses propos (qu'il a recueillis) et les

résonances que son œuvre éveille en lui l'orientent définitivement vers un art libre, aussi éloigné du Naturalisme que des conventions officielles, qui exprime, en faisant appel aux ressources de la pensée et du rêve, la vision subjective de l'artiste et son interprétation du réel. Les eaux-fortes que Redon expose aux Salons de Bordeaux, ses dessins à la mine de plomb et ses premiers fusains, comme *Dante et Virgile* (1865, Almen, Pays-Bas, anc. coll. Mme Bonger), attestent l'influence de Bresdin et s'inscrivent dans une tradition romantique. Au même moment, Redon définit sa position par rapport à l'art contemporain dans son compte rendu du Salon de 1868 et son étude sur Bresdin (1869), publiés dans *la Gironde*.

Les « Noirs ». La guerre de 1870, à laquelle il participe, marque une date dans son évolution, « celle de ma propre conscience », écrira-t-il plus tard. Alors débute la période la plus féconde des *Noirs*; c'est Redon lui-même qui donna le titre de *Noirs* à l'ensemble des fusains et des lithographies qui constituent l'essentiel de sa production jusqu'en 1895. Le choix du fusain sur papier

teinté, technique des dernières études de Corot, souligne la volonté de l'artiste de dépasser le romantisme de ses premiers essais vers une forme d'expression plus suggestive, laissant place à l'indéterminé, à l'ambigu : « L'art suggestif ne peut rien fournir sans recourir uniquement aux jeux mystérieux des ombres et au rythme des lignes mentalement conçues. » Utilisant d'abord la lithographie pour multiplier ses fusains, Redon parvient à une remarquable maîtrise des effets propres à cette technique du noir et blanc (181 numéros, catalogués par Mellerio en 1913); de 1879 à 1899, il publie, à côté de pièces isolées comme le célèbre *Pégase captif* (1889), 13 suites lithographiques traduisant son angoisse et dont les plus significatives sont *Dans le rêve* (1879), les *Origines* (1883), *Hommage à Goya* (1885), les 3 séries de la *Tentation de saint Antoine* (1888, 1889 et 1896) et l'*Apocalypse* (1899).

S'il a connu les œuvres des grands visionnaires, de Goya à Moreau, s'il a découvert, grâce au microscope du botaniste Clavaud, les mystères de l'infiniment petit, la genèse des *Noirs* se situe sur un autre plan : ils apparaissent comme les jalons d'une aventure spirituelle qui ont conduit l'artiste, au terme de son voyage nocturne, jusqu'aux confins du conscient et de l'inconscient. Le mérite de Redon est d'avoir su mettre « la logique du visible au service de l'invisible » et exprimer en termes plastiques ses thèmes obsessionnels : hantise des origines, transmutations secrètes qui modifient le visage humain et dotent le monstre de vie morale, peur intellectuelle, vertige de l'absolu. Si de telles œuvres firent scandale aux expositions de la Vie moderne (1881) et du Gaulois (1882), Redon eut tôt ses fidèles : E. Hennequin (article de la Renaissance, mars 1882), Huysmans, qui lui rend hommage dans À rebours (1884), Mallarmé et, parmi ses premiers amateurs, R. de Domecy et le Hollandais A. Bonger.

Il définissait admirablement la genèse de ses œuvres visionnaires : « Mon régime le plus fécond, le plus nécessaire à mon expansion a été, je l'ai dit souvent, de copier directement le réel en reproduisant attentivement des objets de la nature extérieure en ce qu'elle a de plus menu, de plus particulier et accidentel. Après un effort pour copier minutieusement un caillou, un brin d'herbe, une main, un profil ou toute autre chose de la vie vivante ou inorganique, je sens une ébullition mentale venir ; j'ai alors besoin de créer, de me laisser aller à la représentation de l'imaginaire. » Une évolution est sensible dans les Noirs, depuis les fusains hantés et pathétiques exécutés avant 1885, comme la Tête d'Orphées sur les eaux (Otterlo, Kröller-Müller), la Fenêtre (New York, M.O.M.A.), l'Araignée (Louvre), l'Armure (1891, Metropolitain Museum) ou la Folie (id.), jusqu'aux œuvres plus secrètes et intériorisées des années 1890, telle Chimère (Louvre) ; aux puissants contrastes d'ombres et de lumières dramatisant le motif se substitue le souci de modulation et d'arabesque : le Pavot noir (Almen, anc. coll. Mme Bonger), le Sommeil (Louvre), Profil de lumière (Paris, Petit Palais et Louvre).
Peintures et pastels. Pour la détente de son inspiration, l'artiste est amené à rechercher dans la peinture et le pastel de nouveaux moyens d'expression. En fait, il n'a jamais cessé de peindre, qu'il s'agisse de copies d'après les maîtres (Chasse aux lions d'après Delacroix, musée de Bordeaux), de portraits (Autoportrait, 1867, Paris, musée d'Orsay), d'études de fleurs (musée de Karlsruhe ; Paris, musée d'Orsay) ou de paysages exécutés à Peyrelebade (la Maison de Peyrelebade, le Nuage blanc, Paris, musée d'Orsay) ou en Bretagne (les Rochers, Rotterdam, B.V.B. ; Port breton, Paris, musée d'Orsay). Mais ces œuvres, d'une rare sensibilité, intitulées Études pour l'auteur et gardées à l'atelier, se situaient en marge de son activité essentielle.

À partir de 1890, Redon tente une transposition colorée des thèmes des Noirs dans les peintures (les Yeux clos, 1890, Paris, musée d'Orsay) et dans des fusains rehaussés de pastel (Vieil Ange, Paris, Petit Palais). En 1900, la couleur est présente et triomphe définitivement dans l'œuvre de ce peintre âgé de soixante ans : « J'ai voulu faire un fusain comme autrefois ; impossible, c'était une rupture avec le charbon », écrit-il en 1902.

De cette période date le remarquable ensemble de portraits au pastel : Madame Arthur Fontaine (1901, Metropolitan Museum) ; Jeanne Chaine (1903, musée de Bâle) ; Violette Heymann (musée de Cleveland), ainsi que les variations intensément colorées sur des thèmes mythologiques (Naissance de Vénus, pastel, Paris, Petit Palais ; Pégase, peinture, Otterlo ; Kröller-Müller) ou religieux (Sacré-Cœur, le Bouddha, pastels, Paris, musée d'Orsay). L'œuvre colorée est placée sous le signe des fleurs ; la qualité de la transposition s'allie à la beauté de l'exécution pour doter d'un exceptionnel rayonnement ces « fleurs venues au confluent de deux rivages, celui de la représentation, celui du souvenir », selon la définition de Redon lui-même (Paris, musée d'Orsay, Petit Palais ; coll. Hahnloser ; New York, Metropolitan Museum).

Isolé parmi ses contemporains, Redon était devenu le guide des générations suivantes. C'est sous sa présidence que fut fondée en 1884 la Société des artistes indépendants. Émile Bernard et Gauguin reconnaissent leur dette envers lui. Les Nabis, Bonnard, Vuillard, Denis, sont ses amis : « Il était l'idéal de la jeune génération symboliste, notre Mallarmé », écrira Denis.

Après l'exposition de 1894 chez Durand-Ruel, de nouveaux amateurs s'intéressent à ses œuvres, parmi lesquels A. Fontaine, G. Frizeau, G. Fayet ; des commandes orientent l'artiste vers l'art décoratif (château de Domecy, Yonne, 1900-1903 ; hôtel de Mme E. Chausson, Paris, 1901-02 ; abbaye de Fontfroide, près de Narbonne, 1910-1914). À partir de 1905, le thème du *Char d'Apollon* apparaît comme l'ultime expression de son art suggestif et symbolique (Paris, Petit Palais ; musée de Bordeaux ; dans le dessin, sa dernière technique sera l'aquarelle.

REGOYOS Y VALDES Dario de,
peintre espagnol
*(Ribadesella, Asturies, 1857 –
Barcelone 1913).*

Élève du paysagiste hispano-belge Carlos de Haes à l'Académie San Fernando de Madrid, il voyagea à Paris puis séjourna en Belgique (1881-1889) où il se lia avec le groupe impressionniste de l'Essor et exposa au cercle des XX à Bruxelles. Il devait faire deux tours d'Espagne en compagnie d'artistes belges, d'abord Meunier, en 1882, puis le poète Émile Verhaeren (1899), pour qui il illustra *l'Espagne noire*. Sa vie, sans reconnaissance officielle mais avec une participation constante aux expositions nationales (il participe aux Indépendants de 1890 à 1893), se déroula entre le nord de l'Espagne, Paris puis Grenade et Barcelone. Avec Zuloaga, mais sur un ton plus intime, il exprime, comme Beruete, la simplicité et la gravité du paysage (le *Poulailler, Baie de Saint-Sébastien* 1908, Madrid, Casón), notamment dans son affrontement à la révolution industrielle (*Vendredi saint en Castille*, Bilbao, musée des Beaux-Arts), ou du peuple espagnol (*Visite de condoléances*, coll. part., v. 1830). Regoyos compte parmi les initiateurs des techniques impressionnistes et

Darios de Regoyos
Paysage
Bilbao, musée des Beaux-Arts

post-impressionnistes en Espagne. Ses œuvres, bien représentées au musée de Bilbao, furent exposées au Centre culturel de Barcelone en 1986.

REID Robert,
peintre américain
*(Stockbridge, Mass, 1862 –
Clifton Springs, N.Y., 1929).*

Après des études à la Boston Museum School et à l'Art Studens'League de New York, Reid entre à Paris à l'Académie Julian (1888-89) avec Benson et Tarbell. Sa palette brillante, à laquelle il applique parfois le principe du Divisionnisme, est largement inspirée de Whistler (le *Miroir*, Washington, N.G.). En 1889, il retourne à New York et fonde en 1897 le groupe impressionniste des Dix (Ten American Painters), dont la première exposition se tient à la gal. Durand-Ruel de New York. Il se consacre alors aux grandes décorations publiques et privées et décore le palais de l'État à Boston, la bibliothèque du Congrès à Washington et l'église des Paulistes à New York (le *Martyre de saint Paul*).

RENOIR Pierre-Auguste,
peintre français
(Limoges 1841 – Cagnes-sur-Mer 1919).

Jeunesse. Il passe son enfance à Paris dans le quartier du Carrousel. Bien que ses dons musicaux soient encouragés par Charles Gounod, ses parents, ayant remarqué son goût pour le dessin, le placent en 1854 en apprentissage dans un atelier de décoration de porcelaine, où il restera pendant quatre ans tout en suivant, le soir, les cours de l'école de dessin et d'arts décoratifs de la rue des Petits-Carreaux. Lorsque l'atelier ferme, il va successivement colorier des armoiries pour son frère, graveur en médailles, reproduire des scènes galantes du XVIIIe s. sur des éventails, puis peindre des stores, et son habileté lui permet d'amasser un petit pécule grâce auquel il va pouvoir se consacrer totalement à la peinture. Reçu à l'École des beaux-arts en 1862, Renoir s'inscrit en octobre à l'Académie Gleyre, où il fait la connaissance de Bazille, de Monet et de Sisley. Ils vont travailler ensemble en plein air aux environs de Chailly-en-Bière, dans la forêt de Fontainebleau, et c'est là qu'en 1863 Renoir rencontre Diaz, qui lui conseille d'éclaircir sa palette.

Son premier envoi au Salon de 1864, *Esmeralda dansant avec sa chèvre*, est accepté, mais Renoir détruira plus tard le tableau, le jugeant trop sombre et académique. Il sera ensuite très influencé par Courbet après l'avoir rencontré à Marlotte, en forêt de Fontainebleau. Cette influence se remarque dans sa première composition de grand format, l'*Auberge de la mère Anthony* (Stockholm, Nm), refusé au Salon de 1866, et aussi dans l'un de ses premiers nus, *Diane chasseresse* (1867, Washington, N.G.), refusée au Salon de 1867, tandis qu'il montre davantage de personnalité dans des portraits comme celui de *Bazille* (1867,

Paris, musée d'Orsay), ceux des *Fiancés* (1868, Cologne, W.R.M.) ou la *Femme à l'ombrelle* (1867, Essen, Folkwang Museum), exposée au Salon de 1868.

L'impressionnisme. Mais c'est l'Impressionnisme qui va libérer Renoir de ses diverses influences. Dès 1869, lorsqu'il peint la *Grenouillère* (Winterthur, coll. Oskar Reinhart) en compagnie de Monet, on le voit s'adonner à l'étude des reflets dans l'eau et utiliser de petites touches en virgule pour remplacer le dessin. Les deux peintres continueront dans cette voie après 1870, à Argenteuil, où ils représenteront les régates et divers paysages. Mais Renoir, à l'inverse de ses camarades, ne peut abandonner la figure, où il va essayer de traduire ces mêmes principes. S'il connaît des échecs avec les *Parisiennes habillées en Algériennes* (1872, Tōkyō, M.N. d'Art occidental), où le souvenir de Delacroix est évident, ou avec les *Cavaliers au bois de Boulogne* (1872, musée de Hambourg), non acceptés au Salon de 1873, mais exposés au Salon des refusés, il se montre beaucoup plus brillant dans *Madame Monet étendue sur un sofa* (1872, Lisbonne, fondation Gulbenkian) ou dans la *Loge* (1874, Londres, Courtauld Inst.) et la *Danseuse* (1874, Washington, N.G.), qui figureront toutes deux à la première Exposition impressionniste aux côtés de quatre autres tableaux et d'un pastel. Son évolution va cependant se précipiter, et, dès 1876, il applique au portrait les principes des impressionnistes, aux côtés desquels il figure de nouveau, avec quinze toiles, à la deuxième Exposition impressionniste, celle de 1876. Cette année 1876 est pour lui une année faste. Il loue un atelier rue Cortot, à Montmartre, et va y peindre quelques-unes de ses toiles les plus célèbres, comme le *Moulin de la Galette* (Paris, musée d'Orsay), la *Balançoire* (*id.*), *Sous la tonnelle* (Moscou, musée Pouchkine) ou *Étude ; Torse, effet de soleil* (Paris, musée d'Orsay). Dans ces différentes toiles, qui seront exposées à la troisième Exposition impressionniste, celle de 1877, le souci de Renoir a été d'étudier l'effet d'une lumière tamisée par un feuillage sur les personnages,

Pierre-Auguste Renoir
La Loge, 1874
80 × 63 cm
Londres, Courtauld
Institute Galleries

auxquels les critiques trouveront un aspect cadavérique. C'est également en 1876 que Renoir fait la connaissance de l'éditeur Georges Charpentier et fréquente son brillant salon, où il rencontre les personnalités politiques, littéraires et artistiques de l'époque. Pour gagner sa vie, il va alors exécuter de nombreuses commandes, décorations et surtout des portraits de femmes et d'enfants : *Mademoiselle Georgette Charpentier* (1876, coll. part.), l'*Enfant à l'arrosoir* (1876, Washington, N.G.), *Madame Georges Charpentier* (1876-77, Paris, musée d'Orsay), *Portrait de Mlle Jeanne Samary* (1878, Ermitage) et le magnifique *Portrait de Mme Charpentier et de ses enfants* (1879, Metropolitan Museum). Ces deux dernières toiles figurèrent au Salon de 1879, tandis que Renoir refusait de participer à la quatrième Exposition

impressionniste, craignant sans doute de compromettre son succès auprès de cette classe bourgeoise, dont il s'était fait le brillant portraitiste. Il se montre beaucoup moins mondain, mais tout aussi brillant lorsqu'il peint, à Chatou, les familiers des guinguettes ou le *Portrait d'Alphonsine Fournaise*, appelé à tort « À la Grenouillère » (1879, Paris, musée d'Orsay). Il s'abstient de nouveau à la cinquième Exposition impressionniste, celle de 1880, pour être présent au Salon avec deux toiles, la *Femme au chat* (1880, Williamstown, Clark Art Inst.) et les *Pêcheuses de moules à Berneval* (1879, Merion, Barnes Foundation), peintes lors de son séjour à Wargemont, près de Dieppe, chez le diplomate Paul Bérard, qui le recevra souvent pendant l'été.

C'est peut-être cette double vie, mondaine

et populaire à la fois, qui le pousse à partir se reposer quelque temps en Algérie, du début de mars au 15 avril 1881, d'où il rapportera quelques portraits d'Algériennes et quelques paysages aux couleurs vives : le *Champ de bananiers* (Paris, musée d'Orsay), le *Ravin de la femme sauvage (id.)*, *Fête arabe à Alger (id.)*.

Manière aigre. Après son retour en France, sous l'effet d'une crise morale et esthétique, Renoir va partir quelques mois pour l'Italie à la fin d'octobre 1881. Il passe par Milan et Venise, où il fait une série de toiles sur le thème des gondoliers ou de la basilique Saint-Marc, puis se rend à Florence et à Rome. La révélation de Raphaël va beaucoup influencer sa manière suivante, qu'il appelle « manière aigre » et que l'on nomme également « période ingresque », et où le dessin va prendre le pas sur la couleur. Cette prédominance du dessin, déjà amorcée dans les *Parapluies* (v. 1879-80, Londres, N.G.), se remarque aussi dans la *Baigneuse blonde* (1881, Williamstown, Clark Art Inst.), mais il faut attendre 1883 avant de la voir s'étendre à toute sa production. Au cours de ce même voyage en Italie, Renoir visite également Naples et Pompéi et se rend en Sicile pour exécuter un rapide *Portrait de Richard Wagner* (1882, Paris, musée d'Orsay). À son retour en France, il s'arrête quelque temps à l'Estaque pour travailler en compagnie de Cézanne, puis repart de nouveau en Algérie (mars-avr. 1882). Pendant ce temps, à Paris, se tient la septième Exposition impressionniste, avec vingt-cinq de ses toiles, dont le *Déjeuner des canotiers* (1880-81, Washington, Phillips Coll.), où figure notamment Aline Charigot, qu'il épousa en 1890.

Pendant sa période ingresque, Renoir continue à privilégier la figure humaine : la *Danse à Bougival* (1883, Boston, M.F.A.), la *Danse à la ville* (1883, Paris, musée d'Orsay), *Danse à la campagne* (1883, *id.*). Il ne néglige cependant pas les paysages ou les marines, qu'il observe lors de ses nombreux voyages dans les îles anglo-saxonnes (sept. 1883), sur les côtes normandes ou bretonnes, sur la Côte d'Azur,

à La Rochelle (été de 1884) ; l'œuvre la plus représentative de cette manière aigre reste les *Grandes Baigneuses* (1884-1887, Philadelphie, Museum of Art). Cette toile, qui s'inspire du *Bain de Diane* de Girardon (parc du château de Versailles), a été préparée par un grand nombre d'études, d'esquisses et de dessins au crayon et à la sanguine, et peinte en atelier (musée de Nice ; Louvre).

Période nacrée. Renoir connaît une nouvelle période de découragement à l'automne de 1888. Trouvant trop de sécheresse à ses compositions, il détruit de nombreux tableaux et adopte une manière, dite « nacrée », abandonnant peu à peu son style linéaire au profit d'une facture plus souple à base de blancs et de roses en demi-teintes : les *Jeunes Filles au piano* (1892, Metropolitan Museum ; Paris, musée d'Orsay).

Jusqu'à la fin de sa vie, il va alors utiliser presque exclusivement des modèles professionnels, à l'exception de la servante Gabrielle, et les nus qu'il peint inlassablement portent presque tous le nom de baigneuses : *Baigneuse assise sur un rocher* (1892, Paris, coll. part.), *Baigneuse endormie* (1897, Winterthur, coll. Oskar Reinhart), *Grande Baigneuse écartant sa chevelure* (v. 1904-1906, Vienne, K.M.), *Baigneuse aux cheveux longs* (Paris, Orangerie, coll. Walter Guillaume). La sensualité de l'artiste ne s'est peut-être jamais mieux exprimée que dans la représentation de ces femmes aux formes opulentes et à la chair pulpeuse. Parallèlement, sa production s'enrichit de figures d'enfants, mais non plus seulement ceux des riches bourgeois. Renoir représente ses propres fils, Pierre (né en 1885), Jean (né en 1894) et surtout Claude, dit Coco (né en 1901), dans des attitudes diverses prises sur le vif, dans l'intimité de la vie quotidienne : *Gabrielle et Jean* (1895, Paris, Orangerie, coll. Walter Guillaume), la *Leçon de lecture de Coco* (v. 1906-1907, Merion, Barnes Foundation).

Cagnes-sur-Mer. Il est à noter qu'une certaine évolution se remarque dans son œuvre après son installation définitive à Cagnes-sur-Mer, en 1903, où il se fait construire une maison sur le terrain des

Pierre-Auguste Renoir
Torse, effet de soleil, 1875
81 × 65 cm
Paris, musée d'Orsay

Collettes. Les figures qu'il peint dans ce jardin sauvage planté d'oliviers prennent une allure sculpturale, tandis que le rouge devient sa couleur prédominante, d'autant plus exacerbé que le peintre en prévoit le vieillissement. C'est également la couleur principale de ses nombreuses natures mortes, généralement de petites dimensions : les *Fraises* (musée de Bordeaux), *Nature morte aux pommes* (musée de Nice), *Roses dans un vase* (Paris, musée d'Orsay). Une particularité de cette époque est l'habitude prise par le peintre d'exécuter sur une même toile, à titre d'exercice, de nombreux sujets indépendants les uns des autres et de très petite taille. Les minuscules études que l'on trouve sur le marché proviennent souvent de toiles qui ont été découpées par la suite. Tandis qu'on doit glisser des pinceaux entre les doigts recroquevillés par la paralysie, le génie créateur de Renoir

continue de se manifester. Poussé par Ambroise Vollard, qui lui conseille de s'essayer à la lithographie et à l'eau-forte, et dont il fait le portrait à de nombreuses reprises, Renoir s'oriente également vers la sculpture, demandant à ses aides, Guino et Morel, de modeler la terre sous ses indications. Une quinzaine de pièces ont été fondues, parmi lesquelles on remarque la *Vénus Victrix* (Cagnes, maison des Collettes) et le *Jugement de Pâris* (plâtre au musée d'Orsay, Paris). Dans la production particulièrement intense et abondante de la période de Cagnes, où dominent les petits tableaux, se détachent les *Baigneuses* (v. 1918, *id.*), l'une des dernières grandes compositions avant sa mort.

L'œuvre de Renoir, plus rapidement que celle de ses amis impressionnistes, fut assez tôt achetée par divers amateurs. Elle s'est ainsi trouvée dispersée dans le monde entier et dans de nombreuses coll. part. Les ensembles les plus importants se trouvent au musée d'Orsay, au Metropolitan Museum, à la N.G. de Washington, à la Barnes Foundation de Merion, au Clark Art Inst. de Williamstown (États-Unis) et à l'Ermitage. Une rétrospective a été consacrée à l'artiste en 1985-86 (Londres, Paris, Boston).

RÉPINE Ilia Efimotvitch,
peintre russe
(Tchougouïev, prov. de Kharkov, 1844 - Kuokkala, auj. Répino, Finlande, 1930).

Issu d'une famille de colons ukrainiens, le plus doué et le plus célèbre du groupe des Peredvijniki est initié au dessin par un peintre d'icônes de la région de Kharkov. Arrivé, à Saint-Pétersbourg en 1863, il fréquente l'école de dessin de la Société d'encouragement des beaux-arts, où il a pour professeur Kramskoï, l'inspirateur de la rébellion des élèves contre l'Académie des beaux-arts en 1863 et l'un des fondateurs des Peredvijniki. L'année suivante, il est admis à l'Académie, d'où il sort en 1871, doté d'une bourse pour la France. Il ne part qu'en 1873 pour Paris, où il travaille jusqu'en 1876 (*Café parisien*, 1875, Stockholm, coll. part.), entrecoupant son séjour de voyages en Italie. Il est à Paris en 1874 lors de la première Exposition impressionniste, qu'il juge intéressante du point de vue technique, mais parfaitement vide de sens. C'est pourquoi le sujet de son morceau de réception à l'Académie, exécuté pendant son séjour à l'étranger, a pour thème un vieux conte russe, *Sadko*, que le peintre charge de symboles. De retour en Russie, Répine s'installe à Moscou, où le mode de vie est plus conforme à ses goûts et plus propice à l'élaboration d'une peinture authentiquement russe. C'est là que, à partir de 1878, en compagnie de Polenov, de Sourikov et de Vasnetsov, il se joint au cercle de Savva Mamontov tout en restant en rapports étroits avec Kramskoï et les Peredvijniki, avec lesquels il expose régulièrement. De 1878 à 1917, il participe à presque toutes les manifestations de la

Société des expositions artistiques ambulantes, dont il est membre. Il se réinstalle à Saint-Pétersbourg en 1882, voyage (Hollande, Espagne, 1883), expose, fréquente peintres, musiciens, écrivains, princes et connaît le succès. Lié avec le groupe de Mir Iskousstva à ses débuts, il participe aux premières expositions organisées par Diaghilev et fait partie du comité de rédaction de la revue fondée en 1898. Mais, malgré une admiration réciproque, la rupture intervient rapidement entre le partisan du réalisme didactique et le jeune groupe, que Répine accuse de dilettantisme. Le peintre se trouve alors à un moment crucial de sa carrière. Désireux d'instruire le peuple, il traite avec une minutie consciencieuse le moindre détail de ses tableaux de genre ou de ses scènes historiques, mais le souffle épique lui fait défaut, son inconstance à l'égard du sujet qu'il traite lui fait remplir des carnets de croquis qui restent à l'état d'esquisses (*Au piano*, 1905, Moscou, gal. Tretiakov, crayon et fusain), et bien des tableaux conçus à cette époque ne seront jamais terminés ou même entrepris malgré les conseils qu'il requiert auprès de Tolstoï, qui voit en lui l'exécuteur pictural de ses idées (la *Manifestation du 17 octobre 1905*, 1906, Moscou, Musée central de la Révolution de l'U.R.S.S.). Cependant, directeur d'atelier à l'École supérieure près l'Académie des beaux-arts depuis 1894, Répine connaît un grand succès : son enseignement est recherché, car il laisse la plus grande liberté au développement individual. Mais, dégoûté par la routine académique, contre laquelle il ne peut rien en dépit des promesses de réformes, il abandonne l'enseignement officiel en 1907 et se retire définitivement à Kuokkala, dans sa propriété « les Pénates », où il vit la plupart du temps à partir de 1905. Sa dernière apparition publique à Saint-Pétersbourg a lieu en 1917, lors de la célébration de son jubilé.

Excellent dessinateur, Répine laisse, outre de nombreux carnets de croquis, des toiles vigoureuses aux thèmes variés, marquées dès les premières années non seulement par ce réalisme parlant dont se réclamaient les

Répine
*Procession religieuse dans la province
de Koursk, 1880-1883*
Moscou, galerie Tretiakov

Peredvijniki, mais aussi par un caractère profondément russe. C'est bien le même attachement à sa terre d'origine qui le guide, autant dans la conduite de son premier grand tableau les *Haleurs de la Volga* (1870-1873, Leningrad, Musée russe), compris comme une accusation contre l'absence de liberté, que dans son *Sadko dans le royaume sous-marin* (1876, *id.*), qu'on rapprocherait volontiers de l'art des symbolistes. Ce tableau ferait figure d'exception dans l'œuvre de Répine, peu porté au rêve, si lui-même n'avait expliqué le contenu symbolique de la légende : de même que Sadko, tombé dans l'étrange royaume de la mer, choisit parmi les fiancées de tous les pays une jeune fille russe, de même Répine, perdu dans l'étrange faune occidentale, se raccroche à l'idée de la terre russe. Cette double référence à une réalité mise en accusation et à une tradition vénérée explique autant le choix des sujets que le traitement, où perce la recherche de l'expression psychologique. Les exemples les plus célèbres sont *Procession religieuse dans la province de Koursk* (1880-1883, Mos-

cou, Tretiakov Gal.), *Ils ne l'attendaient pas* ou le *Retour du déporté* (1884, *id.*), *Ivan le Terrible devant le cadavre de son fils* (1885, *id.*), les *Cosaques Zaporogues écrivant une lettre au Sultan* (1880-1891, Leningrad, Musée russe ; réplique à Moscou, Tretiakov Gal.). D'excellents portraits de contemporains, assez académiques, tels *Moussorgski* (1881, Moscou, Tretiakov Gal.), *P. Tretiakov* (1883, *id.*), *L. Tolstoï* (1887, *id.*) et des portraits plus libres de sa femme (*Repos*, 1882, Moscou, Tretiakov Gal.) ou de ses enfants (*Nadia Repina*, 1881, Saratov, musée des arts Radichtchev), complètent une œuvre variée que devaient consacrer la commande officielle de la *Séance solennelle du Conseil d'État* (1901-1905, Leningrad, Musée russe) et l'admiration dont jouit le peintre en U.R.S.S.. Répine est présent dans la plupart des musées d'U.R.S.S., à Moscou (Tretiakov Gal.) et à Leningrad (Musée russe). Ces deux musées ont d'ailleurs organisé les plus grandes manifestations consacrées au peintre (à la Tretiakov Gal. en 1936, 1944, 1957-58 et au Musée russe en 1937, 1944, 1955 et 1958). Ses œuvres ont pris place dans des expositions sur l'art russe, en Europe (Paris, 1978), au Japon (Tōkyō – Osaka, 1975-76) et aux États-Unis (New York – San Francisco, 1977).

RIANCHO Y MORA Agustín,
peintre espagnol
(Entrambasmestas, prov. de Santander, 1840 - Ontañeda, id., 1929).
Issu d'une famille rurale pauvre, il reçoit à quatorze ans une bourse de la « Diputación provincial » de Santander. À partir de 1858 il est l'élève du paysagiste hispano-belge Carlos de Haes à l'école des Beaux-Arts de Madrid. Sur le conseil de son maître, il part en 1862 pour la Belgique, achève sa formation avec le peintre Lamorinière et demeure près de vingt ans à Bruxelles. Rentré en Espagne en 1883, il se retire bientôt dans ses montagnes natales, où il restera solitaire et méconnu jusqu'à ses derniers jours. Il peint alors en plein air, selon une vision qui lui est propre, des paysages de rochers, de prairies et d'arbres majestueux (l'influence de Rousseau et des peintres de Barbizon reste sensible dans sa peinture), construits par larges masses et dont la facture, presque brutale, paraît plus proche de Vlaminck que de l'Impressionnisme. Une grande exposition rétrospective à l'Ateneo de Santander en 1922 révèle sa puissante personnalité. C'est au musée *(La Cagigona)* et à l'Ateneo *(Arbres)* de Santander qu'on peut voir les ensembles les plus significatifs de l'œuvre de l'artiste.

ROBINSON Theodore,
peintre américain
(Irasburg, Vermont, 1852 - id. 1896).
Après des études d'art à Chicago (1869), puis à la National Academy of Design de New York, il entre à Paris dans les ateliers de Gérôme et de Carolus Duran (1876-1879). À New York (1879-1883), il exécute des décors muraux avec John La Farge et Prentice Treadwell (Metropolitan Opera, 1883). En France à partir de 1884, il peint en plein air à Giverny. Là, il se lie d'amitié avec Monet, qui l'incite à abandonner son réalisme proche de Bastien-Lepage et l'oriente vers un impressionnisme lumineux (la *Débâcle*, 1892, Claremont, Scripps College ; *Giverny vu à vol d'oiseau*, Metropolitan

Museum). Rentré aux États-Unis en 1893, il s'efforce d'appliquer la leçon française dans des paysages de Virginie, de New York, puis du Connecticut (*Port Ben, Delaware et le canal de l'Hudson*, 1893, Sheldon, Nebraska, Memorial Art Gal.). Ses œuvres sont conservées dans la plupart des musées américains et ont été présentées lors de rétrospectives au Metropolitan Museum en 1970, à Baltimore (Museum of Art) en 1973 et à Indianapolis (Museum of Art) en 1988.

RODIN Auguste,
sculpteur et dessinateur français
(Paris 1840 – Meudon 1917).

Le grand statuaire aima toute sa vie dessiner, et ses dessins, qui se trouvent pour la plupart au musée Rodin (Paris), reflètent assez fidèlement les phases de son évolution de sculpteur. Il étudia à la « petite école » où enseignait Lecoq de Boisbaudran et, plus tard, auprès de Carrier-Belleuse. Ses études anatomiques, ses croquis d'après les maîtres et ses dessins d'architecture ont beaucoup d'intérêt. À la suite du scandale de l'*Âge d'airain* et de la commande officielle de la *Porte de l'Enfer*, Rodin fit entre 1880 et 1900 de nombreuses esquisses inspirées par *la Divine Comédie* de Dante et *les Fleurs du mal* de Baudelaire. Ces évocations, qui constituent un des points majeurs de son œuvre dessiné, expriment avec force son sens profond du drame humain. Ce sont des apparitions angoissées, des damnés contorsionnés, des barques en perdition, mais aussi des étreintes éperdues et des mères protégeant leurs enfants. Les dessins, au crayon ou à la plume, sont rehaussés vigoureusement de gouache ou de lavis sombre et acquièrent ainsi un modelé d'une solidité toute sculpturale. La série des études concernant *Ugolin et ses enfants* est particulièrement tragique et expressive. Parfois, la couleur est étalée largement et Rodin joue de teintes étranges, roses et violines, cernées d'un épais trait noir ; parfois, des taches blanches soulignent les lumières sur les musculatures saillantes des corps. Son expérience de graveur (*Victor*

Christian Rohlfs
Saint-Patrocle de Soest, v. 1905-1906
68 × 98 cm
Cologne, Wallraf-Richartz-Museum

Hugo, de face, 1884, musée Rodin) fait souvent traiter à l'artiste les ombres par hachures entrecroisées. Après la réalisation de son *Balzac*, à partir de 1900, Rodin dessine plus fréquemment afin de saisir les attitudes fugitives des modèles, qu'il fait évoluer librement autour de lui. Il croque ceux-ci d'un trait, tantôt incisif, tantôt flou, souvent multiplié pour détailler les étapes imperceptibles du mouvement, préfigurant ainsi les recherches du Futurisme. Il néglige les détails au profit de l'arabesque et de l'instantané : les visages sans expression, les pieds et mains informes n'appartiennent plus au langage graphique du XIXᵉ s. mais débouchent sur l'Expressionnisme du XXᵉ s. Ses aquarelles, très largement traitées, sont d'une grande beauté par leurs accords raffinés de tons clairs et le jeu décoratif, assez japonisant, de leurs aplats. Rodin pose, en effet, sur un dessin, souvent démultiplié, des plages de couleurs lumineuses. Passionné de danse – comme le furent Degas et Toulouse-Lautrec –, il évoque les poses hardies du french cancan mais surtout les attitudes novatrices de Loïe Füller, d'Isadora Duncan et de Nijinsky. Attiré par les danses orientales javanaises (1896) ou japonaises (*Hanako*, 1908), il exécuta en 1906, d'après des danseurs cambodgiens, une suite d'aquarelles. Ses nombreux nus féminins, accroupis, alanguis, érotiques ou saphiques, qu'il expose en 1908 à la gal. Devambez, influenceront fortement Bourdelle, Maillol, Campigli et Kolbe. Ils annoncent déjà par leur synthétisme les simplifications de Picasso et de Matisse, qui seront aussi vivement intéressés par ses jeux de collages.

ROHLFS Christian,
peintre allemand
(Niendhorf 1843 – Hagen 1938).

Formé à Berlin et à l'Académie de Weimar, il fut longtemps fidèle à l'Impressionnisme (*Paysage d'hiver*, 1889, Cologne, W.R.M.). Membre de plusieurs « Sécessions », professeur à Weimar, il est appelé en 1901 à la Folkwang-Schule de Hagen, où il découvre le Néo-Impressionnisme et Van Gogh (1902), dont il s'inspire beaucoup pendant plusieurs années (*Forêt de bouleaux*, 1907, Essen, Folkwang Museum). Il prit pour motif de prédilection l'église de Soest près de Hagen (*Saint-Patrocle de Soest*, 1905-06, Cologne, W.R.M.). Après une expérience passagère du style de Die Brücke (1911-12), il découvre, alors âgé de plus de soixante ans, une expression personnelle dans laquelle fusionnent des formes d'un coloris généralement sobre, où dominent les bleus et les rouges. Si la leçon du Cubisme analytique est à l'origine de cette vision, Rohlfs la dépasse grâce à un rythme fougueux qui tend à dissoudre les apparences (*Toits rouges sous les arbres*, 1913, musée de Karlsruhe ; la *Tour de Soest*, 1916-17, Essen, Folkwang Museum). Son œuvre graphique (1908-1926) est important (183 bois et linoléums) et il pratiqua de préférence à la technique de l'huile celle de la tempera. S'il retint la leçon de Die Brücke (le *Fumeur*, v. 1912, linoléum ; le *Couple*, 1921, bois), son style reflète aussi le Naturalisme symbolique de la fin du XIXe s. (le *Prisonnier*, 1918, bois, Essen, Folkwang Museum). Il revient à un Impressionnisme très élaboré, où les motifs sont absorbés par l'atmosphère (*Maison à Bosco*, 1936, tempera sur papier, *id.*). En 1929 est fondé le musée Rohlfs. En 1938, alors que l'artiste est interdit en Allemagne, une exposition de ses œuvres a lieu en Suisse.

ROLL Alfred,
peintre français
(Paris 1847 – id. 1919).

Élève d'Harpignies, de Bonnat et de Gérôme, portraitiste au métier souple (*Portrait de M*me *Roll*, 1883, musée de Nantes), il sut parfois camper son modèle avec une solide simplicité, proche de Manet (*Portrait du peintre Damoye*, 1886, musée d'Amiens). Paysagiste sincère, il se montra surtout habile dans ses fraîches scènes campagnardes (*Manda Lametrie fermière*, 1887,

Orsay) ou ses études sociales, d'un robuste réalisme (le *Travail, chantier de Suresnes*, 1885, mairie de Cognac). Marqué par le socialisme, il a exprimé, avec force, ses idées humanitaires dans la *Grève des mineurs* (1884, musée de Valenciennes). Ces toiles, à la facture large, par leurs tons clairs et leurs effets fugitifs de lumière, se souviennent de l'Impressionnisme (*Louise Cattel, nourrice*, (1894, musée de Lille). Parfois Roll se plaît à quelque scène de genre, plus ou moins mythologique et d'un goût moins sûr (*Femme au taureau*, 1885, musée de Buenos Aires). Ses tableaux militaires (*Halte là !*, 1875, musée de Metz) et ses représentations d'événements contemporains (*Pose de la première pierre du pont Alexandre-III par le tsar Nicolas II*, 1899, Versailles) révèlent un beau sens de la composition. Roll décora cependant avec brio le salon nord de l'Hôtel de Ville de Paris (les *Joies de la vie*, 1895). Le Petit Palais possède « *Art, mouvement, travail, lumière*, 1889, et a resitué l'œuvre dans le cadre de l'exposition « le Triomphe des mairies, grands décors républicains à Paris, 1870-1914 » (Paris 1986-87). Ce même musée possède aussi de nombreuses esquisses de plafond par Roll.

ROOK Edward Francis,
peintre américain
(New York 1870 – id. 1960).

Peintre de genre et de paysages, Rook est l'élève de Benjamin Constant et de Jean-Paul Laurens à l'Académie Julian lors d'un séjour à Paris. À son retour aux États-Unis, il devient membre associé de l'Académie nationale de dessin de New York et obtient plusieurs médailles. Il est représenté à Philadelphie (Académie des beaux-arts), à Washington (Corcoran Gal.) et dans les musées de Cincinnati et de Portland.

ROUART (les),
collectionneurs et peintres français

Henri *(Paris 1833 – id. 1912)*, polytechnicien, industriel et inventeur, joua un rôle de pionnier dans la recherche des applications pratiques de la science à l'industrie et fut un précurseur dans le domaine de l'art. Peintre de talent (la *Terrasse au bord de la Seine à Melun*, 1880, Paris, Orsay ; l'*Église de San Michele, près de Venise*, 1883, *id.*) et amateur très averti, il est l'un des premiers collectionneurs à ouvrir sa galerie aux impressionnistes, alors en butte à l'incompréhension générale. Il contribue activement à l'organisation et au financement des premières expositions de ceux-ci, où ses propres tableaux figurent de 1874 à 1886. En 1912, il expose chez Durand-Ruel (la *Grand'Route à la Queue-en-Brie*, Pau, musée des Beaux-Arts ; *Baigneuses*, Limoges). Camarade de collège de Degas, il retrouve celui-ci au siège de Paris en 1870 dans la batterie qu'il commande et noue avec lui des liens d'amitié durables. C'est à cette époque qu'il commence à collectionner, fréquentant presque journellement la rue Laffitte, alors centre du commerce des œuvres d'art. Il aime les paysagistes qui ont frayé la voie aux impressionnistes. Ancien élève de Millet, il possède plusieurs de ses œuvres (le *Coup de vent*, les *Bûcheronnes*), mais le maître le plus amplement représenté est Corot, avec qui il va quelquefois peindre à Barbizon en compagnie de Millet. Là encore, Henri Rouart marque une prédilection pour les œuvres les plus sincères ou les plus émouvantes et les moins appréciées à l'époque, les *Paysages d'Italie* et les *Figures*. Aux noms de ces artistes, il faut ajouter ceux de Daumier, qui occupe aussi une place d'honneur dans la galerie (*Crispin et Scapin*, auj. à Orsay, acquis avec le concours des enfants d'Henri Rouart ; la *Lecture*, les *Avocats*), de Delacroix, de Courbet, de Fantin-Labour, de Boudin, de Théodore Rousseau, de Lépine, de Jongkind, et de Degas, avec quelques œuvres maîtresses : la copie de l'*Enlèvement des Sabines* de Poussin, les *Danseuses à la barre*, la *Répétition de danse*. Mentionnons enfin la *Leçon de musique* et la *Plage* de Manet, l'*Allée cavalière du bois de Boulogne* de Renoir ainsi que des toiles de Cézanne *(Baigneuses)*, de Monet *(Champ de foire)* et de Gauguin *(Papeete)*. Rouart est représenté à Paris, Orsay, à Limoges,

et dans les musées de Pau et d'Arras. **Alexis,** frère d'Henri, est aussi collectionneur, dans des proportions plus modestes, mais il possède quelques œuvres de Degas, avec qui il partage un grand intérêt pour les estampes japonaises.

Ernest *(Paris 1874 – id. 1942)*, fils d'Henri, peintre (*Minerve chassant les Vices du jardin de la Vertu*, 1897, Paris, Orsay ; *Jeune fille au travail*, 1931, *id.*). Sur les conseils de Degas, il commence par copier les œuvres des maîtres anciens au Louvre. En 1900, il épouse Julie Manet, fille de Berthe Morisot et Eugène Manet. Collectionneur comme son père, il acquiert quelques-uns de ses tableaux passés en vente (1912-13) et se fournit également chez Durand-Ruel. Ernest Rouart expose tour à tour au Salon de la Société nationale des beaux-arts, aux Indépendants puis au Salon d'automne et organise diverses expositions commémoratives comme celles de Manet (Paris, Orangerie) en 1932, de Degas en 1937 et de Berthe Morisot en 1941. La famille Rouart a fait don au Louvre de quelques-uns de ses tableaux (auj. transférés à Paris, Orsay) : *Tivoli, la Villa d'Este* (1843), la *Dame en bleu* (1874), la *Dame en rose* de Corot, la *Dame aux éventails* (1873) de Manet ; l'*Hortensia* (1894) de Berthe Morisot. Degas a laissé de nombreux portraits des Rouart (*Henri Rouart*, 1895, *Alexis*, 1895).

ROUEN.

La diversité des quais, des bateaux, des lumières, des églises avait déjà attiré à Rouen Corot et Turner, Boudin et Jongkind. En 1872, Monet passe ses vacances à Rouen chez son frère, où il reviendra vingt ans plus tard pour peindre la fameuse série des *Cathédrales* (la *Seine à Rouen*, Washington, N.G. ; *Bateaux à Rouen*, Karlsruhe, Staatliche Kunsthalle). Pissarro commence en 1883 plusieurs vues de Rouen, qu'il termine en 1896 à l'hôtel de Paris et que Durand-Ruel expose à New York l'année suivante (le *Grand pont*, Pittsburgh, Carnegie Institute). Beaucoup de peintres français et étrangers ont été attirés par Rouen ; parmi les impressionnistes, citons encore Renoir, Sysley, Bazille, Degas et bien d'autres dont certaines œuvres enrichissent aujourd'hui le musée de la ville.

ROUSSEAU Henri, dit le Douanier, peintre français
(Laval 1844 – Paris 1910).

Quatrième enfant d'un ferblantier de Laval, il obtient au lycée, en 1860, un prix de dessin et un prix de musique. Employé chez un avoué à Angers, il est condamné à un mois de prison pour abus de confiance et, afin d'éviter le scandale, signe un engagement volontaire pour l'armée. Il n'a jamais été au Mexique, malgré les allusions qu'il fit plus tard à cette expédition mais a rencontré des soldats qui s'étaient battus là-bas. Marié en 1869, clerc chez un huissier, il devient commis de deuxième classe à l'octroi de Paris et le reste jusqu'en 1893. Peintre amateur, il obtient, en 1884, une autorisation de travailler comme copiste aux Musées nationaux. En 1886, présenté par Signac, il expose au Salon des indépendants, auquel il participera chaque année jusqu'à sa mort, sauf en 1899 et 1900 : sa carrière, en somme, et sa notoriété sont dues à ce Salon. En 1888, il perd sa femme, qui lui avait donné sept enfants, et se remarie en 1899. En 1889, il évolue vers une touche en aplats, peut-être au contact de Gauguin et de Bernard. En 1893, il se consacre entièrement à la peinture, ayant pris sa retraite à l'octroi. Le tableau exposé aux Indépendants en 1894, la *Guerre* (Paris, Orsay), montre qu'il a dès lors acquis sa manière très originale et son style de primitif moderne. Son concitoyen de Laval, Alfred Jarry, lui fait connaître Rémy de Gourmont, qui publie dans la revue *l'Ymagier*, en 1895, la lithographie de ce tableau. En 1897, Rousseau expose aux Indépendants la célèbre *Bohémienne endormie* (New York, M.O.M.A.), dont il propose vainement l'achat au maire de Laval. À cette époque, il joue dans l'orchestre de l'Amicale du Vᵉ arrondissement et, pour vivre, donne des leçons de peinture et de musique. Après la mort de

sa seconde femme en 1903, il s'installe rue Perrel, dans le quartier populaire de Plaisance, où il fait les portraits des commerçants ses voisins, en prenant leurs mesures avec un mètre. Son premier sujet exotique, *Éclaireurs attaqués par un tigre* (Merion, Pennsylvanie, Barnes Foundation), est exposé aux Indépendants en 1904. L'année suivante, Rousseau est admis au Salon d'automne dans la salle des Fauves, où il envoie un grand panneau, le *Lion ayant faim* (Suisse, coll. part.). Dès lors, il sort de l'obscurité ; Jarry lui fait connaître Apollinaire, et celui-ci lui présente Robert Delaunay, qui devient son ami. La mère de ce dernier lui commande la *Charmeuse de serpents*, exposée au Salon d'automne en 1907 (Paris, Orsay). En décembre de cette année, il est mis en prison pour une affaire de chèque sans provision, où il est la dupe d'un escroc. Pour se disculper, il montre ses tableaux, qui le font libérer comme irresponsable. Wilhelm Uhde, son premier biographe en 1911, s'intéresse à lui, ainsi que plusieurs artistes, qui ne le prennent pas encore très au sérieux. En son honneur, Picasso offre un banquet, resté fameux, dans son atelier du Bateau-Lavoir en 1908. Rousseau lui-même donne dans son atelier des soirées « musicales et familiales », avec des mélodies de sa composition. Des marchands lui achètent des tableaux, notamment Vollard et Brummer. Il expose aux Indépendants, en 1909, la *Muse inspirant le poète* (Moscou, musée Pouchkine), représentant Apollinaire et Marie Laurencin. Malgré ses succès de peintre, une vie privée difficile rend ses derniers jours malheureux ; en 1910, il meurt solitaire à l'hôpital Necker. L'année suivante, ses amis Delaunay et le mouleur Queval lui achètent une concession. Sur la pierre tombale, Apollinaire écrivit un célèbre poème que, plus tard, Brâncuçi grava dans la pierre.

Beaucoup d'aspects de la vie d'Henri Rousseau restent énigmatiques, parce que son existence fut d'abord obscure et que le caractère de l'homme paraît ambigu. Imaginatif, rusé dans sa naïveté, l'artiste a beaucoup trompé ou laissé se tromper ses

Le Douanier Rousseau
La Charmeuse de serpents, 1907
167 × 189 cm
Paris, musée d'Orsay

amis écrivains, quand il a vu ceux-ci s'intéresser à lui et constituer une légende autour de son personnage. Considéré comme grotesque par la critique et le grand public, il ménagea ainsi sa revanche.

Son art aussi est complexe, et les interprétations sont multiples. Beaucoup d'œuvres de Rousseau, surtout avant 1900, ont été perdues. Celui-ci a connu, par son ami Clément, peintre du Salon, les maîtres officiels, pour lesquels il ne cachait pas sa grande admiration : Cabanel, Bouguereau, Gérôme : sans doute voulait-il rivaliser avec eux. Dans une note autobiographique, rédi-

gée pour son procès, il se définit ainsi : « C'est après de bien dures épreuves qu'il arriva à se faire connaître de nombre d'artistes qui l'environnement. Il s'est perfectionné, de plus en plus, dans le genre original qu'il a adopté et est en passe de devenir l'un de nos meilleurs peintres réalistes. »

Le mot « réaliste » est à retenir. Bien que l'amitié de Jarry l'ait entraîné vers les milieux d'avant-garde, qu'il ait attiré l'attention de Gauguin, de Pissarro, de Signac et de Degas (dont l'admiration n'allait pas sans réserve) et, plus tard, celle de Picasso et de Delaunay, Henri Rousseau se sentait très éloigné des tendances impressionnistes et modernes. Il admirait Ingres, et les esquisses qu'il a laissées sont d'un style assez différent et plus classique que ses compositions. Il s'est donc créé consciemment son style, qui apparaît naïf par l'esprit et la sensibilité, mais médité dans sa technique.

On peut distinguer plusieurs catégories dans ses œuvres. D'abord des portraits et des scènes de la vie populaire : des autoportraits (1890, Prague, N.G.), *Une noce à la campagne* (1905, Paris, Orangerie, coll. Walter Guillaume), *Portrait de Loti* (1891-92, Zurich, Kunsthaus), la *Carriole du père Juniet* (1908, Paris, Orangerie, coll. Walter Guillaume). Les personnages y sont représentés de face, avec une expression figée. La composition pyramidale est étudiée, le dessin, malgré sa gaucherie, possède une grande netteté, et les couleurs ont un relief éclatant et harmonieux, digne des Primitifs.

Une seconde série, celle des paysages de Paris, montre les quais de la Seine, les rues de la banlieue, avec de petits personnages, d'une poésie idyllique et profonde : *Un soir de carnaval* (1886, Philadelphie, Museum of Art), la *Promenade dans la forêt* (entre 1886 et 1890, Zurich, Kunsthaus), *Vue du parc Montsouris* (1895, New York, coll. part.), *Bois de Boulogne* (1896, anc. coll. H. Siemens). La stylisation des arbres et des nuages, la délicatesse du rendu des matières et des lumières confèrent à ces petites vues panoramiques une atmosphère mystérieuse de paradis perdu. Viennent ensuite des scènes collectives patriotiques (le *Centenaire de l'Indépendance*, 1892, Düsseldorf, coll. Voemel), d'autres à sujets militaires (les *Artilleurs*, v. 1893, Guggenheim Museum ; les *Représentants des puissances étrangères venant saluer la République en signe de paix*, exposés en 1907, Paris, musée Picasso) ou sportifs (les *Joueurs de football*, 1908, Guggenheim Museum). Ici, l'inspiration apparaît sociale et humanitaire, soutenue par des convictions républicaines et transposée en allégories imaginatives. Cet esprit symbolique se développe encore davantage dans des scènes presque fantastiques, comme la *Guerre* (1894, Paris, Orsay), le *Rêve* (1910, New York, M.O.M.A.). Il est à noter qu'à ces thèmes, fort à la mode dans la peinture officielle du temps, Rousseau a su insuffler une fraîcheur d'âme et une poésie tout à fait puissante qui les transfigurent.

La série la plus connue est celle des sujets exotiques, que Rousseau a beaucoup développés en grands formats à la fin de sa vie et qui lui valurent commandes et succès : le *Repas du lion* (1907, Metropolitan Museum), les *Flamants* (1907, New York, coll. Ch. S. Payson), *Nègre attaqué par un jaguar* (1909, Bâle, K.M.), les *Singes dans la forêt vierge* (1910, Metropolitan Museum), la *Cascade* (1910, Chicago, Art Inst.). Il est certain que Rousseau s'inspira alors non pas de ses prétendus souvenirs du Mexique, mais d'images de magazines et de visites au Jardin des Plantes. Il sut néanmoins renouveler ainsi l'exotisme par le style fantastique qu'il donna au décor végétal. Cependant, le caractère un peu lâché de plusieurs de ces toiles, parfois hâtives, est indéniable. Enfin, Rousseau a peint des bouquets de fleurs des champs et des jardins avec des teintes délicates et exquises, ainsi qu'avec des lignes très pures.

La franchise des couleurs, le synthétisme des formes, ainsi que son imagination le rattachent aux Primitifs du XVe s., comme au courant des peintres populaires et anonymes qui l'ont précédé, et parmi lesquels il est le premier à avoir affirmé, de façon singulière, une puissante personnalité. Le rayonnement du Douanier Rousseau a été considérable. Ses œuvres sont particulièrement présentes dans les musées des États-Unis et de Suisse mais aussi dans ceux d'Allemagne et d'Angleterre. En France, le musée d'Orsay (Paris) conserve trois tableaux du peintre. Rousseau a bénéficié de quelques expositions personnelles comme celles de Bâle (Kunsthalle) en 1933, de Chicago (Art Inst.) et de New York (M.O.M.A.) en 1942, de Paris (M.A.M.) en 1944, de Tōkyō en 1966 et d'une rétrospective en 1984-85 (Paris, Grand Palais).

ROUSSEAU Théodore,
peintre français
(Paris 1812 – Barbizon 1867).

Dès son enfance, Rousseau manifesta des dons de peintre. Son cousin, le paysagiste Pau de Saint-Martin, fut son premier maître.

Théodore Rousseau
La Forêt en hiver au coucher du soleil
162,6 × 260 cm
New York, Metropolitan Museum of Art

Ses parents, bourgeois fortunés, encouragèrent sa vocation. Travaillant aux Beaux-Arts sous les directives de Rémond et de Guillon-Lethière, Rousseau ne fut pas admis à concourir pour le prix de Rome. Rebuté par l'enseignement académique, il chercha sa leçon au Louvre auprès des maîtres anciens, Claude Lorrain et les paysagistes hollandais, tout en étudiant les paysagistes anglais contemporains. Il ajouta à ces travaux de copies un labeur acharné dans la campagne des environs de Paris. Dans son interprétation analytique et passionnée de la nature, on observe, dès ses débuts comme tout au cours de sa vie, les influences de Constable et de Bonington, de Ruysdael et de Hobbema, qui se jouent tour à tour. Chacune des étapes de sa carrière artistique fut marquée par un voyage. Le premier le conduisit en 1830 en Auvergne, où il découvrit des sites sauvages qui lui inspirèrent des paysages d'un emportement romantique : *Vue d'Auvergne* (Birmingham, Barber Inst. of Arts).

C'est avec un *Paysage d'Auvergne* (Rotterdam, fondation Willem Van de Vorm) qu'il débuta au Salon de 1831. Deux voyages en Normandie, en 1831 et 1832, en compagnie de Paul Huet, puis de Charles de Laberge, lui révélèrent la luminosité des ciels marins. Il ne cessa alors de s'intéresser à la représentation des vastes horizons (*Paris vu de la terrasse de Bellevue*, 1833, Bruxelles, M.A.M.). Pendant l'été de 1834, il conçut dans le Jura deux de ses œuvres les plus fameuses, la *Tempête sur le Mont-Blanc* (Copenhague, N.C.G.) et la *Descente des vaches* (La Haye, musée Mesdag ; importantes esquisses aux musées Mesdag et d'Amiens). Ce dernier tableau fut refusé par le jury du Salon de 1835, offusqué par l'audace de sa composition et la stridence de son coloris. Invité en Vendée en 1837 par le peintre Charles Le Roux, l'artiste y poussa jusqu'au paroxysme son inclination à pénétrer le secret de la création dans la formation des roches, le cours des eaux, la croissance des arbres. Deux peintures entreprises à ce moment, la *Vallée de Tiffauge* (musée de Cincinnati) et la célèbre *Allée des châtaigniers* (Louvre), attestent avec quelle outrance il se laissa entraîner dans un

Santiago Rusiñol
La Cour aux orangers
86,5 × 107 cm
Castres, musée Goya

RUSIÑOL Santiago,
peintre espagnol
(Barcelone 1861 – Aranjuez 1931).

Paysagiste catalan, romancier, chroniqueur, auteur dramatique, il compte avant tout dans l'histoire comme un des animateurs du « modernisme » catalan de 1890-1900. D'une famille d'industriels aisés, il fut d'abord, sous la direction de Moragas, un peintre aquarelliste. Contraint d'entrer dans la fabrique de tissus de son grand-père, il s'en libère en 1865 pour effectuer un premier voyage à Paris et travailler à l'Académie Gervex. En 1887, il s'installe à Montmartre, partageant la vie pleine de fantaisie d'un petit groupe espagnol dont les figures dominantes sont le critique d'art et journaliste Miguel Utrillo et le peintre barcelonais Ramón Casas, puis, à partir de 1890, le Basque Zuloaga. Fréquentant l'Académie de la Palette, où corrigent Puvis de Chavannes et Carrière, il est aussi un familier du Chat Noir et du café Weber. Bohème cordial, jovial et mélancolique, il se mêle aux milieux littéraires et artistiques les plus divers ; il est un familier de Léon Daudet, de Toulet, de Curnonsky, d'Erik Satie (la *Romance*, 1893, Barcelone, M.A.M.) aussi bien que de nombreux peintres. Ses premières œuvres, influencées par Carrière, Whistler, l'estampe japonaise, autant que par les impressionnistes purs, traitent des sujets réalistes et intimistes : portraits en plein air (*Utrillo devant le Moulin de la Galette*, Barcelone, M.A.M.), coins de Montmartre, souvent en hiver, figures de jeunes femmes ou d'enfants dans des intérieurs (*Portrait de Sarah Bernhardt*, Prado, Casón), dans une gamme très fine, un peu brumeuse, où dominent surtout les gris. C'est à Paris qu'il abandonne le noir et éclaircit sa palette.

Par la suite, Rusiñol évolue vers un symbolisme sentimental assez proche des préraphaélites (le *Mystique*, l'*Angélus*, *Nuit de veille*, Sitges, musée du Cau Ferrat). Après son retour définitif à Barcelone en 1894, il prend une place importante dans la vie artistique, par l'affiche et la décoration autant que par la peinture. Il est un des fondateurs des Quatre Gats, transposition barcelonaise du Chat Noir et rendez-vous de toute l'avant-garde. En outre, au petit port de Sitges, la maison de pêcheur qu'il a achetée en 1892 se transforme en une vaste villa, que Rusiñol décore d'allégories gothicisantes (*Peinture, Musique, Poésie*). Le Cau Ferrat devient le théâtre de « fêtes modernistes » où affluent les artistes barcelonais ; on y célèbre le culte de Greco, dont Rusiñol avait acquis des toiles, notamment une importante *Madeleine*. Légué à la ville de Sitges, le Cau Ferrat est rattaché depuis 1932 aux musées de Barcelone. La collection de peintures de Rusiñol apporte un témoignage précieux sur les peintres espagnols du début du siècle (Picasso, Zuloaga, Regoyos) et permet de suivre les étapes de son œuvre. Rusiñol devait en effet trouver sa voie définitive avec un thème nouveau : celui des jardins d'Espagne, qu'un voyage à Grenade lui avait révélés depuis 1892. Il les représente empreints de mélancolie et délicatesse (*Cour aux orangers*, Castres, musée Goya). Il découvre ensuite ceux de Majorque et de Castille : Aranjuez devient pour lui un lieu de prédilection ; il y meurt en 1931.

RYDER Albert Pinkham,
peintre américain
(New Bedford, Massachusetts, 1847 –
New York 1917).

Élève de la National Academy de New York en 1872 (il y fut associé en 1902), Ryder ne se rattache à aucun mouvement, sauf peut-être celui des Nabis, qu'il découvre lors d'un séjour en Europe et auquel il emprunte le cloisonnisme des formes. Ses marines, ses compositions wagnériennes, ses œuvres oniriques souvent inspirées de la littérature shakespeariennes (*Desdemona*, 1896, Washington, D.C., coll. part. ; la *Tempête*, Detroit, Institute of Arts) explorent souvent l'abstraction.

Ses peintures sont conservées dans les musées de Boston (Museum of Fine Arts), de Buffalo (Albright-Knox Art Gal.), de Chicago, de New York (Metropolitan Museum), de Washington (N.G.).

RYSSELBERGHE Théo Van,
peintre belge
(Gand 1862 – Saint Clair, Var, 1926).

Élève des académies de Gand et de Bruxelles, il rapporte d'un voyage au Maroc (1883-84) la *Fantasia* (Bruxelles, M.R.B.A.),

Théo Van Rysselberghe
Portrait d'Octave Maus, 1885
98 × 75 cm
Bruxelles, musée royaux des Beaux-Arts

tableau dans la tradition orientaliste de son maître Jean Portaels mais où se manifeste déjà son goût pour la peinture claire. Membre fondateur des Vingt avec son ami Octave Maus, il entreprend en 1886, en compagnie d'Émile Verhaeren, un voyage à Paris, où il découvre la *Grande Jatte* de Seurat. Rapidement conquis par le Néo-Impressionnisme, il en deviendra en Belgique le plus ardent défenseur (la *Pointe Per-Kiridec*, 1889, Otterlo, Kröller-Müller ; la *Partie de tennis*, v. 1890, Toulouse, coll. part. ; *Madame Maus*, 1890, Bruxelles, M.R.B.A., *Voiliers et estuaire* 1892-93, Paris, Orsay). Dans une fidélité instinctive au réel, il respecte pourtant l'identité de ses motifs et ne se livre guère à la stylisation qu'impose cette technique, d'où il résulte une contradiction souvent flagrante entre l'esprit et les moyens, surtout sensible dans les tableaux de figures. Le premier avec Georges Lemmen, il adapta la technique divisionniste au portrait : la *Lecture* (1903, musée de Gand), œuvre célèbre groupant les personnalités littéraires de l'époque et reflet du milieu de la Libre Esthétique ; vers cette date, il se rapproche de Cross dans les paysages (les *Pins à Cavalière*, 1904, Otterlo, Kröller-Müller). À la faveur de l'engagement pour les arts décoratifs, Van Rysselberghe s'adonne v. 1895 à la création d'affiches, de meubles et de vastes compositions à résonance sociale (*l'Heure embrasée*, 1897, Weimar, musée des Beaux-Arts). Fréquentant alors les milieux littéraires du Symbolisme, il se lie avec Gide, participe aux expositions des indépendants et incite les fauves à exposer à la Libre Esthétique à partir de 1906. Installé à Paris en 1898, Rysselberghe se fixe à Saint-Clair (près du Lavandou) en 1910 et s'exprime dès lors au moyen d'une palette franche, d'un métier robuste qui s'écarte alors d'un divisionnisme pur, et cherche à renouer avec une réalité donnant plus de présence aux objets (les *Pins de la Fossette*, 1919, Flémalle-Haute, coll. part.). Il a laissé une œuvre graphique (dessins, aquarelles, eaux-fortes) qui rend mieux compte peut-être que sa peinture d'un talent très probe (le *Port de Trieste*, 1896, eau-forte). Il est surtout représenté à Amsterdam (Musée national), à Bruxelles (M.R.B.A.), à Helsinki (Ateneum) et à Gand (musée des Beaux-Arts), qui organisa en 1962 une rétrospective de son œuvre. □

S

SALON.

Au XIXe s., l'exposition périodique d'œuvres récentes prend une dimension culturelle des plus importantes. Bastion des principes esthétiques de l'Académie des beaux-arts, le Salon officiel provoque peu à peu une véritable opposition et donne ainsi naissance à la notion d'Académisme – évolution qui va de pair avec celle de l'image de la création et de la fonction de l'artiste dans la société. Le jury d'admission, institué en 1798, se manifeste très vite comme une autorité. Sous l'Empire, il est composé de 3 artistes et de 2 amateurs, présidés par Denon. Supprimé en 1848, mais rétabli dès l'année suivante, il se montre de plus en plus sévère. Il refuse systématiquement toute œuvre non conforme à l'orthodoxie de l'Académie, excluant les candidats en masse, plus particulièrement au temps du ministre Nieuwerkerke. Depuis la première moitié du siècle déjà, plusieurs tentatives d'expositions parallèles s'étaient fait jour, celle de Courbet, par exemple, à l'exposition universelle de 1855. Mais, en 1863, sur 5 000 œuvres présentées, plus de 3 000 sont refusées. Cette majorité de mécontents, parmi lesquels Courbet, Manet, Jongkind, Pissarro, Whistler, entraîne la création du Salon des refusés. Ouvert dès le 15 mai 1863, à l'initiative de Napoléon III lui-même, semble-t-il, il se tient, comme le Salon officiel, au palais de l'Industrie. Les expositions impressionnistes qui ont lieu après 1874 chez le photographe Nadar sont aussi une réaction contre le Salon officiel.

En 1881, Jules Ferry tente de dégager le Salon de l'emprise réglementaire de l'Académie des beaux-arts en instituant la Société des artistes français, comité de 90 membres élus par les artistes précédemment admis. Le nouveau jury se montrant tout aussi sévère, une première scission est réalisée en 1884 par le Salon de la Société des artistes indépendants, qui regroupe spontanément les refusés dans une baraque du jardin des Tuileries. Ce Salon a pour maxime « Ni jury ni récompense ». Seurat, Signac, C. E. Cross, Pissarro y exposent. De nombreuses expositions rétrospectives sont par la suite organisées par les Indépendants, expositions où sont présentées des œuvres de Van Gogh, de Toulouse-Lautrec, des Nabis, de Cézanne et, de 1910 à 1914, des cubistes. Une nouvelle scission se produit en 1889 : les dissidents, conduits par Meissonier, Rodin et Puvis de Chavannes, fondent la Société nationale des beaux-arts, qui donne, à partir de 1890, un Salon annuel sur le Champ-de-Mars, auquel Maillol, Sisley, Lebourg participent. Depuis lors, les Salons se sont multipliés, les uns pour défendre des positions de principe, d'autres pour rassembler éclectiquement un très grand nombre de personnes pratiquant, le plus souvent à titre de second métier, peinture, sculpture, gravure et arts décoratifs.

Le Salon d'automne, fondé en 1903 par l'architecte Frantz Jourdain, se propose d'admettre, par un choix plus rigoureux que celui du Salon des indépendants, des artistes appartenant à un courant plus homogène. Des salles sont, en outre, réservées aux grands novateurs : Cézanne, Renoir, Odilon Redon, Lautrec, encore peu appréciés du public. En 1905 s'y retrouvent les fauves, plus tard les cubistes ou des artistes de tendance indépendante comme Picabia.

John Singer Sargent
Les Filles d'Edward Darley, 1882
Boston, Museum of fine Arts

SARGENT John Singer,
peintre américain
(Florence 1856 - Londres 1925).

Comme Mary Cassatt et Whistler, ses contemporains, Sargent s'expatria. Son enfance itinérante avec sa famille lui fit connaître l'Italie, l'Espagne et la Hollande. Ayant tout d'abord fréquenté l'Accademia della Bella Arti à Florence (1870-1875), il se fixa à Paris à partir de 1874 et apprit à peindre dans l'atelier de Carolus-Duran. Il subit aussi l'influence de Whistler et de Degas. À vingt ans, il se rendit pour la première fois aux États-Unis, mais Paris resta son port d'attache. Il se rendit en Espagne en 1879 et y copia Velásquez, en 1880 en Hollande, où il fit de même avec Hals. Dès cette époque, Sargent exposait régulièrement au Salon, surtout des portraits, mais également quelques paysages. L'atelier de cet homme fin et cultivé était le lieu de rencontre de la haute société. Sa réputation de portraitiste ne cessait de croître (*Carolus-Duran*, 1879, Williamstown, Sterling and Francine Clark Art Inst.; les *Filles d'Edward Darley*, 1882, Boston, M.F.A.; *Docteur Pozzi*, 1881, coll. part). Son portrait de *Madame X [Madame Pierre Gautreau]* (Metropolitan Museum) fit scandale au Salon de 1884. Sargent cessa d'y exposer désormais et alla se fixer à Londres (1885), où il continua de mener une existence à la fois mondaine et laborieuse de portraitiste. Il avait exposé à la Royal Academy à partir de 1882 et devint membre élu de cette association en 1897. À la fin de sa vie, il séjourna fréquemment aux États-Unis, où la gloire l'attendait : *Portraits de Mrs. Gardner* (1887), décoration murale de la bibliothèque (1890-1919), du M.F.A. de Boston (1916-1925) et de la bibliothèque Widener à Harvard University (1921-22).

Admirateur de Frans Hals et de Veláquez, Sargent n'est pas indifférent aux nouveautés de l'Impressionnisme (il fut l'ami de Monet), auquel il emprunte la simplification hardie de la touche, mais son esprit demeure traditionnel. Ses portraits nous restituent fidèlement l'image d'une société ; ils ont dû leur succès à leur vraisemblance flatteuse, que traduisit la virtuosité de l'artiste. Après 1910 surtout, il peignit également des paysages et, durant la Première Guerre mondiale, des scènes de genre sur la vie militaire (Londres, Imperial War Museum, la plus célèbre restant *Gassed*, 1918). Des expositions rétrospectives de son œuvre eurent lieu à Boston en 1925 et à Londres en 1926 (Royal Academy et Tate Gal.). Il est représenté dans les musées de Boston, de Cambridge (États-Unis), de Londres (N.P.G., Tate Gal.), au Metropolitan Museum, dans plusieurs musées américains et à Paris (*Carmencita*, 1890, Paris, Orsay). Très critiqué après sa mort, Sargent est aujourd'hui réévalué, et reconnu comme un des grands portraitistes de son temps, sans que sa réputation aille aux sommets qu'elle atteignit de son vivant.

SCHUCH Carl,
peintre autrichien
(Vienne 1846 - id. 1903).

Élève de Ludwig Halauska à Vienne (1866-1868), il voyage deux ans en Italie avec Albert Lang et s'intègre à Munich dans le cercle de Trubner et de Leibl, dont le style réaliste l'influence, de même que celui de Courbet. Après un séjour à Rome en 1872, il parcourt la Belgique et la Hollande avec son ami Karl Hagemeister à la recherche de paysages (*Auberge de Lahnthaler*, 1873, Mannheim, Städtische Kunsthalle). À partir de 1875, il se consacre de plus en plus à la composition de natures mortes aux tons chauds, à Olevano, à Venise (1876-1882) comme à Paris (1882-1894) ou à Vienne (*Nature morte avec pommes, verre de vin et cruche*, 1876, Munich, Neue Pin. ; *Potiron, pêches et raisins*, 1884, Vienne, Österr. Gal.). En 1906, l'Exposition de Berlin présenta pour la première fois ses œuvres au public. Les musées allemands de Berlin (N.G.), de Hambourg (Kunsthalle), de Brême (Landesmuseum für Kunst) et de Cologne (W.R.M.) conservent des toiles de cet artiste.

SEGANTINI Giovanni,
peintre italien
(Arco di Trento 1858 - Schafberg 1899).

Dès ses premiers travaux, consécutifs à sa formation à l'Académie de la Brera (1876-1878), il s'oriente vers un naturalisme attentif aux effets lumineux dérivant surtout de Millet et de ses disciples européens : l'*Ave-Maria en barque* (1882, Zurich, coll. part.) lui rapporte une médaille d'or à l'Exposition universelle d'Amsterdam en 1883. Sa rencontre avec Vittore Grubicy, en 1880, l'amènera plus tard (1887-88) à adopter, en partie seulement, la technique divisionniste qui modifie son langage : sa palette s'éclaircit et il accorde plus d'importance aux éléments rythmiques et géométriques (*Jeune bergère tricotant*, 1887-88, Zurich, Kunsthaus ; les *Deux Mères*, 1890, Milan, G.A.M.). En 1888, une exposition de ses œuvres a lieu à la gal. Alberto Grubicy de Londres et l'année suivante huit de ses toiles sont envoyées à l'Exposition universelle de Paris. À partir de 1890, à l'exemple de Previati, il se lance avec enthousiasme dans le symbolisme, qui, par le choix des sujets et l'emploi exaspéré de l'arabesque, domine la production de ses dernières années, l'adepte le plus zélé du Divisionnisme. Un groupe d'artistes indépendants se forme autour d'eux, qui comprend, entre autres, Pissarro et son fils Lucien, Dubois-Pillet, Luce, Angrand. Le Néo-Impressionnisme provoque l'étonnement du public parisien et entraîne la désapprobation de la majorité des critiques ; en revanche, il est prôné par des esprits curieux, un Félix Fénéon, qui en explique les bases scientifiques aux lecteurs de la *Vogue*, un Gustave Kahn, qui le rattache aux tendances des écrivains symbolistes, et il rayonne jusqu'en Belgique, où il fait des adeptes, dont Van Rysselberghe, Henry Van de Velde, Finch. Tout en fréquentant des cercles littéraires et artistiques, Seurat travaille avec acharnement. Certaines de ses œuvres sont exposées à New York par Durand-Ruel – qui organise en 1886 avec le soutien de l'American Art Association, la première exposition d'œuvres impressionnistes aux États-Unis –, d'autres à Bruxelles, où il est invité par le groupe des XX. Différentes salles parisiennes lui sont ouvertes : la gal. Martinet, le Théâtre-Libre, les locaux de la *Revue indépendante*. Il a été admis à la dernière manifestation du groupe des impressionnistes et surtout il participe régulièrement aux expositions des Artistes indépendants. C'est là qu'il présente, notamment, *Un dimanche à la Grande Jatte* en 1884-1886, les *Poseuses* (Merion, Barnes Foundation) et la *Parade de cirque* (Metropolitan Museum) en 1888, le *Chahut* (Otterlo, Kröller-Müller), et *Jeune Femme se poudrant* (Londres, Courtauld Inst.) en 1890, et le *Cirque* Paris, musée d'Orsay) en 1891.

Il y expose aussi des paysages, qui constituent une part importante de son œuvre. Ce sont surtout des vues maritimes, dans lesquelles le peintre poursuit sa réflexion sur la composition géométrique et la division des couleurs. En effet, selon sa méthode habituelle, il commence par travailler directement d'après le sujet – il a séjourné l'été au bord de la mer –, puis il termine l'œuvre dans son atelier. En 1885, il peint ainsi des paysages de *Grandcamp* (Londres, Tate Gal. ; New York, coll. Rocke-

feller) ; en 1886, d'*Honfleur*, (Otterlo, Kröller-Müller ; musée de Prague ; New York, M.O.M.A. ; musée de Tournai) ; en 1888, de *Port-en-Bessin* (Minneapolis, Inst. of Arts ; Saint Louis, Missouri, City Art Gal. ; Otterlo, Kröller-Müller ; Paris, musée d'Orsay ; New York, M.O.M.A.) ; en 1889, du *Crotoy* (Paris, coll. Niarchos ; Detroit, Inst. of Arts) ; en 1890, de *Gravelines* (Londres, Courtauld Inst. ; Otterlo, Kröller-Müller ; New York, M.O.M.A. ; musée d'Indianapolis). Il est très intéressé par les travaux de Charles Henry, dont les préoccupations rejoignent les siennes. En 1886, cet ami de Fénéon, auteur d'une *Esthétique scientifique*, rencontre le peintre, considéré comme le chef de file du Néo-Impressionnisme. Seurat, qui cherchait une base scientifique à son art, suivit attentivement les études de Charles Henry sur les qualités des traits, sur les rapports et les proportions, et il travailla encore davantage ses compositions. *Parade de Cirque* (1887-1888, New York, Metropolitan Museum) est construite selon un schéma d'horizontales et de verticales donnant à la scène une solennité intemporelle, tandis que le *Chahut* (1889-90, Otterlo, musée Kröller-Müller) est une application des lignes ascendantes et des couleurs chaudes suggérant la gaieté et le mouvement. Cette toile sera d'ailleurs un des points de départ de l'intérêt des futuristes pour le dynamisme des formes.

Présenté en 1891 aux Indépendants, le *Cirque* – où l'humour des caricaturistes et des maîtres de l'affiche (Chéret, Forain, Guys) domine – n'était pas terminé et ne devait pas l'être : quelques jours après l'ouverture de l'exposition, une maladie foudroyante emportait Georges Seurat. La disparition de l'artiste fut vivement ressentie dans le monde des arts ; le peintre s'était imposé, tant était forte sa personnalité, même à ceux qui mettaient en doute le bien-fondé de sa méthode. Ainsi, Teodor de Wyzewa, qui, tout en ne cachant pas que le Néo-Impressionnisme ne le satisfaisait guère, écrivait : « [...] Ma joie était grande de retrouver dans un coin de Montmartre un si admirable exemplaire d'une race que

Georges Seurat
Parade de cirque, 1887-1888
99,1 × 149,9 cm
New York, The Metropolitan Museum of Art

je supposais finie, la race des peintres théoriciens, réunissant la pratique à l'idée et l'inconsciente fantaisie à l'effort réfléchi. Oui, je sentais très clairement en Seurat un parent des Léonard, des Dürer et des Poussin. »

Dès 1892 à Paris – à *la Revue blanche* et aux Indépendants –, à Bruxelles – au groupe des XX –, des rétrospectives de son œuvre sont présentées avec un certain succès. En 1899, Signac dédicace son ouvrage *D'Eugène Delacroix au Néo-Impressionnisme* à la mémoire de Georges Seurat et reconnaît en lui l'« instaurateur » du mélange optique en peinture. Les théories qui y sont exposées ont intéressé aussi bien ceux qui ont étudié le Divisionnisme – un Gaetano Previati en Italie, un Curt Herrmann en Allemagne – que ceux dont l'art est animé par un esprit de construction et de synthèse, tels Le Corbusier et Ozenfant (*l'Esprit Nouveau*), tel Severini (*Du Cubisme*

au Classicisme). Les conceptions artistiques de Seurat ont aussi influencé les fauves et les cubistes, les expressionnistes allemands et les futuristes italiens ; certaines de ses préoccupations se retrouvent chez des artistes du mouvement hollandais De Stijl et parmi des membres du groupe du Bauhaus. Tant par son œuvre pictural, dont le rayonnement ne cesse de croître, que par ses théories, Georges Seurat est de ceux qui tiennent une place importante dans l'évolution de l'art moderne.

Il est représenté dans les grands musées d'Europe et des États-Unis. Une importante rétrospective a été consacrée à Seurat (Paris, Grand Palais, 1991 ; New York Metropolitain Museum).

SHINN Everett,
peintre américain
(Woodstown, New Jersey, 1876 -
New York 1953).

Il commença sa carrière – ainsi que la plupart des membres du groupe des Huit, dont il devait être l'un des représentants – comme dessinateur pour le *Philadelphia*

1908, son beau-père; le *Docteur Gonzalez,* Valence, musée des Beaux-Arts), de ses filles (*Maria convalescente, Valencienne à cheval,* Valence, musée des Beaux-Arts), des écrivains et artistes en vogue au début du xxᵉ s. (le peintre *Aureliano de Beruete,* 1902, les actrices *Maria Guerrero,* Prado; *Lucrecia Araña,* Valence, musée des Beaux-Arts). Certains tableaux de ses dernières années, où Ségovie et Burgos voisinent avec Grenade et Ibiza, surprennent par des architectures simplifiées, une matière épaisse, des harmonies éclatantes et larges (*Marché à Extremadura,* 1917, New York, Hispanic Society of America).

Le peintre légua à l'État espagnol sa maison et son atelier de Madrid, devenus aujourd'hui le musée Sorolla. Le Prado, le musée des Beaux-Arts de Valence, et, surtout, l'Hispanic Society of America de New York abritent l'essentiel de son œuvre. Mais on trouve également des toiles de Sorolla aux États-Unis (New York, Metropolitan Museum; Saint Louis, City Art Museum; Philadelphie, Museum of Art), en Italie (Venise, G.A.M.; Rome, G.A.M.) et en France (Paris, Orsay; Bordeaux, musée des Beaux-Arts; Rouen, musée des Beaux-Arts; Castres, musée Goya; Bayonne, musée Bonnat).

SPADINI Armando,
peintre italien
(Poggio a Caiano 1883 - Rome 1925).

Peintre céramiste à Doccia, il suit des cours à l'Académie des beaux-arts de Florence. Là, il rencontre Adolfo De Carolis, avec qui il réalise les fresques du salon del Podestà à Bologne en 1908. Sa technique s'apparente alors à celle de la seconde génération des Macchiaioli, pratiquant des harmonies de gris et de bleu dans une touche large. À Rome, en 1910, l'influence des impressionnistes français, surtout Renoir, est perceptible dans ses scènes intimes, délicates et lumineuses, où apparaissent le plus souvent sa femme et ses enfants (*Maternité,* v. 1913, Rome, coll. part.; *Anna, la fille de l'artiste,* 1924, *id.*). En 1900, il obtient un prix au concours Alinari pour les dessins de l'Enfer

dans *la Divine Comédie* de Dante (chants XIII et XXV, coll. part.). Indépendant, il expose peu: en 1918, à la Casina Valadier de Rome; en 1924, à la XIVᵉ Biennale de Venise. Il figure dans les G.A.M. de Rome, de Florence et de Plaisance.

SPENCER Robert,
peintre américain
(Harvard 1879 - New York 1931).

Élève de William Chase, Spencer possède également des talents de peintre d'architecture. En 1914, il reçoit une médaille d'or à New York et expose à Pittsburgh, à San Francisco et à Philadelphie (1915-1926). Les musées de Buffalo, de Chicago, de New York et de Pittsfield conservent ses œuvres.

STANISLAWSKI Jan,
peintre polonais
(Olszana, Ukraine, 1860 - Cracovie 1907).

Il fit ses études à Saint-Pétersbourg, à Varsovie (1883-1885), à Cracovie, à Paris (1888-1895), où il fréquenta l'atelier de Carolus-Duran. Membre et premier président de la Société d'artistes polonais Sztuka, il fut un éminent représentant de l'Impressionnisme polonais. En 1897, nommé professeur à l'Académie des beaux-arts de Cracovie, il fut le premier à travailler en plein air avec sa « classe de paysage ». Excellent pédagogue, Stanislawski est considéré comme le fondateur de l'école polonaise de paysage. Son œuvre est largement représentée au musée de Cracovie.

STEER Philip Wilson,
peintre britannique
(Birkenhead, Cheshire, 1860 - Londres 1942).

Fils d'un portraitiste, il suivit les cours de la Gloucester School of Art, se rendit à Paris entre 1882 et 1884, puis revint à Londres, où il passa le reste de sa vie. Il subit d'abord l'influence de Whistler; ses paysages, peints entre 1888 et 1893, montrent l'intérêt évident qu'il portait à Claude Monet, à

Philip Wilson Steer
Nu assis, le chapeau noir, v. 1900
Collection particulière

P.A. Renoir et même à Georges Seurat (*Enfants se baignant*, 1894, Cambridge, Fitzwilliam Mus.) ; il fut l'un des rares artistes anglais invités à exposer avec le groupe des Vingt à Bruxelles. Ces premières tentatives furent mal vues par les contemporains de Steer, qui, après 1894, adopta volontairement un style anglais traditionnel issu de l'exemple de Gainsborough, Constable et Turner.

Sa réputation est due surtout à de nombreux paysages panoramiques du Yorkshire et des vallées de la Wye et de la Severn exécutés entre 1895 et 1911. Après 1920, Steer abandonna la technique à l'huile pour se consacrer à l'aquarelle, mais il continua à peindre de grands paysages atmosphériques jusqu'au moment où il perdit la vue, un peu avant 1940.

Membre fondateur du New English Art Club (1896), Steer participa régulièrement à ses expositions et n'exposa à la Royal Academy que de 1883 à 1885. Il fit aussi partie des « London Impressionists » réunis par le marchand Goupil en 1889. Il enseigna à la Slade School de Londres de 1899 jusqu'à sa retraite, en 1930. Des rétrospectives de son œuvre furent organisées à Londres, à la Tate Gal. en 1929 et en 1960 et à la N.G. en 1943. Il est représenté à Ottawa (N.G. : la *Vallée de la Severn*, 1901-1902 ; le *Bord de la falaise, Bridgeworth*, 1901 ; le *Four à chaux*, 1908, esquisse à Johannesburg, Art Gal. ; la *Récolte des algues, Harwich*, 1913-1932 ; le *Modèle*, 1921 ; la *Tamise à Chelsea*, 1923), à Melbourne et à Perth (Australie), à Dublin et dans de nombreux musées de Grande-Bretagne (musées d'Aberdeen, Bradford, Plymouth : la *Plage de Walberswick* ; Cambridge, Fitzwilliam Museum : *Vue de Richmond Hill*, 1893 ; Oxford, Ashmolean Museum : *Soirée*, 1897, *Vue de Richmond*, 1906, la *Grand'Place de Montreuil*, 1907, *Vue de Montreuil*, 1907 ; musées de Leeds, Liverpool, Manchester, Southampton).

STEVENS Alfred
peintre belge
(Bruxelles 1823 - Paris 1906).

Il se forma dans l'atelier de Navez à l'Académie des beaux-arts de Bruxelles, puis, à Paris, dans celui de Roqueplan et Florent Willems (1844). Il exécuta d'abord des scènes de genre influencées par le courant du réalisme humanitaire, exposa à Bruxelles en 1851, puis au Salon à Paris. À partir de 1855, installé définitivement dans la capitale française, et lié à Manet, il devint le peintre de la Parisienne du second Empire et connut le plus vif succès : *Veux-tu sortir avec moi, Fido ?* (1859, Philadelphie, Museum of Art). En dépit de sa modernité (l'artiste emprunta certains de ses effets au japonisme naissant : *Mendicité autorisée,* v. 1855, Anvers, M.R.B.A.) et du brio de son exécution, cet art a mal supporté l'épreuve du temps. Quelques œuvres témoignent d'une retenue plus sincère : *la Dame en rose* (1866, Bruxelles, M.R.B.A.) ; *Fleurs d'automne* (1867, *id.*). Dans son *Atelier* 1869, *id.*). Stevens atteint à la précision et à l'harmonie de H. de Braekeleer. Il peignit également des marines tardives, il publia des *Impressions sur la peinture* et ouvrit un atelier pour femme avenue Frochot qui fut vite en vogue.

STRINDBERG August,
écrivain, peintre et critique d'art suédois
(Stockholm 1849 - id. 1912).

Dans les années 1870, il collabora en tant que critique d'art à plusieurs journaux suédois ; il s'était alors étroitement rallié au mouvement d'opposition dirigé contre l'Académie des beaux-arts, mouvement émanant de la phalange d'artistes suédois de Paris et de Grez-sur-Loing. Ses opinions artistiques se manifestent en faveur d'un pleinairisme réaliste modéré, mais le peintre se tenait à l'écart des courants artistiques plutôt radicaux de l'époque. Strindberg appréciait peu les impressionnistes et, dans son introduction au catalogue de l'exposition Gauguin de 1895, il insiste sur la position indépendante de l'artiste vis-à-vis de l'Impressionnisme. Dans les premiers essais picturaux de Strindberg (toiles de 1872-1875, sur des motifs romantiques de mers et d'archipels), on perçoit une influence manifeste des peintres de Düsseldorf et de l'école de Barbizon. Lorsque au cours des années 1890-1895 et 1900-1907 Strindberg reprit la peinture, ce fut dans un esprit fortement subjectif et symbolique. La mer demeure son motif principal ; le peintre l'interprète à présent dans une facture large et sommaire, sous une lumière dynamique qui donne à ses toiles une force expressive annonçant le tachisme de l'après-guerre. La tonalité des couleurs est sombre et chargée d'une atmosphère de mauvais temps, d'orage. Strindberg est représenté, notamment à Stockholm (Moderna Museet, Nordiska Museet et Thielska Gal.).

SUZOR-COTÉ Marc-Aurèle de Foy,
peintre canadien
(Arthabaska, Québec, 1869 - Daytona Beach, États-Unis, 1937).

Il s'initia au dessin et à la peinture au contact d'un « peintre d'église », Maxime Rousseau, puis se rendit à Paris en 1889 pour étudier la peinture et le chant. Il est remarqué à l'École des beaux-arts, dont il suit les cours jusqu'en 1895. Ayant opté définitivement pour la peinture, il poursuit ses études à l'Académie Julian avec Jules Lefebvre et à l'Académie Colarossi avec Léon Bonnat. Il expose au Salon dès 1894, aux Artistes français en 1900 et, la même année, est nommé officier d'académie par le gouvernement français. Suzor-Coté s'établit à Montréal en 1908 et y travaille jusqu'en 1934, moment où, réduit à l'inactivité par la paralysie, il choisit de finir ses jours en Floride. À compter des années 1900, il oublia souvent le style réaliste issu de sa formation académique et utilisa la technique divisionniste. Harpignies, Henri Martin et peut-être Maufra ont eu une influence sur sa peinture. Virtuose du dessin et de la couleur, Suzor-Coté a exploité les deux formes d'expression selon son inspiration. Au Canada, il s'abandonna souvent à son penchant impressionniste (*Paysage d'hiver*, 1909, Ottawa, N.G.).

SYMBOLISME.

Le Symbolisme désigne, plutôt qu'un mouvement nettement délimité, un large courant international qui, dans la seconde moitié du XIXe s., réagit contre le positivisme et contre les réalismes, dont l'Impressionnisme est la dernière expression. Il reprend en les transformant des notions liées depuis toujours à la peinture (signe symbolique, allégorie) et se caractérise non par la technique, qui diverge suivant les artistes, mais par sa cérébralité. Il prend ses sujets dans les grands mythes, privilégie le rêve, l'angoisse, les correspondances baudelairiennes en même temps que les valeurs spirituelles, chrétiennes ou païennes. Le terme apparaît après 1886, quand J. Moréas, dans le manifeste des poètes symbolistes, définit l'action de ceux-ci comme le fait de « vêtir l'idée d'une forme sensible ». Dans *le Mercure de France*, Aurier pose les principes d'un symbolisme pictural à propos de Van Gogh (janv. 1890) et de Gauguin (mars 1891) ; dès 1884, dans *À rebours*, Huysmans associait dans une même admiration G. Moreau, Redon, Bresdin.

Mais l'art symboliste est bien antérieur à l'adoption de cette épithète, puisqu'il s'insinue déjà dans le romantisme d'artistes germaniques (C.D. Friedrich, Ludwig Richter, M. von Schwind) ou anglo-saxons (S. Palmer, J. Martin). Ses portes s'ouvrent en Suisse avec une lourde réactualisation du panthéisme par Böcklin, en Allemagne avec le classicisme méditatif de H. von Marées, en Belgique avec les fantasmes d'A. Wiertz et de Rops, en Angleterre avec l'univers médiumnique des préraphaélites et de leurs amis. En France, des personnalités indépendantes donnent une impulsion au Symbolisme, que chacune d'elles affecte d'un accent différent, Puvis de Chavannes plus allégorique (le *Bois sacré*, 1883-84, musée de Lyon), G. Moreau plus visionnaire (la *Chimère*, musée G.-Moreau), Redon plus fantas-

tique (le *Cyclope*, 1897-98, musée Kröller-Müller). La génération des années 1890 baptise et revendique le Symbolisme, auquel elle donne comme chef d'école Gauguin, qui, avec É. Bernard, a formulé le Synthétisme à Pont-Aven, avant de chercher à Tahiti un cadre nouveau pour ses interrogations (*D'où venons-nous, où sommes-nous, où allons-nous ?*, 1897). Les groupes et les théories se côtoient et s'interpénètrent : Cloisonnisme, Synthétisme, école de Pont-Aven, Nabis, école de l'abbaye de Beuron. Les Salons de la Rose-Croix, organisés à partir de 1892 chez Durand-Ruel par le sâr Péladan, accueillent les plus idéalistes : Alphonse Osbert, le Français d'origine anglaise Louis Welden Hawkins, le Néerlandais Richard Nicolaus Roland-Holst, Filiger, Khnopff, A. Point.

Le mouvement a une grande ampleur. Largement majoritaire en Belgique aux Salons de la Libre Esthétique, qui succèdent en 1893 à ceux des XX, aux Salons « pour l'Art » et « d'Art idéaliste » fondés par le peintre Jean Delville, il annonce le Surréalisme chez Ensor et Degouve de Nuncques, marque la première école de Sint-Martens-Latem (V. De Saedeleer, A. Servaes), se prolonge avec L. Spilliaert. Évanescent chez Carrière, hiératiquement stylisé chez les Néerlandais J. Toorop et J. Thorn-Prikker, rigoriste chez le Suisse Hodler, expressionniste chez le Norvégien Munch, naïf chez le Danois J. F. Willumsen, romantique chez l'Américain A. P. Ryder, le Symbolisme adopte en Italie la technique divisionniste (Segantini, Pelliza da Volpedo, Gaetano Previati). Il n'a pas, en effet, de technique propre, mais assimile celles qui ont cours (Impressionnisme : H. Le Sidaner, L. Lévy-Dhurmer ; style nabi : M. Denis ; Pointillisme : E. Aman-Jean, H. Martin), avec une prédilection pour les lignes sinueuses de l'Art nouveau (G. Klimt, G. de Feure). Il impose en revanche son répertoire iconographique : du Parisien d'origine allemande Carlos Schwabe à Beardsley, de Burne-Jones à Vroubel, les pavots, les lis, les cygnes, les femmes fatales et les anges déchus ont couvert les cimaises de la fin du siècle.

Pál Szinyei-Merse
Le Déjeuner sur l'herbe, 1873
128 × 161 cm
Budapest, Galerie nationale hongroise

SYNTHÉTISME.

Théorie plastique lancée en 1888, à Pont-Aven, par É. Bernard et Gauguin (qui écrit à Schuffenecker : « l'art est une abstraction »), le Synthétisme se veut l'antithèse du Néo-Impressionnisme. Il dérive du Cloisonnisme, inventé en 1886 par Anquetin (à la suite de l'observation des jeux de la lumière dans un vitrail), défini en mai 1888 par É. Dujardin dans *la Revue indépendante*. Les estampes japonaises, les images d'Épinal, les arts primitifs, les simplifications de Puvis de Chavannes ont leur part dans le Synthétisme, que caractérisent le rejet des détails et l'adoption de couleurs en aplats cernées de noir. L'un des chefs-d'œuvre de Gauguin, la *Lutte de Jacob avec l'ange* (Édimbourg, Nat. Gallery of Scotland) et les *Bretonnes dans la prairie verte* d'É. Bernard (coll. part.) sont les premiers manifestes de ce style, qui s'affirme en 1889 avec l'exposition du Groupe impressionniste et synthétiste au café Volpini, à Paris. Adopté dans les années 1889-90, à Paris et en Bretagne, par divers artistes (Sérusier, Filiger, Seguin, L. Roy, L. Fauché, etc.), le Synthétisme se fondra dans le Symbolisme et ne survivra guère au premier départ de Gauguin pour Tahiti.

SZINYEI-MERSE Pál,
peintre hongrois
(Szinye-Ujfalu 1845 - Jernye 1920).

Élève du peintre Mezei, il étudia ensuite à Munich sous la direction de Wágner et de Piloty. Échappant à l'emprise académique, son talent s'affirme de bonne heure, notamment dans les portraits réalistes qu'il exécute lors de séjours dans sa famille (*Tsigmond Szinyei-Merse*, 1867 ; *István et Béla*, 1868). Deux toiles (le *Linge qui sèche*, l'*Escarpolette*, Budapest, G.N.H.), réalisées durant l'été de 1869, alors que Monet et Renoir peignaient la *Grenouillère*, annoncent les données essentielles de l'Impressionnisme. Seul et sans encouragement à

Munich, Szinyei-Merse hésitait cependant à persévérer dans cette voie, mais son tableau capital, le *Déjeuner sur l'herbe* (1873, Budapest, G.N.H.), constitue une solution aboutie et spécifiquement hongroise des problèmes du plein air, indépendante de l'Impressionnisme français. Un chromatisme diffus et vibrant s'allie à une conception généreuse. Ce chef-d'œuvre souleva l'indignation générale, et Szinyei-Merse, découragé, se retira à Jernye et ne peignit plus que quelques portraits de sa femme (*Femme en robe violette*, 1874). Vers 1882, l'artiste chercha à rallier les mouvements contemporains. Deux expositions de ses œuvres (Vienne et Budapest) ne reçurent encore qu'un accueil défavorable. Après quelques études de plein air (*Rivière*, 1883 ; *Fonte des neiges*, 1884), Szinyei-Merse abandonna la peinture. Il n'en retrouva le goût qu'en 1896, lorsque le meilleur de son œuvre fut exposé lors des fêtes du millénaire hongrois à Budapest. Les jeunes peintres de Nagybánya, connaissant les impressionnistes français, découvrirent alors ces réalisations précoces de l'Impressionnisme hongrois. Les expositions se multiplièrent (Paris, 1900 ; Munich, 1901 ; Berlin, 1910 ; Rome, 1911) et l'artiste connut enfin le succès. Ses derniers tableaux marquent le sommet d'un art parvenu à maturité, au lyrisme paisible non dénué de symbolisme (*Paysage d'automne*, 1900 ; *Thuya*, 1912 ; *Couleur de l'automne*, 1914). La tradition en fut constituée par les peintres de Nagybánya et de Postnagybánya. L'essentiel de sa production se trouve à la G.N.H. de Budapest, à l'exception de quelques toiles conservées dans des collections américaines (*Mère avec enfant*, 1869 ; *Pavillon des bains au lac de Starnberg*, 1872). □

TU

TANGUY Julien, dit le père,
fabricant de couleurs
(Plédran 1825 - Paris 1894).

D'abord marchand de couleurs ambulant,
il avait, dès avant 1870, connu Pissarro,
Renoir et Monet à Fontainebleau et dans
les environs de Paris. Volontaire des troupes
de la Commune, il fut déporté par les
versaillais. Il dut la vie à l'intervention de
Rouart. Installé à Paris, rue Clauzel, le père
Tanguy échangeait des couleurs et des toiles
avec ses amis impressionnistes contre des
tableaux, et surtout avec Cézanne, que
Vollard et les Nabis découvrirent chez lui,
et avec Van Gogh, qui fit de lui, en 1887,
deux superbes portraits (Paris, musée Rodin
et coll. Niarchos). Ses tableaux furent
dispersés après sa mort.

TARBELL Edmund Charles,
peintre américain
*(West Groton, Mass., 1862 -
New Castle 1938).*

Fils de peintre, Tarbell devient en 1879
l'élève d'Otto Grundmann à l'école du
musée des Beaux-Arts de Boston. En 1885,
il entre avec Benson à l'Académie Julian à
Paris puis voyage en Europe et tient sa
première exposition personnelle en 1891 à
son retour au Saint Botolph Club de Boston.
Ses peintures expriment une large connaissance de l'Impressionnisme (le *Verger*, Washington, National Coll. of Fine Arts ; *José-
phine*, 1908, Washington, Corcoran Gal. of
Arts) tout en reflétant l'intérêt des Américains pour le traitement intimiste de l'espace intérieur. Considéré comme un des
chefs de file de l'Impressionnisme américain, Tarbell se joint au groupe des Dix en
1897 et enseigne le dessin jusqu'en 1912 au
musée des Beaux-Arts de Boston. Il fit de
nombreux portraits, appréciés pour leur
parfaite finition (*M. Frick et sa fille Hélène*,
Washington, National Coll. of Fine Arts).

TARKHOFF Nicolas Alexandrovitch,
peintre russe
(Moscou 1871 - Orsay, Seine-et-Oise, 1920).

Fils de commerçants aisés, refusé à l'admission de l'école de Peinture pour des raisons
politiques, il rencontre le cercle des Jeunes
Peintres moscovites, est influencé par Korovine, attaché à l'art populaire, voyage en
Asie centrale et participe au mouvement de
la « Mirizkoustva » de Léon Bakst. Il s'établit
définitivement à Paris à partir de 1900.
L'influence de Van Gogh est patente : il aime
les touches tumultueuses et les tons très
colorés, voire criards, sans doute aussi sous
l'influence des fauves à partir de 1904. Il
peint l'animation des rues, de surprenants
manèges et fêtes foraines saisis de nuit, puis
des scènes d'intérieur avec sa propre famille. À partir de 1910, ses paysages sont plus
austères et il peint des « Maternités », dont
certaines rappellent, par leurs arabesques
schématiques, Gauguin et Matisse. Il a fait
partie de l'exposition itinérante Armory
Show en 1913, a été très apprécié de Vollard
et d'Élie Faure, puis il tombe presque dans
l'oubli jusqu'en 1960. Son œuvre est dispersée dans des collections particulières ou
publiques (les *Lapins*, 1907, Belfort ; *Iris et
Pivoines*, 1915, Paris ; le *Coq de 1914 sur la
hampe du drapeau*, 1925, Paris) ainsi que dans
des musées : Genève (Petit Palais), Leningrad, Luxembourg, Tananarive.

Ten Cate
*Vue de Paris
sous la neige, 1904*
60 × 73 cm
Genève, musée du Petit
Palais

TEN AMERICAN PAINTERS. →
GROUPE DES DIX.

TEN CATE Siebe Johannes,
peintre néerlandais
(Sneek, Frise, 1858 - Paris 1908).

Cet artiste, qui fit plusieurs voyages d'étude
en Europe, aux États-Unis et en Égypte, a
peint des paysages et des vues citadines dont
les motifs sont le plus souvent empruntés
aux environs de Dordrecht et de Paris. C'est
un chercheur qui note ses impressions avec
une scrupuleuse fidélité et qui cerne avec
bonheur la réalité, dégageant les aspects
significatifs des grands centres dans le
grouillement des foules ou la solitude des
coins abandonnés. Il excelle à rendre la
sensation locale et les tonalités changeantes
suivant l'heure du jour ou de la nuit, aussi
bien dans ses vues de ville que dans ses
paysages et ses marines. Après avoir fait ses
études à l'Académie d'Anvers, Ten Cate a
fait carrière à Paris, figurant au nombre des
artistes de Durand-Ruel, le marchand des
impressionnistes. Il a exposé à plusieurs
reprises à Munich, à Paris avec les Artistes
français, à la Nationale et à l'Exposition
universelle de 1900, à Venise et à Vienne.
Injustement oublié pendant un temps, il a

retrouvé la faveur des amateurs, qui, aujourd'hui, le situent à sa vraie place. On
trouve ses toiles à Amsterdam (Rijksmuseum), à Paris (musée Carnavalet), à Genève
(Petit Palais).

THAULOW Frits,
peintre norvégien
(Christiania, Oslo, 1847 - Volendam 1906).

Il se forme à l'Académie des beaux-arts de
Copenhague, de 1870 à 1872, sous la
direction du peintre de marines C. F. Sören-
sen, et à Karlsruhe, de 1873 à 1875, avec
le peintre Hans Gude. Il se rend à Paris,
où il demeure jusqu'en 1880, et est fortement marqué par la peinture de plein
air, notamment par l'Impressionnisme
(paysages, vues citadines) avec effets d'eau,
fleuves ou ruisseaux, mais il reste surtout
attaché au Réalisme des écoles nordiques.
Le meilleur de cette période lui fut inspiré
par la ville côtière de Kragerö, au sud de
la Norvège (1881-82). En 1892, Thaulow
revient en France, où il se spécialise dans
l'interprétation idyllique de petites villes du
Nord (Dieppe, Montreuil, Étaples, Camiers)
en des toiles dont le coloris raffiné lui valut
une faveur internationale. Il a également
visité l'Italie (1885 et 1894), les États-Unis
(1898), l'Espagne (1903) et la Hollande

Frits Thaulow
Fumées au bord de la rivière, 1885
Genève, musée du Petit Palais

(1904-1906). Parmi ses œuvres, citons la *Chute d'eau Haugsfoss* (1883, Oslo, Ng), la *Madeleine, Paris* (1893, *id.*), la *Nouvelle Fabrique à Lillehamer* (Paris, Petit Palais).

THOMA Hans,
peintre et graveur allemand
(Bernau, Forêt-Noire, 1839 -
Karlsruhe 1924).

Sa première formation se fit auprès d'un lithographe et d'un miniaturiste à Bâle ; en 1859, il est élève de l'Académie de Karlsruhe et subit alors l'influence de J. W. Schirmer et de Hans Canon. En 1867, il se rend à Düsseldorf ; au printemps de 1868, il fait un court séjour avec Otto Scholderer à Paris, où il est impressionné par l'art de Courbet et par l'école de Barbizon (*Au soleil*, musée de Karlsruhe ; les *Noces, id.*). Il travaille ensuite jusqu'en 1870 à Bernau, puis à Munich, où il est lié avec Scholderer, Victor Müller, Leibl, Haider, Trübner et Böcklin. Lors d'un voyage en Italie (1874), il fait la connaissance de Hildebrand et de Marées.

À partir de 1876, il travaille à Francfort, séjournant en 1880 à Rome et effectuant plusieurs voyages, par la suite, en Italie (1887 : il rend visite à Hildebrand à Florence ; 1892 : Venise ; 1897 : tour d'Italie). En 1899, il est nommé directeur de la Kunsthalle de Karlsruhe et professeur à l'Académie. En 1909, son musée ouvre à Karlsruhe pour son soixante-dixième anniversaire. La même année, Thoma publie *Im Herbst des Lebens* et, dix ans plus tard, *Im Winter des Lebens*. Peu de temps avant sa mort, une grande rétrospective lui est consacrée à Bâle et à Zurich (1924).

Thoma, l'un des peintres les plus importants de la fin du XIXe s. en Allemagne, a traité, outre les paysages, le portrait (plusieurs autoportraits) et les scènes de la vie populaire. Dans son art d'inspiration réaliste, son amour profond de la nature se traduisit par un métier sûr et solide, une mise en page simple et fortement équilibrée (les *Couseuses*, 1868, Essen, Museum Folkwang ; la *Soirée, id.*) et une technique onctueuse (*Nature morte*, 1872, Berlin, Nationalgalerie). Il a su assimiler, dans un style très personnel, les influences multiples qu'exercèrent sur lui ses amis, Böcklin, Leibl et Marées. La fermeté du dessin, un sens plastique affirmé sont à l'origine de l'effet monumental produit par ses ouvrages et qui s'accentue avec l'influence symboliste (*Joueur de luth*, 1895, Zurich, Kunsthaus). Le musée de Karlsruhe présente l'ensemble le plus riche de Thoma, qui figure aussi dans les musées de Munich (Neue Staatsgal.), Berlin (N. G.), Bâle, Bonn, Brême (Kunsthalle), Dresde (Gg), Mannheim, Stuttgart (Staatsgal.), Hambourg (Kunsthalle).

TISSOT Jacques-Joseph, dit James,
peintre français
(*Nantes 1836 - Bullion, Doubs, 1902*).

Artiste éclectique, au caractère complexe, Tissot partagea sa vie entre Paris et Londres, où il connut un immense succès. Il subit des influences opposées qui expliquent l'aspect hétérogène de son œuvre. Un voyage en Belgique en 1859 lui fit découvrir Henri Leys et les « prérubénistes ». Ces artistes marquèrent profondément nombre de ses tableaux, empreints d'une certaine pédanterie historique : allégories (la *Danse de mort*, 1860, Providence, Rhode Island School of Design) et scènes de genre aux personnages vêtus de costumes anciens (*Une intéressante histoire*, 1872, Melbourne, N. G.). Alors que l'empreinte de Degas, son ami intime, est concrète dans beaucoup de ses toiles (la *Veste rouge*, 1864, Orsay ; l'*Acrobate*, v. 1883, Boston, M.F.A.). Tissot fut aussi le portraitiste de la société élégante (le *Cercle de la rue Royale*, 1868, Paris, coll. part.). À partir de 1886, il effectua plusieurs voyages en Palestine en vue de l'illustration de *la Vie du Christ* (éditée en 1896), puis de la *Sainte Bible* (éditée en 1904). Il laissa en outre un œuvre important de graveur, entrepris dès 1860 (90 planches). Ses peintures sont nombreuses dans les musées anglais (Londres, N.P.G., Tate Gal. ; Manchester), américains (New York, Brooklyn Muséum ; San Francisco ; Toledo ; Worcester ; Boston) et du Commonwealth (Hamilton, Toronto, Ottawa, Auckland) ; l'artiste est également représenté aux musées de Nantes (suite en 4 tableaux de l'*Enfant prodigue*, 1880) et de Gray.

TIVOLI Serafino De,
peintre italien
(*Livourne 1826 - Florence 1892*).

Il fut, parmi les peintres du groupe des « Macchiaioli », celui qui fit connaître à ses amis, habitués du café Michelangiolo, la peinture de Barbizon. Il séjourna à Paris, à Londres, puis il s'établit à Florence à la fin de sa vie et y mourut épuisé. Il a laissé de beaux paysages d'Île-de-France, peints sur le motif : *Baignade à Bougival* (1864, Livourne, coll. part.). L'exposition *Toscanische Impressionen* à Munich (1975-76) a inclus plusieurs de ses toiles.

TOOROP Johannes Theodorus, dit Jan,
peintre néerlandais
(*Poerworedjo, Java, 1858 - La Haye 1928*).

Toorop arriva en 1872 aux Pays-Bas et se forma successivement à Delft, à Amsterdam (1880-81), à Bruxelles (1882), où il fut membre des Vingt (1885), auxquels il plaisait par sa nature « spiritualisée, complexe, toujours en quête de recherches nouvelles ».

Après des débuts impressionnistes, un séjour en Angleterre en 1884 avec Verhaeren lui permet des références aux préraphaélites ; au cours d'un deuxième séjour, il rencontre Whistler et tombe sous le charme des théories de William Morris sur « l'Art et le Socialisme ». En 1886-87, il découvre Seurat et s'adonne alors au Pointillisme, puis ses contacts avec Félicien Rops et Odilon Redon, rencontrés à Paris, décident de son ralliement enthousiaste au Symbolisme, dont il est, avec Johan Thorn-Prikker, la principale figure en Hollande. Cet art essentiellement graphique, stylisé et aux effets recherchés, trahit l'influence de Aubrey Beardsley (*les Trois Fiancées*, 1893, Otterlo Rijksmuseum Kröller-Müller ; affiche pour *Delftsche Slaolie*, litho, 1895, Amsterdam, Stedelijk Museum). Toorop revint, après 1900, à une esthétique plus simple et plus colorée, où la leçon du Néo-Impressionnisme compose avec celle de Van Gogh (*Canal près de Middelburg*, 1907, *id.*).

Le rôle qu'eut Johannes Toorop dans l'art

européen de la fin du XIXᵉ s. lui donna une place importante en Hollande, et l'artiste contribua à l'évolution première de Mondrian. Mais, converti au catholicisme, il pratiqua de nouveau une manière de symbolisme religieux, décoratif et monumental, où la trace du Cubisme est sensible (la *Sainte Fuite, id.*). On lui doit également des vitraux pour Saint-Joseph de Nimègue. Il est représenté dans les musées hollandais à La Haye, à Amsterdam et surtout à Otterlo (Rijksmuseum Kröller-Müller).

TOSI Arturo,
peintre italien
(Busto Arsizio 1871 - Milan 1956).

D'abord peintre dans la tradition du siècle précédent, Tosi subit tardivement l'influence des post-impressionnistes français mais reste très proche des théories des Macchiaioli, qu'il utilise comme moyen de libération vis-à-vis de l'Académisme.

Il participe à de nombreuses expositions en Italie (Milan 1923-1929-1930, Venise, Turin) et à l'étranger. Ses œuvres se trouvent réparties dans les musées d'Athènes, de Bergame, de Milan, de Florence.

TOULOUSE-LAUTREC Henri Marie Raymond de Toulouse-Lautrec-Monfa, dit
(Albi 1864 - château de Malromé, Gironde, 1901).

Le comte Alphonse de Toulouse-Lautrec-Monfa avait épousé sa cousine germaine Adèle Tapié de Celeyran. Cette consanguinité fut peut-être une des causes de la faible constitution de leur fils. Celui-ci naquit à Albi mais passa son enfance à Paris et dans l'Aude, au château de Celeyran, dans une atmosphère familiale aristocratique où prévalaient le sens de la gloire et du courage et le goût passionné du cheval et de la chasse. Mais, comme son père, comme son aïeul, comme ses deux oncles, Henri de Toulouse-Lautrec adorait dessiner. Lorsqu'il fut atteint, en 1878, d'un mal osseux qui, après deux fractures des fémurs, s'avéra incurable, il surmonta son infirmité en s'acharnant au travail : il reçut alors des leçons de René Princeteau, peintre animalier de talent, qui était un ami de son père. Très vite, à son exemple, il peignit des chevaux fringants (*Artilleur sellant son cheval*, 1879, musée d'Albi) et brossa des « portraits » de chevaux et de chiens très sensibles (*Cheval blanc : « Gazelle »*, 1881, musée d'Albi) et des études de paysans de Celeyran. *Alphonse de Toulouse-Lautrec-Monfa conduisant son mail-coach à Nice* (1880, Paris, musée du Petit Palais) est le plus fameux exemple d'une facture déjà très libre. Entré à l'École des beaux-arts en 1882, après sa réussite au baccalauréat, il étudia successivement dans les ateliers de Bonnat et de Cormon, où il se lia d'amitié avec Émile Bernard, Anquetin et François Gauzi. Mais Toulouse-Lautrec ressentit surtout alors l'influence de Manet et des impressionnistes. Séduit par la peinture claire, en particulier celle de Berthe Morisot, il exécuta en 1883 un portrait de sa mère (la *Comtesse de Toulouse-Lautrec à Malromé*, musée d'Albi) qui exprime, par la solidité de la mise en page et la simplification des plans, la tendresse pensive du modèle. Il peignit ensuite des portraits plus enlevés et vibrants (*Suzanne Valadon*, 1886, Copenhague, Ny Carlsberg Glyptotek). Ami de Van Gogh, qu'il fréquenta régulièrement de 1886 à 1888, il s'intéressa comme celui-ci à la technique pointilliste et nous a laissé de lui une superbe étude au pastel (1887, Amsterdam, M.N.V. Van Gogh) où il a utilisé une technique de hachures vigoureuses proche de celle de son célèbre compagnon. Cependant, sous l'influence de ses maîtres académiques, il adoptait parfois une vision plus traditionnelle et une palette plus foncée (*Jeune fille aux cheveux roux*, 1889, Zurich, coll. part.).

Vers 1890, il se détacha, en effet, de l'Impressionnisme triomphant pour se lier plutôt avec des indépendants comme Renoir, Zandomeneghi ou les Nabis. Il rencontra aussi leurs amis, en particulier les frères Natanson, fondateurs de *la Revue blanche*, mais il resta toujours l'ennemi des

Toulouse-Lautrec
Au cirque Fernando, l'écuyère, v. 1888
Chicago, The Art Institute

théories et des enrôlements. L'admiration qu'il portait à Degas fut son véritable révélateur : à son exemple, il accorda la priorité à la force expressive du dessin et de la mise en page, adaptant sans cesse, comme lui, sa technique au style du modèle et à l'atmosphère du lieu. Si Raffaelli et Forain lui firent découvrir le cachet populiste des pauvres de Montmartre, ce fut encore à Degas qu'il dut son sens aigu de l'observation des mœurs parisiennes et le choix de ses sujets « modernes » (la *Blanchisseuse*, 1886-87, Paris, coll. part.). Comme lui, il peignit le monde factice des cabarets et des lupanars, mais il fut moins cruel et méprisant. Nabot grotesque, douloureux, Toulouse-Lautrec avait plus de bonté et de compréhension humaine. Après avoir vécu de longues années à Montmartre, il s'installa aux Champs-Élysées mais revint chaque soir, noceur mélancolique, boire et dessiner dans les bars, les beuglants et les maisons closes, où sa place était toujours réservée. Il fréquentait ainsi, avec son cousin le docteur Tapié de Celeyran, le

Moulin-Rouge, le Rat-Mort, le bal du Moulin de la Galette ou celui de l'Élysée-Montmartre. Il connaissait le Chat noir de Salis, le Mirliton de Bruant et se montrait assidu au Divan japonais, à la Scala ou aux Ambassadeurs. Il y rencontrait les étoiles des spectacles nocturnes, qu'il dessinait et peignait avec une véracité indulgente qui les magnifie. Il n'était impitoyable que pour le spectateur libidineux et le souteneur faisandé. Il admirait avant tout les danseuses du cancan, Grille-d'Égout, Rayon-d'Or, Nini Patte-en-l'Air, Trompe-la-Mort et surtout la plantureuse Goulue avec son haut chignon roux (*Au Moulin-Rouge, entrée de la Goulue*, 1892, New York, M.O.M.A.). Il étudiait sans relâche le rythme endiablé de la danse, des jambes qui s'élèvent, du linge qui s'envole (la *Troupe de Mlle Églantine*, Turin, coll. part.). Il dessinait aussi Valentin le Désossé, le nègre Chocolat et Jane Avril, la célèbre Mélinite, sa préférée, dont il excellait à rendre l'élégance maniériste aux diaboliques bas noirs (*Jane Avril dansant*, v. 1891-92, Paris, musée d'Orsay).

Il s'attacha de même à l'analyse naturaliste des filles de joie et exécuta rue des Moulins plusieurs chefs-d'œuvre, impudiques, désenchantés mais transfigurés par un curieux lyrisme fait de beauté, d'artifices et d'ironie (*Au salon de la rue des Moulins*, 1894, musée d'Albi). Après 1892, il s'intéressa aux chanteuses célèbres : Miss May Belfort, Irlandaise en mousseline rose (*May Belfort*, 1895, musée de Cleveland), Polaire ou Yvette Guilbert, dont il immortalisa le nez pointu et les longs gants noirs. Il ressentit de même le charme pailleté et mélancolique du cirque Fernando, dont il étudiait les écuyères, les acrobates et les clowns. Il peignit plusieurs fois la silhouette massive et étincelante de la clownesse Cha-U-Kao (la *Clownesse Cha-U-Kao dans sa loge*, 1895, Paris, musée d'Orsay). Spectateur fervent des premières de théâtre, il fit des acteurs en vogue un des thèmes de prédilection de ses lithographies (*Réjane et Galipaux dans « Madame Sans-Gêne »*, 1894, litho), se passionnant pour les attitudes dramatiques de Coquelin Aîné, de Leloir et de Sarah Bernhardt. L'agitation sportive et colorée du vélodrome Buffalo le séduisit aussi (*Coureur cycliste*, 1894, Louvre, cabinet des Dessins) et il fut un des premiers à donner à la « petite reine » ses lettres de noblesse en célébrant le coureur Zimmermann.

Très influencé par l'art de Degas, Toulouse-Lautrec recherchait les mises en page savantes, le découpage arbitraire de la toile, les grands vides dynamiques (*Au bal du Moulin de la Galette*, 1889, The Art Institute of Chicago ; *M. Boileau au café*, 1893, musée de Cleveland). Tantôt, comme lui, il jouait des dégradés de tons et créait le modelé par les passages (*Femme rousse à sa toilette*, 1891, Paris, musée d'Orsay), tantôt il préférait opposer la couleur unie posée en aplats et l'arabesque soulignée du dessin (*Scène de Messaline à l'Opéra de Bordeaux*, 1900, Los Angeles, County Museum of Art). Il empruntait ce parti au japonisme, mais aussi à sa découverte personnelle, après 1892, de Cranach et des primitifs.

Sa couleur restait somptueuse avec des verts et des rouges intenses, des ombres bleues, des lumières artificielles étranges. C'était un art fort, lucide et concerté (*Au Moulin-Rouge*, 1892, Chicago, Art Int.). Il peignit sur papier-calque (*Artilleur et femme*, 1886, musée d'Albi), sur panneau de bois non préparé (la *Modiste*, 1900, *id.*) et le plus souvent sur un épais carton dont le brun ou le gris apparent formait le fond du tableau (*Femme au boa noir*, 1892, Paris, musée d'Orsay). Il employait des couleurs fluides que le carton buvait : il dessinait avec le pinceau les contours du dessin (*Femme qui tire son bas*, 1894, musée d'Albi) puis exécutait les personnages soit à l'huile, soit à l'essence (*Marcelle*, 1894, *id.*) avec parfois des rehauts de gouache claire (*Missia Natanson*, 1895, coll. S. Niarchos). Cette technique, innovée par Raffaelli, devait être reprise ensuite par les peintres nabis.

Toulouse-Lautrec fut en toutes circonstances un remarquable dessinateur : le trait, aigu, rapide, expressif, suggère les silhouettes (*Au lit*, v. 1896, Londres, Courtauld Inst.). Dès 1884, chez Cormon, il illustrait Victor Hugo. Il devait ensuite dessiner sans cesse, sur des carnets, sur les nappes, sur n'importe quel bout de papier, et son dessin définissait, choisissait, déformait, éludait, exprimant la psychologie du modèle. Et ses propres portraits étaient d'insolentes caricatures (*Autoportrait nu*, dessin, vers 1890, Rotterdam, B.V.B.). Ses audaces de dessin, ses mises en page hardies, son sens de la composition, son goût de la simplification japonisante firent de lui le maître de l'affiche. Lorsque l'imprimerie mécanique ouvrit ses horizons à l'affiche en quatre couleurs, que Chéret et Bonnard adoptèrent cette technique, Toulouse-Lautrec inaugura d'un seul coup un style révolutionnaire d'affiche publicitaire. Son *Au Moulin-Rouge, la Goulue* (1892), où se détache l'ombre chinoise dégingandée de Valentin le Désossé, et son *Aristide Bruant dans son cabaret* (1891) firent sensation. Alors suivit la plus exceptionnelle des séries de créations : *Aristide Bruand aux Ambassadeurs* (1892), le *Divan japonais* (1892), *Jane Avril au Jardin de Paris* (1893), la *Revue blanche* (1895), la *Troupe de Mlle Églantine* (1896). À l'habileté dynamique des plans et des gestes s'ajoutaient le jeu superbe des couleurs, les oppositions sonores d'orange et de bleu, de rouge et de noir. Toulouse-Lautrec montra une hardiesse décorative comparable dans les nombreuses lithographies qu'il exécuta à partir de 1892. Il ressentait fortement l'influence des estampes japonaises de Hiroshigé et d'Utamaro. Il y retrouvait ce qu'il appréciait déjà dans le XVIIIe s. français, l'esprit dans l'étude des mœurs, le goût de la femme et de l'érotisme ironique (*Elles*, 1896). Mais il y découvrit surtout le sens de l'arabesque, la simplification de l'espace, l'économie du détail. Quoique farouchement solitaire, il s'intégrait cependant, par sa science de l'aplat et de la stylisation, aux recherches européennes de l'Art nouveau et préfigurait en quelque sorte le style Sécession. De 1892 à 1899, il exécuta plus de 300 lithographies. Ouvrier attentif, il surveillait le grain de la pierre, la qualité du papier, le nombre des épreuves. Il reprit pour elles tous ses thèmes favoris : le théâtre, le cirque, les courses, la bicyclette enfin au vélodrome Buffalo. Nous ne citerons qu'*Yvette Guilbert*, au visage de fauve, ou ce *Profil de Marcelle Lender* (1895), aux cheveux roux couronnés de choux roses.

Toulouse-Lautrec exécutait à l'occasion des dessins pour les journaux : *le Mirliton, le Courrier français, Paris-illustré, le Rire* publièrent ses croquis satiriques (*Alors vous êtes sage ?*, 1897, musée d'Albi pour le *Rire*). L'artiste illustra aussi des rengaines à la mode (le *Petit Trottin*) et collabora avec Lugné-Poe pour le théâtre de l'Œuvre et avec Antoine pour le Théâtre-Libre à l'exécution de maquettes de décors et de programmes (décor du premier acte du *Chariot de terre cuite* de Barrucand, en 1895, au théâtre de l'Œuvre).

Lors de sa première exposition, en 1893, dans la gal. de la Maison Goupil, Toulouse-Lautrec avait été vivement admiré. En 1895, sa réputation de grand artiste était faite. La même année, il réalisait la célèbre décoration de la baraque de la Goulue à la foire du Trône, évocation rapide, brutale mais géniale d'un monde abêti (la *Danse mauresque* ou les *Almées*, Paris, musée d'Orsay). Et cependant, bien que justement ambitieux,

il s'enlisait peu à peu dans sa tragi-comédie quotidienne. Il buvait de plus en plus. Cette intempérance invétérée devait le conduire en 1899 à sa première crise de delirium tremens et à l'internement dans une maison de santé de Neuilly, où il exécuta de mémoire, aux crayons de couleurs, sa série de dessins illustrant le cirque (*Au cirque, le salut*, 1899, coll. Hofer), dont 22 furent édités en fac-similé par Manzi et Joyant (1905). Mais il refusa de renoncer à l'alcool.

Il peignit encore en 1899 quelques œuvres superbes, dont *Au Rat-Mort* (Londres, Courtauld Inst.), où les obliques de la composition, les rouges et les verts intenses, les lumières stridentes montrent l'exaspération de sa vision et de ses nerfs. Après sa première attaque de paralysie, Toulouse-Lautrec liquida son atelier et se réfugia près de sa mère au château de Malromé, en Gironde, où il mourut en 1901. Sa mère donna au musée d'Albi tout ce qu'elle avait recueilli : toiles, dessins, gravures formèrent un ensemble d'une qualité exceptionnelle qui affirme d'emblée l'importance de l'œuvre et son retentissement. Car, si la force du graphisme et la netteté des aplats colorés ont influencé à la fois les Nabis, Gauguin et les débuts de Picasso, la stridence du coloris, les ombres vertes et bleues ont annoncé, dès 1895, les audaces des fauves et des expressionnistes. Toulouse-Lautrec fut, de plus, sans conteste, le créateur d'une vision légendaire du Montmartre de la fin du siècle. Aux bas-fonds crapuleux, aux courtisanes équivoques, il substitua un monde nocturne artificiel, coloré, fiévreux, lyrique et, pourrait-on dire, presque épique. Une rétrospective présentant peintures, dessins, gravures a été consacrée à l'artiste (Londres, Hayward Gallery ; Paris, Grand Palais) en 1991-1992.

TROUVILLE.

Mis à la mode par le duc de Morny, Trouville, située à l'embouchure de la Touques sur la côte normande, n'est encore qu'un village de pêcheurs quand, dans les années 1860, les impressionnistes y posent leur chevalet. Monet et Boudin, attirés dans ces lieux fréquentés par leurs prédécesseurs, avec toutefois des liens familiaux avec la Normandie, aiment l'animation et l'atmosphère qui règnent sur la plage (la *Jetée à Trouville*, 1867, Copenhague, musée d'Ordrupgaard, de Boudin ; l'*Hôtel des Roches-Noires*, 1870, Paris, Orsay, et la *Plage à Trouville à marée basse*, Hartford, Wadsworth Atheneum, de Monet).

TROYON Constant,
peintre français
(Sèvres 1810 - Paris 1865).

D'une famille de décorateurs sur porcelaine, Constant Troyon débuta dans ce métier tout en peignant des paysages sur le motif. Vite, il se spécialisa dans ce genre. Ses premières œuvres s'inspirèrent des peintres néerlandais du XVIIᵉ s., de Jacob Van Ruisdael plus précisément (les *Bûcherons*, 1839, musée de La Rochelle). Cependant, on y perçoit tout ce qu'il apprit de la nature directement observée. Ce vérisme apparaît dans les quelques paysages historiques de sa jeunesse. L'« histoire » n'y fut qu'un prétexte pour faire admettre ces toiles les jurys traditionalistes des Salons. *Tobie et l'Ange* (Salon de 1841, Cologne, W.R.M.) montre l'heureuse alliance d'une ordonnance classique rappelant Lorrain et de la sincérité d'un œil réaliste. En 1843, Troyon connut Rousseau et Dupré. À leur contact, son sens de la réalisation grandit encore. Néanmoins, Troyon ne tenta pas, comme eux, de traduire ses émotions intimes. En représentant la nature, il se garda toujours du drame. Son voyage aux Pays-Bas de 1847 détermina l'étape majeure de sa carrière. Troyon y apprit de Potter à devenir peintre animalier. Longue serait la liste de ses troupeaux, dans lesquels, au travers d'une production abondante, il sut renouveler son inspiration. Le plus libre et le plus abouti de ces tableaux reste les *Hauteurs de Suresnes* (1856, Louvre). Troyon apprit aussi de Cuyp à fondre les lointains brumeux dans un éblouissement lumineux. Le *Bac*

(v. 1849, *id.*) fait songer à la *Vue de Dordrecht* par Aelbert Cuyp (Rotterdam, B.V.B.). Par ces recherches luministes, par sa dernière technique, juxtaposant des touches menues de couleur pure (la *Rentrée du troupeau*, 1856, musée de Reims), Troyon fut, parmi ses émules, les peintres de Barbizon, de ceux qui approchèrent le plus étroitement l'Impressionnisme. Ses derniers paysages maritimes, peints v. 1860 sur les côtes de la Manche auprès de Boudin, avec qui il s'associa un instant, attestent son génie précurseur. Un des premiers des paysagistes de l'école de 1830, il connut la fortune et les honneurs. Ce succès entraîna de nombreux imitateurs, dont Rosa Bonheur fut le plus fameux et dont l'art facile, qui encombra les salons, porta un préjudice, maintenant oublié, à Troyon, qui demeure le plus puissant interprète des animaux domestiques du XIXᵉ s. en France. L'artiste est représenté au Louvre et au musée d'Orsay (coll. Chauchard) ainsi que dans de nombreux musées de province et de l'étranger. (Citons notamment le musée Mesdag de La Haye, le Metropolitan Museum, le M.F.A. de Boston, l'Art Inst. de Chicago, le Clar. Inst. de Villiamstown et l'Ermitage, les musées de Cologne, Hambourg, Leipzig et Munich.)

TRÜBNER Wilhelm,
peintre allemand
(Heidelberg 1851 - Karlsruhe 1917).

Après une formation d'orfèvre, sur les conseils de Feuerbach, il fréquenta l'École des beaux-arts de Karlsruhe (1867-68) ; il fut ensuite l'élève de Hans Canon à Stuttgart (1869-70) et de Wilhelm von Diez à Munich (1870-1872). Il fut influencé par Leibl, dont il fit la connaissance en 1871, par Courbet et par Thoma. Ses débuts se situent donc sous le signe d'un réalisme assoupli par de nombreux voyages d'études, en 1872-73 avec Carl Schuch en italie (Venise, Florence et Rome), en 1874 en Belgique et en Hollande. En 1873, il consacre au château de Heidelberg et à ses environs une série de toiles (*Dans le château de Heidelberg,* musée de Darmstadt). L'année suivante, le lac de Chiemsee, en Bavière, lui inspire des œuvres qui comptent parmi les meilleures de cette période (*l'Embarcadère de Herreninsel*, musée de Karlsruhe). Trübner revint en 1875 à Munich, où il devait résider jusqu'en 1890, et aborda les thèmes mythologiques, qu'il abandonnera après 1890 ; il se rendit plusieurs fois à Paris (1879 et 1889) et séjourna à Londres (1884-85). L'artiste adhéra à la Sécession en 1892 ; son évolution en faveur d'un impressionnisme large s'affirma v. 1890.

Abordant tous les genres, il construisit ses compositions par plans simples, déclinant ses accords colorés un peu sourds par grands aplats (la *Rixe enfantine*, 1872, Hanovre, Niedersächsisches Landesmuseum), tirant de certains cadrages un effet saisissant (*Sur le canapé*, 1872, Berlin, Staatliche Museum) et structurant ses paysages d'autres danses (*Charpentiers*, 1876, Hambourg, Kunsthalle).

Professeur à Francfort (1895-1903), Wilhelm Trübner fut nommé professeur à l'Académie de Karlsruhe (1903-1917), ville dont le musée conserve les plus intéressants de ses tableaux ; il est le plus connu des disciples de Leibl.

TSCHUDI Hugo von,
historien d'art et conservateur allemand
(Jakobsdorf, Vienne, 1851 - Cannstatt, près de Stuttgart, 1912).

Il joua un rôle capital dans la rénovation des musées de Berlin et de Munich. Après ses études à l'université de Vienne, il devint (1884) assistant de Bode à Berlin, puis directeur de la Nationalgalerie de 1896 à 1909. Il s'efforça de faire connaître en Allemagne l'école de Barbizon et les impressionnistes ainsi que l'art allemand contemporain. La galerie s'enrichit d'œuvres de Millet, Daubigny, Daumier (*Don Quichotte*, provenant de la coll. Viau), Courbet, Manet (la *Serre*, le *Jardin de Rueil*), Monet, Degas, Renoir, Césanne et, pour l'Allemagne, surtout Menzel. L'acquisition de la collection Van Eeghen d'Amsterdam (Durpré, Troyon,

Rousseau, Daubigny) déplut à l'empereur et fut la cause de la disgrâce de von Tschudi. Remplacé par Ludwig Justi, celui-ci refusa la direction de l'Ermitage et se fixa à Munich, où le prince régent lui offrit en 1909 la direction générale des musées bavarois. Il remania l'Alte Pin. et y regroupa des tableaux dispersés dans les châteaux royaux et les galeries provinciales (*Cruxifixion* de Cranach, provenant de la galerie de Schleissheim). Il fit acheter pour Munich des œuvres de Greco et exposa la coll. Nemes de Budapest, riche en tableaux du maître espagnol. Parmi ses principaux écrits, on lui doit le premier catalogue du Maître de Flémalle, le catalogue monumental de l'œuvre de Menzel, celui de la centenale de Berlin (1906) et une remarquable étude sur Manet (Berlin, 1902).

TURNER Joseph Mallord William,
peintre britannique
(Londres 1775 - id. 1851).

L'ampleur de son expression et de ses thèmes forme un contraste accusé avec l'art intime et personnel de Constable, le seul contemporain qui puisse lui être opposé. Sa vie privée demeure assez obscure et ne peut guère expliquer le développement remarquable de son art. Fils d'un barbier, Turner fréquenta les cours de la Royal Academy de 1789 à 1793, travaillant en même temps l'aquarelle avec le topographe Thomas Malton. Il prit l'habitude de voyager chaque année à travers l'Angleterre, ce qui devait régulariser sa production jusqu'à la fin de sa vie ; il en était resté à la tradition du XVIIIe s. inculquée par son maître quand, en 1794-95, il s'employa à copier des tableaux et des dessins pour le Dr Monro. Non seulement il s'initia alors aux raffinements du coloris en copiant Cozens, mais aussi il eut l'occasion de rencontrer Girtin. Les deux artistes rivalisèrent dans l'acquisition d'une technique beaucoup plus libre, notamment en renonçant à la base monochrome, comme dans le *Vieux Pont de Londres* (1796-97, British Museum). En 1796, Turner exposa à la Royal Academy une peinture à l'huile, *Pêcheurs en mer* (1796, Londres, Tate Gal.), et, dès lors, cette technique constitua le plus important de son œuvre, sans qu'il abandonne pour autant l'aquarelle, qu'il pratiqua toujours, surtout lors de ses voyages sur le continent. Ses premières huiles dénotent un pittoresque issu du XVIIIᵉ s., mais elles sont déjà réalistes, et leur sentiment annonce parfois Wordsworth : les *Plateaux de Coniston* (1798, Londres, Tate Gal.). Malgré son acceptation rapide par les cercles officiels (il fut élu A.R.A. grâce à l'appui de J. Farington en 1799, à l'âge minimal requis, et R.A. en 1802), Turner semble s'être de plus en plus intéressé au paysage historique. Il croyait certainement à la hiérarchie classique des genres, comme le prouvent les subdivisions du *Liber studiorum* (volume de gravures d'après ses œuvres, peintes ou dessinées, inspiré du *Liber Veritatis* de Claude Lorrain et auquel il apporta tous ses soins, publié de 1807 à 1819) ; il ajoutait souvent aux ouvrages exposés des citations tirées en particulier de l'œuvre épique de Thomson ou, après 1813, de son propre poème inachevé, *The Fallacies of Hope (les Leurres de l'espérance)*. Si *Énée et la Sibylle, Lac Averne* (1798, Londres, Tate Gal.) révèle l'influence de paysagistes classiques comme Wilson, sa *Cinquième Plaie d'Égypte* (1800, musée d'Indianapolis) se situe davantage dans la tradition européenne, et sa *Dixième Plaie d'Égypte* (1802, Londres, Tate Gal.) reflète nettement son assimilation des méthodes de composition de Poussin ; de même la *Fête des vendanges à Mâcon* (1803, Sheffield, City Art Gal.), celle des méthodes de composition de Claude Lorrain, qui allait être déterminante. Le traité d'Amiens (1802) lui permettant d'aller à l'étranger pour la première fois, Turner découvrit la grandeur dramatique des Alpes, put voir les innombrables œuvres d'art rassemblées à Paris par Napoléon et prendre contact avec l'art français contemporain (David, Guérin). Il devait fréquemment revenir en France ou voyager sur le continent (Hollande et Allemagne, 1817 ; Italie, 1819, 1829-30, 1840). De retour en Angleterre, il aborde les thèmes contemporains avec un souffle plus large, en particulier dans le *Naufrage* (1805, Londres, Tate Gal.), où il exploite ses observations personnelles et l'efficacité de la composition classique. L'on peut alors voir un signe de son assurance et de sa réputation grandissantes dans l'inauguration, en 1804, de sa propre galerie, qui devait compléter les autres expositions de ses propres œuvres. En 1807, cependant, son évolution dans le paysage historique se ralentit. Peut-être est-ce le succès remporté par Wilkie qui l'incita à exposer des scènes de la vie champêtre anglaise, comme le *Forgeron campagnard* (1807, Londres, Tate Gal.), et à peindre pendant plusieurs années des scènes rustiques, dont *Matin de gel* (1813, *id.*) représente un sommet, tout en travaillant à de nombreuses études sur la campagne anglaise : la *Tamise près de Walton Bridges* (1807, *id.*), d'esprit très proche des esquisses à l'huile de Constable. Turner ne renonça pas pour autant à des œuvres plus ambitieuses et traita des thèmes historiques contemporains, comme la *Bataille de Trafalgar* (1808, *id.*), ou réalisa des peintures d'histoire dramatiques, comme *Tempête de neige : Hannibal traversant les Alpes* (1812, *id.*) où son expérience personnelle de la tempête est retranscrite en termes héroïques. Il travailla ensuite davantage dans un esprit d'émulation avec les paysagistes classiques, Le Lorrain en particulier, comme le prouve *Didon construisant Carthage* (1815, Londres, N.G.) ou la *Traversée du ruisseau* (1815, Londres, Tate Gal.), où il chercha à se surpasser dans les effets de lumière par une très grande liberté technique qui le fit accuser d'incohérence, reproche qui lui avait déjà été adressé à propos du *Naufrage* et qui revint alors au premier plan. Son premier voyage en Italie en 1819 accentua cette tendance, qui se manifesta dans les grandes aquarelles transparentes de Venise, comme *San Giorgio vu de la Dogana* (1819, British Museum), alors que, dans ses tableaux, tels que *Rome vu du Vatican* (1820, Londres, Tate gal.), Turner continue d'exprimer son admiration totale pour l'héritage culturel classique ainsi que pour celui des

Joseph Turner
Venise, la piazetta avec la cérémonie des épousailles du Doge et de la mer, 1835
91,5 × 122 cm
Londres, Tate Gallery

Hollandais : *Dort*, ou *Dordrecht*, 1818, New Haven, Y.C.B.A. ; *Cologne, l'arrivée de la malle le soir*, 1826, New York, Frick coll. Entre 1820 et 1830, il arriva à combiner ces éléments de façon plus heureuse, les utilisant avec un esprit plus créateur qu'éclectique : *Baie de Baiae* (1823, *id.*), où la lumière de Lorrain est intensifiée et où la perspective classique est traduite par un jeu de diagonales plus complexes. *Ulysse narguant Polyphème* (1829, Londres, N. G.) est, à bien des égards, le sommet de cette évolution, et l'utilisation de bleus vifs, de rouges, de bruns annonce le rejet de la structure tonale dans les grandes œuvres. De manière assez surprenante, le changement s'opéra d'abord dans les scènes de genre que Turner avait commencé à peindre à cette époque. Il avait depuis ses débuts trouvé de riches protecteurs, dont s'était fait des amis : ainsi sir Richard Colt Hoare, le propriétaire de Stourhead, ou Walter Fawkes, qui lui avait acheté notamment le *Dort* pour sa résidence de Farnley Hall. Jouissant de la protection fidèle du 3e lord

Egremont, l'artiste vécut longtemps à Petworth, de 1829 à 1837, où il travailla à des études et à des peintures, comme *Musique à Petworth* (v. 1830, Londres ; Tate Gal.), où lumière et couleur sont traitées dans un esprit d'abstraction sans précédent. Ces œuvres ne furent jamais exposées de son vivant, et ses grands tableaux n'affichèrent une telle liberté que progressivement. L'incendie du Parlement en 1834 non seulement lui inspira plusieurs études, mais fut à l'origine d'une série de peintures ayant pour sujet la violence et le feu et où il pouvait faire des expériences encore plus poussées dans le domaine de la couleur (1835, Cleveland, Museum of Art) ; Turner aboutit ainsi à des œuvres où la couleur est chargée d'une forte puissance émotive, comme dans *Juliette et sa nourrice* (1836, coll. part.), *Regulus* (1828-1837, Londres, Tate Gal.) ou *The Fighting Temeraire* (1839, Londres, N. G.), et à la libération finale vis-à-vis de la peinture tonale, comme dans la *Paix, funérailles en mer* (1842, Londres, Tate Gal.). Ses tableaux ont désormais une composition centrée autour d'un tourbillon, et le sujet émane d'une structure centrale balayant la toile dans une série de courbes : *Tempête de neige en mer* (1842, Londres, N. G.), *Ombres et ténèbres : le soir du Déluge* (1843, Londres, Tate Gal.) ; cherchant à accentuer la composition centrifuge de ses toiles, Turner expérimente des formes nouvelles, telles que carrés et octogones (la *Guerre : l'exilé et l'arapède*, 1842, *id.*). Son évolution fut toujours délibérée. Les cours qu'il donna à la Royal Academy de 1811 à 1828 en tant que professeur de perspective (1807-1839) montrèrent tout l'intérêt qu'il portait à la théorie, alors que son évolution à Petworth avait eu pour symbole l'*Étude de Watteau selon les principes de Du Fresnoy* (1831, Londres, Tate Gal.). Il exécuta alors *Lumière et couleur (théorie de Goethe)* [1843, *id.*], montrant par là combien sa lecture de la traduction d'Eastlake de la *Farbenlehre* de Goethe l'avait encouragé à se servir de la puissance émotive de la couleur (*Pluie, vapeur et vitesse : le Great Western Railway*, 1844, Londres, N.G.). Une telle attitude l'amena progressivement vers plus d'abstraction, et ses dernières œuvres sont, à vrai dire, laborieuses et maladroites. C'est sa production des années 1820 qui attire le plus de nos jours, à la fois parce qu'elle est aboutissement logique de son évolution et en raison de ses affinités avec certaines tendances de l'art abstrait, mais elle fut incomprise de ses contemporains, bien que Ruskin, son apologiste, eût interprété des tableaux comme les *Négriers* (1840, Boston, M.F.A.) avec beaucoup de pénétration.

En effet, si les œuvres de Turner, même les plus hardies, reposent finalement sur l'observation naturaliste, il s'agit d'un naturalisme très éloigné de la minutie scrupuleuse des préraphaélites ou du style analytique des impressionnistes, inspiré non par le Primitivisme ou le Réalisme, mais par la noblesse et la sensibilité d'un tempérament romantique. Grâce au legs fait par Turner (1856), les musées de Londres présentent un ensemble incomparable d'œuvres : près de 20 000 numéros, surtout aquarelles et dessins (British Museum, qui conserve aussi les volumes de gravures auxquels Turner collabora : *Rivers of England*, 1823-1825, *Picturesque Views in England and Wales*, achevé en 1838, *Annual Tours*, 1833, 1834, 1835), mais aussi 282 peintures (Tate Gal. et N.G.), dont 182 inachevées. Les 100 toiles achevées comptent parmi les meilleures créations, mais d'autres sont dispersées dans différentes collections et musées de Grande-Bretagne (notamment à Petworth House, Sussex) et des États-Unis (Mellon Coll. et musées de Washington, de New York, de Los Angeles, de Toledo, de Cleveland, d'Indianapolis). Le Louvre possède un *Paysage avec une rivière et une baie*, peint v. 1845 et qui compte parmi les plus étonnantes vues « inachevées » de l'artiste.

TWACHTMAN John,
peintre américain
(Cincinnati 1853 - Gloucester 1902).

L'un des représentants les plus significatifs de l'Impressionnisme en Amérique, Twachtman étudia le dessin d'abord à l'Ohio Mechanics Institute, à la McMicken School of Design et à la Cincinnati School of Design avec Duveneck, qui lui demanda de l'accompagner à Munich (1875-1877). Il y fut l'élève de Ludwig Loefftz, retourna aux États-Unis avant de revenir enseigner chez Duveneck, à Florence, et de fréquenter à Paris l'Académie Julian de 1883 à 1885. En même temps qu'il abandonnait Munich pour Paris, il découvrait l'Impressionnisme et Whistler. Rapidement, en compagnie d'autres peintres américains, il peignit en plein air, avec Duveneck à Venise, avec Childe Hassam sur la côte normande. Son style devint alors plus uni et harmonieux, tel qu'on peut le constater dans l'une de ses meilleures toiles, *Arques-la-Bataille* (1885, Metropolitan Museum), qui dénote une adaptation de l'esthétique whistlérienne et du japonisme dans l'harmonie subtile des gris et des verts et la légèreté calligraphique du dessin. Twachtman s'établit à partir de 1889 près de Greenwich et se consacra essentiellement au paysage. Il pratiqua aussi l'eau-forte. Il enseigna à Newport, Cos Cob, à la Cooper Union Institution et à l'Art Students' League. Parmi ses élèves, il convient de noter Ernest Lawson. En 1898 enfin, Twachtman fit partie du groupe des Dix, qui avaient décidé d'exposer ensemble pour promouvoir l'art américain. Les musées de Chicago, Cleveland, New York (Metropolitan Museum, M.O.M.A. et Whitney Museum) et Cincinnati conservent un certain nombre de ses œuvres, qui furent très appréciées de son temps.

UHDE Fritz von,
peintre allemand
(Wolkenburg, Saxe, 1848 - Munich 1911).

Après avoir commencé des études à l'Académie de Dresde, Uhde fit une carrière militaire de 1867 à 1877. De 1877 à 1879, il résida à Munich et se consacra dès lors

à la peinture. En 1879-80, il travailla à Paris chez le peintre hongrois Munkácsy et exposa ensuite régulièrement au Salon. Il se fixa ensuite à Munich.

Ses sujets de prédilection sont des tableaux de genre ou des scènes bibliques transposées dans l'ambiance réaliste et sentimentale de son époque, comme le *Christ chez les paysans* (1887, Paris, musée d'Orsay), *Viens Seigneur Jésus, sois notre hôte* (1885, Berlin, N.G.). Un peu misérabiliste, son art montre la condition des pauvres et célèbre la grandeur du labeur des champs (les *Glaneurs*, 1889, Munich, Neue Pin.) ; son art comporte des œuvres d'un naturalisme franc (*Homme enfilant son manteau*, 1885, Hanovre, Niedersächsisches Landesmuseum) et peut se rapprocher de celui de Lhermitte ou de Cazin en France, y compris par la technique claire, légère et pochée. Dans ses œuvres tardives, Uhde fut influencé par l'Impressionnisme (les *Filles de l'artiste au jardin*, 1906, Cologne, W.R.M.). Il est représenté dans de nombreux musées en Allemagne (Berlin, Cologne, Dresde, Francfort, Hanovre, Liepzig). □

V-Z

VALADON Suzanne,
peintre français
(Bessines-sur-Gartempe, Haute-Vienne, 1865 - Paris 1938).

Elle se prénomme en réalité Marie Clémentine. On l'appelle Marie, à Montmartre, où sa mère, blanchisseuse, vient s'établir avec elle en 1872. Très douée pour le dessin, la fillette se plaît à crayonner sans cesse, à se servir de morceaux de charbon de bois pour tracer des graffiti sur les murs et sur les trottoirs. Après avoir été apprentie couturière, elle exerce divers petits métiers, devient acrobate dans un cirque forain et y est victime d'un accident qui ne lui permet pas de poursuivre cette carrière, mais ne l'empêche pas de poser, nue ou habillée, dans l'atelier de Puvis de Chavannes (durant sept ans, et notamment pour les figures du *Bois sacré*, 1883-84), chez Renoir (pour la *Danse à la ville* et la *Danse à la campagne*, 1883), chez Zandomeneghi et Toulouse-Lautrec (*Suzanne Valadon*, 1885), qui sont, rue Tourlaque, ses voisins de palier.

C'est ce dernier qui sait reconnaître son talent de dessinatrice ; il signale sa découverte au sculpteur Bartholomé, qui, à son tour, en parle à Degas, qui va demeurer jusqu'à la fin de sa vie l'admirateur et le soutien de celle qu'il a surnommée « la terrible Maria » ; Degas l'encourage à peindre, ce qu'elle fait à partir de 1892.

En 1883, Suzanne Valadon met au monde un fils, non reconnu par son père (Maurice Boissy, bohème impénitent, alcoolique invétéré et vaguement peintre à ses heures). Elle devient la compagne de Paul Moussis, qui va légitimer leur union en 1896 sans consentir à donner son nom à l'enfant, mais qui, en 1891, laisse un de ses proches amis, Miguel Utrillo y Molins, se substituer pour ce rôle à Boissy et à lui-même. En 1894, elle expose au Salon de la Société nationale des beaux-arts, puis au Salon des indépendants et au Salon d'automne.

Divorcée en 1909, Suzanne Valadon contracte aussitôt une nouvelle union avec le peintre André Utter, de vingt ans son cadet et, rue Cortot à Montmartre, forme avec celui-ci et son fils Maurice Utrillo (devenu peintre également pour échapper à l'alcool) un trio pittoresque. Leur situation s'améliorant enfin, ils s'installent, en 1926, dans un hôtel particulier de l'avenue Junot. En 1935, Utrillo quitte sa mère pour épouser le peintre Lucie Valore.

Ayant débuté par des dessins à la sanguine (*Autoportrait*, 1902, coll. part.) et au crayon (*Mon Utrillo à 9 ans*, v. 1892, coll. part.), Degas l'initie à la gravure v. 1894. À partir de 1904 elle emploie l'eau-forte et en 1908 se lance dans la technique de la pointe sèche. Les gros traits appuyés, fermes et souples, que Degas admire dans les dessins de Suzanne Valadon caractérisent aussi bien les peintures de celle-ci, fortement cloisonnées et dont le coloris et les aplats rappellent ceux de Gauguin. Ces tableaux ont pour sujet des nus robustes et des figures dont le réalisme frôle, quelquefois, la vulgarité. L'artiste exécute aussi des portraits de ses amis (*Erik Satie*, 1893, Paris, M.N.A.M. ; la *Famille Utter*, 1921, *id.*), des natures mortes et des compositions florales rigoureuses (*Vase de fleurs sur un mur*, 1920, coll. part. ; *Nature morte au canard*, 1930, Besançon, musée des Beaux-Arts). Son art direct, voire agressif, donne une vigoureuse impression d'équilibre psychologique et de

Suzanne Valadon
Fleurs et fruits, 1920
63 × 53 cm
collection particulière

saine sensualité. Suzanne Valadon est représentée à Paris (M.N.A.M. : notamment le *Lancement de filet*, 1914 ; *Adam et Ève*, 1909 ; la *Chambre bleue*, 1923 ; M.A.M. de la Ville : *Nu au bord du lit*, 1922) ainsi qu'à Albi (musée Toulouse-Lautrec), Besançon (musée des Beaux-Arts), Belgrade (musée de Peinture et de Sculpture), Grenoble, Lyon (Musée municipal), Menton, Montpellier (musée Fabre), Nantes (musée des Beaux-Arts), Nevers (Musée municipal), Prague (N.G.). Le M.N.A.M. de Paris a consacré deux expositions à Suzanne Valadon, en 1948 et 1967.

VALERNES Évariste de,
peintre français
(Avignon 1817 - Carpentras 1896).

Il travaillait avec Andrieu, le disciple de Delacroix, quand il se lia avec Degas, pour qui il posa les deux célèbres portraits du musée d'Orsay (1864 et 1868). Délaissant le Romantisme, il donna alors des portraits et des scènes d'intérieur très inspirés par les peintures de Degas (la *Convalescente*, 1868, musée de Carpentras).

VALLOTTON Félix Édouard,
peintre français d'origine suisse
(Lausanne 1865 - Paris 1925).

Issu de la bourgeoisie protestante de Lausanne, Vallotton, qui décide de se consacrer à la peinture à l'âge de dix-huit ans, s'inscrit à Paris à l'Académie Julian. Après trois ans d'une vie difficile et isolée, il expose pour la première fois au Salon des artistes français un portrait où se révèle son admiration pour Holbein (*Portrait de M. Ursenbach*, 1885, Zurich, Kunsthaus). Il copie assidûment au Louvre Léonard, Antonello de Messine et Dürer, mais c'est Ingres qu'il

Félix Vallotton
Le Ballon ou *Coin de parc*
avec enfant jouant au ballon, 1899
carton sur bois, 48 × 61 cm
Paris, musée d'Orsay

admire surtout ; on dit qu'il éclata en sanglots devant le *Bain turc* (1862, Louvre).

Vallotton participe dès 1893 au Salon des indépendants avec un *Bain au soir d'été* (Zurich, Kunsthaus), qui fait scandale par son érotisme caricatural et froid, sa technique lisse et son dessin contourné. À partir de la même année, il expose avec les Nabis, ses amis de l'Académie Julian, mais ne fait vraiment partie du groupe qu'en 1897. Au cours de cette période, il exécute de nombreuses gravures sur bois (technique qu'il employait depuis 1891), qui connaî-

tront très vite un succès international en paraissant dans *le Courrier français* et *le Rire* dès 1894, dans *la Revue blanche*, le *Chap Book* de Chicago et le *Jugend* de Munich l'année suivante, puis, autour de 1900, dans *le Cri de Paris*, la revue d'Ibels *le Sifflet*, le *Mercure de France*, *le Rire*, le *Scribner* de New York, ou dans des journaux nettement polémiques : *l'Assiette au beurre, les Temps nouveaux, l'Ymagier.*

Dans la gravure sur bois, aimée des Nabis et d'Alfred Jarry, le goût de l'art naïf, de l'art pur s'appuyait sur une contrainte technique : simplification des formes et suppression des passages semblables aux formules de la peinture nabi. Vallotton, par un découpage net des plages de noir et de blanc et par d'autres moyens de simplification, transmet avec force une vision du monde amère et sans complaisance, que ce soit dans ses portraits (illustrations du *Livre des masques* de Remy de Gourmont) ou dans les scènes où se marque sa sympathie pour le mouvement anarchiste et sa violence contre la société bourgeoise (la *Manifestation*, 1883 ; *Sauvons Rome et la France*, 1893 ; l'*Exécution*, 1894 ; le *Train de plaisir*, 1903, Paris, B.N., cabinet des Estampes).

Ses peintures de jeunesse (la *Cuisinière*, 1892, Lausanne, coll. part. ; la *Malade*, 1892, *id.*) comme celles de la période nabi (triptyque du *Bon Marché*, 1898, Suisse, coll. part.) ou les œuvres plus tardives (*Autoportrait*, 1923, musée de Berne) sont toujours d'un réalisme quasi photographique, rendu par une technique lisse, et d'une probité devant les laideurs et les ridicules de l'humanité qui tourne à la délectation morbide : « Il ne se régale que d'amertume », écrit de lui Jules Renard. Vallotton a laissé plusieurs écrits, le meilleur étant un roman : *la Vie meurtrière*, où l'observation froide, la sensibilité blessée et l'amertume recoupent et commentent sa peinture. Ses nus sont parfois de pénibles académies de ménagères, mais ils peuvent atteindre à un érotisme glacial dans la ligne de l'*Angélique* d'Ingres et préfigurent, par leur naturalisme halluciné, tantôt les surréalistes Delvaux ou Magritte, tantôt Balthus (l'*Enlèvement d'Europe*, 1908, coll. Hahnloser).

Vallotton est représenté au musée d'Orsay, Paris (la *Troisième Galerie au Châtelet*, 1895 ; le *Dîner*, 1899 ; la *Partie de poker*, 1902 ; *Madame Vallotton* ; le *Ballon*, 1899), aux musées de Besançon, de Bagnols-sur-Cèze, d'Albi, de Grenoble, de Lille, de Lyon, de Nantes, de Nice, de Rouen, de Strasbourg, de Bâle, de Berne, de Lausanne, de Neuchâtel, au Kunsthaus de Zurich, à Genève (Petit Palais) et à la Neue Pin. de Munich.

VALTAT Louis,
peintre français
(Dieppe 1869 - Paris 1952).

Cet artiste isolé fut longtemps méconnu, mais ses qualités de peintre et le rôle singulier qu'il joua vis-à-vis du Fauvisme apparaissent de plus en plus nettement.

D'une famille d'armateurs dieppois, il entre à l'École des beaux-arts de Paris en 1887, puis en 1888 à l'Académie Julian, où il fait la connaissance de Bonnard, Denis, Vuillard et Albert André, qui deviendra son ami. En 1889, il passe dans l'atelier de Gustave Moreau et expose aux Indépendants. Comme la plupart des artistes de sa génération, il subit un moment l'ascendant de Gauguin, encouragé par son ami Daniel de Monfreid, avec lequel il fait un séjour en Espagne en 1894-95 (série de paysages), et, plus longuement, l'influence du Néo-Impressionnisme. Celle-ci est stimulée par Cross et Signac, ses amis et voisins depuis qu'il s'est installé en 1889 à Anthéor, près du Lavandou et de Saint-Tropez, où il demeurera jusqu'en 1914 (la *Barque à Anthéor*, 1891 ; *Paysage d'Anthéor*, 1905). Valtat, qui peint avec des couleurs pures et violentes dès 1894 (*Nu dans un jardin* et *Chez Maxim's*, 1895, Genève, fondation Oscar Ghez, Petit Palais), s'apparente un moment aux Nabis et à l'Expressionnisme allemand. En 1894-95, il exécute avec Toulouse-Lautrec et Albert André les décors du *Chariot de terre-cuite* pour le théâtre de l'Œuvre de Lugné-Poe. Mais sa pâte lourde, travaillée en taches tourbillonnantes, annonce bientôt les peintres de Chatou (la *Fiesta*, 1896, coll. part. ; les *Porteuses d'eau*, 1897). Confiant ses œuvres au marchand Vollard, il participe à toutes les manifestations du Fauvisme, en particulier au fameux Salon d'automne de 1905 et à la 1re exposition post-impressionniste aux Grafton Gal. à Londres en 1911, mais sa position dans le mouvement est ambiguë : précurseur d'un côté, compagnon de route de l'autre, Valtat reste pourtant, dans ses meilleures toiles (par exemple ses flamboyants paysages de l'Esterel, Besançon, musée des Beaux-Arts), plus proche de Guillaumin et de Cross que de Matisse, dont il est pourtant l'exact contemporain. Installé dans la région parisienne après 1914, il évolue seul, dans un style toujours soucieux d'équilibre plastique et coloré (nombreuses natures mortes : *Bouquets de fleurs*, v. 1901, Troyes, M.A.M. ;

Nature morte aux rougets, 1931, Bordeaux, musée des Beaux-Arts ; et portraits de ses proches : *Famille,* 1924, Marseille, musée des Beaux-Arts). En 1924, il acquiert une propriété à Choisel dans la vallée de Chevreuse, où il fait de fréquents séjours jusqu'à la fin de sa vie. En 1927, il est à Banyuls en compagnie de Maillol. Valtat perd la vue et cesse de peindre en 1948. Il est représenté à Paris (*Femme au cabaret,* 1896, Orsay), Saint-Tropez (musée de l'Annonciade), Bordeaux (musée des Beaux-Arts), Cahors (Musée municipal), Le Havre (Musée municipal), Nantes (musée des Arts décoratifs), Nîmes (musée des Beaux-Arts), Rennes (musée des Beaux-Arts), Toulouse, Marseille (musée des Beaux-Arts) et Troyes (M.A.M.) et surtout, par un important ensemble de toiles « fauves », à la fondation Ghez de Genève (Petit Palais), qui lui a consacré une rétrospective en 1969.

Valtat bénéficia aussi de quelques expositions particulières en 1956 à Paris (palais Galliéra) et en 1963 à Nantes (musée des Arts décoratifs).

VAN DEN EECKHOUDT Jan,
peintre belge
(Bruxelles 1875 - id. 1946).

À Bruxelles, après ses débuts auprès de son oncle Isidore Verheyden, il entre dans l'atelier de Blanc-Garin, où il se lie avec Henri Evenepoel. Initié au Divisionnisme, il l'adopte dans les paysages peints à Menton en 1904, au cours d'un séjour dans le Midi (*Sous l'oranger,* 1907, musée d'Ixelles). Vers 1911, il abandonne peu à peu cette technique et s'oriente, sous l'influence de son ami Matisse, vers un Fauvisme aux couleurs acides. Installé à Roquebrune (1914-1936), il multiplie les paysages et natures mortes, synthétisant de plus en plus les masses selon le modèle cézannien (*Oranges et palmes,* 1914, coll. part. ; l'*Arbre rouge à Roquebrune, id.).* Son œuvre est représentée dans la plupart des musées belges : ceux de Bruxelles (M.R.B.A.), de Gand et d'Ixelles ont exposé récemment ses toiles, respectivement en 1973, 1980 et 1990.

VAN GOGH Vincent,
peintre néerlandais
(Groot Zundert, Brabant, 1853 - Auvers-sur-Oise 1890).

Fils d'un pasteur, enfant instable et tourmenté, il ne se consacre à la peinture qu'au terme de plusieurs expériences – et échecs – de divers ordres. Employé, après ses études, de la galerie d'art Goupil à La Haye, à Londres et à Paris (1869-1876), il est finalement congédié ; sa vie amoureuse connaît en 1874 la première des déceptions qui marqueront son existence ; la quête d'un absolu le conduit à l'apostolat, mais sa mission d'évangélisation auprès des mineurs du Borinage, menée avec un zèle quasi fanatique, s'achève sur la désapprobation des autorités religieuses (1879). Cette tendance à l'échec ne le quittera jamais (son œuvre aura peu d'échos et il ne vendra qu'une seule toile de son vivant), seulement

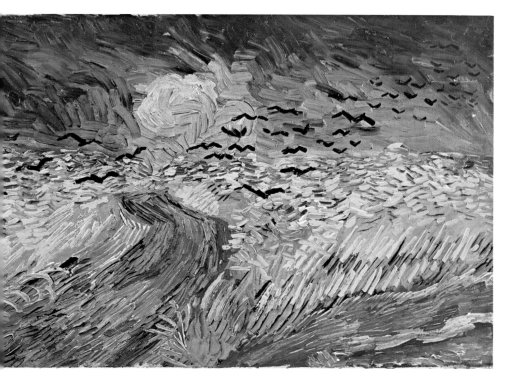

Vincent Van Gogh
Champs de blé aux corbeaux, 1890
50,5 × 100,5 cm
Amsterdam, Rijksmuseum Vincent Van Gogh

compensée par le constant soutien moral et financier de son frère Théo (la correspondance entre les deux frères, très abondante, est d'un intérêt exceptionnel).

Revenu à Etten chez ses parents, effectuant de courts séjours à Bruxelles et Anvers, il s'engage à partir de 1880 dans la voie artistique, se formant par le dessin, la copie d'après Millet (l'*Angélus*, 1880, Otterlo, Rijksmuseum Kröller-Müller, crayon) et l'étude de paysages et de sujets paysans (les *Scloneurs et les Scloneuses*, 1880, id., mine de plomb), thèmes qu'il choisit à nouveau lorsqu'il aborde la peinture à l'huile, en 1882, conseillé par son cousin, le peintre Anton Mauve, chez qui il s'installe temporairement. D'abord tributaire du Réalisme hollandais dans des toiles exécutées à Nuenen (fin de 1883 - fin de 1885) (les *Mangeurs de pommes de terre*, 1885, Amsterdam ; *Nature morte avec bible*, 1885, id., Rijksmuseum Vincent Van Gogh), il se

découvre, à partir de son séjour à Anvers (fin de 1885 - début de 1886), un intérêt nouveau pour la couleur, au contact notamment de l'art des estampes japonaises puis, à Paris (févr. 1886 - févr. 1888), des impressionnistes et néo-impressionnistes. Là, il habite chez son frère et travaille dans l'atelier de Cormon en compagnie de Toulouse-Lautrec et d'Anquetin ; il fait la connaissance d'É. Bernard, de Gauguin (avec lesquels il exposera dans un café), de Guillaumin, de Degas, de Pissarro, du père Tanguy, d'Angrand, de Signac, de Seurat (ces deux derniers l'inviteront à participer à une exposition organisée par *la Revue indépendante*). Sa palette s'éclaircit et se diversifie, sa facture s'assouplit et il multiplie les expérimentations techniques appliquées aux sujets qu'il privilégie désormais : natures mortes, fleurs, portraits (l'*Italienne*, 1887, Paris, Orsay ; le *Père Tanguy*, 1887, Paris, musée Rodin) et autoportrait (1886, Chicago, Art Inst.), « japonaiseries » et paysages (*Bords de la Seine*, 1887, Amsterdam, Rijksmuseum V. Van Gogh ; le *Restaurant de la Sirène à Asnières*, 1887, Paris, Orsay).

Mais c'est dans le midi de la France que la couleur et la lumière vont trouver leur expression la plus forte et la plus personnelle, marquée par l'exaltation, la tension, l'angoisse ou la solitude. À Arles (févr. 1888 - mai 1889), sa palette, resplendissante (*Jardin de maraîchers*, 1888, Amsterdam ; la *Chambre de Vincent à Arles*, 1888, Paris, Orsay, Rijksmuseum V. Van Gogh), s'oriente vers une plus grande intensité des tons (jaunes de la série des « Tournesols », Munich, Neue Pin.) et des rapports chromatiques (jaune-bleu, rouge-vert [le *Café de nuit*, 1888, New Haven Yale Univ. Art Gal. ; la *Plaine de Crau*, 1888, Amsterdam, Rijksmuseum V. Van Gogh]). Fleurs, paysages, intérieurs, portraits sont chargés d'une expressivité qui va bientôt atteindre une véhémence pathétique. Après l'échec d'un essai de communauté artistique avec Gauguin, qui aboutit à une crise de dépression (automutilation de l'oreille gauche) et à deux séjours à l'hôpital, Van Gogh se fait admettre à l'asile de Saint-Rémy-de-Provence (mai 1889 - mai 1890). Cette période de crise et de travail donne naissance à des toiles convulsives où la touche en longs traits discontinus (également caractéristiques du graphisme des dessins), le flamboiement du paysage et la torsion des formes (séries d'oliviers, de cyprès, de champs de blé, etc. : le *Champ de blé au cyprès*, 1889, Londres, N.G.) traduisent son tourment (*la Nuit étoilée*, 1889, New York, M.O.M.A. ; *Autoportrait*, 1889, Paris, Orsay). À la fin de 1889, il est représenté au Salon des indépendants à Paris et à l'exposition des Vingt à Bruxelles.

Accueilli à Auvers-sur-Oise en mai 1890 par le Dr Gachet, amateur d'art, il y trouve un climat de confiance dont l'effet est sensible dans ses peintures de fleurs, ses vues villageoises ou ses portraits, malgré les déformations souvent mouvementées des contours (l'*Église d'Auvers*, 1890, Paris, Orsay ; le *Docteur Gachet*, 1890, Paris, Orsay). Mais l'énergie lui fait défaut pour conjurer l'angoisse qui l'envahit et qui donne des accents tragiques aux dernières peintures de la campagne et des champs (le *Champ de blé aux corbeaux*, 1890, Amsterdam, Rijksmuseum V. Van Gogh), avant son suicide (il se tire une balle dans la poitrine le 27 juillet et meurt le 29). En 1891, il figure de nouveau au Salon des indépendants et chez les Vingt. En 1901, Bernheim présente une rétrospective du peintre, dont l'importance ne sera reconnue qu'à partir de 1905 lors de l'exposition du Stedelijk Museum d'Amsterdam. Depuis lors, les expositions consacrées à Van Gogh n'ont pas manqué : citons celles de New York (M.O.M.A.) en 1935, d'Otterlo (Rijksmuseum Kröller-Müller) en 1952, de Paris (Orangerie) en 1971-72, de New York (Metropolitan Museum) en 1984 et celle (1990) du musée Van Gogh à Amsterdam (peintures) et de celui d'Otterlo (dessins).

Quête éperdue, au risque de la vie et de la raison, d'une expression où puissent se manifester une identité (d'où le nombre exceptionnel d'autoportraits) et une relation au monde, sa peinture apparaît comme la recherche constante d'une adéquation de la couleur, du dessin et de la forme, riche d'émotion et de sens. Elle préfigure ce que seront les divers courants expressionnistes.

Le catalogue de l'œuvre de l'artiste comprend plus de 850 peintures. Van Gogh est excellemment représenté en Hollande, à Amsterdam (Stedelijk Museum et Rijksmuseum V. Van Gogh) et à Otterlo (Rijksmuseum Kröller-Müller), où ces collections publiques rassemblent près de la moitié de l'œuvre complète. Il figure aussi au Gemeentemuseum de La Haye et au B.V.B. de Rotterdam. À Paris, Van Gogh est représenté au musée Rodin et au musée d'Orsay qui abrite, grâce en particulier à la donation Gachet, une vingtaine de tableaux et des souvenirs de la fin de la vie de l'artiste. Van Gogh est présent, en outre, dans les grands musées du monde et les collections particulières.

VAYREDA Y VILA Joaquin,
peintre espagnol
(Gérone 1843 - Olot 1894).

Élève de Narciso Pascual à l'école des Beaux-Arts d'Olot, puis de Ramon Marti y Alsina à Barcelone, il s'exile en France pendant la guerre carliste et peint dans le Midi avec José Berga des portraits et des paysages. L'influence de Corot et de l'école de Barbizon, découverts lors d'un voyage à Paris, est très nette dans des toiles à la touche fluide et lumineuse qui rendent l'émotion de Vayreda devant de calmes scènes d'intimité et des paysages printaniers (l'*Été*, Barcelone, M.A.M. ; la *Terrasse*, 1891, *id.* ; *Procession de pensionnaires, id.*). Il a travaillé quelquefois à des projets communs avec son frère, le peintre de genre Mariano Vayreda y Vila (1853-1903). Ses œuvres sont conservées dans la plupart des musées espagnols et ont été présentées au public à plusieurs reprises par le M.A.M. de Barcelone.

VELDE Henry Clemens Van de,
peintre et architecte belge
(Anvers 1863 - Zurich 1957).

Plus connu comme rénovateur de l'architecture et de l'art décoratif (il a contribué à créer le Modern Style en Belgique) qu'en tant que peintre, il suit cependant ses premiers cours en 1881 à l'Académie d'Anvers sous la direction de Charles Verlat, puis fréquente, en 1884-85, l'atelier de Carolus-Duran à Paris, où il fait la connaissance des impressionnistes français (Monet, Signac et Pissarro).

Après son retour en Belgique, en 1886, il participe aux divers mouvements d'avant-garde d'Anvers – le cercle Als ik kan – ou de Bruxelles, où il est admis dans le groupe des Vingt en 1888 et collabore à *l'Art moderne*. Il est, un moment, influencé par Millet (la *Lavandière*, 1887, Anvers, musée des Beaux-Arts), puis adopte finalement le Pointillisme de Seurat à partir de 1888 ; il peint, dans cette technique, des paysages et des portraits : la *Plage de Blankenberghe*

(1889, Brême, Kunsthalle, et Zurich, Kunsthaus), *Femme à la fenêtre* (Anvers, musée des Beaux-Arts), *Femme au crépuscule* (1889, Otterlo, Rijksmuseum Kröller-Müller), la *Fille qui remaille* (1890, Bruxelles, M.R.B.A.). En 1890, il expose au Salon des indépendants à Paris.

Ayant découvert l'art de Gauguin et de Van Gogh, il s'oriente vers un style où dominent les hachures : *Jardin à Kalmthout* (v. 1892, Munich, Neue Pin.). Son art évolue enfin vers la ligne ornementale : *Ornement de fruits* (pastel, v. 1892, Otterlo, Rijksmuseum Kröller-Müller), considéré parfois comme une composition abstraite, est caractéristique de cette tendance. Puis l'artiste renonce à la peinture, détruisant certains de ses tableaux, se consacre de plus en plus à l'art décoratif (il expose chez Bing en 1895 et 1896) et, à l'exemple de William Morris, décide de mettre en application ses idées, qu'il développe dès 1891 en des articles (*Déblaiement d'art*, 1894 ; *l'Art futur*, 1895), cours ou conférences. À partir de 1894, son intérêt se porte sur l'architecture, mais il poursuit, pendant une vingtaine d'années encore, son œuvre gravé, dont le plus remarquable exemple est la présentation typographique de la revue d'avant-garde flamande *Van Nu en Straks*, publiée à partir du 1er avril 1893. Entre 1899 et 1917, il travaille en Allemagne, réalise le Folkwang Museum de Hagen et le théâtre du Werkbund à Cologne. Devenu conseiller artistique du grand-duc de Saxe-Weimar, il enseigne à l'école des Arts décoratifs de cette ville. Entre 1917 et 1921, il réside en Suisse puis, de 1921 à 1925, en Hollande, où il construit le Rijksmuseum Kröller-Müller d'Otterlo. Les peintures de Van de Velde sont conservées à Anvers (musée des Beaux-Arts), à Brême (Kunsthalle), à Bruxelles (M.R.B.A.), à Munich (Neue Pin.), à Otterlo (Rijksmuseum Kröller-Müller) et à Zurich (Kunsthaus). Quelques expositions ont été consacrées à l'ensemble de l'œuvre d'H. Van de Velde à Hagen (K.E. Osthaus Museum) en 1959, à Bruxelles (M.R.B.A.) en 1963 et à Otterlo (Rijksmuseum Kröller-Müller) en 1964.

VERHAEGEN Fernand,
peintre belge
(Marchienne-au-Pont 1884).

Spécialisé dans les scènes de genre, de paysages et de natures mortes, il a suivi les cours de l'Académie de Bruxelles sous la direction de Vandamme-Sylva et de Constant Montald. Dès ses débuts, il a été fortement impressionné par le Pointillisme. C'est dans cette technique que l'on voit apparaître vers 1907 ses premières interprétations des *Gilles de Binche*, scènes de carnaval typiques de cette localité. Il a pris ses impressions directement sur le vif. Il évoluera rapidement en s'orientant vers une manière vigoureuse où les couleurs vont succéder à la douce harmonie des toiles de la période impressionniste. Une rétrospective eut lieu en 1963 en Belgique, où le tableau les *Gilles de Binche* a été particulièrement apprécié. Ses œuvres figurent dans de nombreux musées et au Petit Palais (Genève).

VERKADE Jan,
peintre néerlandais
(Zaandam 1868 - Beuron 1946).

À Paris en 1891, il fréquenta le groupe des Nabis. Surnommé le « Nabi obéliscal », il se lia avec Sérusier, dont il partagea les curiosités mystiques et les théories synthétistes (*Cour de ferme au Pouldu*, 1890-1894, coll. part.). Converti au catholicisme en 1892, il s'attacha à la mystique et à l'esthétique archaïsante du père Didier Lenz, entra au monastère bénédictin de Beuron (1894) et se consacra désormais à des décorations anonymes pour les monastères du mont Cassin, de Vienne et de Jérusalem. Il écrivit en 1920 *le Tourment de Dieu*, qui est un témoignage capital sur cette époque.

VERSTER Floris Henric,
peintre néerlandais
(Leyde 1861 - id. 1927).

D'abord élève de l'Académie de La Haye puis de Breitner, qui l'initie à l'Impressionnisme, Verster travaillera toute sa vie à Leyde à l'exception d'un bref séjour à Bruxelles dans l'atelier de Banson. Admirateur de Vermeer, ses sujets de prédilection sont les portraits et les natures mortes aux couleurs vigoureuses, où il maîtrise parfaitement la technique impressionniste, dont il est l'un des meilleurs représentants en Hollande (*Portrait de Mme Kröller-Müller*, les *Casseurs de pierre*, Otterlo, musée Kröller-Müller ; le *Manteau de cheminée*, 1888, Wassenaar, coll. part.). Ses œuvres sont représentées dans les musées de La Haye, de Hambourg, d'Amsterdam et d'Otterlo.

VERSTRAETE Théodor,
peintre belge
(Gand 1850 - Anvers 1907).

Élève de Jacobsz à l'Académie d'Anvers, où il fonde le cercle des XIII, Verstraete travaille en Hollande de 1886 à 1890. D'abord intéressé par la gravure, il obtient une mention au Salon de 1892 (*Dans la bruyère*) et une médaille d'or à l'Exposition universelle de 1900. Ses premières œuvres, souvent graves et mélancoliques (*Nuit à Brasschaet*, musée de Tournai ; *Au cimetière*, 1894, Bruxelles, M.R.B.A.), suggèrent un réalisme poétique dont il s'éloignera lors de son séjour en Zélande pour aborder une peinture plus claire et plus vive, proche de l'Impressionnisme (*Vergers en Zélande*, Bruxelles). Une partie importante de l'œuvre de Verstraete a été donnée au musée de Tournai par le grand amateur belge Henri Van Cutsem, ami et mécène de l'artiste.

VÉTHEUIL.

En 1878, à la recherche d'une nouvelle inspiration, Monet et Camille, gravement malade (elle mourra l'année suivante), s'installent avec la famille Hoschedé à Vétheuil, sur la rive gauche de la Seine. Durant les trois années qu'il passe à Vétheuil, Monet peint des vues assez classiques de la Seine en amont ou en aval du village (*Entrée du village de Vétheuil, l'hiver*, Boston, musée des Beaux-Arts ; l'*Église de Vétheuil*, 1880, musée de Southampton), des paysages (le *Jardin de Vétheuil*, 1881, Washington, N. G. ; le *Givre, effet de soleil*, Paris, Orsay), des natures mortes (*Pommes et raisins* ; *Tournesols*, New York, metropolitan Museum) et se définit largement comme un peintre de plein air.

VIGNON Victor,
peintre français
(Villers-Cotterêts 1847 - Meulan 1909).

Disciple de Corot, ami de Pissarro et de Cézanne, Vignon fit partie du mouvement impressionniste, avec lequel il exposa de 1880 à 1886. Il travailla v. 1880-1885 à Auvers-sur-Oise et dans la région. Ses paysages rappellent, par leur calme et leur solidité, ceux de Pissarro. Vignon est représenté au musée d'Orsay *(Paysage à Auvers, Chemin des Frileuses à Évecquemont)*, au musée de Bayonne (coll. Personnaz), au musée de Reims et, par plusieurs toiles, au musée d'Aix-les-Bains. La plupart de ses œuvres appartiennent à des collections particulières.

VIJLBRIEF Jan,
peintre néerlandais
(Leyde 1868 - 1895).

Élève à l'Académie des beaux-arts de La Haye, Vijlbrief fut très tôt sensibilisé au Néo-Impressionnisme par la proximité de l'avant-garde belge. Ami de Bremmer et de Johan Aarts, il pratique comme eux le Divisionnisme, qu'il applique essentiellement au paysage et aux scènes de la vie quotidienne (*Barques le long d'une rivière*, Otterlo, musée Kröller-Müller). La mort prématurée de l'artiste, à moins de trente ans, met fin à une brillante carrière qui ne laisse que peu d'œuvres.

VINGT ou XX (cercle des).

Association artistique belge formée à Bruxelles en octobre 1883. Sa première exposition a lieu en 1884, la dernière en 1893. O. Maus en est le secrétaire et l'animateur ; avec Edmond Picard et Ver-

haeren, il en assure la propagande au moyen de la revue *l'Art moderne* (1881-1914). Il organise également des conférences (Villiers de L'Isle-Adam, Mallarmé, etc.) et des concerts. Les membres fondateurs sont Achille Chainaye, Frantz Charlet, Paul Dubois, Ensor, Willy Finch, Karel Goethals, Khnopff, Périclès Pantazis, D. de Regoyos, Willy Schlobach, Van Rysselberghe, Guillaume Van Strydonck, G. Vogels, Rodolphe Wytsman et quelques autres (qui démissionneront rapidement). Quoique plutôt d'obédience impressionniste et néo-impressionniste (en 1887, Seurat y montre *Un dimanche à la Grande Jatte*), le Salon annuel des XX accueille toute l'avant-garde européenne (Van Gogh, Gauguin, Toorop, Munch). Au moment où s'affirme l'ascension du Symbolisme, le cercle des XX disparaît et est remplacé par le groupe de la Libre Esthétique.

VOGELS Guillaume,
peintre belge
(Bruxelles 1836 - Ixelles 1896).

Il dirigea à Bruxelles une firme de peinture en bâtiment et aborda tardivement le tableau de chevalet en autodidacte. Il exposa pour la première fois en 1878 au cercle d'art la Chrysalide et fut l'un des fondateurs des Vingt en 1884. C'était un paysagiste, et la leçon de l'Impressionnisme lui permit surtout d'alléger sa facture. Peintre par excellence des effets de pluie et de neige, Vogels a laissé des vues printanières, des natures mortes, qui attestent une vive sensibilité aux qualités tactiles et colorées de ses sujets (*Enclos à Groenendael sous la neige*, musée d'Ixelles). Il fut l'un des rares peintres belges, avec Ensor, capables de concilier l'objectivité traditionnelle et la suggestion impressionniste. Le musée d'Ixelles conserve un ensemble de ses tableaux et le musée d'Orsay une petite toile : *Après la pluie* (le *Marché aux herbes à Ostende*). L'exposition « l'Impressionnisme et le Fauvisme en Belgique » (musée d'Ixelles, 1990) a montré comment le tachisme de ses dernières œuvres préfigure le Fauvisme et l'Expressionnisme belges.

VOLLARD Ambroise,
marchand de tableaux, éditeur et écrivain
français
(Saint-Denis-de-la-Réunion 1868 -
Paris 1939).

Venu très tôt en métropole pour poursuivre des études de droit, Vollard s'installa à Paris. Fréquentant les salles de ventes, il s'intéressait depuis plusieurs années au commerce d'art lorsqu'il ouvrit sa « boutique » rue Laffitte, en 1894. Peu connaisseur lui-même, très prudent en affaires, il sut pourtant suivre avec discernement les conseils de Pissarro et aussi parfois ceux de Degas ; ces deux peintres lui firent connaître des artistes alors ignorés du public. Acheteur à la vente Tanguy en 1894, Vollard rechercha systématiquement les œuvres de Cézanne. C'est ainsi qu'en novembre 1895 il put organiser une grande exposition Cézanne, la première à Paris depuis près de vingt ans et qui, mal accueillie du grand public, fut pourtant une révélation pour les jeunes artistes. L'année suivante, Vollard écrivit à Gauguin à Tahiti, lui proposant un contrat où l'artiste devait lui céder toute sa production. Dès 1895, il s'intéressa à l'œuvre de Bonnard, publiant plusieurs albums de ses lithographies (*Quelques aspects de la vie de Paris*, 1895 ; une édition illustrée du *Parallèlement* de Verlaine, 1900 ; *Daphnis et Chloé*, 1902). À Odilon Redon (dont il publia la *Tentation de saint Antoine* en 1896 et surtout l'*Apocalypse* en 1899), il consacra deux expositions, en 1898 et en 1901. C'est à cette époque que Maurice Denis choisit de situer son *Hommage à Cézanne* (Paris, musée d'Orsay) dans la galerie de Vollard, où, en 1900, eut lieu une exposition Van Gogh. En 1894, Vollard avait rencontré Renoir, qu'il fréquenta jusqu'à la mort de l'artiste, l'encourageant à utiliser de nouvelles techniques (lithographie, sculpture).

Dès 1901, il fit une première exposition de Picasso, qui fit de lui en 1909 un portrait célèbre (Moscou, musée Pouchkine) ; il s'intéressait aussi au Douanier Rousseau, à qui il acheta toute une série de toiles en 1909-1910. Derain, Matisse, Rouault (Vollard prit celui-ci sous contrat dès 1914 et lui demanda la célèbre suite du *Miserere*), Vlaminck exposèrent chez Vollard.

En dehors de sa propre biographie, *Souvenirs d'un marchand de tableaux* (1937), Vollard consacra plusieurs monographies aux peintres qu'il avait connus (*Paul Cézanne,* 1914 ; *Renoir,* 1920 ; *Degas,* 1924), d'un intérêt surtout anecdotique. Ses autres essais furent illustrés par des artistes célèbres : *Sainte Monique* (1930) par Bonnard et les *Réincarnations du Père Ubu* par Rouault. Dès 1928, Vollard offrit des toiles au musée du Petit Palais à Paris : l'ensemble de ses dons et legs (ses *Portraits* par Cézanne, Renoir) est exposé au Petit Palais depuis 1952.

VOLLON Antoine,
peintre français
(Lyon 1833 - Paris 1900).

Élève à l'école des Beaux-Arts de Lyon, il débute chez un graveur de métaux, où il se lie d'amitié avec Joseph Soumy. Sur les instances de ce dernier, il se rend à Paris en 1859, où il suit les cours de Théodule Ribot. À partir de 1864, il expose au Salon des refusés et rencontre un vif succès en 1867 à l'Exposition universelle. Grâce à l'influence de ses amis Alexandre Dumas fils, Carpeaux, Daubigny et Boudin, il reçoit bientôt de nombreuses commandes et les honneurs officiels. En 1870, il s'exile à Bruxelles, mais fait de nombreux séjours à Trouville, Metz et Dieppe. Vollon est l'un des représentants du mouvement réaliste et l'un des plus célèbres peintres de natures mortes, d'esprit traditionaliste, de la seconde moitié du XIXᵉ s. Il sacrifie à la mode du second Empire pour des tableaux raffinés, réunissant des objets précieux, dans le goût de Kalf et de David de Heem *(Fruits et objets d'art sur une table ;* l'*Aiguière de François Iᵉʳ*, Paris, Orsay ; *Curiosités*, 1868, *id.).* Il est le premier à mettre à l'honneur, v. 1870, la représentation d'objets de cuisine accompagnés de gibier et de poissons (série au musée de Reims : *Intérieur de cuisine,* 1865, Nantes, musée des Beaux-Arts). De nos jours, ses paysages et marines retiennent davantage l'attention. On y perçoit des influences diverses : Corot (*Vues de Paris*, coll. part.), Courbet (*Vue d'un port*, musée de Caen) et les impressionnistes (*Bateaux de pêche*, v. 1876, La Haye, Rijksmuseum H.W. Mesdag). Ses œuvres sont dispersées dans de nombreux musées, à l'étranger (Hollande, Belgique, Angleterre, Allemagne, U.R.S.S.) comme en France (Paris, Orsay ; musées des Beaux-Arts de Caen, de Dieppe, de Grenoble, de Lyon, de Lille, de Nantes, de Rouen et de Reims).

VROUBEL Mikhaïl Alessandrovitch, peintre russe
(Omsk 1856 - Saint-Pétersbourg 1910).

De mère demi-danoise et de père polonais, Vroubel est instable par hérédité, inquiet par tempérament. Entre 1880 et 1884, il suit les cours de Tschistiakov à l'Académie des beaux-arts de Saint-Pétersbourg. Sa connaissance de la céramique grecque de la mosaïque byzantine et de la peinture d'icônes le met à même de restaurer les fresques de Saint-Cyrille à Kiev en 1884-85. Éliminé par le peintre Vasnetsov de l'équipe de travail de la cathédrale Saint-Vladimir, il quitte Kiev et se rend à Moscou. En 1899, grand voyageur, il fait de nombreux séjours en Europe (France, Espagne et surtout Italie : *Venise*, 1893, Saint-Pétersbourg, Musée russe). Il est très lié avec le groupe de Savva Mamontov, pour qui il travaille à Abramtsevo et chez qui il trouve un apaisement moral. Il exécute alors des fresques dans des églises et des bâtiments publics, des décors de théâtre (pour *Hänsel et Gretel* de E. Humperdinck, *Sadko* de Rimski-Korsakov), des illustrations (pour *Anna Karenine* de Tolstoï, *Mozart et Salieri* de Pouchkine). Il figure dans les expositions du groupe Mir Iskousstva et de l'Association des artistes de Moscou, puis devient membre de l'Union des artistes russes et de l'Académie des beaux-arts (1905). Son angoisse transforme les thèmes choisis (inspirés des mythologies nordiques : *Mikoula et Volga*, 1899-1900, Moscou, musée des Arts décoratifs et populaires ; la *Princesse-cygne*, 1900, Moscou, Tretiakov Gal.) en obsessions, comme en témoignent les nombreuses versions du *Démon* inspirées par un poème de Lermontov (*Tête de démon*, 1890-91, Kiev, musée de l'Art russe ; le *Démon terrassé*, 1902, Moscou, Tretiakov Gal.). Sa palette, riche, inspirée des harmonies orientales (la *Danse de Tamara*, 1890, Moscou, Tretiakov Gal. ; *Conte oriental*, 1886, Kiev, musée de l'Art russe), sa technique, proche de celle des expressionnistes (*Pan*, 1899, Moscou, Tretiakov Gal. ; *Lilas*, 1900, *id.*), la division de la toile en éléments qui recréent une forme arbitraire et dramatique le placent en marge de la production picturale russe de la fin du XIXe s. et à l'origine des courants d'avant-garde du début du XXe s. Mais la peinture, limitée en Russie par l'enseignement académique, n'a pas apporté à l'artiste cette sorte de libération qu'y trouvaient ses contemporains occidentaux. Il termine sa vie aveugle et quasiment fou. L'œuvre de Vroubel, onirique par excellence, mal connu en Occident, est comparable à celle d'Odilon Redon ou d'Edvard Munch. Ses œuvres sont conservées à la Tretiakov Gal. de Moscou, au Musée russe de Saint-Pétersbourg et au musée de l'Art russe de Kiev. Vroubel a bénéficié de quelques expositions personnelles commes celles de Moscou (Tretiakov Gal.) en 1921, 1956-57 et 1981, de Kiev (musée de l'Art russe) en 1940, 1956, 1976 et 1981. Il a également figuré en Europe et aux États-Unis dans des expositions collectives sur l'art russe comme celle de Paris (M.N.A.M.) en 1979.

VUILLARD Édouard, peintre français
(Cuiseaux, Saône-et-Loire, 1868 - La Baule 1940).

Sa vie se déroula calme et paisible, sans scandale, et il vécut avec sa mère jusqu'à la mort de celle-ci en 1928. Au lycée Condorcet, il a pour condisciples et amis Maurice Denis, Lugné-Poe et Ker Xavier Roussel, qui deviendra son beau-frère. Bon élève, il prépare Saint-Cyr mais y renonce pour se consacrer à la peinture, sous l'influence de Roussel. Il fait son apprentissage dans l'atelier Maillart, puis à l'Académie Julian (1888), où se forme le groupe des Nabis (M. Denis, Bonnard, Roussel, Sérusier, Ibels), avec lesquels il fréquente le milieu de *la Revue blanche*, dirigée par les frères Natanson. En 1891, il partage avec Denis et Bonnard l'atelier de Lugné-Poe rue Pigalle. Comme les autres artistes nabis, aucune technique picturale ou dérivée de la peinture ne le laisse indifférent, mais l'une d'entre elles le retient tout particulièrement : la peinture à la colle, qui donne à ses réalisations la matité et la fraîcheur de la fresque. L'évolution du style de Vuillard, essentiellement réaliste, avec une prédilection marquée par le thème des intérieurs bourgeois, s'est faite en trois étapes successives.

Période d'apprentissage et de tâtonnements (1888-1890). Au cours de celle-ci, Vuillard affectionne les petits sujets peints dans des tons et des valeurs rapprochés, avec des dominantes grises. Le *Verre d'eau et citron* (anc. coll. Arthur Sachs), le *Lapin de garenne* (Paris, coll. part.) sont d'humbles natures mortes à la manière de Chardin et de Fantin-Latour, qui rappellent aussi Corot et certains Hollandais.

Période nabi (1890-1900). Elle est la plus féconde en innovations dans son œuvre, qui prend un caractère décoratif très marqué. La palette de tons préférés de l'artiste reste pourtant la même malgré l'adoption de la technique de Gauguin (aplats sans nuances, violence des couleurs, cloisonnement par des cernes au pinceau comme pour un vitrail) et l'adhésion aux théories de Maurice Denis. Vuillard interprète les estampes japonaises d'une manière qui rappelle certaines toiles japonisantes de Bonnard ; plus rarement, il synthétise à l'extrême : *Au lit* (1891, Paris, Orsay). L'*Autoportrait octogonal* (Paris, coll. part.), le *Liseur* (Paris, coll. part.) en 1891-92 sont déjà fauves par leurs couleurs vives, mais resteront sans lendemain dans son œuvre. En 1892, le premier ensemble décoratif nabi est celui que l'artiste exécute pour l'hôtel des Desmarais,

cousins des Natanson (Paris, coll. part.). Dès 1893, Vuillard exécute des tableaux ayant pour sujet des portraits ou des intérieurs bourgeois peuplés de personnages intégrés aux murs de telle façon qu'ils se confondent presque avec eux et paraissent en sortir : l'*Atelier* (1893, Northampton, Mass. Smith College Museum of Art), *Intérieur* (1887, Zurich, Kunsthaus). Après la série des *Jardins publics*, peints en 1894 pour Alexandre Natanson (Paris, Orsay ; Houston, Texas, M.F.A. ; Cleveland Museum of Art ; Bruxelles, M.R.B.A.), il exécute un autre décor pour le Dr Vaquez, les *Personnages dans des intérieurs* (1896, Paris, Petit Palais), et des portraits des Natanson (*Thadée Natanson*, 1907-1908, Paris, Orsay).

On doit aussi à sa collaboration avec des théâtres d'avant-garde (Théâtre-Libre d'Antoine, 1890 ; l'Œuvres de Lugné-Poe, 1893-94 ; théâtre d'Art de Paul Fort, 1891) des évocations du monde du spectacle (l'*Acteur Coquelin-Cadet*, 1892 ; *Actrice dans sa loge*, Paris, coll. part.), parfois à l'aquarelle, technique qu'il emploie cependant rarement. Le théâtre lui donne l'occasion d'exécuter ses premières lithographies, qui attirent l'attention d'Ambroise Vollard. En noir et en couleurs, elles s'apparentent à celles de Bonnard (quelques aspects de la vie de Paris) et de Roussel (l'*Album du paysage*). L'*Album de Vollard* constitue la somme des travaux de l'artiste (1899).

Retour au réalisme précis et minutieux (1900-1940). Après 1900, la carrière de Vuillard s'écartera délibérément des voies nouvelles de l'art moderne. Ses compositions deviennent de plus en plus grandes et monumentales ; elles acquièrent une profondeur et un volume que n'avaient pas les œuvres antérieures. Elles sont destinées à de grandes maisons de campagne (celles des Bernheim-Jeune à Bois-Lurette [1913] ou des Hessel), au théâtre de la Comédie des Champs-Élysées (1913, avec Denis, Bonnard et Roussel), au palais de la S.D.N. à Genève (1936, avec Roussel, Denis et Chastel), au palais de Chaillot (1937, avec Roussel et Bonnard). L'analyse des bourgeois dans leurs appartements est fine et parfois

Édouard Vuillard
La Dame en bleu, 1890
huile sur carton, 49 × 58 cm
collection particulière

teintée d'humour (la *Famille du peintre* ou le *Dîner vert*, Londres, coll. part.; la *Visite*, Paris, coll. part.; la *Conversation* ou la *Veuve en visite*, Toronto, Art Gal. of Ontario; la *Famille*, Paris, coll. part.). La description des intérieurs n'empêche pas la profondeur et la sensibilité des portraits : les Natanson, les Bernheim-Jeune, les Hessel, le Dʳ Viau, Mme Bénard, la comtesse de Noailles, les Nabis (Paris, Petit Palais), Mme Vasquez, le Dʳ Widmer, *Jeanne Lanvin* (1928) et sa fille la *Comtesse de Polignac* (1929), la comtesse de Blignac, entre tant d'autres, ont posé pour l'artiste.

Les nus sont assez rares dans ces appartements cossus et encombrés de mobilier 1900 ; Vuillard en a toutefois exécuté quelques-uns au début du siècle (*Femme se coiffant*, Paris, coll. part.; *Intérieur*, Winterthur, coll. part.). S'ils n'ont ni la splendeur ni la liberté d'inspiration de ceux de Bonnard, ces nus évoquent pourtant ces derniers par leur intimisme, leurs relations avec les objets qui les entourent.

Malgré quelques belles réussites (*Paysage à l'Étang-la-Ville*, v. 1900, Paris, Orsay ; la *Maison de Mallarmé à Valvins*, 1896, *id.*), Vuillard, embarrassé par le paysage pur, est mieux inspiré par les rues et les jardins de Paris : *Paysage de Paris* (v. 1905), *Jardins publics* (1894, Paris, Orsay), la *Place Vintimille* (1907) ; il mêle les souvenirs de Bazille et Monet, de Puvis de Chavannes et le thème des rues de Paris vues en hauteur traité par Bonnard (1891-92).

Après 1930, pendant ses vacances dans le château des Clayes, propriété de ses amis Hessel, il exécute des natures mortes, vases de fleurs simples, souvent placés devant une fenêtre, œuvres toutes de détente et d'harmonie où le talent du coloriste apparaît là encore sous son meilleur jour. Vuillard est largement représenté à Paris au musée d'Orsay, au M.N.A.M. et au Petit Palais, dans les musées de province (musée Toulouse-Lautrec d'Albi, musée de l'Annonciade à Saint-Tropez, M.A.M. de Troyes et dans les musées des Beaux-Arts de Caen, de Lille, de Lyon, de Rennes et de Rouen ; peintures provenant du legs verbal de Vuillard exécuté grâce à M. et Mme K. X. Roussel, beau-frère et sœur de l'artiste, et dans la plupart des grands musées européens, russes et américains. Nombreuses sont les rétrospectives consacrées à Vuillard ; citons parmi les plus importantes celles de New York (M.O.M.A.) en 1954, de Hambourg (Kunstwerein) en 1964, de Paris (Orangerie) en 1968, de Toronto (M.F.A.) en 1971. Enfin, une exposition pour le cinquantième anniversaire de la mort de l'artiste a eu lieu en 1990 (Lyon, Nantes, Barcelone).

WALKER Horatio,
peintre canadien
(Listowel, Ontario, 1858 - île d'Orléans, Québec, 1938).

Autodidacte, il travaille à Toronto et à New York dans des ateliers de photographie. En 1880, il découvre la peinture de Corot et de Millet au cours d'un voyage en Europe. Il emprunta largement aux deux artistes et, à partir de 1883, quand il s'établit à l'île d'Orléans, s'inspira surtout de Millet. *Ave Maria* (1906, Hamilton, Art Gal.), les *Bœufs à l'abreuvoir* (1899, Ottawa N. G.) illustrent les thèmes que lui suggèrent les mœurs de l'ancienne paysannerie québécoise. Il fut l'un des peintres canadiens les plus connus de son époque, représenté dans toutes les collections importantes d'Amérique du Nord, même si la critique lui fut moins favorable à la fin de sa vie.

WATSON Homer,
peintre canadien
(Doon, Ontario, 1855 - id. 1936).

Autodidacte, fortement influencé par le style des artistes de l'Hudson River School, il travailla à Toronto, puis à New York (1876), où il fit la rencontre de George

Inness. Il assimila également l'influence de Constable et, lors de son premier voyage à Londres et à Paris, en 1887, il s'intéressa à la peinture de l'école de Barbizon. Il retourna plusieurs fois en Angleterre, d'où lui était venu le succès qui le lança : son *Pioneer Mill* (1880, Windsor Castel) avait été acheté en 1880 par la princesse Louise pour la reine Victoria. Il fut ainsi l'un des maîtres reconnus de l'art canadien autour de 1900. Sa peinture chante l'agrément de la vie champêtre canadienne. On la considère à juste titre comme une adaptation de l'art de Constable. Le tableau *Un champ de maïs* (1883, Ottawa, G. N.) révèle un caractère nord-américain bien particulier.

WEIR Julian Alden,
peintre américain
(West Point 1852 - New York 1919).

Weir se forme à la New Academy of Design (1867-68), où il se lie avec William Merritt Chase. En 1873, il vient à Paris, entre dans l'atelier de Gérôme à l'École des beaux-arts et fait partie de la colonie d'artistes américains qui se rendent l'été à Pont-Aven. De retour à New York, en 1877, il participe à la création de la Society of American Artists et devient une figure importante de la vie artistique new-yorkaise : Weir enseigne à l'Art Students' League et à la Cooper Union. En 1883, il s'installe à Bancheville et partage son temps entre la campagne et New York. Son œuvre comporte des portraits et paysages, urbains et campagnards, impressionnistes. Il travaille par touches brusques dans une gamme de tons clairs. En 1910, il réalise des vues de New York la nuit, proches des travaux de Whistler, avec qui il s'était lié en 1877. En 1915, il expose avec le groupe des Dix.

WEISSENBRUCH Hendrik Johannes,
peintre néerlandais
(La Haye 1824 - id. 1903).

Issu d'une famille très attirée par l'art, il est élève de J. J. Löw, peut-être de A. Schelfhout puis de l'Académie de La Haye (1843-1850)

sous la direction de B. J. Van Hove. Il travaille surtout à La Haye (Dekkersduin), Scheveningen, Haarlem, Nieuwkoop, Noorden, et est représenté à l'Exposition universelle de Paris en 1889 et 1900 (où il obtient une médaille d'or). En 1877, il fait la connaissance de Van Gogh, qui l'admire beaucoup et lui prodigue de nombreux conseils lors d'une visite rendue au peintre en 1882 à La Haye en compagnie d'Anton Mauve, son cousin. Ce n'est qu'en 1899 qu'il s'installe à Barbizon (*Aux environs de Barbizon*, 1900, Rijksmuseum) pour une très courte période. En dépit de son caractère personnel porté sur la modestie, Weissenbruch peut être considéré comme le représentant le plus éminent de l'école de La Haye et figure certainement parmi les meilleurs paysagistes hollandais du XIXe s.

Ses premières œuvres – vues de villes et paysages panoramiques – sont très détaillées et d'une facture minutieuse : *Vue près de Geestbrug* (1868, Rijksmuseum ; réplique agrandie au Gemeentemuseum de La Haye). À partir des années 1875 env., cette conception analytique du paysage évolue en faveur d'une touche plus large et plus rapide ainsi que d'une composition de plus en plus simplifiée. L'importance du motif fait place à celle de l'atmosphère (*Plage*, 1887, La Haye, Gemeentemuseum). Les ciels, aux lumières infiniment nuancées, qui occupent souvent les trois quarts du tableau, sont d'un grand lyrisme et rappellent parfois Van Goyen.

Weissenbruch exécute de très nombreuses aquarelles (*À la plage de Scheveningen*, 1879, La Haye, Rijksmuseum H.W. Mesdag ; *Moulin au bord de l'eau*, 1895, Toledo, Ohio, Museum of Art), cette technique constituant le mode d'expression caractéristique de l'Impressionnisme hollandais. On lui doit des scènes et des vues urbaines (*Marché aux poissons*, La Haye, Gemeentemuseum ; *Souvenir de Haarlem*, id.).

Il est surtout représenté dans les musées hollandais d'Amsterdam, de La Haye, de Rotterdam et dans les musées américains de Boston (M.F.A.), de Chicago (Art Inst.) et de Toledo (Museum of Art).

WERENSKIOLD Erik,
peintre norvégien
(Eidskog 1855 - Oslo 1938).

Après avoir rejoint à Munich d'autres artistes norvégiens, il supporte assez mal l'enseignement traditionnel de Lofftz et de Lindenschmit et découvre l'art français à la grande exposition de 1878. En 1881, à Paris, il semble influencé par Bastien-Lepage (*Un enterrement paysan*, 1885, Oslo, Nasjonalgalleriet) puis par les impressionnistes, mais on dit que c'est surtout Cézanne, découvert lors de son second voyage, en 1890, qui comptera pour lui. Le *Journal* vendu par Sotheby en 1987 montre cependant bien l'influence de la peinture allemande de l'époque par le goût pour le détail naturaliste par endroits et une mise en scène assez métaphysique. Il a illustré des contes populaires dès 1880 et n'a cessé de faire graviter autour de lui l'important milieu intellectuel et artistique réformateur en Norvège. L'exposition « Lumières du Nord » (1987, Petit Palais) a permis de voir à Paris le beau *Portrait d'Erika Nissen* (Oslo, Nasjonalgalleriet), assez proche des scènes d'intérieur de Degas.

WERY Émile-Auguste,
peintre français
(Reims 1868 - id. 1935).

Élève de Jules Lefebvre et de Flaming à l'Académie Julian (1886-1890), il se lie très jeune avec Matisse, qu'il incite à peindre en plein air. En sa compagnie, il se rend en 1895, 1896 et 1897 en Bretagne et à Belle-Île, qui lui inspirent des paysages d'un Impressionnisme modéré (*Retour d'école à Plougastel*, 1898, Reims, musée des Beaux-Arts ; *la Fille de Pennmar'ch*, id.). Il expose tour à tour au Salon des artistes français, à la Société nationale des beaux-arts, au Salon des artistes décorateurs mais ne suit pas l'évolution de son ami vers le Fauvisme. Ses œuvres sont conservées à Reims (musée des Beaux-Arts), à Paris (les *Bateliers d'Amsterdam*, M.A.M. de la Ville) et à Beauvais (Musée départemental de l'Oise).

WHISTLER James Mac Neill,
peintre américain
(Lowell, Mass, 1834 - Londres 1903).

Destiné par ses parents à la carrière militaire, Whistler entra à l'école de West Point (1851-1854), où il travailla avec R. Weir, puis au Service des plans et cartes maritimes de Washington. Mais il démissionna pour se consacrer à la peinture. En 1855, il s'embarqua pour la France. Parlant le français, il ne tarda pas à se mêler à la vie des artistes parisiens, et cette période fut riche d'expériences. Whistler travaille dans l'atelier de Gleyre, à l'École des beaux-arts, et fréquente le Louvre. Ami de Courbet, qui l'appellera son « élève », très lié avec Fantin-Latour, il fait partie du groupe réaliste qui se réunit à la brasserie Hautefeuille autour du maître d'Ornans.

Ses premières œuvres reflètent ce climat. Ce sont d'abord des gravures *(Douze Eaux-fortes d'après nature* ou *French Set,* 1858), puis une grande toile, *Au piano* (1858-59, Cincinnati, Art Museum), d'une composition très étudiée et d'une touche fluide. Refusée au Salon, cette toile est exposée l'année suivante à la Royal Academy de Londres (1860), où elle marque le début de la carrière anglaise de l'artiste.

Car Whistler partage désormais son temps entre Londres, où il se fixe en 1863, et la France, où il séjourne fréquemment, notamment, l'été, en Bretagne et sur les côtes de la Manche ; là, il retrouve Courbet, Fantin-Latour, Manet. *The White Girl (Portrait de Jo,* 1861, Washington, N. G.) est une toile très remarquée en 1863 au Salon des refusés, aux côtés du *Déjeuner sur l'herbe* de Manet. On y trouve, pour la première fois, un sens raffiné du rapport des tons, blanc sur blanc, qui justifie le titre de *Symphonie en blanc n° 1* que Whistler donnera à cette œuvre. À Londres, la notoriété du peintre s'accroît, en même temps que se multiplient les ennemis de son art. En procès avec Ruskin (1877), Whistler n'est admis qu'avec réticence dans les cercles officiels.

Pourtant, dès 1859, il commence une série d'eaux-fortes de la *Tamise* (publiées en 1871) puis deviendra le poète des brouillards londoniens avec les vues du vieux pont de Battersea, qu'il représente dans différentes gammes colorées : *Nocturne in Blue and Silver : Chelsea,* 1871 ; *Nocturne in Blue and Gold : Old Battersea Bridge,* 1872-73, tous deux à Londres, Tate Gal. ; *Nocturne in Black and Gold : The Falling Rocket,* 1875, Detroit, Inst. of Art. Ces visions éphémères, d'un raffinement extrême, lui sont suggérées par l'art japonais, dont il est un fervent admirateur. Beaucoup de toiles des années 1860 contiennent des références à l'Extrême-Orient : *Caprice in Purple and Gold : The Golden Screen,* 1864 ; la *Princesse au pays de la porcelaine,* 1863-64 ; *The Balcony,* 1865 (tous trois à Washington, Freer Gal.).

Après 1870, Whistler se consacre plus particulièrement au portrait avec *Arrangement en gris et noir n° 1, portrait de la mère de l'artiste* (1871, musée d'Orsay) et *Arrangement en gris et noir n° 2, portrait de Carlyle* (1872-1873, Glasgow Art Gal.). Désormais, ses œuvres porteront toutes des sous-titres musicaux. Une nouvelle série de gravures, *Venice Set* (1880), confirme chez lui la dissolution des contours et la recherche des effets atmosphériques, particulièrement lorsqu'il s'attache à rendre la silhouette d'un palais vénitien qui se reflète dans un canal. Après 1880, Whistler défend par des conférences et des écrits ses positions artistiques. Il reçoit en France l'appui de Huysmans, des Goncourt, de Gustave Geffroy et de Mallarmé, qui traduit son pamphlet *Ten o'Clock* (1885, trad. de 1888). Son art est officiellement consacré par des commandes comme la décoration de la galerie de porcelaine de F. R. Leyland, auj. à Washington, Freer Gal. (*The Peacock Room,* 1876-77).

Portraitiste raffiné, Whistler emprunte aux Japonais le goût de la simplification des lignes et joue en virtuose de l'harmonieux accord des teintes neutres. Dans le domaine de l'eau-forte, il est le maître des lumières tamisées et des effets de brouillard.

En substituant la notion musicale d'arrangement ou d'harmonie à celle de « sujet », il a contribué à renverser le réalisme

James Whistler
Arrangement en gris et noir n° 1,
Portrait de la mère de l'artiste, 1871
144,3 × 162,5 m
Paris, musée d'Orsay

académique de la fin du XIXᵉ s. Les collections de Washington (Freer Gal. : env. 70 peintures, des aquarelles, des pastels, des dessins, la majeure partie des gravures et des lithographies) et de l'université de Glasgow (Rosalind Birnie Philip Bequest) permettent d'étudier son œuvre, mais nombre de chefs-d'œuvre sont dispersés dans les grands musées (New York, Frick Coll. ; Cambridge, Mass., Fogg Art Museum ; Londres, Tate Gal. ; musée d'Orsay et Bibliothèque nationale, département des Estampes).

WILHELMSSON Carl,
peintre suédois
(Fiskebäckskil, Bohuslän, 1866 -
Stockholm 1928).

Issu d'un milieu humble de pêcheurs, il apprend le métier d'ouvrier lithographe et se forme notamment auprès de Carl Larsson, à l'Académie Valand de Göteborg, puis surtout en France, de 1890 à 1896, à l'Académie Julian. C'est là que, par son ami Agueli, il découvre alors l'art de Gauguin et, plus tard, celui des néo-impressionnistes. Les peintures de cette époque comprennent surtout des « intérieurs » aux tonalités nuancées, illustrant la vie des pêcheurs bretons (*Filles bretonnes*, 1893, coll. part.) et celle des pêcheurs suédois du Bohuslän, sur le littoral occidental, où il aimait à passer ses étés. L'œuvre la plus importante de cette période, significative du Réalisme des années 1880, est sa toile intitulée *Fatiguée* (1898, Stockholm, Nm), interprétation sentimentale d'une mère.

Vers 1900, Wilhelmsson adopta la peinture de plein air et se consacra notamment à l'interprétation de sa province natale, dont il montre les habitants dans leur vie quotidienne, dignes et graves, intégrés au paysage ou dans la topographie exacte de leur milieu, en traitant de thèmes austères avec une palette claire et vive : *Femmes de pêcheurs revenant de l'église* (1899, musée de Göteborg) ; *Réveillon de Noël* (1902, id.) ; *Pêcheurs sur les rochers à Fiskebäcksil* (1905-1906, id.) ; *Sur la montagne* (1906, id.) ; *Fidèles se rendant à l'église en bateau* (1909, Stockholm, Nm). Dans ces toiles, souvent de grand format, l'influence du Néo-Impressionnisme et du Pointillisme est de plus en plus nette, il s'éloigne de plus en plus du Romantisme national, avec un traitement des formes assez géométrique : *Été* (1912, musée de Göteborg).

Les enseignements de Gauguin et de Puvis de Chavannes se reflètent dans les deux peintures monumentales (huile sur toile) de la bibl. de l'université de Göteborg (1901) et de la poste centrale de Stockholm (1907). Même après s'être fixé à Stockholm, en 1910, l'artiste continua de s'inspirer de la province du Bohuslän, ainsi que des paysans et ouvriers d'Upland et de Kiruna. Ses portraits témoignent d'un métier sûr : *Hjalmar Lundbohm* (1923, Stockholm, Waldemarsudde). Au cours de divers voyages en Espagne (1910, 1913, 1920), l'artiste peignit des toiles ruisselantes de lumière.

Wilhelmsson est l'un des grands interprètes de la vie populaire suédoise. Son rôle de professeur fut important : il a dirigé sa propre Académie de peinture à Stockholm à partir de 1912 ; il incarne la transition entre la « génération de l'Association des artistes » et les modernistes des années 1900.

La maison Sotheby a mis en vente en 1987 *Lac aux cygnes*, portrait d'une petite fille, tout en mystère.

WILLAERT Ferdinand,
peintre belge
(Gand 1861 - id. 1938).

Élève de Th. Canneel à l'Académie des beaux-arts de Gand, il peint tout d'abord des paysages et des scènes de genre des Flandres avec une palette sombre, dans une manière réaliste typiquement flamande (*Couvent des béguines*, Anvers, musée des Beaux-Arts). Puis, après un premier voyage en France et au Maroc avec Alexandre Marcette, sa technique évolue vers un impressionnisme joyeux et coloré. Cette tendance s'affermira au début du siècle grâce à de nombreux séjours dans le Gers, lieu d'origine de son épouse (la *Saison des cèpes en Armagnac*, 1924, Bruxelles, coll. part. ; le *Café sur la terrasse*, 1910, id.). Il a participé à de nombreuses expositions à l'étranger de son vivant (Munich, Berlin, Hambourg, Moscou, Saint Louis). Ses œuvres sont conservées dans la plupart des musées belges. Le musée d'Orsay à Paris possède l'*Entrée du béguinage à Gand (l'hiver).*

WILLUMSEN Jens Ferdinand,
peintre, sculpteur, architecte et céramiste danois
(Copenhague 1863 - Le Cannet 1958).

Lors d'un premier séjour à Paris de novembre 1888 à juin 1889, il fut d'abord attiré par la peinture de Raffaelli, dont il avait vu des œuvres à Copenhague. De nouveau en France de mars 1890 à septembre 1894, il s'intègre rapidement au milieu artistique : il voit des tableaux de Gauguin chez Goupil, et Théo Van Gogh lui fait connaître Redon ; en juin-juillet 1890, il est à Pont-Aven et au Pouldu, où il rencontre Gauguin et ses amis. Il expose aux Indépendants, au Champ-de-Mars, chez Le Barc de Boutteville ; son art, fruit d'un tempérament mobile et assimilateur, reflète les diverses nuances de l'esthétique française à la fin du siècle. Ses premiers tableaux (*Scène de la vie des quais à Paris*, 1890, Frederikssund, musée Willumsen) sont à mi-chemin entre le style elliptique des Nabis et celui que Marquet développera plus tard. Willumsen est peu après nette-ment influencé par Gauguin (*Deux Bre-tonnes marchant*, 1890) et pratique lui aussi diverses techniques (bois sculpté et peint, céramique, affiche), où les sollicitations complexes du Symbolisme interviennent : archaïsmes volontaires (*Den Frie adstilling*, affiche, 1896, Copenhague, musée des Arts décoratifs), référence au masque ensorien, au fantastique poétique de Redon. De retour au Danemark, Willumsen évolue progressivement vers l'Expressionnisme. Ce précurseur exerce alors une influence pro-fonde sur les peintres scandinaves : *Après la tempête* (1905, Oslo, Ng). Après 1914, l'artiste se soumit à un réalisme très sage, parfois décoratif (nombreuses vues de Ve-nise, portraits, autoportraits). Un musée Willumsen a été fondé en 1957 à Frederiks-sund. Des toiles du peintre et une faïence ont été récemment exposées à Paris (« Lu-mières du Nord, la peinture scandinave 1885-1905 », Petit Palais, 1987).

WISINGER-FLORIAN Olga,
peintre autrichien
(Vienne 1844 - Grafenegg,
Basse-Autriche, 1926).

Pianiste de talent, elle se fit entendre au cours de concerts donnés à Vienne, à Prague et à Leipzig, mais elle dut, pour raison de santé, renoncer à la carrière musicale. Elle épousa alors le pharmacien Franz Wisinger et entra, en 1874, comme élève libre à l'Académie de Vienne, où elle travailla pendant trois ans, puis, pendant une période de six années, dans l'atelier de E. J. Schindler, en même temps que Carl Moll et Tina Blau. Elle y apprit l'art du paysage. Ses premières œuvres, exé-cutées d'après nature, sont des fleurs et des papillons peints à l'huile sur un fond de tempera. Par la suite, elle essaya de compo-ser fleurs et paysages et exécuta un cycle de 12 tableaux représentant les *Mois*. Elle a peint des champs de pavots et les jardins campagnards des faubourgs de Vienne, les forêts de hêtres de Hartenstein, dans le Kremstal, surtout dans leur éclat automnal :

la *Chute des feuilles* (Vienne, Osterr. Gal.). Pendant sa période tardive, sa facture devint plus grasse *(Paysage de Basse-Autriche, id.)* et l'artiste travailla même à la spatule. Outre de nombreux voyages en Allemagne, Italie, Hongrie, Dalmatie et Bulgarie, Wisin-ger-Florian séjourna deux mois en Améri-que, lors de l'Exposition universelle de Chicago, en 1893, à laquelle elle participa comme déléguée de la Société autrichienne des amis de la paix, dont le congrès avait lieu au même moment dans la ville. À partir de 1881, l'artiste exposa régulièrement à Vienne, dans le Künstlerhaus, comme invi-tée, les femmes ne pouvant alors être membres de cette fondation. Elle fut frap-pée de cécité pendant les douze dernières années de sa vie.

WOUTERS Rik,
peintre et sculpteur belge
(Malines 1882 - Amsterdam 1916).

Fils d'un sculpteur sur bois, Wouters tra-vaille dans l'atelier paternel et apprend la sculpture à l'Académie de Malines, puis de Bruxelles, où il se rend en 1902. Mais, en peinture, il est autodidacte. S'il pratique jusqu'à sa mort les deux techniques, la première tend à l'emporter jusqu'en 1991. Entre 1908 et 1911, il exécute de nom-breuses eaux-fortes (56 planches), principa-lement des vues de paysages. Wouters se marie en 1905, et sa femme, Nel, devient un modèle à peu près exclusif. La même année, il s'installe à Boitsfort (près de Bruxelles), sa résidence jusqu'à la guerre. Ses débuts se ressentent de la période impressionniste d'Ensor et font appel à une gamme chromatique sobre, à une exécution vigoureuse au couteau à palette : *Autopor-trait au chapeau noir* (1908, Anvers, coll. part.). Un voyage à Paris (printemps de 1912) confirme une évolution amorcée l'année précédente au bénéfice d'un style plus suggestif ; Wouters visite les collections Durant-Ruel, Vollard et Pellerin – dont les Cézanne l'enthousiasmant. Il retire du maî-tre français une leçon de construction par une touche haute en couleur (deux versions

Rik Wouters
La Repasseuse, 1912
107 × 123 cm
Anvers, musée royal des
Beaux-Arts

du *Ravin*, 1913, Anvers, coll. part.) et s'inspire des audaces colorées d'Ensor. Ces influences fusionnent au profit d'un intimisme très chaleureux, qui évoque celui de Renoir, pour qui il a beaucoup d'admiration (*Fleurs d'anniversaire*, 1912, Anvers, coll. part. ; la *Repasseuse*, 1912, Anvers, M.R.B.A.). En 1913, Wouters participe à Anvers à l'exposition de l'Art contemporain et exploite avec plus de hardiesse les contrastes de rouges et de verts, dont les fauves avaient justifié l'emploi, dans de larges tâches juxtaposées (les *Rideaux rouges*, Bruxelles, coll. part. ; la *Femme en rouge*, 1913, Rotterdam, B.V.B.), et des effets analogues témoignant d'une égale maîtrise se retrouvent dans les pastels contemporains (*Femme à la mantille*, Bruxelles, coll. part.). Peu avant la guerre, sa palette se refroidit, admettant les bleus, tandis que les motifs, de plus en plus elliptiques, laissent vierges des parties entiées de la toile (*Femme en bleu*, id.). En 1914, la gal. Giroux à Bruxelles (son marchand) organise sa première exposition personnelle. Mobilisé, Wouters est interné à Zeist, en Hollande, souffrant de maux de tête depuis 1911. Opéré à Utrecht, il est libéré en juin 1915

et s'installe à Amsterdam, où il reprend son activité (surtout aquarelles et dessins à l'encre de Chine : *Femme cousant – Soir*, 1915, Bruxelles, M.R.B.A.). Une intervention ultime pour le guérir échoue (avr. 1916) et il meurt deux mois plus tard. La même année, le Stedelijk Museum d'Amsterdam lui consacre une exposition rétrospective. Les derniers tableaux du peintre se situent dans le prolongement des précédents, mais la forme, plus délimitée dans quelques-unes de ces œuvres, dénote cependant une recherche inédite à laquelle le milieu amsterdamois n'est sans doute pas étranger (*Petit Nu couché*, 1915, Bruxelles, coll. part.).

D'un tempérament exceptionnellement doué de coloriste et de dessinateur, Wouters laisse un œuvre, accompli de 1908 à 1915, presque tout entier dévolu à une joie de vivre (en dépit même des tragiques circonstances de son décès) dont peu d'artistes du XXᵉ s. se sont faits les interprètes avec une telle spontanéité. Wouters a réalisé également un œuvre sculpté important par sa qualité monumentale et sa portée historique (la *Vierge folle*, bronze, 1912, Anvers, musée des Beaux-Arts ; *James Ensor*, 1913, Bruxelles, M.R.B.A.). Il est représenté dans

Federico **Zandomeneghi**
Bords de la Seine
Florence, Galleria d'Arte Moderna

la plupart des musées belges (Anvers, musée des Beaux-Arts ; Bruxelles, M.R.B.A. ; musée de Malines), au M.N.A.M. de Paris (*Portrait de Nel Wouters*, 1912), à Amsterdam (Stedelijk Museum), à Rotterdam (B.V.B.) et dans des coll. part., dont la plus remarquable est celle de Ludo von Bogaert, à Anvers.

D'importantes rétrospectives lui ont été consacrées : en 1935, au Palais des Beaux-Arts de Bruxelles ; en 1946, au musée de Malines et, en 1957, au musée des Beaux-Arts d'Anvers et au M.A.M. de Paris.

ZANDOMENEGHI Federico,
peintre italien
(Venise 1841 - Paris 1917).

Petit-fils du sculpteur **Luigi** *(Colognola 1778 - Venise 1850)* et fils du sculpteur **Pietro Zandomeneghi** *(Venise 1905 - id. 1865)*, il suit les cours de P. Molmenti à l'Académie des beaux-arts de Venise en 1856 puis, pour échapper à un enrôlement dans l'armée austro-hongroise, entre à l'université de Pavie en 1859. Après une campagne aux côtés de Garibaldi, il tente de regagner Venise. Emprisonné, il est libéré sur parole

et s'enfuit à Florence, où il séjourne entre 1862 et 1866 et a de brefs contacts avec les Macchiaioli, mais sans effet durable sur ses premières œuvres à caractère social, proches de celles de Cammarano, orientées vers un vérisme sobre : *Bateau en cale sèche* (1869, Florence, G.A.M.), les *Pauvres sur les marchés du couvent de l'Ara Coeli à Rome* (1872, Milan, G.A.M.). Entre 1866 et 1874, il réside tour à tour à Florence, à Rome et à Venise. Arrivé à Paris en 1874 (où il demeure jusqu'à sa mort), il trouve le soutien de ses amis italiens Signorini, Boldini et de Nittis et commence une amitié durable avec Degas. À leur contact, il abandonne vite ses premières tendances, se rallie aux impressionnistes et passe un contrat avec Durand-Ruel en 1878 ; il participe aux expositions impressionnistes de 1879, 1880, 1881 et 1886. Ses affinités avec Degas et Renoir se révèlent dans son interprétation de petits faits de la vie moderne (la *Leçon de chant*, 1885-1890,

Milan, coll. part. ; *Entre amies*, 1913, *id.*), dans sa prédilection pour les personnages féminins surpris dans leur intimité et observés d'un œil aigu (le *Réveil*, 1896, *id.* ; *Mère et filles*, 1879, *id.*), mais avec une sensibilité qui vaut à l'artiste l'approbation de Huysmans. Dans le choix de certaines scènes parisiennes, il s'apparente également à Toulouse-Lautrec (le *Moulin de la Galette*, 1878, Milan, coll. part. ; la *Terrasse*, 1895, *id.*). À partir de 1880, il a tendance à employer le pastel, particulièrement dans de beaux portraits de femmes à leur toilette *(Nu de femme, id.* ; *Coquetterie, id.).* S'il reste avant tout vénitien par sa palette ardente, empruntée aux maîtres des xvie et xviie s., en revanche ses stylisations et ses audaces de mise en page l'apparentent souvent aux rythmes linéaires de la jeune école post-impressionniste. À plusieurs reprises, Durand-Ruel lui organise des expositions personnelles (en 1893, 1898 et 1903), mais Zandomeneghi souffrira toujours de son manque de succès et, cela, malgré sa participation à la Biennale de Venise en 1914. Dans les dernières années de sa vie, il se consacre surtout à la peinture de natures mortes (*Pommes et œufs rouges*, 1916, coll. part.). Quelques rétrospectives lui furent consacrées, comme celles de Milan (G.A.M.) en 1922, de la Biennale de Venise en 1952, de la gal. Durand-Ruel en 1967 et de Venise (G.A.M. Ca' Pesaro) en 1988.

Federico Zandomeneghi est principalement représenté à Venise (le *Dernier Coup d'œil*, 1914, G.A.M. Ca' Pesaro), à Florence (*Bords de la Seine*, G.A.M. ; *Portrait de Diego Martelli*, 1879, *id.*), à Milan (*Fleurs, Étude de femme*, G.A.M.) et à Plaisance (le *Square d'Anvers*, 1880, G.A.M.).

ZIEM Félix,
peintre français
(Beaune 1821 - Paris 1911).

Il fit des études d'architecture à Dijon tout en exécutant des aquarelles de paysages. Il rencontra en Italie le comte Gagarine, qui l'emmena avec lui en Russie, où il séjourna deux ans de 1841 à 1843. Sa vocation de peintre se révéla à ce moment. Ses œuvres de jeunesse sont traitées dans une pâte légère rappelant son premier métier d'aquarelliste. Elles évoquent ainsi l'école anglaise et, par leurs recherches humanistes, se rapprochent de celles des « plein-airistes » de l'époque, Corot et les peintres de Barbizon. Vers 1855, l'art de Ziem prit une direction nouvelle. L'artiste se spécialisa dans les vues de Venise et de Turquie. Dans une extraordinaire virtuosité technique, il surchargea sa peinture d'empâtements aux couleurs étincelantes jusqu'à donner à sa touche l'apparence de joyaux. Il renouvela peu son inspiration, et, malgré l'immense succès de sa production d'orientaliste, l'amateur préfère aujourd'hui ses esquisses plus sincères, dont le Petit Palais à Paris possède une importante série. La ville de Martigues hérita de l'atelier qu'il y installa en 1861. Un ensemble des peintures de Ziem y est réuni. L'artiste est représenté au musée d'Orsay et dans de nombreux musées de province, parfois par séries entières (Reims, Beaune, Dijon en particulier).

ZORN Anders Leonard,
peintre et graveur suédois
(Utmeland, près de Mora, Dalécarlie 1860 - Mora 1920).

D'origine modeste, il s'intéresse très tôt à la sculpture. Il étudie cette technique à l'Académie des beaux-arts de Stockholm, de 1879 à 1881, puis se décide à se lancer dans la peinture. En 1881-82, il voyage en Espagne, à Paris, expose à Londres à la Royal Academy et au Royal Institute of Painters in Water Colour de 1882 à 1884 et se rend de nouveau en Italie, en Afrique du Nord, en Hongrie, en Espagne (où il s'inspire de Velázquez). Jusqu'aux environs de 1888, il pratique presque exclusivement l'aquarelle, suivant la technique anglaise, et manifeste sa virtuosité dans ses portraits, ses paysages et ses scènes de genre. Il se montre particulièrement habile à rendre les effets mouvants de l'eau : *Sur le Bosphore* (1886, Mora, musée Zorn), *Clapotis* (1887, Copenhague, S.M.f.K.). De 1888 à 1896, il vit à Paris, où il peint à l'huile. Les larges touches fluides d'une palette restreinte campent des formes sommaires, mais d'une claire plasticité. Scènes de genre et portraits se distinguent par la vivacité des jeux de lumière et par l'instantané de la pose, d'où toute convention a disparu : *Effet de nuit* (1895, Göteborg, Konstmuseum), *Portrait de Coquelin cadet* (1889, coll. part.). Les nus aux formes généreuses, placés dans des paysages typiques, sont aussi à l'époque très appréciés : *Ute* (1888, musée de Malmö). À partir de 1888, il expose au Salon de la Société des artistes français, à l'Exposition universelle de Paris en 1889 et 1900, à la Société nationale des beaux-arts (dont il est membre) à partir de 1890. Devant son succès croissant, il choisit de s'installer à Mora en 1896, mais conserve son atelier à Stockholm et continue ses incessants voyages (États-Unis, Angleterre, France). Il adopte alors une manière plus décorative en cherchant les contrastes colorés : types et scènes folkloriques (*Danse de la Saint-Jean*, 1897, Stockholm, Nm), intérieurs et paysages avec nus, portraits dont le brio masque souvent une certaine faiblesse d'interprétation. Zorn a en outre renouvelé la gravure suédoise. À partir de 1882, il met au point une technique d'une grande maîtrise, où les hachures, plus ou moins serrées, offrent des effets de valeur richement contrastés. S'inspirant de Rembrandt, dont il collectionne planches et croquis, il laisse des portraits de personnalités célèbres, dont il saisit l'expression dans la mobilité : *Renan* (1892, Genève, musée d'Art et d'Histoire, cabinet des Estampes), le *Collectionneur Marquand* (1893), *Carl Larsson* (1897), *Rodin* (1906, *id.*). Son œuvre de sculpteur, plus restreint, s'inspire de Rodin et des artistes nordiques. Il a légué collections et ses propres œuvres au musée Zorn de Mora. Il est particulièrement bien représenté à Stockholm (Nm et Thielska Gallerie), à Copenhague (S.M.f.K.), à Berlin (N.G.) et à Hambourg (Kunsthalle), mais aussi en Italie et aux États-Unis. Le musée d'Orsay (Paris) conserve le *Portrait d'Alfred Beurdeley* (1906). Ce dernier a fait don de

sa collection de gravures de l'artiste à la Bibliothèque nationale de Paris, qui lui a consacré une exposition en 1952. Zorn a également eu les honneurs d'importantes rétrospectives : en 1958 à Düsseldorf (Kunstmuseum), en 1960 à Stockholm (Nm) et en 1979 à Lawrence (Spencer Museum of Art, université de Kansas).

ZÜGEL Heinrich Johann von,
peintre allemand
(Murrhardt 1850 - Munich 1941).

Élève de l'école d'Art de Stuttgart en 1873, il subit l'influence d'Anton Braith et obtient sa première médaille à Munich en 1883. Peintre animalier, Zügel exécute ses toiles en plein air et d'après le modèle vivant : le *Retour du troupeau* (Düsseldorf), *Vaches au pâturage* (Stuttgart) montrent une grande recherche esthétique des jeux de lumière par la touche libre de l'Impressionnisme. Professeur à l'Académie de Munich en 1895, ses œuvres figurent dans tous les musées allemands. Celui de Stuttgart a organisé en 1876 une exposition consacrée à Zügel et à ses élèves.

ZULOAGA Y ZABALETA Ignacio,
peintre espagnol
(Eibar 1870 - Madrid 1945).

Né au cœur du Pays basque dans une ville célèbre par son artisanat de damasquineurs, il appartient à une lignée d'armuriers et d'orfèvres qu'on suit depuis le xvᵉ s. Le jeune Ignacio fit un séjour à Madrid, qui le familiarisa avec Ribera et Velázquez et lui fit découvrir Greco et Goya, puis un séjour à Rome, où il travailla dans l'atelier du sculpteur Folgueras, qui fut devant.

C'est Paris, où il arrive en 1890, qui devient son lieu d'élection pour un quart de siècle. Il s'inscrit d'abord à l'Académie libre et suit les cours de Gervex puis à l'Académie de la Palette, où sous la direction d'Eugène Carrière, il peint, selon son désir, des scènes de genre catalanes. En dépit de fréquents voyages, Montmartre demeurera jusqu'à la Première Guerre mondiale le port

Ignacio Zuloaga y Zabaleta
La Veille de la course
aux taureaux, av. 1905
Bruxelles, Musées royaux des Beaux-Arts

d'attache de Zuloaga. Adopté d'emblée par la « bande catalane » (Rusiñol, Casas, Utrillo), celui-ci expose dès 1891 chez Le Barc de Boutteville et devient bientôt l'un des fidèles de la Société nationale des beaux-arts. Parmi ses nombreux amis peintres se détachent Degas, Gauguin, Émile Bernard (rencontré à Séville en 1896), Charles Cottet (qu'il conduira par la suite en Castille), Maxime Dethomas (dont il épousera la sœur en 1899). Plus tard viendront les écrivains comme Barrès (à qui il révélera Greco et dont il fera en 1913 un portrait célèbre devant le paysage de Tolède) ou Rilke.

Le tempérament de l'artiste, qui remonte consciemment à la tradition du Siècle d'or, qui s'attache à construire et simplifier les

formes, parfois brutalement, l'associe à la réaction anti-impressionniste de 1890.

Zuloaga s'affirme comme le peintre d'une Espagne folklorique mais nullement fade et d'un expressionnisme parfois grinçant. Une « Espagne blanche », celle de Séville, où tiennent le premier plan danseuses, gitanes et toreros, lui valut en 1895 ses premiers succès de public. Elle est remplacée bientôt par cette « Espagne noire », Vieille-Castille immuable qui fut révélée au peintre en 1898 par l'installation de son oncle Daniel à Ségovie : laboureurs, muletiers, vieilles femmes enveloppées de noir, nains et goitreux devant des châteaux forts et des villes perchées – Ségovie, Turegano, Sepúlveda –, sous des ciels d'orage à la Greco. Cette image figée et durcie, presque tragique, d'une Castille « essentielle » est celle-là même que fixera le « génération de 1898 », dont les maîtres, Unamuno, Azorin, Baroja, seront amis et modèles du peintre ; elle décide de sa renommée en Espagne et de son succès mondial. Des expositions à Düsseldorf (1904) et à New York (1909) lui valent une pluie de commandes. C'est alors le portrait d'apparat – aristocrates, financiers, écrivains, actrices et mondaines (la *Comtesse de Noailles*, 1913, Bilbao, musée des Beaux-Arts) – qui passe au premier rang de sa production et lui assure une fortune considérable. Parallèlement, il continue à peindre des œuvres où l'homme et le paysage ont égale importance et garde les personnages qui lui sont chers, tel le nain (*Gregoris à Sepúlveda*, 1908, Pedroza, musée Castille). La Première Guerre mondiale ramène Zuloaga en Espagne. L'artiste vivra désormais au bord de la mer Cantabrique, à Zumaya. Il transporta dans la villa-musée qu'il avait fait construire ses collections parisiennes, dont le joyau était l'une des dernières œuvres de Greco, *l'Ouverture du septième sceau*, achetée par le Metropolitan Museum aux héritiers du peintre. Zuloaga est sans doute le dernier grand peintre espagnol, il ne ramène pas l'art étranger en Espagne mais représente la peinture espagnole à l'étranger. Une exposition a été consacrée à l'artiste en 1991 (Paris, Dallas, New York, Bilbao, Madrid).

ZWART Wilhelmus Henricus Petrus de, peintre néerlandais
(La Haye 1862 - id. 1931).

Élève de l'Académie de La Haye (1876-1880), puis de Jacob Maris, il commence à travailler la céramique dans l'usine Rozenburg de La Haye (1880-1894). En 1889, il montre ses premières toiles à l'Exposition universelle de Paris, où il effectuera deux séjours, en 1891 et en 1900 (paysages parisiens comme la *Porte Saint-Denis*, La Haye, Musée municipal). Il participe à des expositions à Munich et à Chicago en 1892, séjourne à Amsterdam (1900-1905) et suscite l'intérêt du public hollandais par deux rétrospectives : en 1903 à Amsterdam, Kunsthandlung Van Wisselingh Co. et en 1908 à Rotterdam, Kunstkring. Ses paysages, scènes réalistes, natures mortes et marines à la touche nerveuse, exécutés dans une palette chaude, témoignent d'un sens aigu de l'observation (*Paysage aux vaches*, Rotterdam, B.V.B. ; la *Neige au soleil couchant*, Otterlo, Rijksmuseum Kröller-Müller ; *Géraniums*, Amsterdam, Musée municipal ; *Bateau échoué*, 1886, Arnhem, Gemeentemuseum). Ces mêmes qualités se retrouvent dans ses eaux-fortes et aquarelles (*Maisons au bord de l'eau*, coll. part.). À partir de 1914, il montre une prédilection pour des sujets symbolistes aux accents plus angoissés (*Destruction de Sodome et Gomorrhe*, la *Chute de l'ange*) et se met à décliner, atteint par la maladie. Ses œuvres figurent dans les musées des Pays-Bas : à La Haye (Musée municipal), Rotterdam (B.V.B.), Otterlo (Rijksmuseum Kröller-Müller), Amsterdam (Musée municipal) et au musée de Dordrecht. Certaines ont pris part à deux expositions collectives sur les paysagistes néerlandais, à Manchester en 1980 (université de Manchester, Whitworth Art Gal.) et à Cologne (Wallraff-Richartz Museum) et Zurich (Kunsthaus) en 1990. ☐

Chronologie 1860-1914

	BEAUX-ARTS	LITTÉRATURE ET MUSIQUE
1860	Degas : *Petites Filles spartiates provoquant des garçons*.	Labiche : *le Voyage de M. Perrichon*.
1861	Grande-Bretagne : fondation de la société Morris and Co.	Charles Dickens : *les Grandes Espérances*.
1862	Rossetti, *Paolo et Francesca*. Ingres, le *Bain turc*. Carpeaux, *Ugolin et ses fils*.	G. Eliot : *Silas Maner*. Herbert Spencer : *Premiers Principes*. Victor Hugo : *les Misérables*. Flaubert : *Salammbô*.
1863	Salon des refusés. Manet, le *Déjeuner sur l'herbe*. Réforme de l'École nationale des beaux-arts. Cabanel, la *Naissance de Vénus*. Essen, cité ouvrière Westend pour Krupp.	Ibsen : *les Prétendants*. Renan : *Histoire des origines du christianisme* (1863-1885).
1864	Whistler, *Symphony in White : The Little Girl*. Daumier, la *Blanchisseuse*. Corot, *Souvenir de Mortefontaine*. Moreau, *Œdipe et le Sphinx*.	*Grand Dictionnaire universel* Larousse. Offenbach : *la Belle Hélène*.
1865	Milan : gal. Victor-Emmanuel par Mengoni. Manet, *Olympia* (1863, salon de 1865).	Wagner : *Tristan et Yseult*. Taine : *Philosophie de l'art* (1865-1869). Tolstoï : *Guerre et paix*. Ruskin : *Sésame et les lys*.
1866	Bruxelles : exposition des paysagistes autour d'Hippolyte Boulanger.	Dostoïevsky : *Crime et châtiment*. Offenbach : *la Vie parisienne*. Verlaine : *Poèmes saturniens*.
1867	Pissarro, l'*Ermitage à Pontoise*. Bazille : *Réunion de famille*. Monet : *Route devant la ferme Saint-Siméon l'hiver*.	Verdi : *Don Carlos*. Ibsen : *Peer Gynt*. Marx, publication du premier volume du *Capital*.
1868	Manet, le *Balcon*.	Wagner : *les Maîtres chanteurs*. Lautréamont : *les Chants de Maldoror*.
1869	Vienne : l'*Opéra* par Van der Nüll. Courbet, la *Falaise d'Étretat*. Carpeaux, la *Danse*.	Flaubert : *l'Éducation sentimentale*. Tchaïkovski : *Roméo et Juliette*.

SCIENCES ET TECHNIQUES	HISTOIRE	
Lenoir invente le moteur à explosion.	Annexion de la Savoie et de Nice à la France. Autriche : diplôme d'octobre, début du fédéralisme et régime libéral. Traité de commerce franco-anglais. Pékin : sac du palais d'été.	**1860**
Broca : les localisations cérébrales. Michaux : le vélocipède.	Abolition du servage en Russie. Formation du royaume d'Italie ; avènement de Victor-Emmanuel II. Expédition du Mexique (1861-1864). États-Unis : la guerre de Sécession.	**1861**
Helmotz : doctrine des sensations sonores.	Allemagne : Lassale, Association générale des travailleurs allemands. Bismarck, ministre-président de Prusse.	**1862**
Procédé Solvay pour la fabrication de la soude.	Londres : inauguration du métro. Insurrection polonaise. Protectorat français au Cambodge.	**1863**
Nobel : la nitroglycérine. Invention du four Martin. Pasteur : ferments organisés et pasteurisation.	Londres : création de l'Association internationale des travailleurs. Genève : fondation de la Croix-Rouge internationale par Henri Dunant.	**1864**
Mendel : loi sur l'hérédité biologique. Maxwell : la théorie dynamique du champ électromagnétique. Claude Bernard : *Introduction à la médecine expérimentale*. Lister : l'antisepsie.	France : le droit de grève (loi sur les coalitions). Fin de la guerre de Sécession ; abolition de l'esclavage aux États-Unis. Apparition du phylloxéra.	**1865**
Torpille de Whitehead. Marinoni : la rotative.	Londres : le Black-Friday. Victoire prussienne de Sadowa et traité de Prague.	**1866**
Monier : le béton armé. Nobel : la dynamite. Siemens : la dynamo.	Japon : abdication du dernier shogun : début de l'ère Meiji. Compromis austro-hongrois : la double monarchie. Les États-Unis achètent l'Alaska. Constitution fédérale du Canada.	**1867**
Janssen et Lockyer : découverte de l'hélium. Découverte de l'homme de Cro-Magnon.	Premiers congrès des Trade-Unions.	**1868**
Watt : premier moteur électrique. Premier chemin de fer transcontinental aux États-Unis. Mendeleïev : loi périodique des éléments chimiques. Hyatt invente le Celluloïd.	Inauguration du canal de Suez.	**1869**

	BEAUX-ARTS	LITTÉRATURE ET MUSIQUE
1870	Fortuny : la *Vicaria*. Monet : la *Grenouillère*. Courbet : la *Vague*.	Rimbaud : *le Bateau ivre*. Verlaine : *la Bonne Chanson*.
1871	Condamnation de Courbet.	Nietzsche : *la Naissance de la tragédie*. Verdi : *Aïda*.
1872	New York : R. M. Hunt fonde le *New York Herald Tribune*. Monet : *Impression, soleil levant*.	Zola : *la Curée*. Bizet : *l'Arlésienne*.
1873	W. E. Ward réalise la première maison en béton armé aux États-Unis. Lieberman, les *Plumeurs d'oies*.	Bizet : *Carmen*.
1874	Première exposition impressionniste chez Nadar ; Burne-Jones, l'*Enchantement de Merlin*. Puvis de Chavannes, *la Vie de sainte Geneviève* pour le Panthéon.	Jules Verne : *le Tour du monde en quatre-vingts jours*.
1875	Exposition impressionniste chez Durand-Ruel à Londres. Paris : *l'Opéra Garnier* est inauguré. Bartholdi, le *Lion de Belfort* et la *Statue de la Liberté*.	Twain : *Tom Sawyer*.
1876	Deuxième exposition du groupe impressionniste. Belgique : fondation de l'*Essor*. Degas, l'*Absinthe*. Renoir, le *Moulin de la Galette*.	Mallarmé : *l'Après-midi d'un faune*. Michelet : publication posthume de l'*Histoire du XIXᵉ siècle*.
1877	Troisième exposition du groupe impressionniste. Degas : *Répétition de ballet*.	Tolstoï : *Anna Karenine*. Zola : *l'Assommoir*. Tchaïkovski : *le Lac des cygnes*.
1878	Gaudí réalise la *Maison Vicens* à Barcelone. Carolus Duran, le *Triomphe de Marie de Médicis*. Cabanel, *Vie de Saint Louis* pour le Panthéon. Leibl, *Trois Femmes à l'église*.	Duret : *les Peintres impressionnistes*. Engels : *l'Anti-Düring*.
1879	Quatrième exposition du groupe impressionniste. Lieberman, *Jésus au milieu des docteurs*. W. Le Baron Jenney réalise *Leiter Building* à Chicago.	Ibsen : *la Maison de poupée*. Strindberg : *la Chambre rouge*. Fauré : quatuor en *ut* mineur.

SCIENCES ET TECHNIQUES	HISTOIRE	
Siemens : four électrique. Schiemann : fouille de la ville antique de Troie.	Premier concile œcuménique du Vatican : dogme de l'infaillibilité pontificale. Guerre franco-prussienne. France : proclamation de la IIIe République.	**1870**
Maddox-Eastman : plaque au bromure d'argent. Gramme : la dynamo.	France : la Commune. Fondation de l'Empire allemand. Gouvernement de Bismarck. Achèvement de l'unité italienne.	**1871**
Bakélite : première matière plastique. Charcot : *Leçon sur les maladies du système nerveux.*		**1872**
Remington : la machine à écrire.	France : Mac-Mahon président ; l'« ordre moral ». Mort de Napoléon III. Proclamation de la république d'Espagne. Krach à Vienne.	**1873**
Cantor : théorie des ensembles.	Guerre carliste en Espagne. Création de l'Union postale internationale. Traité de Huê : protectorat français en Annam.	**1874**
Bethelot : synthèse chimique.	Congrès de Gotha. Amendement Wallon.	**1875**
Otto : moteur à quatre temps. Bell : le téléphone. Bissel : le balai mécanique.	Les « horreurs de Bulgarie ».	**1876**
Cros, Edison : le phonographe ; le microtéléphone. Le procédé Thomas et Gilchrist de fabrication de l'acier.	Victoria proclamée impératrice des Indes. France : crise du « 16 mai », la république en sort consolidée. Guerre russo-turco-roumaine, traité de San Stefano. Russie : procès contre les nihilistes.	**1877**
Edison : lampe électrique à incandescence. Benz : moteur à gaz à deux temps.	Guerre anglo-afghane. Italie : Léon XIII, pape ; avènement de Humbert Ier. Congrès de Berlin : indépendance nationale Roumanie-Bulgarie. Fondation de l'Armée du salut. Pontificat de Léon XIII (1878-1903).	**1878**
Siemens : train électrique. Pasteur : principe de la vaccination. Edison : la lampe à incandescence.	France : Jules Grévy, président ; création du parti ouvrier.	**1879**

	BEAUX-ARTS	LITTÉRATURE ET MUSIQUE
1880	Cinquième exposition du groupe impressionniste. Rodin : le *Baiser*.	Loti : *le Mariage de Loti*. Maupassant : *Boule-de-Suif*. Taine : *Philosophie de l'art*. Satie : *Trois Gymnopédies*.
1881	Sixième exposition du groupe impressionniste. Puvis de Chavannes, le *Pauvre Pêcheur*. Ensor, *Masques scandalisés*.	Fondation de *la Jeune Belgique* par M. Waller. A. France : *le Crime de Sylvestre Bonnard*. Offenbach : *les Contes d'Hoffmann*.
1882	Septième exposition du groupe impressionniste. Degas, *Danseuse de quatorze ans* (cire). Rétrospective Courbet à l'École des beaux-arts.	Gounod : *Rédemption*. Wagner : *Parsifal*.
1883	Redon, les *Origines*. Premier Salon des incohérents. Prague : Schulz ; Ziteck réalise l'*Opéra national*.	Robert Louis Stevenson : *l'Île au trésor*. Malher : *Chants de jeunesse*. Nietzsche : *Ainsi parlait Zarathoustra*.
1884	Rétrospective Manet à l'École des beaux-arts. Fondation de la Société des XX à Bruxelles. Degas, les *Repasseuses*. Udhe, *Laissez venir à moi les petits enfants*. Rodin, les *Bourgeois de Calais*.	Leconte de Lisle : *Poèmes tragiques*. Massenet : *Manon*. Huysmans : *À Rebours*.
1885	Gaudí réalise le *palais Güell* à Barcelone.	Zola : *Germinal*. H. Becque : *la Parisienne*.
1886	Dernière exposition du groupe impressionniste. Exposition impressionniste à New York, organisée par Durand-Ruel. Seurat, *Un dimanche à la Grande Jatte*. La *Statue de la Liberté* est inaugurée à New York. Inauguration du musée du Luxembourg à Paris. Manifeste du Symbolisme, par Jean Moréas, paru dans *le Figaro*. Grande-Bretagne : Art and Crafts.	Rimbaud : *les Illuminations*. É. Drumond : *la France juive*. Verdi : *Otello*.
1887	Renoir, les *Grandes Baigneuses*. Cézanne, *Sainte-Victoire*. Burne-Jones, la *Roue de la fortune*. A. Saint-Gaudens, *Lincoln*.	France : le Théâtre-Libre (1885-1887). Fauré : *Requiem*.
1888	Toulouse-Lautrec : *Au cirque Fernando*. Sérusier, le *Talisman*. Ensor, l'*Entrée du Christ à Bruxelles*.	Strindberg : *Mademoiselle Julie*. Sudermann : *l'Honneur*.
1889	Exposition universelle, inauguration de la *tour Eiffel*. Gauguin, le *Christ jaune*. Dalou, le *Triomphe de la République*. Van Gogh, *Autoportrait à l'oreille coupée*.	Maeterlinck : *les Serres chaudes*.

SCIENCES ET TECHNIQUES	HISTOIRE	
Siemens : premier ascenseur électrique. Eberth : bacille de la typhoïde.	Première guerre anglo-boer.	**1880**
	France : Antonin Proust, ministre des Arts. Enseignement primaire, laïc, obligatoire et gratuit ; protectorat en Tunisie. Russie : règne d'Alexandre III.	**1881**
Koch : bacille de la tuberculose. Edison : première centrale électrique. Construction du canal de Corinthe en Grèce.	Occupation du Caire par la Grande-Bretagne. Triple-Alliance (Autriche, Allemagne, Italie) contre la Russie.	**1882**
Tissandier : ballon dirigeable. Koch : bacille du choléra.	Russie : Plekhanov fonde le parti socialiste russe.	**1883**
Gaulard : le transformateur. Mergentharler : la Linotype.	France : loi sur la liberté syndicale ; achèvement de la conquête du Tonkin. Grande-Bretagne : création de la Socialist League.	**1884**
Pasteur : vaccin antirabique. Turpin : mélinite. Maxim : la mitrailleuse.	Création de l'État indépendant du Congo. Londres : projet du Home Rule. S.G. Cleveland, président des États-Unis. Guerre serbo-bulgare. Espagne : régence de Marie Christine.	**1885**
Daimler et Benz : l'automobile à pétrole. Héroult : l'aluminium électrolytique. Moissan : le fluor.	Création de l'Association catholique de la jeunesse française.	**1886**
Lanston : Monotype.	France : le boulangisme (1887-88) ; Sadi Carnot ; première Bourse du travail à Paris. Crispi au pouvoir en Italie. Nigeria britannique.	**1887**
Inauguration de l'Institut Pasteur. Construction du Firth of Forth en Angleterre. Dunlop : la chambre à air. Hertz : ondes électromagnétiques.	Premier emprunt russe à Paris. Internationalisation du canal de Suez.	**1888**
Bergson : *Essai sur les données immédiates de la conscience.*	Création de la deuxième Internationale, appel au Premier-Mai. Japon : première Constitution. Brésil : la république.	**1889**

	BEAUX-ARTS	LITTÉRATURE ET MUSIQUE
1890	Création de la Société nationale des Beaux-Arts. Maurice Denis publie le « Manifeste » nabi dans *Art et critique*. Holder, la *Nuit*. W. Homer, *Nuit d'été*.	Claudel : *Tête d'or*. Borodine : *le Prince Igor*.
1891	Première manifestation nabi à la gal. Le Barc de Bouteville. Bonnard, *Femmes au jardin*. Knopff, *Who shall deliver me*.	Oscar Wilde : *Portrait de Dorian Gray*. Aurier : *le Symbolisme en peinture*.
1892	Premier Salon Rose-Croix organisé par sâr Peladan. Monet, les *Meules*. Cézanne, les *Joueurs de cartes*.	Hauptmann : *les Tisserands*.
1893	Belgique : Maus crée la « Libre Esthétique ». A. Beardsley, *Salomé*. Munch, le *Cri*. Toorop, les *Trois Fiancées*. Belgique : V. Horta réalise l'*hôtel Tassel*.	Barrès : *Du sang, de la volupté et de la mort*. V. Sardou : *Madame Sans-Gêne*. Heredia : *les Trophées*.
1894	Segantini, les *Marâtres*. Le Douanier Rousseau, la *Guerre*.	Rostand : *les Romanesques*. A. France : *le Lys rouge*. Kipling : *le Livre de la jungle*. Debussy : *Prélude à l'après-midi d'un faune*.
1895	Holder, *Eurythmie*. V. Horta réalise la *Maison du peuple* à Bruxelles. Grande-Bretagne : Bendley réalise *Westminster Cathedral*.	Th. Hardy : *Jude l'Obscur*. Strauss : *Till Eulenspiegel*.
1896	F. Rops, *Pornocratès*.	Alfred Jarry : *Ubu roi*. Proust : *les Plaisirs et les jours*. Tchekhov : *la Mouette*.
1897	Vienne : Klimt prend la tête de la *Sécession*. Gauguin, *D'où venons-nous, que sommes-nous, où allons-nous ?*	Gide : *les Nourritures terrestres*. Rostand : *Cyrano de Bergerac*. Dukas : *l'Apprenti sorcier*.
1898	Gauguin, le *Cheval blanc*. Rodin, *Balzac*. Brancusi, *Vitellius*. Vienne : Olbrich réalise le *Pavillon de la Sécession*.	Bernard Shaw : *le Parfait Wagnérien*. L. Strauss : *la Vie d'un héros*.
1899	Monet, *Nymphéas, Harmonie verte*. C. Claudel, l'*Âge mûr*. Bartholomé, *Monument aux morts*, Père-Lachaise. Mackintosh termine l'*École des beaux-arts* de Glasgow.	Tristan Bernard : *Mémoires d'un jeune homme rangé*. Rilke : *la Chanson d'amour et de mort du cornette Christophe Rilke*. Ravel : *Pavane pour une infante défunte*.

SCIENCES ET TECHNIQUES	HISTOIRE	
Branly : radiotélégraphie. Ader : l'avion.	Allemagne : démission de Bismarck, gouvernement de Guillaume II. Léopold II lègue le Congo à la Belgique. Pays-Bas : avènement de Wilhelmine. États-Unis : loi antitrust.	**1890**
Michelin : le pneumatique démontable. Stoney : l'électron.	France : massacre de Fourmies. Encyclique : « Rerum Novarum » sur le problème des ouvriers.	**1891**
Moissan : le four électrique. Popov : l'antenne radioélectrique. Behring : sérum diphtérique.	France : réglementation du travail des femmes et des enfants. Scandale de Panamá. Alliance franco-russe.	**1892**
Elster et Geitel : cellule photoélectrique.	Londres : échec du Home Rule. Protectorat français au Laos et Dahomey. Exposition universelle de Chicago.	**1893**
Linde : liquéfaction de l'air.	Guerre sino-japonaise. Nicolas II, tsar de Russie. France : début de l'affaire Dreyfus ; assassinat de Sadi Carnot. Procès des 30.	**1894**
Les frères Lumière : naissance du Cinématographe. Lorentz : théorie électronique de la matière.	France : Félix Faure, président ; grève de Carmaux. Le Japon abandonne Port-Arthur.	**1895**
Popov : premier récepteur d'ondes électromagnétiques. Becquerel : radioactivité de l'uranium.	Accord austro-russe sur les Balkans. Premiers jeux Olympiques à Athènes. Massacres d'Arménie et de Crète.	**1896**
Premier tramway électrique à Londres. Marconi : télégraphe sans fil.	Congrès sioniste mondial à Bâle. Guerre gréco-russe.	**1897**
Pierre et Marie Curie : le radium et le polonium.	France : « J'accuse » de Zola. Lénine fonde le parti socialiste ouvrier. Guerre hispano-américaine. La Chine est partagée en zones d'influence entre les étrangers.	**1898**
Lehmann : les cristaux liquides.	France : ministère Waldeck-Rousseau. Afrique : guerre du Transvaal ; guerre des Boers (1899-1902). La Haye : Cour de justice internationale d'arbitrage.	**1899**

	BEAUX-ARTS	LITTÉRATURE ET MUSIQUE
1900	Paris : inauguration du métropolitain, des décors de Guimard. Laloux réalise la *Gare d'Orsay*. Denis : *Hommage à Cézanne*.	J. Renard : *Poil de Carotte*. Rostand : *l'Aiglon*. G. D'Annunzio : *le Feu*. Nietzsche : *Généalogie de la morale*. M. Sienkiewicz : *Quo Vadis ?* Freud : *le Rêve et son interprétation*. Puccini : *Tosca*. Schönberg : *Gurre Lieder*.
1901	L'école de Nancy.	R. Bazin : *les Oberlé*. Gorki : *les Vagabonds*. Kipling : *Kim*. Hauptmann : *le Voiturier Henschel*. H. J. Wells : *l'Homme invisible*. Th. Mann : *les Buddenbrook*.
1902	Barrias : *Monument Hugo*.	Gide : *l'Immoraliste*. Debussy : *Pelléas et Mélisande*. Conan Doyle : *le Chien de Baskerville*.
1903	Kandinsky, *Der Blaue Reiter*.	H. Bataille : *Maman Colibri*. Gorki : *les Bas-Fonds*. Th. Mann : *Rose Bernd*.
1904	Wright réalise *Larkin Building* à New York.	H. J. Wells : *Anticipations*. Tchekhov : *la Cerisaie*. Puccini : *Madame Butterfly*. Bartok : rhapsodie pour piano et orchestre.
1905	Paris : Salon d'automne, révélation des « fauves ». Fondation du groupe « Die Brücke » à Dresde. Matisse, *Luxe, calme et volupté*. Cézanne, les *Grandes Baigneuses*. Maillol, la *Méditerranée*. Jourdain réalise la *Samaritaine*.	Bataille : *la Marche nuptiale*. Rilke : *le Livre d'heures*. Debussy : *la Mer*. Franz Lehar : *la Veuve joyeuse*. Freud : *Trois Essais sur la théorie de la sexualité*.
1906	Delaunay, l'*Autoportrait ou Paysage au disque*.	France : fondation du « théâtre des Arts ».
1907	Picasso, les *Demoiselles d'Avignon*. Le Douanier Rousseau, la *Charmeuse de serpent*. Matisse, *Nu bleu*. Ballets russes de Diaghilev à Paris.	Jack London : *Croc-Blanc*.
1908	États-Unis : fondation du groupe des Huit. Brancusi, le *Baiser*.	R. Maurras : *Enquête sur la monarchie*. Mahler : *le Chant de la terre*.
1909	Manifeste du Futurisme par Marinetti paru dans *le Figaro*. Klimt, l'*Accomplissement*. Bourdelle : *Héraklès Archer*.	Maeterlinck : *l'Oiseau bleu*. Gide : *la Porte étroite*.

SCIENCES ET TECHNIQUES	HISTOIRE	
Création du dirigeable Zeppelin. Planck : théorie des quanta.	Paris : Exposition universelle. Victor-Emmanuel III, roi d'Italie. Chine : révolte des Boxers.	1900
Santos-Dumont : record en dirigeable. Rateau : la turbine.	France : ministère Combes ; loi sur les associations. Fondation de l'Office international du travail. Grande-Bretagne : avènement d'Édouard VII. Roosevelt, président des États-Unis. Les Japonais prennent Port-Arthur.	1901
Lanchester : freins à disque. Pavlov : réflexes conditionnés.	Alliance anglo-japonaise. Avènement d'Alphonse XIII en Espagne.	1902
De Vries : théorie des mutations. La Ford Motor Company. L'avion des frères Wright. Premier Tour de France cycliste.	Serbie : révolution. Giolitti, président du Conseil en Italie. Pontificat de Pie X (1903-1914).	1903
Fleming : la diode. Lumière : l'autochrome.	Guerre russo-japonaise. Rupture France-Vatican. Accord franco-anglais.	1904
Einstein : théorie de la relativité.	France : séparation de l'Église et de l'État. Russie : fusillade du « Dimanche rouge » ; révolution russe. Séparation Suède-Norvège.	1905
Amundsen : découverte du premier passage nord-ouest en Arctique. Première course automobile du Mans.	France : Clemenceau, président du Conseil.	1906
Markov : les probabilités en chaîne.	La Triple-Entente. Seconde conférence de La Haye ; au terme des deux : création de la Cour permanente d'arbitrage, ultimatum, statut du prisonnier de guerre. Accord anglo-russe.	1907
	Révolution turque. France : fondation de l'Action française.	1908
Peary atteint le pôle Nord. Blériot traverse la Manche en aéroplane.	Barcelone : Semaine tragique.	1909

	BEAUX-ARTS	LITTÉRATURE ET MUSIQUE
1910	Picasso : *Portrait de D.H. Kahnweiler.*	Stravinsky : *l'Oiseau de feu.* Fogazzaro : *Leïla.* Blasco Ibáñez : *Arènes sanglantes.* Tagore : *l'Offrande lyrique.* Saint-Saëns : *Déjanire.*
1911	Malévitch, *Carré noir sur fond blanc.* Joseph Hoffman construit le *Palais Stoclet* à Bruxelles. Création du mouvement « Der Blaue Reiter » à Munich.	Colette : *la Vagabonde.* A. Jarry : *Ubu enchaîné.*
1912	Kirchner, la *Toilette.* Kandinsky, *Avec l'arc noir.* Marcel Duchamp, *Nu descendant un escalier.* *Du spirituel dans l'art*, livre de Kandinsky. Publication de l'almanach *Der Blaue Reiter.*	Claudel : *l'Annonce faite à Marie.* Alain-Fournier : *le Grand Meaulnes.* Schönberg : *Pierrot lunaire.*
1913	Inauguration du *théâtre des Champs-Élysées* de Perret à Paris. Naissance de l'Orphisme au Salon des indépendants. New York : l'Armory Show, exposition internationale d'art moderne.	Apollinaire : *Alcools.* Proust : *Du côté de chez Swann.* B. Shaw : *Pièces plaisantes et déplaisantes.* Roger Marx : *l'Art social.* Stravinsky : *le Sacre du printemps.*
1914	Le Corbusier, *maison Domino.*	Kafka : *l'Amérique.*

SCIENCES ET TECHNIQUES	HISTOIRE	
Apparition de la comète de Halley.	Condamnation du *Sillon* par Pie X.	**1910**
Taylor : organisation scientifique du travail.	Révolution mexicaine.	**1911**
Funk : les vitamines.	Congrès de l'Internationale à Bâle. France : protectorat du Maroc ; ministère Poincaré. Guerre des Balkans. Proclamation de la République de Chine.	**1912**
Bacille Calmette-Guérin (B.C.G.). Bohr : théorie quantique de l'atome. Haber : la synthèse industrielle de l'ammoniac.	France : Poincaré, président.	**1913**
Ouverture du canal de Panamá.	Assassinat de Jaurès. Première Guerre mondiale (1914-1918). Pontificat de Benoît XV.	**1914**

Bibliographie

Art nouveau. V. Bini, A. Trabuchelli, *l'Art nouveau*, Milan 1957 ; J. Cassou, E. Langui, N. Pevsner, *les Sources du XXᵉ siècle*, Paris, 1961 ; H. Hofstätter, *Geschichte der europäischen Jugendstilmalerei*, Cologne, 1963 ; R. H. Guerrand, *l'Art nouveau en Europe*, Paris, 1965 ; H. Hofstätter, *Jugendstil-Druckkunst*, Baden-Baden, 1968 ; E. Aslin, *The Aesthetic Movement : Prelude to Art nouveau*, Londres, 1969 ; P. Jullian, *Triumph of Art nouveau : Paris Exhibition 1900*, Londres, 1974 (1978) ; R. Hamann, J. Hermand, *Stilkunst um 1900*, Munich, 1975 ; P. Wittlich, *Art nouveau 1900*, Paris, 1975 ; S. T. Madsen, *Sources of Art nouveau*, New York, 1976 ; L. V. Masini, *Art nouveau*, Florence, 1976 ; T. M. et D. Gerhardus, *Symbolismus und Jugendstil*, Fribourg, 1977 ; R. S. Schmutzler, *Art nouveau*, Londres, 1978 ; B. Champigneulle, *l'Encyclopédie de l'Art nouveau*, Paris, 1981 ; J.-P. Bouillon, *Journal de l'Art nouveau*, Genève, 1985 ; C. Cerruti, *Art nouveau*, Paris, 1986 ; W. Hardy, *Art nouveau Style*, Paris, 1987. K. J. Sembach, *l'Art nouveau*, 1991.

Bande noire. Charles Cottet, *l'Art et les artistes*, Paris, 1910 ; I. Valmy-Baysse, *Lucien Simon*, Paris, 1910 ; A. Michel, *l'Œuvre de René Ménard*, Paris, 1924 ; cat. exp. Lucien Simon, musée des Beaux-Arts de Quimper, août-novembre 1981 ; cat. exp. Charles Cottet, musée des Beaux-Arts de Quimper, juillet-septembre 1984 ; André Cariou, *Charles Cottet et la Bretagne*, 1988.

Barbizon (école de). M.-T. Lemoyne de Forges ; *Barbizon*, Paris, 1962 ; J. Bouret, *l'École de Barbizon et le paysage français au XIXᵉ siècle*, Paris-Neuchâtel, 1972 ; C. Marumo, *Barbizon et les paysagistes du XIXᵉ siècle*, Paris, 1975 ; P. Miquel, *le Paysage français au XIXᵉ siècle*, 3 vol., Mantes-la-Jolie, 1975 ; cat. exp. The clichés-verre of the Barbizon School, Toronto, 1983 ; cat. exp. Le peintre paysagiste à Barbizon, Barbizon, 1986.

Batignolles. J. Rewald, *Histoire de l'Impressionnisme*, 2 vol., Paris, 1955 ; H. et J. Adhémar, *Chronologie impressionniste : 1863-1905*, Paris, 1981 ; J.-P. Crespelle, *la Vie quotidienne des impressionnistes : du Salon des Refusés, 1863, à la mort de Manet, 1883*, Paris, 1985.

Cloisonnisme. W. Jaworska, *Gauguin et l'école de Pont-Aven*, Paris-Genève, 1971 ; J. Cheyron, *Émile Bernard et le symbolisme pictural* et *Émile Bernard avec Paul Gauguin*, Chassiers, 1983.

Expressionnisme. I. et P. Garnier, *l'Expressionnisme allemand*, Paris, 1962 ; B. S. Myers, *les Expressionnistes allemands. Une génération en révolte*, Paris, 1967 ; cat. exp. Expressionnisme européen, Paris, 1970 ; J. Willet, *l'Expressionnisme dans les arts, 1900-1968*, Paris, 1970 ; E. Röters, *Europäissche Expressionisten*, Gütersloh, 1971 ; W. Rothe, *Der Expressionismus*, Francfort, 1977 ; J.-M. Spalck (éd.), *German Expressionism in the Fine Arts*, Los Angeles, 1977 ; J. M. Palmier, *l'Expressionnisme comme révolte*, Paris, 1978 ; M. Ragon, *l'Expressionnisme*, Genève, 1981 ; S. Sabarsky, *Expressionnistes allemands : œuvres graphiques*, Paris, 1984 ; W.-D. Dube, *Journal de l'Expressionnisme*, Genève, 1983 ; cat. exp. Expressionten : die Avant-garde in Deutschland : 1905-1920, 125 Jahre Sammlungen der Nationalgalerie, Berlin, 1986.

Fauvisme. G. Duthuit, *les Fauves*, Genève, 1949 ; J. Leymarie, *le Fauvisme*, Genève,

1959 ; C. Chassé, *les Fauves et leur temps*, Lausanne-Paris, 1963 ; J.-E. Muller, *le Fauvisme*, Paris, 1967 ; M. Giry, *le Fauvisme : ses origines, son évolution*, Neuchâtel, 1981 ; S. Goyens de Heusch, *l'Impressionnisme et le Fauvisme en Belgique*, Anvers, 1988.

Honfleur (école de). M. Pointon, *The Bonington Circle : English Watercolour and Anglo-French Landscape, 1790-1855*, Brighton, 1985.

Impressionnisme. T. Duret, *Histoire des peintres impressionnistes*, Paris, 1906 ; L. Venturi, *les Archives de l'Impressionnisme*, 2 vol., Paris-New York, 1939 ; J. Leymarie, *l'Impressionnisme*, 2 vol., Genève, 1955 ; R. Cogniat, *le Siècle des impressionnistes*, Paris, 1967 ; J. Leymarie et M. Melot, *les Gravures des impressionnistes : Manet, Pissaro, Renoir, Cézanne, Sisley*, Paris, 1971 ; G. Bazin, *les Impressionnistes au Jeu de paume*, Paris, 1972 ; K. S. Champa, *Studies In Early Impressionism*, New Haven-Londres, 1973 ; cat. exp. Centenaire de l'Impressionnisme, Paris, 1974 ; R. Huyghe, *la Relève du réel : impressionnisme, symbolisme*, Paris, 1974 ; R. Passeron, *la Gravure impressionniste*, Fribourg, 1974 ; M. Sérullaz, *Encyclopédie de l'impressionnisme*, Paris, 1974 ; A. Bellony Rewald, *The Lost World of the Impressionists*, Londres, 1977 ; B. Dunstan, *Painting Methods of the Impressionists*, Londres-New York, 1977 ; J. Lassaigne, *l'Impressionnisme, sources et dépassement*, Genève, 1979 ; Coll., *Chronologie impressionniste*, Paris, 1981 ; P. Courthion, *les Impressionnistes*, Paris, 1982. A. Callen, *les Peintres impressionnistes et leur technique*, Paris, 1983 ; C.-G. Le Paul, *l'Impressionnisme dans l'école de Pont-Aven*, Paris, 1983 ; cat. exp. *l'Impressionnisme et le paysage français*, Paris, 1985 ; J. Leymarie, *Dessins impressionnistes de Manet à Renoir*, Genève, 1985 ; M. Sérullaz, *l'Impressionnisme*, Paris, 1985 ; R. Cogniat, *les Impressionnistes*, Genève, 1986 ; J. Rewald, *Histoire de l'impressionnisme*, Paris, 1986 ; M. Blunden, *Journal de l'impressionnisme*, Genève, 1987 ; S. Monneret, *l'Impressionnisme et son époque*, Paris, 1974, réimp. 1987 ; R.-L. Herbert, *l'Impressionnisme, les plaisirs et les jours*, Paris, 1988 ; J. Clay, *Comprendre l'Impressionnisme*, Paris, 1989 ; J.P. Crespelle, *la Vie quotidienne des impressionnistes*, Paris, 1989 ; *Guide de la France impressionniste*, Paris, 1990 ; J.-J. Levêque, *les Années impressionnistes*, Paris, 1990 ; *l'Impressionnisme dans le monde 1860-1920*, Paris, 1990 ; B. Bernard, *la Révolution impressionniste*, Paris, 1991.

Japonisme. L. Gonse, « l'Art japonais et son influence sur le goût européen », *Revue des arts décoratifs*, 1898 ; cat. exp. Orient-Occident, Paris (musée Cernuschi), 1958 ; Y. Sinoda, *Degas. Der Einzug des Japanischen in die französischen Malerei*, Cologne, 1957 ; J. Sandberg, « Japonisme and Whistler », *BM*, 1964, nov. ; G.P. Weisberg, P. Dennis Cate et autres, cat. exp. Japonisme. Japanese Influence on French Art 1854-1910, Cleveland, 1975 ; F. Whitford, *Japanese Prints and Western Painters*, Londres, 1977 ; cat. exp. Monet et le Japon : Hiroshige, Oyama, Paris, 1980 ; S. Wichmann, *Japonisme*, Paris, 1982 ; cat. exp. J. Vieillard et Cie : éclectisme et japonisme : catalogue des céramiques et dessins, Bordeaux, 1986 ; cat. exp. Le Japonisme, Paris, 1988.

Macchiaioli. M. Borgiotti, *I Macchiaioli e l'epoca loro*, Milan, 1958 ; R. de Grada, *I Macchiaioli e il loro tempo*, Milan, 1963 ; E. Cecchi, *Macchiaioli toscani d'Europa*, Florence, 1963 ; D. Durbè, *I Macchiaioli. Maîtres de la peinture en Toscane au XIXᵉ siècle*, Paris-Rome, 1978 ; cat. exp. Silvestro Lega : 1826-1895, Lyon, 1981 ; P. Dini, *Dal caffè Michelangelo al caffè Nouvelle Athènes*, Turin, 1986.

Nabis. A. Humbert, *les Nabis et leur époque*, Genève, 1954 ; C. Chassé, *les Nabis et leur temps*, Lausanne-Paris, 1960 ; U. Perucchi-Petri, *Die Nabis und Japan*, Munich, 1976 ; cat. exp. Musée du Prieuré : symbolistes et Nabis, Maurice Denis et son temps, Saint-Germain-en-Laye, 1980 ; cat. exp. Les Nabis : P. Bonnard, E. Vuillard, K.X. Roussel, M. Denis : 1890-1900, Paris, 1980 ; A. Sonneck, *Maurice Denis et son temps*, Perros-Guirec, 1985. C. Frèches-Thory, A. Terrasse, *les Nabis*, Paris, 1991.

Néo-Impressionnisme. P. Signac, *D'Eugène Delacroix au Néo-Impressionnisme*, Paris, 1921 ; W.I. Homer, *Seurat and the Science of Painting*, Cambridge, 1964 ; J. Sutter, *les Néo-Impressionnistes*, Paris-Neuchâtel, 1970 ; J. Clay, *De l'impressionnisme à l'art moderne*, Paris, 1975 ; CH. S. Moffett, *Impressionist and Post-Impressionist Paintings in the Metropolitan Museum of Art*, New York, 1982 ; G. Cogeval, *les Années post-impressionnistes*, Paris, 1986 ; D. Kelder, *l'Héritage de l'Impressionnisme*, Paris, 1986 ; J. Rewald, *le Post-Impressionnisme : de Van Gogh à Gauguin*, Paris, 1988.

Paysage. Cat. exp. Le paysage français de Poussin à Corot, Paris, 1925 ; cat. exp. Le paysage français de Corot à nos jours, Paris (galerie Charpentier), 1942 ; C. Roger-Marx, *le Paysage français. De Corot à nos jours ou le Dialogue de l'Homme et du Ciel*, Paris, 1952 ; P. Miquel, *le Paysage français au XIXᵉ siècle*, 3 vol., Mantes-la-Jolie, 1975 ; cat. exp. L'impressionnisme et le paysage français, Paris, 1985. J. Freeman, *le Paysage fauve*, Paris, 1991.

Pointillisme. G. Cogeval, *les Années post-impressionnistes*, Paris, 1986 ; D. Kelder, *l'Héritage de l'Impressionnisme*, Paris, 1986. V. NÉO-IMPRESSIONNISME.

Pont-Aven. W. Jaworska, *Gauguin et l'école de Pont-Aven*, Paris-Genève, 1971 ; P. Tuarze, *Pont-Aven, arts et artistes*, Paris, 1973 ; Ch. G. Le Paul, *l'Impressionnisme dans l'école de Pont-Aven : Monet, Renoir, Gauguin et leurs disciples*, Paris, 1983. cat. exp. Dessins de l'école de Pont-Aven, Paris, 1989 ; cat. exp. Gauguin et l'école de Pont-Aven, Paris, 1989.

Symbolisme. H. Hofstätter, *Symbolismus und die Kunst der Jahrhundertswende*, Cologne, 1965 ; cat. exp. *Il sacro e il profano nell' arte dei simbolisti*, Turin, 1969 ; J. Milner, *Symbolists and Decadents*, Londres-New York, 1971 ; P. Jullian, *les Symbolistes*, Paris-Neuchâtel, 1973 ; D. L. Anderson (éd.), *Symbolism. A Bibliography of Symbolism as an International and Multidisciplinary Movement*, New York, 1975 ; Pierre-Louis Mathieu, *Gustave Moreau*, Fribourg, 1976 ; cat. exp. Le Symbolisme en Europe ; R. L. Delevoy, *Journal du Symbolisme*, Paris, 1977 ; R. L. Delevoy, *Symbolists and Symbolism*, Londres, 1978 ; cat. exp. Fernand Khnopff, Paris, Bruxelles, Hambourg, 1979-1980 ; Anthony Hobson, *The Art and Life of J. W. Waterhouse RA*, Londres, 1980 ; cat. exp. Symbolistes et Nabis : M. Denis et son temps, Saint-Germain-en-Laye, 1980 ; cat. exp. Léon Spilliaert, Paris, Grand Palais, 1981 – Bruxelles, musées royaux des Beaux-Arts, 1982. C. Brooks, *Signs for the Times : Symbolic Realism in the Mid-Victorian World*, Londres, 1984 ; cat. exp. Symboles et réalités : la peinture allemande 1848-1905, Paris, 1984 ; cat. exp. The Pre-Raphaelites, Londres, The Tate Gallery, 1984 ; Timo Martin et Douglas Sivén, *Akseli Gallen-Kallela. Elämäkerrallinen Rapsodia*, Helsinki, 1984 – Édition anglaise 1985 ; cat. exp. Max Klinger, Hildesheim, Roemer und Pelizaeus Museum, 1984 ; cat. exp. Le symbolisme et la femme, Paris-Toulon-Pau, 1986 ; cat. exp. Burne-Jones, Roma, Galleria Nazionale d'Arte Moderna, 1986 ; cat. exp. Lumières du Nord, Paris, Petit Palais, 1987 ; cat. exp. Gauguin, Paris, Grand Palais, 1989 ; cat. exp. Le symbolisme dans les collections du Petit Palais, Paris, 1989. J. Pierre, *l'Univers symboliste, fin de siècle et décadence*, Paris, 1991.

Vingt (les). M. O. Maus, *Trente Années de lutte pour l'art*, Bruxelles, 1926 ; cat. exp. Les XX, Bruxelles-Otterlo, 1962 ; R. L. Delevoy, *Ensor*, Paris, 1980 ; cat. exp. James Ensor, Zurich, 1983 ; J. Block, *« les Vingt » and Belgian avant-gardism, 1868-1894*, Ann Arbor, Mich., 1984.

Crédits photographiques

L'éditeur remercie tout particulièrement M. Oscar Ghez, président-fondateur du musée du Petit Palais à Genève, pour les documents iconographiques qu'il a mis à sa disposition pour la réalisation de cet ouvrage.

Page 13 : Giraudon. **15** : Giraudon. **21** : D.R. **23** : Giraudon. **24** : Giraudon. **27** : R.M.N. **28** : Held-Ziolo. **32** : Bibliothèque nationale. **37** : Museum of Art, Cleveland. **39** : Lauros-Giraudon. **42** : Anders. **47** : Lauros-Giraudon.

page 51 : Lauros-Giraudon. **53** : Lauros-Giraudon. **54** : Bulloz. **57** : Routhier-Durand-Ruel. **59** : Giraudon. **62** : Giraudon. **64** : Fleming. **65** : The Art Institute, Chicago. **69** : Lauros-Giraudon. **71** : Scala. **74** : Giraudon. **77** : R.M.N. **78** : Giraudon. **81** : Phot. du musée. **84** : Larousse. **87** : Phot. du musée. **90** : Phot. du musée. **93** : Malvaux. **95** : Scala. **99** : Schwitter.

page 101 : Petit Palais, Genève. **104** : R.M.N. **106** : R.M.N. **110** : Lauros-Giraudon. **113** : Giraudon. **115** : Phot. du musée. **116** : Larousse. **119** : Giraudon. **121** : F. Mayer. **123** : Giraudon. **126-127** : Giraudon. **129** : Petit Palais, Genève. **131** : Phot. du musée. **136** : Petit Palais, Genève. **137** : Oscar Ghez. **140** : Phot. du musée. **143** : Babey-Ziolo. **144-145** : Phot. du musée. **147** : Giraudon.

page 153 : Giraudon. **159** : Lauros-Giraudon. **160** : Larousse. **162** : Petit Palais, Genève. **166** : Lauros-Giraudon. **167** : R.M.N. **170-171** : Lauros-Giraudon. **172** : Phot. du musée. **175** : Giraudon. **176** : Scala. **178** : Lauros-Giraudon. **179** : Petit Palais, Genève. **185** : Petit Palais, Genève. **187** : Lauros-Giraudon. **190** : R.M.N. **191** : Fabbri. **193** : Lauros-Giraudon. **195** : M.O.M.A., New York. **197** : Lauros-Giraudon.

page 201 : Giraudon. **203** : Lauros-Giraudon. **207** : Publications filmées d'Art et d'Histoire. **208** : Lauros-Giraudon. **209** : Lauros-Giraudon. **216** : Petit Palais, Genève. **219** : Phot. du musée. **220** : Giraudon. **222** : Lauros-Giraudon. **224** : Lauros-Giraudon. **227** : Phot. du musée. **229** : Lauros-Giraudon. **230** : Phot. du musée. **232** : O. Vaering. **233** : Phot. du musée.

235 : coll. Oscar Ghez. **237** : Giraudon. **239** : coll. Oscar Ghez. **240-241** : Scala. **242** : coll. Oscar Ghez. **245** : Châtelain. **246** : Lauros-Giraudon. **248** : Phot. du musée.

page 250 : Petit Palais, Genève. **251** : Scala. **253** : Giraudon. **255** : Fabbri. **256** : Larousse. **258** : Mayer. **261** : Lauros-Giraudon. **262** : Martin-Ferrières. **267** : Phot. du musée. **271** : Phot. Cercle d'art. **274-275** : Giraudon. **277** : Lauros-Giraudon. **279** : Giraudon. **281** : Nasjonalgalleriet, Oslo. **282** : Alfred Schiller. **284** : Mills et Fils. **287** : Petit Palais, Genève. **291** : R.M.N. **295** : Giraudon. **298** : Lauros-Giraudon.

page 300 : Phot. du musée. **302-303** : Lauros-Giraudon. **304** : Larousse. **308-209** : Larousse. **311** : Phot. du musée. **313** : Fabbri. **315** : Giraudon. **316** : Tass. **319** : Phot. du musée. **323** : Giraudon. **325** : Phot. du musée. **327** : Held. **328** : Phot. du musée. **329** : Phot. du musée. **332** : Phot. du musée. **334** : G. Rampazzi. **337** : Larousse. **339** : Lauros-Giraudon. **341** : F. Mayer. **343** : John Mill, Liverpool. **344** : Giraudon. **345** : Phot. du musée. **347** : Giraudon. **349** : Phot. du musée.

page 351 : Oronoz-Artephot. **353** : D.R. **356** : Larousse. **359** : Petit Palais, Genève. **360** : coll. Oscar Ghez. **363** : Phot. du musée. **369** : Fleming. **373** : Larousse. **374** : Giraudon. **376-377** : Phot. du musée. **385** : Giraudon. **389** : R.M.N. **392** : Giraudon. **393** : Scala. **396** : Phot. du musée.

Table des matières

Aubin Imprimeur

LIGUGÉ, POITIERS

Photocomposition Maury Malesherbes
Dépôt légal mars 1992
N° de série éditeur 16844
N° d'imprimeur P 39518
Imprimé en France
(Printed in France) – 740068 – mars 1992